CW00433592

Ursula Raddatz

« Ein Stapel ungelesener Briefe »

Historischer Roman

aus der Zeit zwischen 1890 und 1914

www.tredition.de

Impressum:

copyright 2020 Ursula Raddatz

Umschlaggestaltung Ursula Raddatz
unter Verwendung einer Steindruckpostkarte
eines anonymen Künstlers - um 1920

Verlag und Druck: tredition GmbH
Halenreie 40-44, 22359 Hamburg.

978-3-347-15911-2 (Paperback)
978-3-347-15912-9 (Hardcover)
978-3-347-15913-6 (e-Book)

Buchbeschreibung:

«Ein Stapel ungelesener Briefe» ist die Fortsetzung des vorigen Romans «Fremd sind mir Stadt und Land» an und beginnt dort, wo der Letzte endete.

Es ist 1890, Wilhelmine, Tochter von Wilhelm und Friederike Schulze, läuft in der Nacht zu ihrem 19. Geburtstag davon. Die Eltern, vor allem die Mutter, bleiben ratlos zurück, verstehen nicht, was das Mädchen davon treibt.

Wilhelmine, nennt sich bald Wilma, kommt in Berlin bei ihrer Tante und Kusine unter. Sie glaubt, hier, in der Großstadt, ihre Schulbildung zu erweitern, was in Kappeln nicht möglich war. Schnell muss sie feststellen, dass auch hier Mädchen und Frauen harte Grenzen gesetzt sind.

Während in Kappeln die Mutter verzweifelte Briefe an ihre Tochter schreibt, die ungelesen und unbeantwortet bleiben, stellt sich Wilma in Berlin dem Glanz und Elend der Jahrhundertwende. Namhafte Persönlichkeiten begleiten sie dabei, sie schaut aber auch hinter die Fassaden, kommt mit starken Frauen in Berührung, die für die Ärmsten der Armen kämpfen und lernt auch bald die Liebe kennen.

Die Mutter schreibt weiter Briefe, lange ohne Hoffnung darauf, dass ihr Kind sich meldet. Wird Wilma ihr irgendwann antworten? Werden die beiden eines Tages zusammenfinden und wie verändert die große Stadt Berlin eine junge Frau, die aus der Beschaulichkeit der Kleinstadt geflohen ist?

Lesen Sie selbst, fiebern Sie mit, wenn wieder einmal ein Brief unterwegs ist, von Kappeln nach Berlin....wird auch er ungelesen bleiben?

«Ein Stapel ungelesener Briefe»

Historischer Roman aus der Zeit zwischen 1890 und 1914
Die Schauplätze: Berlin und Kappeln

Personenregister :

Fiktive Personen:

Hauptpersonen:

Wilhelmine/ Wilma Schulze, Tochter – geb.18.01.1871 in Kappeln

Friederike Schulze , Mutter – geb.28.02.1851 in Berlin

Familie:

Wilhelm Schulze , Vater – geb. 05.09. 1844 in Danzig

Otto Schulze, Großvater – ehem. Lehrer, Ostpreuße

Marie Schulze, Großmutter – geb. Zameitat Ostpreußin

Annemarie Clementi, Tante, Schwester von Wilhelm Schulze, Witwe von

Joachim Clementi, Onkel und Vater von Leila, verst. 09.01.1871 im Krieg

Leila (Elisabeth) Clementi, Kusine geb. 09.01.1871 in Berlin

Carl Meurer, Archäologe, Wilmas Lebensgefährte 30.06. 1865 in Potsdam

Alexander, Wilmas Sohn

Andere:

Jan Paulsen, Kinder- und Jugendfreund – geb. 01.07.1867 in Kappeln

Meta Paulsen, Jans Mutter und Freundin von Friederike geb. 28.02.1851

Henriette Polzin, genannt "die rote Jette", Freundin von Wilma

Ottilie Meister, genannt "Otti", Freundin von Wilma

Auguste Mehn, Dienstmädchen bei Annemarie, geb. 1876 in Brandenburg

Janne, eigentl. Johanna, Dienstmädchen bei Friederike Schulze

Annchen, Dienstmädchen , Nachfolgerin von Janne

Ramon Santi, junger Schauspieler am Schauspielhaus in Berlin

Richard von Dahlen, Wilmas unzuverlässiger Freund

Walter Dernau, Alexanders Klassenlehrer und Wilmas Freund

Hermine Kollborn, Friederikes Ersatztochter

Reale Personen:

In Berlin:

Wilhelm II. deutscher Kaiser und König von Preußen (1859–1941)

Wilhelm Bode, Leiter des neuen Museums in Berlin- später Bode-Museum

August Aschinger, Inhaber der Stehbierhallen, geb. 08.04.1862, + 28.01.1911

Max Liebermann, Maler und Leiter der «Berliner Sezession»

Martha Liebermann, seine Ehefrau

Robert Koldewey, Archäologe, Babylons Entdecker, 1855-1925

Max von Oppenheim, Archäologe, Orientalist, 1860-1946

Ludwig Borchardt, Ägyptologe, fand die Büste der Nofretete, 1863-1938

Friedrich Delitzsch, Direktor der vorderasiatischen Abteilung im Museum

Clara Zetkin, Friedensaktivistin und Frauenrechtlerin, 1857-1933

Rosa Luxemburg, deutsch-poln. sozialistische Politikerin, 1871-1919

Helene Lange, Politikerin, Pädagogin und Frauenrechtlerin, 1848-1930

In Kappeln:

Dr. Otto Spliedt, Hausarzt der Familien Schulze + Paulsen, 1836-1901

Dr. Gustav Spliedt, Sohn und Nachfolger, ebenf. Hausarzt, 1877-1955

Carl Eduard Claussen, Rechtsanwalt, Fabrikbesitzer, 1819-1905

Kanzleirat Wilhelm Seehusen, 1833-1917 Stifter des Altenheimes

Jacob Moser, Kaufmann, Stifter, Ehrenbürger, 1839-1922

Emanuel Lorentzen, Holzkaufmann, schwedischer Vizekonsul,1875-1960

Friedrich Hadenfeld, Betreiber der Mühle Amanda von 1900-1934

Theodor Ancker, gründete 1869 eine Ziegelei in Kappeln

Bürgermeister von Kappeln:

Bgm. Kausch, 1890-1893

Bgm. Plevka, 1893-1905

Bgm. Schreck, 1905-1917

So ist das Leben und so muss man es nehmen,

tapfer, unverzagt und lächelnd - trotz alledem

Zitat von Rosa Luxemburg (1870 - 1919),
Deutsche sozialistische Politikerin polnischer Herkunft,
Mitbegründerin der KPD

1. Kappeln, 18. Januar 1890

Auf Zehenspitzen schlich Friederike zum Zimmer ihrer Tochter. Sie freute sich auf diesen Tag, den neunzehnten Geburtstag Wilhelmines. Er sollte etwas ganz Besonderes werden und wieder ein Lächeln in das verschlossene Gesicht ihres Mädchens zaubern. Behutsam drückte sie die Türklinke herunter und öffnete die Tür einen Spalt weit. Im Dunkel dieses grauen Januartages erkannte sie nur schemenhaft die Umrisse des Bettes. Sie lauschte, tiefe Stille, von draußen drang kein Laut durch das geschlossene Fenster.

«Minchen, aufwachen, du hast Geburtstag ….»

Es blieb still, Friederike versuchte es erneut: «Aufstehen, mein Kind…»

Wieder erhielt sie keine Antwort. Ein seltsames Gefühl beschlich sie, da stimmte etwas nicht. Sie tastete neben der Tür nach dem Lichtschalter und dankte insgeheim ihrem Mann, der als einer der Ersten in dieser Stadt sich auf die Elektrizität eingelassen und Strom ins Haus hatte legen lassen.

Grell flammte das Licht der Deckenlampe auf und Friederike erkannte, warum ihre Tochter weder aufgewacht, noch sich geregt und ihr auch nicht geantwortet hatte. Ihr Bett war leer.

«Nein! Oh nein, das ist doch nicht möglich! Minchen, wo bist du?» Riekes Schrei hallte schrill durch die Morgenstille des kleinen Hauses an der Schlei, weckte Ihren Mann Wilhelm und Janne, die Dienstmagd. Mit weit aufgerissenen Augen sah sie sich um, ehe sie auf dem unbenutzten Bett ihrer Tochter zusammensank. Die polternden Schritte ihres Ehemannes auf der Treppe hörte sie schon nicht mehr, eine gnädige Ohnmacht hielt sie umfangen. Wilhelm Schulze genügte ein Blick in das Zimmer, um die Situation zu erkennen. So rasch der schwere, über vierzigjährige Mann konnte, eilte er zum Bett und schloss seine Frau in die Arme, rieb ihr sanft die Stirn und hoffte, dass sie bald aus ihrer Bewusstlosigkeit erwachen würde. Seine Augen schweiften suchend durch das Jungmädchenzimmer. Was hatte Rieke so erschreckt? Auf den ersten Blick fiel ihm nichts auf. Er dachte kurz daran, wie hingebungsvoll Friederike den Raum eingerichtet hatte, als sie schwanger war, für das Töchterlein, das ihr einziges Kind bleiben sollte. Wilhelmine nannten sie das zarte Mädchen, nach ihm, dem Vater und nach Wilhelm, dem König von Preußen, der in dem Augenblick als das Kind zur Welt kam, zum ersten Kaiser des Deutschen Reiches gekrönt wurde. Er, Wilhelm Schulze, preußischer Beamter und Baubeauftragter in Kappeln, liebte das winzige Wesen von dem Moment an, als seine Frau ihm den Säugling in die Arme legte. Nie würde er den intensiven Blick vergessen, mit dem ihn das Neugeborene angeschaut hatte, fragend und wissend zugleich. Fragend, ob er sich auch richtig kümmern würde und wissend, dass es bei ihm in guten Händen wäre. Hatte der Doktor nicht kurz zuvor behauptet, solch kleine Kinder könnten nicht gut sehen und kaum etwas aus ihrer Umgebung erkennen? Der Arzt erkannte das Besondere in dem winzigen Mädchen nicht, das anders als alle Kleinkinder zu sein schien. Minchen, sein Minchen, wie sie bald genannt wurde, wurde zum Sonnenschein in seinem Leben. Als es klar war, dass Rieke ihm kein weiteres Kind mehr schenken würde, schüttete er alle Liebe, zu der er fähig war, über die Tochter aus. Nun war sie fort. Sollte sie davongelaufen sein? Aber warum? Wilhelm fiel das unbenutzte Bett ebenfalls auf und die ungewohnte Ordnung, doch er sah nirgendwo eine Nachricht, einen Brief, nichts, das über Minchens Verbleib Aufschluss gab. Ob Friederike mehr wusste? Ob sie ahnte, wo das Mädchen sein könnte?

«Liebes», vorsichtig schüttelte er seine Frau, legte ihren zarten Körper ein wenig bequemer hin, «Rieke, bitte, so wach doch auf! Wo ist Wilhelmine?»

Im selben Augenblick öffnete Friederike ihre Augen, setzte sich auf und schaute sich verwundert um.

«Wo ist unser Minchen», flüsterte sie, sichtlich verwirrt, «was tue ich hier, in ihrem Zimmer, auf ihrem Bett?»

Sie schien vergessen zu haben, dass sie ihre Tochter suchte, die Kammer leer und verlassen vorfand.

«Liebes, lass uns hinunter in die Stube gehen, dort reden wir in Ruhe über alles», sanft streichelte Wilhelm über die blasse Wange seiner Frau. Die ließ sich von ihm beinahe willenlos nach unten führen, wo Janne, das Dienstmädchen, bereits den Frühstückstisch gedeckt hatte und soeben mit dem Kaffee hereinkam, dessen aromatischer Duft Friederikes Lebensgeister wecken sollte. Dieses Mal verfehlte der Kaffee seinen Zweck. Rieke ließ sich matt auf den Stuhl sinken und vermied es, ihrem Mann in die Augen zu schauen. Wie sollte sie ihm erklären, dass sie schon seit geraumer Zeit ahnte, dass mit ihrer Tochter etwas nicht stimmte. Seit dem Weihnachtsfest, das in gedrückter Stimmung begangen wurde, weil die geplante Verlobung mit Jan Paulsen, Minchens langjährigem Jugendfreund, nicht stattfand, änderte sich das Verhalten des jungen Mädchens von Tag zu Tag. Immer stiller wurde die sonst so fröhliche Wilhelmine, zog sich immer öfter in ihr Zimmer zurück und war nicht ansprechbar. Auf die Fragen der besorgten Mutter antwortete sie einsilbig oder gar nicht und bedachte sie mit einem solch abweisenden Blick, dass Friederike sich erschrocken abwandte. Sie fühlte sich hilflos, wusste nicht, wie sie sich Minchen gegenüber verhalten sollte. Tausend Fragen hätte sie ihrer Tochter gern gestellt, doch die blieben ungesagt und unbeantwortet. Sorgenvoll besprach sich Rieke mit Meta Paulsen, ihrer Nachbarin, besten Freundin und Mutter von Jan. Doch auch Meta wusste nicht, was zwischen den beiden jungen Menschen vorgefallen sein mochte. Jan, der gleich nach den Weihnachtsfeiertagen beinahe überstürzt zurück nach Kiel gefahren war, um weiterzustudieren, wie er behauptete, schwieg sich aus. Ihn konnten die zwei Frauen auch nicht fragen. Jan und Minchen waren schon als Kinder unzertrennlich, der kräftige blonde Junge mit dem schelmischen Lachen und Augen, so blau wie ein Frühlingshimmel und das zierliche Mädchen mit dem haselnussbraunen Haar und Bernsteinaugen. Jan war für sie wie ein großer Bruder, weil er, ebenso wie Wilhelmine, ein Einzelkind blieb. Die beiden lernten, spielten, aßen gemeinsam und darüber wurden ihre Mütter zu Freundinnen. Als Jan das Gymnasium besuchte, änderte sich noch nichts. Erst als er ein Studium begann und nach Kiel in eine karge Studentenbude zog, spürten die jungen Leute, dass sie viel mehr verband, als eine Kinderfreundschaft.

Sollte es wirklich Liebe sein, fragten sie sich, oder ist es die Verlorenheit, die sich einstellte, als sie auf einmal ohne einander auskommen mussten? Wann immer Jan in den Semesterferien nach Hause kam, sprachen sie darüber und wurden sich einig, dass sie zueinander gehörten. Ihre Liebe wollten sie mit der Verlobung an diesem Weihnachtsfest besiegeln und das teilten sie den Eltern mit. Die Freude schien auf allen Seiten groß. Was ging aber dann so schief?

«Ach Wilhelm», seufzte Friederike, «wo mag unser Kind sein. Ohne ein Wort, uns einfach zu verlassen, wie konnte sie das tun! Nicht einmal einen Brief schrieb sie. Glaube mir, ich mache mir die größten Sorgen um Minchen.»

«Ich verstehe es auch nicht, mein Riekchen», meinte Wilhelm und sah seine Frau sorgenvoll an, «was hat Wilhelmine zu solch einem Schritt getrieben. Sie hatte es doch gut bei uns und wir haben ihr jeden Wunsch erfüllt, wenn es irgendwie möglich war.»

«Ja», dachte Friederike und unterdrückte eine aufkeimende Vorahnung, «wenn es uns möglich war.»

Tief in ihrem Herzen glaubte sie zu ahnen, was Minchen aus dem Elternhaus getrieben haben könnte, doch diese Vermutung behielt sie für sich.

Wilhelm, dem die Überlegungen seiner Frau verschlossen blieben, wandte sich zu Janne um, die soeben mit einer Kanne frischen Kaffees die Stube betrat.

«Räume bitte das dritte Gedeck ab, Janne, das benötigen wir nicht mehr!»

«Niemals mehr», setzte Friederike in Gedanken hinzu und ließ ihren Tränen freien Lauf...

2. Unterwegs nach Berlin, 18. Januar 1890

«Frei sein, frei sein, frei sein», sangen die Räder der Eisenbahn und gaben ratternd den Takt vor, der das junge Mädchen langsam einlullte. Der Kopf sank Wilhelmine auf die Brust und sie fing an zu träumen, träumte von blühenden Wiesen, grünen Wäldern und in der Ferne die Stadt, die große Metropole, die bald ihr Zuhause sein würde. Sie sah sich durch breite Straßen bummeln, in die neueste Mode gekleidet, am Arm eines Kavaliers. Sie sah hoch, wollte ihm ins Gesicht schauen, wollte wissen, wer sie da begleitete, da riss ein unsanfter Rippenstoß sie aus dem Halbschlaf. Wilhelmine schreckte auf, fand sich, jäh aus dem schönen Traum gerissen, in einem muffigen Zugabteil dritter Klasse wieder, eingekeilt zwischen einer dicken Bäuerin, die mit einem noch dickeren Korb auf dem Schoß sich unsanft auf der harten Holzbank breitmachte und Wilhelmine einen schmerzhaften Stoß mit ihrem Ellenbogen versetzte. Unversehens in ihrem kurzen Schlummer unterbrochen, fand das Mädchen nicht so rasch in die Wirklichkeit zurück. Ein penetranter Geruch nach ungewaschenen Menschen stieg ihr in die Nase, der sich mit den Ausdünstungen der Hühner mischte, die mit gefesselten Beinen im Korb neben ihr lagen, so still, als wären sie schon tot. Auf der anderen Seite biss ein hagerer älterer Mann mit schütterem Haar und dünnem Bart, herzhaft in ein dickes Brot, das mit etwas streng Riechendem belegt war. Bewegen konnte sich Wilhelmine nur wenig, das Fenster lag außerhalb ihrer Sichtweite und sie machte sich Sorgen, ihr Ziel verpasst zu haben.

«Bitte», wandte sie sich schüchtern an die Sitznachbarin, «können Sie mir vielleicht sagen, ob es noch weit ist bis Berlin?»

«Ach ne, nach Berlin willste? Hab ick mir schon jedacht», die Bäuerin lachte breit, «det dauert noch. Wo willste denn hin? Wirste abjeholt?»

«Vielen Dank, aber meine Tante erwartet mich!»

Wilhelmine drehte sich zur Seite, die Bäuerin schien ihr zu neugierig. Der Mann neben ihr kaute mit vollen Backen und beäugte sie. Das Mädchen schloss die Augen, tat so, als ob es weiterschliefe und atmete bewusst langsam und gleichmäßig. Seltsam, dachte Wilhelmine, wovon hatte sie geträumt? Vergeblich versuchte sie sich zu erinnern, doch nur ein vages Gefühl von Freiheit und Abenteuer stieg in ihr auf. Dieses Gefühl begleitete sie seit ihrem Aufbruch von Zuhause. Seit sie den Norden und die kleine verträumte Stadt Kappeln am Ufer der Schlei hinter sich gelassen hatte, spürte sie, wie die Ängste von ihr abfielen, sie leichter atmete und ihre Zukunft wie ein leuchtender Stern am Himmel über ihr stand.

«Warum soll ich nicht nach den Sternen greifen», dachte sie, «warum darf ich meine Zukunft nicht selbst in die Hand nehmen? Ich glaube fest daran, dass in Berlin das Glück auf mich wartet!»

Ein weiterer grober Stoß brachte Wilhelmine wieder auf den Boden der Tatsachen. In das bereits vollbesetzte Abteil drängte sich rücksichtslos ein neuer Fahrgast, und der Korb der dicken Bäuerin traf das junge Mädchen schmerzhaft in die ohnehin schon geprellten Rippen. Vorüber schien der kurze Moment der Euphorie und der Sehnsucht nach einer goldenen Zukunft.

«Wäre ich doch endlich am Ziel», dachte sie niedergeschlagen, «nie im Leben hätte ich mir diese Fahrt so furchtbar und so lang vorgestellt.»

Die Reisen nach Berlin, die sie mit ihren Eltern als Kind unternommen hatte, vergingen meistens wie im Flug. Nicht nur, dass sie erster Klasse reisten, nein, der Vater gestaltete die Fahrten so kurzweilig, dass es dem wissbegierigen Mädchen nie zu viel wurde. Mutter, wie immer um das leibliche Wohl besorgt, packte die feinsten Dinge in den Picknickkorb und am Bahnhof wartet stets schon die Kutsche der Großeltern auf sie.

Ach ja, die noble Kutsche, aus der Großmama Lavalle stieg, jederzeit ganz Dame, die mit dem Heben einer Augenbraue den Diener anwies, die Koffer aufzuladen, um dann das kleine Mädchen mit sorgsam gespitzten Lippen zu küssen. Die Scheu vor der Mutter ihrer Mutter verließ Wilhelmine auch in späteren Jahren nie, zu vornehm und distanziert erschien ihr die Nachfahrin der Hugenotten, die auch im Alter noch am liebsten Französisch sprach und sich für etwas Besseres hielt. Leider verstarben sie und Großvater Lavalle vor ein paar Jahren, kurz nacheinander. Seitdem war das Verhältnis zu Großmutter Schulze enger und inniger geworden. Die fröhliche behäbige Ostpreußin drückte die Kleine bei ihren Besuchen stets so fest an ihren umfangreichen Busen, dass Wilhelmine Angst hatte, zu ersticken. Und kochen konnte sie, ihre Pfannkuchen waren das Beste, das Minchen jemals gegessen hatte. Beinahe hatte sie deren köstlichen Duft wieder in der Nase. Wenn sie sich erst etabliert hätte, in Berlin, dann würde sie die Großeltern ganz bestimmt aufsuchen. Doch noch schien es besser, wenn die beiden alten Leutchen nichts von Minchens Aufenthalt in Berlin wussten. Wenn sie erst einmal....

Wieder traf sie ein heftiger Ellenbogenstoß und riss sie in die raue Wirklichkeit zurück. Diesmal kam er von dem Mann neben ihr, der seine Stulle aufgegessen hatte und sich kräftig in ein schmuddeliges Taschentuch schnäuzte.

«Nu, Frolleinchen, wolln se denn nich aussteigen? Hier jehts nich weiter, Endstation, vastehn se?»

Die Bäuerin quälte sich umständlich aus der Sitzbank und schubste dabei Wilhelmine mit hinunter. Die angelte sich ihren Koffer und stieg im bequemen Kielwasser der Dicken aus dem Zug.

«Wissense, denn wohin? Da drüben jibts Droschken, ooch welche zweeter Klasse, wenn se jerade nich bei Kasse sind», die Bäuerin gab nicht auf.

«Danke, ich werde abgeholt», gab Wilhelmine knapp zur Antwort und ignorierte die neugierigen Blicke.

Draußen auf dem Bahnsteig blieb sie stehen, wollte sich kurz orientieren, doch die Menge der Reisenden schob sie unbarmherzig vorwärts.

«Willste hier festwachsen oder wat?» Ein grober Kerl drängte sich an ihr vorbei und trat ihr rücksichtslos auf die Zehen, als sie stehenblieb. Wilhelmine wurde angerempelt, zur Seite geschoben und spürte das schmiedeeiserne Geländer, das die Bahnhofshalle abgrenzte, schmerzhaft an ihrer Hüfte. Alle Welt eilte an Wilhelmine vorüber, so kam es ihr vor. Sie hielt sich krampfhaft an den Streben fest und schaute sich um. Panik überfiel sie, so viele Menschen drängten sich auf engstem Raum. Männer, Frauen, Kinder, Mägde mit großen Körben, Gepäckträger, die sich ohne Rücksicht ihren Weg bahnten, Damen, die ihre Röcke rafften, Herren, die ihren Zylinder festhielten, Arbeiter, abgekämpft und schmutzig, Mütter, die ihre Kinder fest an der Hand hielten. Dazwischen tummelten sich freche Jungs, die alles verkauften, was sich zu Geld machen ließ und auch den Griff in fremde Taschen nicht scheuten. Der Lärm um sie herum war unbeschreiblich, Lachen und Fluchen, Kreischen und Heulen, dazu das Dröhnen der eisernen Räder, das Zischen von Dampf aus den Lokomotiven, Rauch, der die Bahnhofshalle vernebelte. Wilhelmine sah sich verschüchtert um.

Wieso war sie nicht höher gewachsen, kaum dass sie über die Schulter der vor ihr Gehenden blicken konnte. Wie sollte sie so ihre Kusine finden.

«Wo bleibst du nur, Elisabeth», flüsterte sie, «wirst du kommen? Wirst du mich finden? Hast du meinen Brief überhaupt erhalten?»

Wilhelmine fühlte Angst in sich aufsteigen, eine abgrundtiefe Angst, die ihr den Atem raubte. Wie furchtbar, wenn niemand sie holen käme, kein Brief von ihr die Kusine erreicht hätte. Das wäre das Ende ihrer Reise. Allein traute sie sich aus diesem Menschengewühl nie heraus. Wo sollte sie hin? Die Adresse der Tante, die sie heimlich aufgeschrieben hatte, lag irgendwo in ihrer Reisetasche, unmöglich, sie hier zu öffnen, wo sie selbst kaum genug Platz zum Stehen hatte.

«Oh Himmel hilf», dachte sie verzweifelt, «wie soll Elisabeth mich finden, sie weiß doch gar nicht, wie ich jetzt aussehe. Das letzte Mal, als ich sie mit den Eltern in Berlin besuchte, ging ich noch zur Schule!»

Daran, dass sie selbst ihre Kusine sofort erkennen würde, daran zweifelte sie nicht einen Augenblick. Das feuerrote Haar, die hochaufgeschossene dünne Gestalt und die grünen Augen, all das konnte sich kaum verändert haben.

Ein gellender Pfiff, ein neuer Dampfstoß, dann rollte der Zug gemächlich aus der Halle. Als der dichte Rauch sich endlich verzogen hatte, sah Wilhelmine überrascht, dass es um sie herum deutlich ruhiger und leerer geworden war. Nur ein spindeldürrer Junge, der gemeinsam mit einem noch magereren Hund einen vollbepackten Karren zog, schlurfte teilnahmslos an ihr vorbei. Wilhelmine reckte sich, sah sich nach allen Seiten um und konnte nicht das Geringste von Elisabeth entdecken. Sie würde wohl doch den zweifelhaften Schutz des Bahnhofs verlassen müssen und sich mutig ins Großstadtgetümmel stürzen. Nur noch einen einzigen, einen winzigen Augenblick verweilen wollte sie, dann liefe sie los, versprach sie sich selbst und hob die Reisetasche an, die sie zwischen ihren Füßen abgestellt hatte.

«Ach, sieh mal einer an, das Minchen», hörte sie eine helle spöttische Stimme neben sich und fuhr erschrocken in die Höhe, «fast hätte ich geglaubt, du kneifst im letzten Moment und bleibst doch lieber bei der Mama!»

«Elisabeth!» Wilhelmine fiel der Kusine um den Hals, «endlich, endlich, ich glaubte schon....»

Die Tränen erstickten jedes weitere Wort. Schluchzend und schniefend stand sie da und sah ihre Kusine staunend an. Kaum zu glauben, wie die sich verändert hatte. Die schlaksige Magerkeit war einer aparten, schlanken Figur gewichen und das karottenrote Haar loderte nun in einem satten Kupferton, der die vornehme Blässe der Haut noch unterstrich. Nur die grünen Augen funkelten belustigt, genauso wie früher. Elisabeth betrachtete ihre Kusine ein wenig von oben herab, wie eine Großstadtpflanze so ein Landei eben anschaut.

«Na, was denn, hast du gedacht, ich lasse dich hier einsam und allein herumstehen? Was denkst du, wie oft ich heute schon hier war, immer dann, wenn ein Zug aus dem Norden erwartet wurde, suchte ich nach dir. Und jetzt bist du endlich da. Nun mach schon, meine Mutter denkt sicher, ich wäre unter die Räder gekommen!»

Wortlos, beinahe willenlos ließ sich Wilhelmine mitziehen. Draußen vor dem Bahnhofsgebäude rief Elisabeth mit der Selbstverständlichkeit eines echten Großstadtkindes eine freie Droschke heran. Staunend stieg Wilhelmine ein, nur einen Moment zögernd, als sie dem Kutscher ihre Tasche überlassen sollte.

«Elisabeth, wie hast du dich verändert», stammelte sie, als die Kusine sich neben sie auf den Sitz fallen ließ, «ehrlich, ich hätte dich nicht wiedererkannt. Du siehst so erwachsen aus, obwohl du nur ein paar Tage älter bist als ich.»

«Na ja, hat auch lange genug gedauert, bis Mutter merkte, dass ich kein Kind mehr bin. Und sag nicht Elisabeth zu mir. Seit meinem letzten Geburtstag nenne ich mich Leila. Das steht mir besser, denke ich!».

«Leila? Hört sich irgendwie orientalisch an», meinte Wilhelmine skeptisch, «wie eine osmanische Haremsdame siehst du aber nicht aus, finde ich.»

«Na und?» Elisabeth-Leila konterte gewandt, «der Orient ist hier in Berlin gerade en vogue und ich will mit der Zeit gehen, modern sein. Elisabeth, das hört sich altjüngferlich an, genauso wie Wilhelmine. Für dich finden wir auch noch einen anderen Namen.»

Über die unmöglichsten neuen Namen für Minchen immer wieder in lautes Gelächter ausbrechend, ließen sich die Kusinen durch Berlin kutschieren. Von der Hauptstadt bekam Wilhelmine wenig mit, weil sie ihr Spiegelbild im nicht sehr sauberen Fenster der Kutsche anschaute und mit sich unzufrieden war.

«Hab ich mich denn gar nicht in eine erwachsene Frau verwandelt, liebe Leila», meinte sie nachdenklich, «weil du mich doch sofort erkanntest?»

Mit einem übermütigen Blitzen in den grünen Augen betrachtete die Kusine sie ausgiebig. Gespannt erwartete Wilhelmine das Urteil.

«Mh, ja, doch, verändert hast du dich schon», Leila machte es spannend, «du bist zwar immer noch recht klein und hast, wie vorher auch, diese haselnussbraunen Locken und die braunen Augen, die du gerade aufreißt, wie ein erschrockenes Reh. Aber trotzdem bist du erwachsener geworden und hast eine etwas weiblichere Figur, mit einer beneidenswert schmalen Taille. Was dich ausmacht, meine Liebe, ist das unwiderstehliche Lächeln, das jeden sofort bezaubert. Reicht dir das? Wir sind nämlich gleich da.»

Leila lachte und Wilhelmine fiel mit ein. So, wie die Kusine sie beschrieb, hatte sie sich selbst noch nie betrachtet. Ob die Tante wohl einen großen Spiegel hatte, in dem sie sich anschauen durfte? War sie so, wie Eli... Leila, verbesserte sie sich in Gedanken, beinahe eine junge Dame, die ihr Leben in die eigenen Hände nahm? Mit einem Ruck hielt die Droschke. Verwirrt schaute sie sich um, während Leila dem Kutscher ein paar Münzen reichte. Sie war es auch, die sich die Reisetasche griff und die immer noch staunende Wilhelmine am Arm mit sich zog. Die sah ungläubig an den vier- bis fünfstöckigen Gebäuden mit eindrucksvollen Fassaden empor, die sich die Straße entlang aneinanderreihten. Nur das Haus, vor dem sie standen, wirkte wie ein Kind zwischen lauter Erwachsenen. Es war sichtlich älter und nur zwei Etagen hoch, dazu etwas renovierungsbedürftig und stach aus den vornehmen Nachbarbauten heraus. Ausgerechnet dorthin zog Leila die Kusine, die ihre Enttäuschung nur schwer verbergen konnte. Die Tür öffnete sich und ein spindeldürres Mädchen nahm Leila wortlos die Tasche ab.

«Auguste, ist die Mutter da? Hast du etwas Anständiges gekocht? Nun steh doch nicht so rum, lass uns endlich rein!»

Kopfschüttelnd drängte sich Leila an dem Mädchen vorbei. Wilhelmine folgte ihr, immer noch reichlich verwirrt. Wer war nur dieses Mädchen? Die Antwort musste warten, denn die Dame des Hauses erschien auf der Treppe und ließ ihren Blick über die verlegene Wilhelmine schweifen.

«Das ist aber eine nette Überraschung, meine liebe Nichte, dass du uns in Berlin besuchst. Wie geht es meinem lieben Bruder und deiner Mama? Dass sie dich mitten im Winter so eine weite Reise allein unternehmen lassen, erstaunt mich sehr, doch dafür werden sie wohl ihre Gründe gehabt haben, die du mir sicher darlegen wirst. Auf jeden Fall heiße ich dich ganz herzlich bei uns willkommen, Wilhelmine und hoffe, dass du dich bei uns wohlfühlst. Auguste hat Elisabeths Zimmer für euch beide umgestellt. Unterm Dach gibt es zwar noch ein Kämmerchen, aber das ist nicht zu heizen und deshalb im Winter nicht bewohnbar. Nun lauf, lass dir alles zeigen. Wir sehen uns beim Essen!»

Abrupt brach die Tante ihren Redeschwall ab und ließ die Mädchen einfach stehen. Leila lachte, als ihre Mutter in der Tür zum Salon verschwand.

«Mach dir nichts draus, Minchen, so ist sie nun mal, deine Tante. Ihr großes Herz verbirgt sie gern hinter einer kühlen Fassade. Komm, damit du dich ein bisschen herrichten kannst. Ich zeige dir unser Zimmer.»

Wilhelmine, die nicht viele Erinnerungen an die jüngere Schwester ihres Vaters hatte, erkannte schnell die Ähnlichkeiten zwischen Annemarie und Wilhelm Schulze. Beide waren kräftig gebaut, mit rundlichen Gesichtern und warmen braunen Augen. Wo beim Vater das dunkle Haar sich bereits etwas lichtete, prangten bei seiner Schwester noch viele Locken, zu einer raffinierten Frisur aufgesteckt. Beide trugen ihr gefühlvolles Herz nicht auf der Zunge. Wilhelmine ahnte, dass sie es hier gut haben würde, wenn, ja wenn sie sich durchringen könnte, die Wahrheit zu gestehen.

«Nun komm endlich, grübeln kannst du später. Ich will jetzt unbedingt wissen, was dich wirklich hierher treibt. Dass du hier nur ein paar Wochen unsere gute Berliner Luft genießen willst, kannst du deiner Großmutter erzählen, aber ganz bestimmt nicht mir. Ach ja, du musst dir schon eine gute Ausrede für meine Mutter einfallen lassen, warum du nicht bei Oma Schulze abgestiegen bist. Nun komm!»

Ungeduldig zerrte Leila das wie erstarrt dastehende Mädchen die Treppe hinauf bis zu einer Tür, die in einen Raum führte, der Wilhelmine ein weiteres Mal staunen ließ. Hohe Decken, üppig mit Stuck verziert, weiß gestrichene Wände, die das Zimmer geräumiger wirken ließen und große Fenster, die auf der Rückseite des Hauses in einen Garten schauten, in dem ein riesiger Baum die winterkahlen Äste in die frostige Luft reckte.

«Oh, wie schön!» Wilhelmines Ausruf galt nicht etwa der Aussicht, sondern den zierlichen Möbeln, wie für eine Prinzessin gemacht, weiß mit goldenen Schnörkeln und mit zartrosa Stoffen bezogenen Sesselchen. Ein großes Bett an der einen Wand, ein weiteres gegenüber, beide mit einem Überwurf, ebenfalls in Rosa gehalten, luden die Mädchen ein, sich dort auszustrecken und über all die wichtigen Nichtigkeiten zu schwatzen, die junge Damen so umtreibt. Die Taschen blieben zunächst unbeachtet und unausgepackt Dann unterbrach Leila abrupt das Geplauder.

«Wolltest du dich nicht noch umziehen und vorher ein bisschen waschen, liebes Minchen? Meine Mutter würde das sicher zu schätzen wissen.»

Mit einem spitzbübischen Lächeln öffnete Leila eine beinahe unsichtbare Tapetentür und präsentierte der sprachlosen Wilhelmine ein Badezimmer, mit einer eigenen Toilette, einem Waschbecken, über dem ein Spiegel hing und sogar einer kleinen Badewanne.

«Da staunst du, was? Mama hatte die ewige Wasserschlepperei satt. Bis man die Wanne von Hand endlich gefüllt hatte, war jedes noch so heiße Wasser längst abgekühlt. Als man die Wasserleitungen in der Nachbarschaft verlegte, fackelte sie nicht lange und ließ sie bei uns auch legen. Puh, ich kann dir sagen, das war ein Lärm und ein Dreck, bis alles fertig war. Hat sich aber gelohnt, oder? Nun mach dich mal landfein und dann gibts endlich was zu futtern. Ich komme schon um vor Hunger!»

Leila schloss die Tür und Wilhelmine beeilte sich mit dem Umkleiden. Eine Katzenwäsche sollte fürs Erste genügen, denn Leilas Ankündigung, dass es bald etwas zu essen gäbe, ließ Minchens Magen nicht unkommentiert. Vernehmlich meldete er sich zu Wort. Mit einem sehnsüchtigen Blick auf die Badewanne verließ sie das Bad und eilte mit Leila hinunter ins Esszimmer, wo die Tante sie erwartete.

«Nehmt bitte Platz, damit Auguste das Essen servieren kann.»

Die Tante deutete auf die Stühle mit der eleganten hohen Lehne, die an der Längsseite des großen Esstisches standen. Sie selbst saß an der Kopfseite, wie es ihr als Hausherrin zustand. Einen Hausherrn gab es schon lange nicht mehr. Der nicht unvermögende Herr mit dem italienisch anmutenden Namen Joachim Clementi ließ seine Frau mit dem ungeborenen Kind zurück, als er im Jahre 1870 gegen Frankreich zog, in den letzten Tagen dieses Krieges von einer verirrten Kugel getroffen wurde und an Ort und Stelle verstarb. Dass ausgerechnet am Tage seines viel zu frühen Todes die kleine Tochter zur Welt kam, schien eine Ironie des Schicksals zu sein. Joachims Ehefrau Annemarie trug seitdem nur noch schwarze Kleidung und duldete nie wieder einen Mann in ihrer Nähe. Allein zog sie ihre Tochter auf und ließ ihr die beste Bildung angedeihen, die ihr möglich war. Das wusste Wilhelmine aus den Erzählungen ihres Vaters, der stets mit einer Mischung aus Bewunderung und Nachsicht von seiner jüngeren Schwester sprach. Das war für sie Grund genug gewesen, sich mit Leila heimlich in Verbindung zu setzen und nicht bei ihren Großeltern Unterschlupf zu suchen. Die befehlsgewohnte Stimme der Tante riss Wilhelmine aus ihren Gedanken.

«Auguste, du kannst auftragen», und zu Minchen gewandt meinte sie, «es wird heute nur ein schlichtes Abendessen geben. Unter der Woche, und wenn es keine Einladungen gibt, pflegen wir recht einfach zu speisen. Ich hoffe, du kannst dich damit anfreunden, meine liebe Nichte» und noch ehe das Mädchen Gelegenheit hatte zu antworten, hob die Tante ihr Glas, «Guten Appetit!»

Dass sich in den kostbaren Kristallgläsern reines Wasser befand, fiel Wilhelmine auf, ebenso wie das blütenweiße Tischtuch. Das schlichte Porzellan kam ihr, wie das Menü, alles andere als einfach vor. Nach der klaren Brühe servierte Auguste kleine, köstlich gefüllte Pastetchen, danach einen zarten Rinderbraten mit buntem Gemüse und Kartoffelpüree. Zum Nachtisch kamen eingemachte Mirabellen auf den Tisch. Wilhelmine fragte sich im Stillen, wie man im Hause Clementi wohl an Feiertagen zu speisen pflegte. Gesprochen wurde während des Essens nicht, die Tante legte gehobenen Wert auf Etikette. Das hatte Leila ihrer Kusine vorher noch rasch zugeflüstert. Dann, nachdem man in den Salon wechselte, kamen von der Tante die Fragen, vor denen sich Wilhelmine insgeheim gefürchtet und auf die sie sich ihre Antworten sorgfältig zurechtgelegt hatte.

«Liebe Nichte», begann Annemarie Clementi, «so gern ich dich hier bei uns aufnehmen will, es gibt doch einige Dinge, die ich mit dir klären möchte. Mir stellt sich vor allem die Frage, was dich mutterseelenallein und mitten im Winter nach Berlin führt. Wieso haben deine Eltern dich nicht angekündigt? Kannst du mir das beantworten?»

«Sehr gern, liebe Tante», auf dieses Thema hatte sich Wilhelmine vorbereitet und antwortete sofort, «Es ist sehr persönlich, deshalb wollte ich meine Gründe auch nicht einem Brief anvertrauen. Ich bitte dich um dein Verständnis. Mein langjähriger Freund, mit dem ich mich an Weihnachten verloben wollte, hatte sich kurzfristig entschlossen, seine Absicht Lehrer zu werden aufzugeben und statt dessen Jura zu studieren. Das liege ihm weit mehr, bat er um Verständnis. Doch ich wollte nicht noch länger auf ihn warten. So ein Jurastudium dauert viele Jahre und bis er als Anwalt ein eigenes Einkommen hätte und eine Familie ernähren könnte, müsste ich bei meinen Eltern ausharren. Diese Enttäuschung verwand ich nicht so schnell und bat deshalb die Eltern, für einige Zeit Kappeln verlassen und mich bei euch erholen zu dürfen. Kannst du meine Beweggründe nachvollziehen? Darf ich auf deine Erlaubnis hoffen, hierzubleiben? Ich wünsche mir nichts lieber als das, verehrte Tante.»

Annemarie ließ sich Zeit mit einer Antwort. Die lange Stille, die in dem eleganten Raum herrschte, machte Wilhelmine beklommen. Was käme auf sie zu, wenn die Tante ihr die Geschichte nicht glaubte und sie auf der Stelle nach Hause schickte? Wie sollte sie die Schmach überwinden, wenn sie bei den Eltern zu Kreuze kriechen müsste. Wären dann alle ihre Träume vorbei? Äußerlich ruhig, aber innerlich vor Angst bebend, wartete sie darauf, dass die Tante endlich sprach. Als sie die erlösenden Worte hörte, dass sie so lange bleiben könne, wie sie es wünsche, wäre sie vor Erleichterung beinahe in Ohnmacht gefallen. Eine seltsame Schwäche ergriff sie und ließ sie nach Leilas Hand greifen. Die kam ihrer Kusine zu Hilfe und erklärte ihrer Mutter, dass sie Wilhelmine gern an ihrer Seite hätte.

«Zu zweit lernt es sich leichter, liebste Mama, du wirst sehen, dass ich die bevorstehende Prüfung auf meiner Schule mit Bravour abschließen werde.»

Darauf hatte Wilhelmine gehofft. Mit der Kusine gemeinsam lernen zu dürfen und sich dann selbst auf einer entsprechenden Schule für das Abitur anmelden zu können, das war mit ein Grund, nach Berlin zu kommen. Alle heimlichen Sorgen und Ängste fielen von dem Mädchen ab. Eine bleierne Müdigkeit überkam sie und sie bat die Tante, sich zurückziehen zu dürfen, was ihr angesichts ihrer unübersehbaren Blässe auch gern gewährt wurde. Leila folgte Wilhelmine in das gemeinsame Zimmer und bald lagen die beiden Mädchen unter dicken Plumeaus in ihren warmen Betten. Leila schwatze drauf los. Wie sie ihr Berlin zeigen würde und wie sie die Kusine ihren Freundinnen vorstellen wollte. Leilas Stimme wurde leiser und Wilhelmine fiel in einen tiefen Schlummer, aus dem sie erst erwachte, als kalte Morgenluft sie weckte. Leila stand neben dem Bett und hielt lachend das prall gefüllte Federbett in der Hand.

«Steh schon auf, du Schlafmütze! Es ist heller Morgen und ganz Berlin wartet nur darauf, von dir erobert zu werden. Los, hoch mit dir, sonst....!»

Wilhelmine lachte, hellwach sprang sie auf, schnappte sich ein Kissen und warf es Leila ins immer noch lachende Gesicht. Dann schaute sie aus dem Fenster und jubelte. Über Nacht hatte es geschneit und Berlin hüllte sich wie eine Feenkönigin in schwanenweiße Kristalle aus Schnee.

«Ich bin hier, endlich in Berlin!», Wilhelmine spürte, wie sich eine lange verschlossene Tür in ihrer Seele auftat, «hier liegt meine Zukunft, so strahlend wie der Schnee und glänzend wie das Licht der Sonne, das sich darauf bricht. Warte nur, Berlin, ich komme ......!

3. Kappeln, 18. Januar 1890

Innerlich zu Eis erstarrt, saß Friederike am Frühstückstisch und sah fassungslos ihrem Gatten zu, wie er es sich schmecken ließ und nun auch noch nach der Zeitung griff. Wie konnte er das tun? Während sie sich das Gehirn zermarterte, wo ihre Tochter hingegangen sein könnte, blieb Wilhelm kühl und teilnahmslos. Mit tränenerstickter Stimme bat sie ihn um Gehör.

«Wilhelm, wie kannst du nur so tun, als wäre nichts geschehen? Berührt dich das Schicksal unserer Tochter so wenig? Vielleicht lebt sie schon nicht mehr, ist irgendwelchen Verbrechern zum Opfer gefallen und wurde dahingemeuchelt, ohne dass wir ihr helfen konnten. Ach, mein armes Minchen. Warum durfte ich in deiner letzten schweren Stunde nicht bei dir sein! Musstest du so ganz ohne mütterlichen Beistand von dieser Welt scheiden?»

Sie brach ab, hörte verwundert Wilhelm lauthals lachen. Wie konnte er das wagen. Schon wollte sie aufstehen, ihm den Rücken zukehren und auf diese Weise ihre Verachtung zeigen, da fühlte sie seine warme, zuverlässige Hand auf ihrem Arm. Zärtlich besorgt schaute er sie an.

«Riekchen, mein armes Riekchen, verrenne dich bitte nicht zu sehr in solche Hirngespinste. Weder wissen wir, wo Wilhelmine wirklich steckt, noch, ob ihr etwas zugestoßen ist. Vielleicht hat sie einen Galan gefunden, der ihr das Blaue vom Himmel versprach, und ist mit ihm über alle Berge. Oder sie hat sich nach Berlin davongemacht, weil sie glaubte, dort ihr Glück zu finden. Solange wir nicht wissen, wo sie ist und was sie von uns fortgetrieben hat, darfst du nicht denken, sie sei nicht mehr am Leben. Versprichst du mir das, bitte?»

Friederike nickte beklommen, die Worte blieben ihr im Halse stecken, sie ängstigte sich doch um ihr Kind. So sehr sie sich über ihn ärgerte, sie konnte nicht umhin, ihrem Mann beizupflichten. Sich Gewissheit über den Verbleib Wilhelmines zu verschaffen, das schien das einzig Richtige. Wilhelm, der nach all den Ehejahren seine Frau gut zu kennen glaubte, erhob sich und hauchte ihr sanft einen Kuss auf die Stirn.

«Rieke, ich verlasse dich äußerst ungern in dieser heiklen Situation, aber der Herr Bürgermeister hat eine Sondersitzung für heute anberaumt, an der ich unbedingt teilnehmen muss. Bitte, habe dafür ein wenig Verständnis. Ich komme zurück, so schnell ich kann. Vielleicht magst du Meta fragen, ob Jan ihr, als seiner Mutter, etwas mitgeteilt hat. Es wäre immerhin eine Möglichkeit!»

Friederike nickte erneut, versuchte, ihn zu verstehen, doch schon traten ihr die Tränen wieder in die Augen und hinderten sie am Antworten. Ein letzter Kuss, ein sanftes Streicheln über Riekes Hand, dann verließ Wilhelm den Raum. Als sei mit ihm jeder Halt verschwunden, brach Friederike nun zusammen und weinte. Janne, die den Esstisch abräumen wollte, sah sich das Elend nicht lange an, sondern lief rasch hinüber zur Nachbarin.

«Frau Paulsen», rief sie laut, als sie ohne anzuklopfen in den Flur des Nachbarhauses stürmte, «kommen Sie, schnell, meine Madame braucht sie, jetzt, dringend!»

Meta Paulsen kam aus der Küche, wischte sich die nassen Hände an ihrer Schürze ab und folgte Janne, die bereits wieder auf dem kurzen Weg nach Hause war. Ohne lange zu fragen, begab sich die stattliche Blondine, in den Salon, wo Friederike die Arme auf den Tisch gelegt und ihren Kopf darauf gebettet hatte. Das krampfhafte Zucken ihres Rückens verriet, dass sie immer noch weinte. Meta, Riekes Nachbarin und beste Freundin, seit die junge Frau mit ihrem Wilhelm aus Berlin in die kleine Stadt an der Schlei gezogen war, zog sich einen Stuhl heran und legte ihren Arm tröstend um Riekes schmale Schultern. Ihr blonder Schopf mischte sich mit den kastanienbraunen Locken Friederikes, die klein und zierlich war, wo Meta groß und stattlich erschien. Der äußere Unterschied spielte bei ihnen nie eine Rolle. Sie verstanden sich von der ersten Begegnung an und Jan, Metas Sohn, wurde schnell der beste Freund und Beschützer von Riekes drei Jahre jüngerem Töchterchen. Eine Verlobung der beiden wurde geplant, doch seit Jan kurz nach Weihnachten Hals über Kopf abgereist war, stand der Verlobungstermin in den Sternen. Endlich versiegten Riekes Tränen und sie berichtete Meta, dass Minchen anscheinend fortgelaufen war. Wortlos hörte die Freundin zu. Erst als Rieke geendet hatte, äußerte sie sich dazu.

«Du Ärmste, das muss dich schrecklich mitnehmen. Hat Wilhelmine keine Nachricht hinterlassen? Gibt es nichts, was darauf hinweisen könnte, wo sie sich hinwenden wollte? Hast du ihr Zimmer gründlich durchsucht?»

«Oh, nein, dazu fühlte ich mich noch nicht in der Lage», Rieke schluchzte erneut und sah hilfesuchend zu Meta auf.

«Dann sollten wir es jetzt gemeinsam angehen, was meinst du? Vielleicht finden wir ja einen Fingerzeig, aus dem wir schließen können, was sie vorhatte.»

Miteinander durchsuchten die beiden Wilhelmines Zimmer. Immer wieder kam von der einen oder der anderen ein leiser Aufschrei.

«Rieke, weißt du noch, als mein Jan deinem Mädchen dieses Schaukelpferd geschenkt hat, weil Minchen unbedingt reiten lernen wollte?»

«Oh ja, was hat mein Kind dieses Ding geliebt, obwohl es eher einem Esel glich, als einem Pferd.»

«Schau mal, Meta, hier ist eine Schachtel, in der Minchen alles Mögliche aufbewahrt hat. Sie hat es so schön mit Goldpapier beklebt, sieh nur!»

«Ich weiß noch gut, wie Jan mir das feine Papier abgeschwatzt hat, das ich eigentlich für den Christbaumschmuck brauchte. Es war eine wunderbare Zeit, mit unseren Kindern», seufzte Meta und Rieke stimmte ihr zu.

«Zu schade, dass sie viel zu schnell vorüber ging, diese Kinderzeit. Jetzt sind die beiden erwachsen oder glauben, es zu sein und gehen ihre eigenen Wege. Leider wird daraus kein gemeinsamer Weg, das zeigt uns das Verschwinden meines Mädchens deutlich. Wenn ich nur wüsste, welchen Irrweg das Kind eingeschlagen hat.»

Schon rannen ihre Tränen wieder und Rieke sank schluchzend auf das Bett. Meta setzte sich neben sie und versuchte, die Freundin abzulenken.

«Liebes, es hat keinen Sinn, hier kopflos weiterzusuchen. Du weißt am besten, was Minchen gehört und was jetzt fehlen könnte. Lass uns gemeinsam die Sache angehen und gezielt überlegen. Einverstanden?»

Friederike nickte ergeben, sie befürchtete nach wie vor, dass ihr Mädchen sich etwas angetan haben könnte. Meta, die Praktische, zählte nun einzelne Dinge auf, von denen sie glaubte, dass Minchen sie mitgenommen habe.

«Hat sie einen eigenen Koffer? Nein? Aber eine Reisetasche? Ja? Wo bewahrt sie das Ding auf?»

Friederike deutete auf den Kleiderschrank, da fand sich nichts, was einer Reisetasche auch nur im entferntesten ähnelte. Meta fragte weiter, nach der Kleidung und den Toilettenartikeln. Es stellte sich schnell heraus, dass vor allem warme Kleidung fehlte und die notwendigsten Dinge wie Zahnbürste, Kamm und Bürste. Auch ein Paar festere Schuhe waren nicht aufzufinden. Das sah nicht nach Selbstmord aus, fand Meta. Das Bücherbord schien vollständig zu sein, aber in der Schublade des zierlichen Damenschreibtisches gähnte Leere.

«Aus welchem Grund hat Minchen ihre Schreibutensilien und all ihre alten Schulhefte mitgenommen», rätselte Friederike, «was will sie damit. Ist ihre Reisetasche nicht schwer genug? Was kann ihr daran so wichtig sein?»

Ratlos schaute Rieke die Freundin an. Meta überlegte, drehte jeden ihrer Gedanken hin und her, um Riekes Hoffnung nicht zu voreilig zu wecken.

«Dein Mädchen lernte doch immer gern. Wie oft saß sie noch bis vor kurzer Zeit mit Jan zusammen und bat ihn, sein Lernpensum mit ihr zu teilen. Schon von klein auf konnte man Minchens Wissensdurst kaum stillen.»

«Was willst du damit sagen?»

«Ich überlege mir, dass Minchen möglicherweise zu Jan nach Kiel gefahren ist, um sich dort nach einer weiterführenden Schule umzuschauen.»

«Ich weiß nicht recht», Rieke wiegte zweifelnd den Kopf, «wo sollte sie in Kiel unterkommen? Außer Jan kennt sie niemanden in Kiel, selbst auf Lehramt studieren kann sie nicht, weil sie kein Abitur hat. Es ihr zu ermöglichen, lag nicht in unserer Macht. Wie sehr ich das immer bedauert habe, weißt du genau.»

Meta musste ihr recht geben, Kiel schien nicht das geeignete Ziel zu sein. Wohin könnte das Mädchen sich sonst gewandt haben?

«Nach Berlin!» Beinahe gleichzeitig kam beiden Frauen dieser Gedanke.

«Ganz bestimmt ist Minchen nach Berlin», meinte Rieke, in der ein wenig Hoffnung aufkeimte, «sicher kriecht sie bei den Großeltern Schulze unter. Das kann ich mir lebhaft vorstellen. Von dort aus wird sie nach weiterführenden Schulen suchen. Ja, das wäre durchaus denkbar!»

Verflogen schien bei Friederike alle Traurigkeit, einer euphorischen neuen Zuversicht gewichen. Nur ungern gab Meta ihre Bedenken preis.

«Bist du sicher, dass Minchen auf gut Glück zu den Großeltern nach Berlin ist? Wird sie nicht vorher Kontakt aufgenommen und gefragt haben, ob sie dort auch wohnen darf? Wie lange mag sie ihr Fortgehen schon geplant und uns verheimlicht haben?»

Rieke hob den Kopf, auf einmal fiel ihr etwas ein.

«Meta, was ist eigentlich geschehen, zwischen deinem Jan und meinem Minchen? Wir haben völlig aus den Augen verloren, dass sie sich doch verloben wollten. Es muss einen Zusammenhang geben, zwischen der geplanten Verlobung, die doch zu Weihnachten hätte stattfinden sollen, dann verschoben wurde und dem heimlichen Verschwinden meines Mädchens. Hat Jan dir nichts gesagt? Er ist doch früher abgereist, als er eigentlich wollte.»

Meta überlegte, da gab es eine Bemerkung ihres Sohnes, der sie keine Bedeutung beigemessen hatte. Was war das? Es ging um sein Studium und darum, dass er sich die Erfüllung seines Kindertraums, als Lehrer selbst vor einer eigenen Klasse zu stehen, ganz anders vorgestellt hatte. Er bemängelte die leider immer noch herrschende Hierarchie der alten Männer, die den jungen Lehramtsanwärtern Steine in den Weg legten und bis heute nach Rang und Namen der Eltern fragten. Wenn er der Sohn eines Arztes, oder eines Professors wäre, von einem Adligen ganz zu schweigen, dann läge eine rosige Zukunft vor ihm. Doch so, als Landei einfacher Herkunft, hatte er nichts zu erwarten, außer einer Lehrerstelle irgendwo auf einem Dorf. So hatte Jan sich bei ihr beklagt. Warum war sie nicht darauf eingegangen, fragte sich Meta nun. Sie hätte ihm zuhören, ihm irgendwie helfen müssen, schließlich war Jan ihr einziges Kind. Was sie davon abhielt, daran konnte sie sich nicht erinnern. Beschämt gestand sie Friederike ihr Versagen.

«Ach Meta, sieh dein Verhalten nicht als Versagen an. Da müsste ich mir doch auch Vorwürfe machen. Warum habe ich nicht gemerkt, dass Minchen sich mit Problemen herumschlug, die sie unmöglich alleine tragen konnte. Mütter sind auch nur Menschen und gerade um Weihnachten herum mit so vielen Dingen beschäftigt, dass sie kaum zum Atmen kommen. Unsere Kinder haben die Sache, um was es auch ging, unter sich geklärt. Sie sind alt genug und wir müssen uns nicht in alles einmischen. Natürlich finde ich es schade, dass Minchen mich nicht ins Vertrauen gezogen hat. Sie wird ihre Gründe gehabt haben. Sind wir beide denn nun schlauer? Kann es sein, dass Wilhelmine tatsächlich allein nach Berlin gereist ist? Oder hat Jan sie begleitet, weil auch er in Berlin sich ein besseres Vorankommen erhoffte?»

Meta, die sich erneut neben Rieke auf das Bett hatte sinken lassen, hob den Kopf und konnte sehen, dass die sonst so starke, tapfere Freundin ebenfalls geweint hatte. Das rührte Rieke zutiefst, war doch bisher meistens sie diejenige, die Metas Trost und Halt benötigte. Zärtlich strich sie über den Arm ihrer Freundin, griff in die Schublade von Minchens Nachttisch und reichte Meta wortlos ein Taschentuch. Die nahm es dankbar entgegen, schnäuzte sich laut und verzog ihr vom Weinen geschwollenes Gesicht zu etwas, das wohl ein Lächeln sein sollte.

«Was wirst du jetzt tun?», fragte sie nach einer Weile, «unsere Vermutung, dass Minchen bei ihren Großeltern ist, bleibt solange unklar, bis du nachgefragt hast, ob deine Schwiegereltern etwas über Wilhelmines Verbleib wissen. Am besten wäre es, du würdest sofort einen Brief nach Berlin senden.»

«Ja, Meta, das mache ich, auf der Stelle. Wie spät ist es? Wird die Post heute noch befördert? Ich schreibe gleich an Großmutter Schulze. Je schneller der Brief in Berlin ankommt, desto eher erhalten wir Antwort. Oh, ich wünsche mir so sehr, dass es Minchen in der großen Stadt gut geht.»

Eifrig erhob sich Friederike und eilte hinunter in ihren Salon, wo sie sich auf der Stelle ans Schreiben machte. Meta, die ihr kopfschüttelnd folgte, schien sie vergessen zu haben. Die Freundin nahm es lächelnd hin, sie kannte die impulsive Rieke und trug ihr dieses Benehmen nicht nach. Auch sie nahm sich vor, Jan einen Brief zu schreiben, um ihn über Minchens Verschwinden zu informieren. Aber, befand Jan noch in Kiel? Konnte er nicht mit Wilhelmine gemeinsam nach Berlin gereist sein? Diesen Gedanken schob Meta beiseite, sie wollte sich mit Rieke erst beratschlagen, wenn Jan eine Antwort sandte.

Als Wilhelm Schulze am Abend nach Hause kam, fand der zu seiner Überraschung eine muntere Friederike vor, die ihm einen Glühwein servierte.

«Womit habe ich eine solch unerwartete Köstlichkeit verdient? Eigentlich erwartete ich, dich in Tränen aufgelöst vorzufinden. Ist unser Minchen etwa schon wieder von ihrem unbedachten Abenteuer zurück?»

«Aber Wilhelm, wie sollte sie so rasch nach Hause kommen. Sie wird wohl soeben erst in Berlin eingetroffen sein.»

«Wieso in Berlin eingetroffen? Das verstehe ich nicht», fragte er verblüfft, «was macht Minchen in Berlin? Woher weißt du, dass sie dorthin will?»

Der Baubeamte verstand den raschen Stimmungswechsel seiner Frau nicht. Den Glühwein ließ er sich dennoch schmecken und hörte den weitschweifigen Erklärungen Riekes zu.

«Aha», meinte er nach einer Weile, während der heiße, gewürzte Wein Wirkung zeigte, «ihr Mütter habt also aus dem Verschwinden Minchens und den wenigen Dingen, die sie mitnahm, geschlossen, dass sie zu meinen Eltern gereist sein muss. Wenn dem so ist, dann können wir beruhigt sein. Hast du schon nach Berlin geschrieben?»

Rieke nickte, die Tochter lebte, glaubte sie und war bei den Großeltern in guten Händen. Der Friede im Hause Schulze schien fürs Erste wieder hergestellt.

4. Berlin, Ende Januar 1890

Wilhelmine erwachte jäh! War sie wirklich noch einmal eingeschlafen, nachdem Leila sie geweckt und ihr mitgeteilt hatte, dass sie zur Schule müsse, am Nachmittag aber Zeit für die Kusine habe?

«Mit meiner Mutter brauchst du heute Vormittag nicht zu rechnen, sie schläft gerne lange, besonders, wenn sie die halbe Nacht mit dem Lesen ihrer heißgeliebten Liebesromane verbracht hat. Am besten, du gehst zu Auguste in die Küche und lässt dir von ihr ein Frühstück servieren. Wir sehen uns später, Tschühüss!»

Weg war sie und Wilhelmine, der die lange Bahnfahrt noch in den Knochen steckte, drehte sich im warmen Bett genüsslich noch einmal um und schlief gleich wieder ein. Als sie erneut erwachte, knurrte ihr Magen vernehmlich. Sie rief ihn zur Ordnung und genoss das Bad im angrenzenden Badezimmer. Dann fühlte sie sich bereit für ihren ersten Tag in Berlin. Vorsichtig öffnete sie die Tür und lauschte. Aus dem Schlafzimmer ihrer Tante kamen unmissverständliche Schnarchgeräusche. Minchen schlich auf Zehenspitzen daran vorbei, tappte leise die Treppe hinunter und suchte die Küche. Viel hatte sie gestern Abend von der Wohnung nicht mitbekommen, nur dass die Räume hoch und mit reichlich Stuck verziert waren. Sie orientierte sich kurz und kam zu einem Raum, der den repräsentativen Teil der Wohnung, der zur Straße hin lag, mit den Zimmern verband, die zum Hof hin schauten. Erst später sollte sie erfahren, dass man dies ein «Berliner Zimmer» nannte, in dem die Familie sich unter der Woche meistens aufhielt. Den Salon nutzte man nur für festliche Gelegenheiten. In diesem Zimmer herrschte Unordnung, auf dem großen Tisch in der Mitte stand noch immer das benutzte Frühstücksgeschirr von Leila. Wilhelmine schüttelte den Kopf, wollte gerade danach greifen, da erschreckte sie eine leise Stimme.

«Suchste mich? Dann komm mal mit, ich zeig dir, wo du lang musst!»

In der Tür, die vermutlich in die Küche führte, stand das dünne Mädchen, das gestern das Abendessen serviert hatte. Es winkte auffordernd, dass sie ihm folgen solle und der Hunger, den sie jetzt nicht mehr ignorieren konnte, trieb sie hinter dem Dienstmädchen her. Minchen lachte verlegen. Sie wusste nicht, wie sie sich verhalten sollte.

«Du bist Auguste, ja? Könntest du mir vielleicht noch ein kleines Frühstück zubereiten? Bitte, ich komme um vor Hunger, verstehst du?»

«Du kannst ruhig Juste sagen, so nennen sie mich hier in Berlin alle. Keiner sagt Auguste zu mir, außer meiner Gnädigen», das Mädchen lächelte schief und offenbarte dabei eine Zahnlücke, «was willste denn, Kaffee ist noch da, Brot auch und ein paar Eier haue ich dir noch in die Pfanne, wenns recht ist. Morgens gibt das nichts Großes, ist auch gut, hab ich doch massig Arbeit mit der Wohnung und dem Einkaufen und so.»

Fasziniert schaute Minchen zu, wie das Mädchen, Juste, wie sie sich nannte, im Handumdrehen ein Frühstück herbeizauberte, ohne dass ihr Mund auch nur eine Sekunde stillstand. Alles verstand sie nicht, was Juste von sich gab, aber sie konnte sich das Meiste zusammenreimen.

«Willste hier essen? Ich muss noch das Berliner Zimmer aufräumen. Oder bist du so etepetete, dass dir die Küche nicht gut genug ist?»

«Das ist in Ordnung, liebe Juste, lass mich ruhig hier. Ich helfe dir auch gern nachher beim Saubermachen», wandte Minchen ein, «ich wüsste sowieso nicht, was ich sonst anfangen sollte.»

Juste widmete sich dem Abwasch und nachdem Minchen sich das gute und reichhaltige Frühstück hatte schmecken lassen, griff sie zum Abtrockentuch.

Justes Geplapper hörte nicht auf und das Kappelner Mädchen erfuhr dabei manches, was in dieser Großstadt gang und gäbe zu sein schien. Am meisten verblüffte sie, dass Juste auf einem Hängeboden schlief. Auf Minchens Frage hin, wo sie als Dienstmädchen ihr Zimmer habe, lachte sie laut.

«Was denn, ich? Eine Kammer für mich allein? Ne, guck mal da rauf, da schlaf ich, jedenfalls im Winter», sie deutete nach oben, zur Küchendecke, wo über dem Herd ein breites Brett eingezogen war, «da gehts die Leiter rauf und dann da oben ins Bett. Willste mal sehen?»

Das ließ Minchen sich nicht zweimal sagen, kletterte geschwind die schmale Leiter hinauf, die hinter einem Vorhang verborgen stand, und staunte über den winzigen Raum, der Justes Reich darstellte. Nur eine dünne Matratze lag da, ein Kissen und eine Decke darauf. Kaum mehr als einen Meter Höhe hatte die Schlafgelegenheit, schätzte Minchen. Sitzen konnte man dort kaum, vom Stehen gar nicht zu reden. Das war alles, was Juste an Rückzug und Schlafstelle blieb. Minchen tat das Mädchen leid. Doch es lachte nur und hob gleichgültig die Schultern. Das Leben hatte Juste bisher nicht verwöhnt.

«Is doch gemütlich warm da oben, was willste mehr. Bei mir daheim lagen wir vier Geschwister in einem Bett und das war noch richtig komfortabel, sag ich dir. Find ich ganz großartig, dass ich hier so prima untergekommen bin. Mit die Gnädige ist gut auskommen, kannste mir glauben. Und das Fräulein Leila, die hält dicht, wenn mal was schiefgeht, verstehste?»

Gemeinsam machten sich die beiden Mädchen über das Aufräumen und die Vorbereitungen für das Essen her. Juste redete und redete und Wilhelmine erfuhr, dass sie erst vierzehn Jahre alt war und aus Brandenburg stammte. Das kleine Dorf, gleich hinter der Grenze zur Hauptstadt, bot Auguste, wie vielen anderen Mädchen vom Land, kaum ein Auskommen. Arbeit fanden sie nur in Berlin, wenn sie sich nicht schnell einen Bauernsohn angelten, dessen Hof groß genug war, dass er eine Familie ernähren konnte. Auguste hatte das Glück leider nicht gepachtet, erzählte sie, ließ sich aber keine Trauer anmerken. Mit zwölf Jahren kündigte ihr die Frau des Dorfschullehrers, bei der sie zwei Jahre als Kindermädchen in Stellung gewesen war. Eine Begründung gab es nicht von der strengen Dienstherrin, der Eintrag in ihr Gesindebuch, ohne das sie keine weitere Anstellung bekäme, ließ kurz und knapp ahnen, dass Auguste ihre Arbeit zur Zufriedenheit ausgeführt habe.

«Da musste ich also meine Sachen packen, viel war es ja sowieso nicht, und mein Zuhause verlassen. Niemand fragte, ob ich weggehen wollte, die Eltern waren froh, einen unnützen Fresser weniger im Haus zu haben. Ohne Lohn, auch wenn ich nur für Kost und Logis schuftete, wie bei den Lehrers, zählte ich doch nichts, als Mädchen sowieso nicht.»

Auguste brach ab und Wilhelmine glaubte, Tränen in ihren müden Augen zu sehen. Der unermüdliche Redefluss sprudelte weiter. Beinahe emotionslos berichtete das Dienstmädchen von der Ankunft in der großen Stadt, von ihrer Verwirrung und ihrer Ratlosigkeit.

«Am Bahnhof stand ich da, wie bestellt und nicht abgeholt und wusste nicht wohin. Da kam eine Dame, jedenfalls dachte ich das damals, und fragte, ob ich mit ihr kommen wolle, sie suche gerade ein Mädchen. Was sollte ich machen, draußen wurde es schon dunkel und ich wusste nicht wohin. Also ging ich mit und blieb über ein Jahr bei der Frau, bis ich dann in arge Not geriet.»

Wieder stockte Juste, griff nach dem Staubwedel und marschierte den Flur entlang in den Salon, wo sie sich, scheinbar mit Feuereifer, über all den Nippes hermachte, der Büffet und Schränke zierte.

«Wenn du willst, kannst du den Tisch polieren», rief sie Minchen über die Schulter zu und warf ihr geschickt ein weiches Tuch hin, «der ganze Kram hier kostet viel zu viel Zeit, soll aber immer picobello aussehen, sagt unsere Gnädige. Dabei kommt so selten Besuch, dass der Salon kaum gebraucht wird. Na, mir solls recht sein, so hab ich weniger Arbeit damit.»

Minchen schnappte sich das Tuch und wienerte die Tischplatte, bis das schön gemaserte Holz glänzte. Den zahlreichen Verzierungen und Schnörkeln an Kommode und Schrank widmete sie sich ebenfalls mit großer Sorgfalt. Wie gut sie das Mädchen verstand, war es ihr bei ihrer eigenen Ankunft am Bahnhof in Berlin ähnlich ergangen. Welch ein Glück sie gehabt hatte, nicht einer solchen hinterhältigen Frau in die Hände zu fallen, das ahnte sie nicht. Im Stillen hoffte sie, dass Auguste weitere Einzelheiten aus ihrem Leben berichten würde. Die Diskrepanz, die ihr aufgefallen war, zwischen dem jetzigen Alter des Mädchens und dem, an deren Anreise, machte sie stutzig. Doch Juste schwieg beharrlich. Wo sie sich aufgehalten hatte und was ihr widerfahren war, in dem knappen Jahr, bevor Minchens Tante sie zu sich holte, das behielt sie für sich. Wilhelmine tröstete sich damit, dass Leila vielleicht mehr darüber wüsste.

Es wurde Nachmittag, draußen fiel der Schnee in dicken, nassen Flocken, als die Wohnungstür sich öffnete und eine pudelnasse Leila den Schal von den Haaren zog und sich schüttelte wie ein Hund.

«Bäh, was für ein Wetter, da sollte man lieber hinter dem Ofen bleiben, so wie du Kusinchen. Na, was hast du die ganze Zeit getrieben?»

Gerade als Minchen eine Antwort auf Leilas lautstarke Frage geben wollte, öffnete sich die Schlafzimmertür und die Tante schaute mit vom Schlaf zerzaustem Haar und geröteten Augen heraus.

«Bitte Kinder, nehmt doch ein wenig Rücksicht auf eine alte Frau. Meine Migräne hat mich leider fest im Griff. Ihr müsst heute ohne mich auskommen. Auguste, du weißt ja, was mir hilft. Bereite mir einen Tee zu, du weißt, den gegen die Kopfschmerzen und dann möchte ich nicht mehr gestört werden!»

Beide Hände theatralisch an die Schläfen gepresst, wankte die Tante zurück in ihren Schlafraum. Leila verdrehte die Augen und verbiss sich ein Lachen. Mit Staunen hatte Minchen dieser Szene beigewohnt. Migräne, die kannte sie nur vom Hörensagen, wenn ihre Mutter mal wieder den Besuch bei der Gattin des Bürgermeisters verschieben musste, weil diese zartbesaitete Frau sich einmal mehr hinter ihrer Migräne versteckte. Dass die wesentlich kräftigere und energischere Tante, ebenfalls unter dieser mysteriösen Erkrankung litt, wollte Minchen nicht so recht in den Kopf. Vor allem Leilas Reaktion verwirrte sie. Die eilte voraus in die Küche, wo sie sich über einen großen Topf beugte, den schweren Deckel abhob und den Inhalt genüsslich begutachtete.

«Na, wenigstens was Anständiges zu essen kriegt man in diesem Haus», mit diesen Worten schnappte sie sich einen Teller vom Bord und füllte sich eine ansehnliche Portion des deftigen Eintopfes auf, «Minchen, worauf wartest du? Hier bedient sich jeder selbst, wenn Mutter ihre Migräne hat, sonst wäre ich schon lange verhungert. Juste hat viel zu viel um die Öhrchen, um uns zwei auch noch zu bedienen. Du wirst bestimmt bald merken, wie hier der Hase läuft.»

Wilhelmine folgte dem guten Rat der Kusine und verschob ihre dringenden Fragen auf später. Leila berichtete unterdessen von ihrer Schule, einer Anstalt für höhere Töchter, die sich dort auf ihr Pudding-Abitur vorbereiten konnten, wie es unter den Mädchen spöttisch genannt wurde. Bald müsste sie sich der Abschlussprüfung stellen und dann hätte sie endlich ihre Ausbildung beendet.

«Einen Haushalt führen, sich in Gesellschaft geziemend benehmen und ein Mindestmaß an Bildung, das haben wir dort gelernt. Und danach heißt es, sich einen reichen Mann angeln, damit man als Frau auch anständig versorgt ist», grinste sie und setzte hinzu, «gut aussehen sollte er trotzdem, der Zukünftige, man will ja schließlich auch was fürs Herz.»

Fassungslos hörte Minchen der Kusine zu. War sie hier vom Regen in die Traufe geraten? Sie wollte doch unbedingt weiterlernen, alles an Bildung in sich hinein schaufeln, was ihr vor die Nase käme. Wie sehr hatte sie darauf gehofft, mit Leila gemeinsam zur Schule zu gehen und einen Abschluss vorweisen zu können. Und nun musste sie hören, dass dies eine Sackgasse war. Wie sollte es mit ihr weitergehen? Ratlos schob sie ihren Teller von sich. Der Appetit war ihr gründlich vergangen. Als sie aufblickte, sah sie das Funkeln in Leilas Augen und ahnte, dass die es nicht eilig hatte, geheiratet zu werden. Sich die Kusine als hausbackene, brave Ehefrau und Mutter vorzustellen, fiel Minchen schwer.

«Dein Gesicht hättest du sehen sollen, zum Schießen, sage ich dir», lachte Leila, «Glaubst du, ich möchte wirklich hier zu Hause herumsitzen und auf einen Mann warten? Da kennst du mich aber schlecht. Am liebsten würde ich etwas völlig Verrücktes tun, eine Weltreise machen, allein durch die Wüste auf einem Kamel reiten, als berühmte Radfahrerin Rennen fahren, viele Preise einheimsen, als Schauspielerin im Theater auftreten, wo mich ganz Berlin bejubeln soll.»

Leilas Blick ging in unerreichbare Fernen, um die Minchen sie glühend beneidete. Sie gab sich einen Ruck und sah die Kusine von der Seite fragend an.

«Sag mal, hast du Lust, mir bei meinen Hausaufgaben zu helfen? Alleine zu lernen ist ja so langweilig.»

Minchen schluckte, war das ein Ausweg aus dieser verfahrenen Situation? Könnte sie auf die Weise lernen, ohne den wahren Grund ihres Hierseins zu verraten? Lächelnd ging sie auf Leilas Vorschlag ein. Bald saßen die Mädchen mit roten Wangen am Tisch und brüteten über den Schulbüchern. Nach zwei Stunden konzentrierten Lernens, waren die Aufgaben geschafft. Da kam Leila wieder in den Sinn, dass Wilhelmine doch einen moderneren Namen benötigte. Mit Feuereifer drehten und wendeten sie Minchens Taufnamen hin und her.

«Wie wäre es mit Mina», meinte Leila und verbesserte sich sofort, «Geht gar nicht, das hört sich zu sehr nach Minna an. Da wirst du gleich mit einem Dienstmädchen verwechselt.»

«Willi kann ich aber auch nicht heißen», lachte Minchen und Leila stimmte in das Gelächter ein, «wie wäre es mit Wilma, dieser Name würde mir schon gefallen, was meinst du?»

«Wilma», Leila drehte das Wort hin und her, «ja, Wilma gefällt mir auch. Das klingt vornehm und doch kurz und modern. Kannst du damit leben? Ja? Dann heißt du ab jetzt «Wilma», einverstanden?»

Gerade wollte Leila vorschlagen, einen heißen Kakao aus der Küche zu holen, um die Namensgebung zu feiern, da trat Tante Annemarie ins Zimmer. Nichts war ihr mehr anzusehen von der üblen Migräne. Leichtfüßig wie eine junge Frau, und ihre Körperfülle Lügen strafend, tänzelte sie durch den Raum und schaute den Mädchen über die Schulter. Lächelnd tätschelte sie ihrer Tochter das rote Haar und nickte Minchen-Wilma fröhlich zu.

«Ich sehe, dass ihr eure Aufgaben bereits gemacht habt, das trifft sich gut, denn ich möchte gern mit euch reden. Weil du, meine liebe Leila, kurz vor dem Schulabschluss stehst, kannst du dir keine unnötigen Ablenkungen erlauben. Du, Wilhelmine, bist zu Besuch und möchtest sicher etwas von unserer schönen Hauptstadt sehen, habe ich recht? Das will schließlich jeder, der nach Berlin kommt.»

Die beiden Mädchen nickten vorsichtig. Leila, weil sie ihre Mutter und deren wechselnde Launen nur zu gut kannte und Minchen, weil sie nicht zu viel von sich preisgeben wollte.

«Deshalb dachte ich», fuhr die Tante fort, «dass ihr gemeinsam lernt, denn das spornt euch beide an und wir, wenn es die Zeit und das Winterwetter erlauben, mit der Kutsche überall dorthin fahren, wo es uns gerade hintreibt. Was meint ihr dazu?»

Da mussten die Mädchen nicht lange überlegen. Kutschfahrten durch das große Berlin, das Wilma kaum kannte, hörte sich das nicht sehr verheißungsvoll an? Den Gedanken, die Stätten kennenzulernen, wo sich die Bildung häufte, die Universität und Hochschulen, um dort vorstellig zu werden, den behielt sie für sich. Leila hingegen verschwieg, dass sie dem Versprechen der Mutter nicht traute. Sie hatte allen Grund dazu, denn Annemarie Clementi war in der glücklichen Lage einer Frau, die keine finanziellen Sorgen kannte und seit dem frühen Tod ihres Ehemannes niemandem mehr Rechenschaft über ihr Tun und Lassen abgeben musste. So kristallisierte sich im Laufe der Jahre eine gewisse Egozentrik in ihrem Wesen heraus, die sie ihre vielfältigen Interessen schnell wechseln ließ. Mal fühlte sie sich dazu berufen, ihren gesamten Freundeskreis mit selbstgemalten Porträts zu bedenken, mal glaubte sie, als die Retterin der «gefallenen Frauen und Mädchen» auftreten zu müssen. Tatsächlich half sie mancher jungen Frau, die ohne eigenes Verschulden in Not geraten war. Auch Auguste gehörte zu ihren Schützlingen. Im Moment gefiel sie sich darin, die Künstler einiger Berliner Bühnen großzügig zu unterstützen. Das führte dazu, dass sie häufig zu Premieren eingeladen wurde. Ganz bestimmt, so hoffte Leila, würden Wilma und sie die Mutter bald zu einer Theaterbühne begleiten dürfen.

Der Nachmittag verging in angenehmem Geplauder, denn Tante Annemarie konnte sehr unterhaltsam sein, wenn sie wollte. Nach dem Abendessen spielten sie Karten und als Minchen, an den Namen Wilma musste sie sich noch gewöhnen, später im Bett lag und den gleichmäßigen Atemzügen der Kusine lauschte, war sie zufrieden mit sich und dem ersten Tag in Berlin.

Während draußen der Februar vorüberging, mit Schnee und Eis, machten die beiden Mädchen gute Fortschritte beim Lernen. Wilma, die bei ihrem Freund Jan oft in die Schulbücher hatte schauen dürfen, kam mit dem Lehrstoff besser zurecht, als sie anfangs befürchtet hatte. Die allzu frühe Dämmerung, die zwischen die hohen Gebäude fiel, machten Unternehmungen außer Haus oft unmöglich. An einem Abend aber war es anders. Die Tante rief am Morgen, ungewohnterweise noch vor dem Frühstück, die erstaunte Wilhelmine zu sich und fragte sie nach ihrer Garderobe aus. Verschämt gestand das Mädchen, dass es nur wenige Kleidungsstücke zum Wechseln mitgebracht habe. Daraufhin ließ Annemarie von Auguste einen Kutscher rufen, stieg ein und fuhr mit der verwunderten Wilma zum renommiertesten Bekleidungsgeschäft Berlins.

«Die junge Dame benötigt eine Abendgarderobe, elegant, aber nicht zu auffällig», beschied die Tante von oben herab der herbeigeeilten Hausdame und schon präsentierten ausgesuchte junge Frauen, die sich Probiermamsell nannten, die passenden Roben. Wilmas Blick blieb an einem Traum aus pfirsichfarbener Seide hängen, der, schlicht geschnitten, wie das Gewand einer griechischen Göttin anmutete. In lockere Falten drapiert, fiel die schimmernde Seide am Körper des Models herab wie ein Wasserfall. Die Tante, der nichts entging, bedeutete Wilma, dass sie dieses Kleid anprobieren solle und siehe da, es machte aus dem einfachen Provinzmädchen eine wahre Prinzessin. Staunend betrachtete sie sich in dem großen Spiegel, der eine ganze Wand bedeckte. War sie das wirklich? Sie sah so erwachsen, so feminin aus. Mit weit aufgerissenen Augen drehte sie sich vor dem Spiegel hin und her, beinahe ein wenig in sich selbst verliebt, schwebte in Gedanken mit einem eleganten und attraktiven Mann über das Tanzparkett, da riss die Tante sie aus ihren Träumen. Jäh in die Wirklichkeit zurückgekehrt, sah sie Annemarie ungeduldig vor sich stehen.

«Wilhelmine, würdest du dich bitte wieder umkleiden, ich möchte noch zum Friseur mit dir und vernünftige Schuhe benötigst du zu dem Kleid ja wohl auch. Also, beeile dich!»

Wilma kam an diesem Tag aus dem Staunen nicht heraus und hatte ein schlechtes Gewissen, weil sie der Tante immer noch nicht die Wahrheit über ihr Hiersein gebeichtet hatte. Als sie bei einem vorzüglichen kleinen Imbiss in einem der neuen Restaurants entlang des Kurfürstendammes saßen, wagte Minchen mehr als einmal, den Versuch, Annemaries Redestrom zu unterbrechen, um ihr eigenes Anliegen anbringen zu können, doch es blieb vergeblich. Zu Hause ergab sich dann ebenfalls keine Gelegenheit, denn Leila stürzte sich auf Wilmas neue Sachen und suchte aus ihrem eigenen Schrank für sich die passenden Kleider aus, um nicht zu sehr hinter der Kusine abzufallen. Bald wurde eine lustige Balgerei daraus und es ergab sich auch jetzt kein günstiger Augenblick zum Reden, der Abend ging ungenutzt vorüber. Der ersehnte Samstagabend kam und die Tante orderte eine Kutsche, die sie bis vor das Schauspielhaus brachte. Aufgeregt zupfte Minchen an ihrem Kleid herum, es war für sie der allererste Besuch eines richtigen Theaters. Staunend sah sie sich im Foyer des Hauses um, betrachtete die vielen gutgekleideten Menschen, die sich angeregt unterhielten. Wilma fieberte der Aufführung entgegen, die Enttäuschung ließ nicht lange auf sich warten. Statt eines der Bühnenstücke eines bekannten Dichters, bekam das Publikum, das sich im Schauspielhaus am Gendarmenmarkt eingefunden hatte, ein modernes Werk geboten, das im Arbeitermilieu spielte. Es wurde die Degeneration einer Bauernfamilie gezeigt, die aus der Armut durch Kohlenfunde auf ihrem Acker reich wurde und zum Schluss elend am Alkohol zugrunde geht. Wilma, die sich unter dem Titel des Stückes, «Vor Sonnenaufgang» etwas völlig Anderes vorgestellt hatte, sah fassungslos auf die in schäbige Lumpen gekleideten Darsteller, die sich zum Ende dem Selbstmord ergaben. Sie hatte auf prächtige Kostüme gehofft, auf spritzige Einlagen hochdramatische Liebesbeziehungen. Irgendwann hörte sie einfach nicht mehr zu, sondern betrachtete verstohlen die Zuschauer. Leila, die neben ihr saß, hing dagegen wie gebannt an den Lippen des Hauptdarstellers, Ramon Santi hieß er, wie sie dem Programmheft entnehmen konnte. Ein schlanker, fast schon hagerer junger Mann, der mit Gestik, Mimik und vor allem mit seiner Sprechweise zu überzeugen vermochte. Sogar Wilma musste sich eingestehen, dass, wenn er die Stimme zu einem Flüstern senkte, sein dunkles samtiges Timbre ihr einen Schauer über den Rücken jagte. Er verkörperte seine Figur auf subtile Weise so gelungen, dass man ihm den verbitterten Jüngling sofort glaubte. Dennoch atmete sie erleichtert auf, als das Stück zu Ende, der Applaus vergangen und der Vorhang endgültig gefallen war. In der Kutsche hörte sie halbherzig der lebhaften Diskussion ihrer Tante und Leilas zu, die den Dichter des Stückes, einen gewissen Gerhard Hauptmann, in den Himmel hoben.

Der Februar verging viel zu schnell, der März lief Wilma ebenso eilig davon und Leilas Nervosität vor den anstehenden Prüfungen nahm ständig zu. Tagelang rannte das sonst so kecke Mädchen durchs Haus und zitierte aus den Schriften, die es zu lernen hatte. Am Tag der Prüfung war Minchen fast aufgeregter als Leila selbst. Beide verschmähten das Frühstück, das Juste ihnen zubereitete, die Anspannung hatte sie fest im Griff. Wilma ließ es sich nicht nehmen, die Kusine bis in die Schule zu begleiten. Am ganzen Körper bebend lief sie vor der Tür hin und her, hinter der sich Leilas Schicksal entschied. Sie hoffte, dass sich all die Plackerei des Lernens für ihre Kusine endlich auszahlte und sie irgendeine Möglichkeit fände, das Abitur nachzuholen. Mit triumphierender Miene kam Leila aus dem Klassenraum, ihr Abschlusszeugnis wie eine Trophäe in der erhobenen Faust.

«Jetzt kann ich endlich machen, was ich will, mein Schicksal in meine eigenen Hände nehmen.»

Stürmisch umarmte Leila die Kusine und Wilma freute sich mit ihr. Dass ihr eigenes Geschick bald eine unerwartete Wendung nehmen sollte, das ahnte sie nicht....

5. Kappeln, Ende März 1890

Empört kam Wilhelm an diesem Abend nach Hause. Entrüstet knallte er eine Zeitung auf den Esstisch und merkte nicht, dass seine Frau in ihrer zitternden Hand einen Brief hielt.

«Weißt du, was soeben in Berlin geschehen ist? Der Reichskanzler ist zurückgetreten, Bismarck hat unserem Kaiser sein von ihm verliehenes hohes Amt einfach vor die Füße geworfen. Wie kann er das nur tun? Das ist eines solchen Mannes nicht würdig. Was hat Bismarck alles für unser Volk getan, auch wenn er persönlich nicht das überragende Vorbild ist, das er gern sein möchte. Wilhelm deutete auf die Zeitung, es war die Londoner Zeitschrift «Punch». Da siehst du, wie man im Ausland über uns denkt. «Der Lotse geht von Bord», heißt es da und weist unmissverständlich darauf hin, dass ein Schiff ohne den Lotsen, der es durch schwierige Gewässer bringt, unrettbar verloren ist. Verstehst du?»

Vergebens wartete Wilhelm auf eine Antwort, auf eine Reaktion seiner Frau und hob endlich den Blick von der unseligen Karikatur Bismarcks. Friederike saß seltsam starr auf ihrem Stuhl und sah auf das Schreiben, das sie immer noch in der Hand hielt. Es schien, als habe sie ihren Ehemann gar nicht richtig wahrgenommen. Der aber glaubte, sie sei so erschüttert von der politischen Entwicklung und meinte, Rieke das Geschehen noch genauer erläutern zu müssen. Also setzte er sich ebenfalls und versuchte, das Verhältnis Bismarcks zu Kaiser Wilhelm II. zu erklären. Mit belehrender Stimme begann er:

«Es ist noch keine zwei Jahre her, wie du weißt, als unser alter Kaiser starb, sein Sohn, Kronprinz Friedrich nur drei Monate später. Dann kam sein Enkel auf den Thron in diesem Drei-Kaiser-Jahr 1888. Erinnere dich, Rieke, wir haben oft darüber gesprochen, dass die Bindung zwischen Wilhelm I. und seinem Berater und Kanzler Otto von Bismarck stark gewesen war. Der Kaiser vertraute seinem Kanzler und befolgte meistens dessen Ratschläge. Doch sein Enkel Wilhelm II. und Bismarck konnten sich nicht leiden und lieferten sich von Anfang an eine Machtprobe. Der junge Kaiser wollte seine eigenen Entscheidungen treffen und war nur selten mit Bismarck einer Meinung. Der erst 29-jährige Wilhelm II. hatte den Anspruch, allein regieren zu wollen und sich in seinen Entscheidungen keinesfalls vom Reichskanzler hineinreden zu lassen. Vor allem stritten sie um das von Bismarck geplante verschärfte Sozialistengesetz. Der Kanzler wollte noch härter als bisher gegen seine politischen Gegner, die Sozialisten, vorgehen aber Wilhelm II. stimmte ihm in dem Punkt nicht zu. Aus diesem Grund kam es jetzt wohl zu dem endgültigen Bruch zwischen den beiden. Bismarck zieht sich aus der Politik zurück und gibt sein Amt auf. Weiß der Himmel, wie es ohne den alten harten Knochen um unser Reich bestellt ist!»

Wilhelm sah auf, nahm plötzlich wahr, wie stumm seine Frau während seiner Ausführungen geblieben war und erschrak. Er eilte zu ihr und berührte sie behutsam an der Schulter. Sie zuckte zusammen und schaute ihn an, mit einem Blick, der aus einer anderen Welt zu kommen schien. Sie sah ihm ins Gesicht und war es, als schaue sie durch ihn hindurch. Endlich fiel Wilhelm auf, dass Rieke kreidebleich war und am ganzen Leib zitterte.

«Liebes, mein Gott, was ist mit dir? Sprich, sag mir bitte, wie ich dir helfen kann. Rieke, Liebste, hörst du mich? Sag doch was!»

Verzweifelt schüttelte Wilhelm seine Frau heftig, um wenigstens eine kleine Regung in ihrem erstarrten Gesicht hervorzurufen. Doch alles blieb vergebens. Wie bei einer willenlosen Gliederpuppe wackelte Friederikes Kopf hin und her, der zarte Hals schien beinahe durchbrechen zu wollen.

«Janne, schnell», Wilhelm wusste sich nicht anders zu helfen, schrie nach dem Dienstmädchen, das sofort herbei eilte. Ohne lange zu fragen, erfasste Janne die Situation, rief noch über die Schulter, dass sie die Nachbarin holen würde und verschwand. Noch bevor Wilhelm sich Gedanken machen konnte, was er für Rieke tun solle, kam Janne wieder zurück, mit Meta im Schlepptau.

Ein kurzer Blick genügte der erfahrenen Frau und Mutter. Meta übernahm das Kommando und forderte Wilhelm auf, seine Frau sorgsam ins Schlafzimmer zu tragen und dort aufs Bett zu legen. Janne schickte sie zu Dr. Otto Spliedt, dem zuverlässigen, langjährigen Hausarzt der Familie. Der kam auch sofort, denn Janne, in ihrer überschwänglichen Art, hatte Friederikes Zustand wohl recht dramatisch dargestellt. Der Arzt untersuchte die immer noch reglos Daliegende und gab schnell Entwarnung.

«Werter Herr Schulze, körperlich fehlt Ihrer Gattin nichts. Es scheint eine seelische Erschütterung zu sein, die ihr zu schaffen macht. Die Ursache liegt höchstwahrscheinlich hier drin», damit bückte sich der Arzt und hob den Brief auf, der Riekes Händen entglitten war, «ich verabreiche Ihrer Frau zunächst einmal ein Beruhigungsmittel, ein Kamillentee kann auch nicht schaden. Lassen Sie die Kranke am besten schlafen. Im Ruhezustand erholt sich das angegriffene Gehirn meistens schnell. Sie werden sehen, morgen geht es ihr schon wieder besser. Falls eine Verschlechterung des Zustandes eintreten sollte, bitte scheuen Sie sich nicht, mich sofort zu rufen. Habe die Ehre!»

Der Doktor verließ das Haus, eilte rasch davon, zum nächsten Patienten, wie Wilhelm vermutete. Der ominöse Brief, der höchstwahrscheinlich der Auslöser von Riekes Verwirrung war und den der Arzt auf den Nachttisch gelegt hatte, stach Wilhelm ins Auge. Er griff mit einem unguten Gefühl danach. Meta, die eigentlich wieder nach Hause hatte gehen wollen, besann sich. Was mochte es mit diesem Schreiben auf sich haben, dass ihre beste Freundin davon so tief getroffen wurde? Besser, sie blieb noch und wartete auf Wilhelms Reaktion und ihr Gefühl trog sie nicht. Das sonst so rosige und rundliche Gesicht des Baubeamten verlor seine Farbe, kaum dass er ein paar Zeilen gelesen hatte. Um Jahre gealtert sah er auf, reichte Meta wortlos das Schreiben und ließ sich kraftlos auf das Bett sinken, neben Rieke, die tief zu schlafen schien. Meta nahm den Brief und las:

«Liebe Schwiegertochter Friederike,

Bitte, erschrick nicht, dass ich Dir erst jetzt auf Deinen Brief und Deine Fragen nach dem Verbleib Deiner Tochter und meines Enkelkindes antworte. Mein lieber Mann, der Vater Deines Gatten, lag schwer krank darnieder und all meine Kraft gab ich für seine Pflege hin. Nun ist er auf dem Wege der Besserung und ich konnte mich um Deine Belange kümmern. Wie Du unschwer aus diesen Zeilen lesen kannst, muss ich Dir leider mitteilen, dass Wilhelmine nicht bei uns weilt. Weder hat sie uns aufgesucht, noch hat sie auf eine andere Art und Weise den Kontakt zu uns gesucht. Es tut mir von Herzen leid, dass sie Euch ohne ein Wort verlassen hat und Euch damit so viel Schmerz zufügt. Wenn das Mädchen wirklich hier in Berlin sein sollte, dann ist sie wahrscheinlich nicht allein. Wo und mit wem sie zusammen sein könnte, entzieht sich aber meiner Kenntnis. Falls mir irgendetwas zu Ohren kommen sollte und ich werde mich natürlich umhören, lasse ich es Dich sofort wissen. Ich wünsche und hoffe, dass Wilhelmine wieder bei Euch ist, wenn Dich meine Zeilen erreichen. Als Mutter leide ich mit Dir, Friederike und versichere Dir, dass ich Euch in meine Gebete einschließen werde.

Mit den besten, hoffungsvollsten Grüßen verbleibe ich,
Deine Marie Schulze.»

Meta ließ den Brief sinken, Tränen standen in ihren Augen und sie sah voll Mitleid zu Wilhelm und Friederike hin.

«Nun wundert mich nichts mehr», meinte sie leise, «dass dieser Brief meine arme Rieke dermaßen erschüttert hat, ist wirklich kein Wunder. Sie war davon überzeugt, dass sich euer Minchen in Berlin bei den Großeltern in guten Händen befände. Und nun dies!»

Wilhelm, der Meta und ihr großmütiges Herz seit Jahren kannte, wusste, dass sie die beste Freundin war, die er sich für seine Frau nur vorstellen konnte.

«Meta», bat er mit einem unüberhörbaren Zittern in der Stimme, «darf ich dich bitten, bei Rieke zu bleiben, wenn ich mich nach Berlin aufmache, um mein Kind zu suchen? Ich werde sofort um Urlaub nachfragen und hoffen, dass dieser so schnell wie irgend möglich genehmigt wird.»

«Mach dir keine Sorgen, Wilhelm», Meta lächelte, so gut sie das nach all der Aufregung vermochte, «Jan ist in Kiel und Jes, mein Mann, mal wieder für seinen Großhandel unterwegs. Ich hole mir nur rasch ein paar Sachen und bleibe bei Rieke. Du kannst unbesorgt sein. Dass unser Minchen wohlbehalten gefunden wird, hat die höchste Priorität.»

Erleichtert erhob sich Wilhelm, nach einem zärtlich-besorgten Blick auf Rieke, die sich immer noch nicht geregt hatte. Vergessen waren Bismark und dessen Rücktritt. Was konnte wichtiger sein, als das Wohl seiner kleinen Familie. Mit frischem Mut setzte er sich an den Schreibtisch und verfasste ein dringendes Urlaubsgesuch. Er sah auf die Pendeluhr an der Wand, sie zeigte ihm, dass sein Schreiben heute noch mit der Post nach Berlin befördert würde, wenn er sich beeilte. Nur noch den Brief verschlossen, Hut und Mantel gegriffen und mit schnellen Schritten das Schreiben zur Post gebracht. Die Postkutsche wartete, bereit zur Abfahrt, als Wilhelm dort ankam. Der Postbeamte ließ den Brief in die Posttasche gleiten und schon rollten die Räder davon, dem nächsten Bahnhof entgegen.

Als sei eine Last von ihm abgefallen, straffte Wilhelm seine Schultern und eilte wieder nach Hause, nicht ahnend, was ihn dort erwartete. Von weitem schon hörte er schrille Schreie, erkannte Riekes Stimme und rannte die letzten Schritte zum Haus, als wäre der Teufel hinter ihm her.

«Rieke, um Gottes willen, was ist los?»

Er stürmte ins Schlafzimmer, noch in Hut und Mantel und sah seine Rieke aufrecht im Bett sitzen, das Haar zerzaust und mit einem verstörten Blick sich mit den Fingernägeln die Wangen zerkratzend. Meta, die neben ihr kniete, hatte alle Mühe, sie davon abzuhalten, sich weiter zu verletzen.

«Mein Kind, mein Minchen, sie ist tot, fort für immer, tot, tot, tot..!»

Wilhelm Schulze stand fassungslos am Bett, in dem seine Frau immer wieder die gleichen Worte schrie, mit schriller Stimme, wie ein Tier, das nach seinem Jungen ruft. Er drehte sich um und rannte zu Doktor Spliedt, der soeben seine Praxis schließen wollte. Er sah Wilhelms verzweifelten Gesichtsausdruck und folgte ihm auf der Stelle. Eine Spritze brachte Friederike schnell zur Ruhe, teilnahmslos ließ sie die Untersuchung über sich ergehen, sank danach sofort wieder in die Kissen und schien nichts um sich herum richtig wahrzunehmen.

«Werter Herr Schulze», der Arzt richtete sich auf und schaute Wilhelm an, der das Mitleid im Gesicht des Doktors unmissverständlich abgezeichnet sah, «es ist ein schweres Nervenfieber, das ihre Gattin ergriffen hat. Ich kann nicht viel tun, außer sie ruhig zu stellen und zu hoffen, dass sie im Schlaf wieder zu sich findet. Wichtig ist, dass Ihre Frau nicht eine Minute allein bleibt. Sie könnte plötzlich erwachen und in ihrer Verwirrtheit sich etwas antun wollen. Haben Sie die Möglichkeit, ihrer Gattin diese intensive Pflege angedeihen zu lassen?»

Wilhelm sah Meta an, und die nickte stumm. Natürlich würde sie die Freundin nicht im Stich lassen. Der Arzt, dem die Blicke nicht entgangen waren, sprach erleichtert davon, dass er im Moment keine geeignete Pflegekraft zur Verfügung habe.

«Es gibt zur Zeit in Kappeln und der näheren Umgebung eine Menge starke Erkältungen und seltsamerweise drängen im Augenblick auch besonders viele Kinder ans Licht der Welt.»

Doktor Spliedt versprach, am nächsten Morgen noch vor der Sprechstunde vorbeizuschauen und ging. Meta und Wilhelm blieben resigniert zurück. Erst als die praktisch veranlagte Janne ins Zimmer schaute und zum Essen rief, kam ein wenig Bewegung in die beiden. Meta schickte Wilhelm vor, weil Rieke auch jetzt nicht allein bleiben sollte und bereitete sich auf dem Sofa nebenan ein Nachtlager. Sie wollte nicht allzu weit von der Freundin entfernt übernachten. Ob sie selbst aber schlafen könnte, das wagte sie zu bezweifeln. Auch Wilhelm, der ruhelos neben seiner Frau lag und auf deren Atemzüge lauschte, fand keinen Schlaf in dieser Nacht. Selbst Janne, die von ihrem Tagewerk müde genug sein sollte, dachte immerzu, wie es Minchen in der großen, fremden Stadt ergehen mochte. Daran, dass so ein lebensfrohes Mädchen nicht mehr leben sollte, konnte und wollte sie nicht glauben.

In den nächsten Tagen änderte sich wenig an Friederikes Zustand. Sie lag im Koma, hatte sich in eine innere Welt zurückgezogen, zu der sie nichts und niemandem Zutritt gewährte. Wilhelm wechselte sich mit Meta bei der Pflege der Kranken ab. So saß er an diesem frühen Morgen am Fenster des Schlafzimmers und sah hinaus auf die Schlei, die langsam aus dem Dunkel der Nacht auftauchte. Einer dieser eiskalten Märztage dämmerte herauf, die glauben machten, dass der Winter nie enden wollte. Zarter Nebel wogte über die Schlei, dem langen schmalen Arm der Ostsee, der bis nach Schleswig reicht und legte am Ufer filigranem Raureif auf die noch kahlen Gräser und Zweige. Wehmütig blickte Wilhelm auf diese verzauberte Landschaft und flüsterte leise den Anfang eines Gedichtes, das er in seiner Kindheit auswendig lernen musste:

«Und dräut der Winter noch so sehr
Mit trotzigen Gebärden,
Und streut er Eis und Schnee umher,
es muss doch Frühling werden».

«Ja, es muss doch Frühling werden», dachte er grimmig, «nicht nur draußen in der Natur, sondern auch hier drinnen, in unseren Herzen. Frühling bedeutet Hoffnung und die gebe ich nicht auf. Minchen wird zurückkommen, unversehrt und meine Rieke wird aus ihrem bösen Traum erwachen. Es kann gar nicht anders sein.»

Als ob der Himmel Wilhelms Flehen gehört habe, wich der Frost von einem Tag auf den anderen einem sanften Lüftchen, das die lang entbehrte Wärme mitbrachte und Wiesen, Weiden, Felder und Wälder mit einem Versprechen von Grün überzog. Die lachende Frühlingssonne streckte goldene Finger in die verstecktesten Winkel und erreichte sogar Riekes krankes Herz.

Denn am vorletzten Tag im März, passierten gleich mehrere Dinge auf einmal. Aus Berlin trafen zwei Briefe ein und Friederike öffnete endlich ihre Augen und sah staunend in das milde Frühlingslicht...

6. Berlin, Ende März 1890

Lachend und übersprudelnd vor Freude über Leilas soeben bestandene Abschlussprüfung trafen Wilma und ihre Kusine in der Friedrichstraße ein. Kaum hatten sie die Haustür geöffnet, tönte ihnen schon die aufgebrachte Stimme von Annemarie Clementi entgegen.

«Wilhelmine, Elisabeth, ich möchte euch sofort sehen, auf der Stelle!»

Die Mädchen schauten sich an, das klang geradezu furchterregend und Wilma überfiel gleich das schlechte Gewissen. Stumm betraten die beiden den Salon, in dem die Tante mit grimmigem Gesicht wie eine Herrscherin auf ihrem ausladenden Sessel thronte.

«Mutter, ich habe...»

....bestanden», wollte Leila sagen, doch Annemarie schnitt ihr das Wort ab.

«Ich muss euch mitteilen, dass mich heute Vormittag meine Mutter, eure gemeinsame Großmutter aufgesucht hat, um nach dir, Wilhelmine zu fragen. Ihr könnt euch nicht vorstellen, wie sehr mich das überrascht hat. Wie kommt es, dass deine Eltern nach dir suchen, Wilhelmine? Du hast mir doch versichert, sie wären mit deinem Hiersein einverstanden, hätten dich sogar selbst zu mir geschickt. Was soll also diese Diskrepanz? Erkläre es mir, sofort, denn ich fühle bereits, dass meine Migräne wieder im Anmarsch ist. Also, ich höre?»

Wilma wurde blass, vor diesem Augenblick hatte sie sich gefürchtet. Sollte sie der Tante die Wahrheit sagen, oder sich in vage Ausflüchte stürzen? Sie atmete tief ein und entschloss sich dann für die Wahrheit, mochte daraus werden, was es wolle.

«Liebe Tante», begann sie mit Vorsicht, «sei versichert, dass ich dir keine Unannehmlichkeiten bereiten wollte. Mir blieb leider nichts anderes übrig, als heimlich von zu Hause fortzulaufen und hier, in Berlin, bei dir und Leila Unterschlupf zu suchen.»

Sie stockte, jetzt kam der schwerste Teil ihrer Beichte, der sie am meisten Überwindung kostete. Aber es musste sein, wollte sie die Tante nicht anlügen.

«Wie du vielleicht weißt, sollte meine Verlobung mit Jan Paulsen bereits an Weihnachten stattfinden. Eine Aussprache mit ihm kurz vorher ergab allerdings, dass er sich umorientiert hatte und ein neues Studium beginnen wollte. Die Juristerei liege ihm mehr, meinte er, bat um Verständnis. Ich wusste, dass ein Jurastudium lange dauert und eine Heirat mit Jan auf Jahre hinaus nicht möglich wäre.»

Wilma schluckte die aufsteigenden Tränen hinunter und die Tante meinte mitleidsvoll, dass eine lange Brautzeit für ein Mädchen unerträglich sein kann.

«Wie gut ich dich verstehe, du armes Ding. Es ist typisch, erst versprechen die Männer einem das Blaue vom Himmel und dann soll eine Frau die Hände in den Schoß legen, bis das Himmelsblau von ganz allein herunterkommt. Wie wird es, deiner Meinung nach denn nun weitergehen, liebes Kind?»

«Ach, Tante, du weißt leider noch nicht alles. Meine Eltern erwarteten, dass ich zu Hause bleiben und auf Jan warten solle. Als ob mir die letzten Jahre nicht sauer genug geworden wären. Nach der normalen Schule, die ich mit vierzehn Jahren beendete, hätte ich liebend gern eine höhere Mädchenschule besucht. Immer schon wollte ich lernen, wissen, erfahren, wie die Welt ist und wie sie funktioniert. Doch für ein Mädchen schickt sich das nicht, sagten meine Eltern. Mein Vater war nicht zu erweichen, nicht nur, weil es in Kappeln keine weiterbildende Schule für Mädchen gab, sondern weil ich ohnehin heiraten und damit eine weitere Bildung für mich nicht erforderlich sei. Alles, was ich für eine Ehe wissen müsste, könne ich bei meiner Mutter lernen. Damit war die Sache für meinen Vater erledigt. Du ahnst nicht, wie oft ich mein Schicksal verflucht habe, nicht als Junge geboren worden zu sein. Dann stünde mir die Welt offen und deshalb dachte ich, dachte ich....»

Mit Macht brachen sich die zurückgehaltenen Tränen ihre Bahn und es kamen nur noch Schluchzer aus dem Mund des Mädchens. Leila steckte Wilma rasch ein Taschentuch zu und Annemarie bedeutete den beiden, sie möchten endlich Platz nehmen und nicht wie arme Sünder herumstehen.

«Da dachtest du, dass du in Berlin eher eine Chance hättest, zu studieren, habe ich recht?»

Wilma, die sich ein wenig gefangen hatte, setzte ihre Beichte fort. Sie berichtete, wie sie Leila einen Brief geschrieben habe, dessen Antwort sie nicht mehr abwarten konnte, so sehr haderte sie mit ihrem Los. Darauf vertrauend, dass es hier, bei der Tante irgendwie weitergehen würde, habe sie sich in den nächstbesten Zug gesetzt und nun sei sie hier und hoffe sehr, dass die Tante sie nicht auf der Stelle wieder nach Kappeln zurückschicken möge. Einen Moment herrschte Stille in dem eleganten Raum, nur das Ticken der kostbaren Wanduhr war zu vernehmen. Dann räusperte sich Annemarie.

«Du ahnst nicht, mein liebes Kind, wie sehr dein Schicksal mich berührt. Es gleicht in vielem dem Meinen. Auch ich hätte gern weiter die Schule besucht, aber meine Mutter, die bis heute unter ihrer hauchdünnen Großstadt-Tünche die ostpreußische Bäuerin geblieben ist, wollte, dass ich ihr im Haushalt zur Hand gehe, damit ich lerne, später eine gute Ehefrau zu sein. Doch ich hatte kein Interesse an einer Ehe, spürte, wie mich die Kunst in ihren Bann zog und wäre zu gern Malerin, Bildhauerin oder Ähnliches geworden. Auch ich war drauf und dran von zu Hause fortzulaufen, wollte den Mann, den meine Eltern für mich bestimmt hatten, gar nicht erst kennenlernen. Doch dann kam Joachim Clementi zu Besuch und in demselben Augenblick, in dem er zu uns ins Zimmer trat, war ich verloren, alle meine guten Vorsätze dahin. Auf den ersten Blick wurde er die Liebe meines Lebens, dessen große Tragik darin besteht, dass ich ihn nach viel zu kurzem Eheglück verlor. Im selben Moment, in dem ich meine Elisabeth zur Welt brachte, traf den Mann meines Herzens eine verirrte Kugel, ausgerechnet am allerletzten Tag dieses unseligen Krieges gegen die Franzosen. Erst viel später, als die Trauer etwas verblasste und ich mein Witwendasein akzeptierte, erlebte ich, was Freiheit bedeutet. Von da an wollte ich niemandem mehr Rechenschaft schuldig sein, war ich mein eigener Herr und, das gestehe ich gern, das genieße ich bis heute. Darum, Wilhelmine, bist du mir von Herzen willkommen und wir werden gemeinsam eine Lösung finden und sehen, ob wir in der Lage sind, dir zu einem Studium oder etwas in der Art zu verhelfen!»

Nichts hätte Wilma mehr überraschen können, als dieses Geständnis. Sie sah ihre Tante auf einmal mit ganz anderen Augen an. Wie die meisten jungen Menschen hatte sie sich Annemarie Clementi kaum als Mädchen vorstellen können. Für sie schien die nicht einmal Vierzigjährige uralt. Auch Leila, die von der tragischen Geschichte ihrer Mutter zwar wusste, aber nie darüber nachgedacht hatte, welche Konsequenzen eine solch frühzeitige Witwenschaft für eine junge Frau haben musste, spürte ein anderes, neues Verständnis für die Exaltiertheit der Mutter in sich aufsteigen. Sie wollte zu ihr, sie umarmen, schrak aber vor ihrer eigenen Courage zurück, sie ahnte, dass eine solche Intimität der Mutter nicht recht sei. Große Gefühle zu zeigen, das war nicht ihre Sache.

«Wilhelmine, eines noch», sprach Annemarie weiter, «so gern ich dir helfe, ich werde es erst dann tun, wenn du deinen Eltern geschrieben und all deine Beweggründe hierzubleiben, ihnen dargelegt hast. Es darf nicht sein, dass du meinen Bruder und seine Frau in Ungewissheit über deinen Verbleib lässt!»

Wilma erschrak. Ihren Eltern schreiben, das konnte sie nicht, ebenso wenig wie sie ihnen verzieh, dass sie ihr den Zugang zu weiterer Bildung versagt hatten. Kurz spielte sie mit dem Gedanken, so zu tun, als ob sie einen Brief verfasse, doch sie verwarf diese Idee schnell. Das hatte die Tante nicht verdient, nach all ihrer Offenheit und ihrer Bereitschaft zu helfen, wo sie konnte. Also entschloss sich das Mädchen zur Aufrichtigkeit.

«Verehrte Tante, glaube mir, ich weiß deine Güte und Großherzigkeit sehr zu schätzen. Aber ich lief nicht von zu Hause fort, um so schnell wieder zu Kreuze zu kriechen. Schon mit vierzehn Jahren schlich ich mich davon, um in Flensburg die soeben eröffnete Höhere-Töchter-Schule zu besuchen. Mein Freund Jan holte mich aus dem Zug, ehe die Eltern etwas merkten. Ich hatte nicht geahnt, dass es unmöglich wäre, morgens mit der Bahn nach Flensburg und abends wieder zurückzufahren. Allein in Flensburg leben, das durfte ich erst recht nicht. So blieb mir nichts anderes übrig, als zu Hause zu hocken und darauf zu hoffen, dass Jan bald mit seiner Ausbildung fertig würde, wir heiraten und ich einen eigenen Hausstand gründen konnte. Dann, so glaubte ich, könne ich endlich tun und lassen, was ich wollte und ein Studium nachholen.»

Wilma brach ab, die Stimme versagte ihr. Leila legte ihr beruhigend den Arm um die bebenden Schultern und die Tante sah sie mitleidig an.

«Ach, Wilhelmine, jetzt begreife ich, warum dich die Entscheidung deines Freundes so verletzt hat. Weitere vergeudete Jahre zu Hause abzuwarten, das hätte ich auch nicht vermocht. Dennoch, so viel Verständnis ich für dich aufbringe, so sehr leide ich mit deinen Eltern. Kannst du dir nicht vorstellen, wie furchtbar es ist, nicht zu wissen, wie es dem eigenen Kind geht? Ich bitte dich, schreibe ihnen nur ein paar Zeilen, dass du hier bei mir bist und dass es dir gut geht. Mehr verlange ich nicht von dir.»

Wilma blieb hart, sie hatte mit den Eltern abgeschlossen. Die Worte «Vater und Mutter» würde sie nie mehr in den Mund nehmen und schreiben erst recht nicht. Seufzend entließ Annemarie die Mädchen. Sie hatte etwas Dringendes zu erledigen, ging zum Schreibtisch, nahm Papier und Tinte heraus und begann schweren Herzens den Brief an den Bruder und die Schwägerin in Kappeln....

7. Kappeln, Anfang April 1890

«Schnell, komm schnell Wilhelm, Rieke ist wach!» Metas Schrei erreichte den Baubeamten bereits vor der Haustür. Mit raschen Schritten eilte er durch den Flur ins Schlafzimmer, Hut und Mantel irgendwo hinter sich werfend.

«Rieke, mein Riekchen, Liebes, wie geht es dir?» Tränen der Erleichterung erstickten seine Stimme. Er kniete sich neben das Bett, in dem seine Frau noch etwas verwirrt um sich blickte und nahm behutsam deren blasse, abgemagerte Hand in die seine. War es diese wohlbekannte zärtliche Geste, die Friederike endgültig in die Wirklichkeit zurückbrachte oder hatte ihr verirrter Geist den Weg ins Leben ganz allein gefunden? Das würde wohl nie jemand erfahren. Für Wilhelm Schulze war nur wichtig, dass der kaum spürbare Händedruck seiner Frau ihm sagte, dass sie ihn wahrgenommen hatte und eine tiefe, dankbare Freude erfüllte ihn. Meta, die Praktische, kam mit einem Glas Wasser an und flößte es der Freundin behutsam ein. Wilhelm war über die Störung ein wenig ärgerlich, sagte sich aber dann, dass Rieke noch der liebevollen Pflege bedurfte und räumte den Platz am Bett. Da trat Janne ins Zimmer, zwei Briefe in der Hand, die sie Wilhelm überreichte. Während Meta sich um Rieke kümmerte, sie wusch und ihr die frische Wäsche anzog, setzte Wilhelm sich mit dem Schreiben in den Salon. Der erste Anschein zeigte ihm, dass beide Briefe aus Berlin kamen, amtlich aussehend der eine, privat der andere.

«Nun gut», seufzte er, «Dienstliches geht nun einmal vor», öffnete das behördliche Schreiben als Erstes und ließ es mit einem Wutschrei sofort wieder fallen.

«Das kann doch wohl nicht wahr sein», er dämpfte seine Stimme, Rieke durfte sich noch nicht aufregen, «wie kommen diese Hornochsen in Berlin dazu, mir den Urlaub zu streichen, den ich so dringend beantragt habe. Die allgemeine Personallage ließe eine Beurlaubung nicht zu, schreiben die. Was wissen solche verknöcherten Schreibtischtäter schon von den Sorgen und Nöten eines Vaters! Wie soll ich mein Töchterlein jemals finden, wenn ich hierbleiben muss. Sie ist mit Sicherheit in Berlin und ich hätte sie aufgespürt, wenn ich nur hinfahren dürfte. Davon darf Rieke nichts wissen, nie im Leben, sie würde ganz bestimmt wieder krank und das vielleicht für immer. Sollte ich einfach ohne Erlaubnis fahren? Nein, dann werde ich Arbeit und Einkommen verlieren und das kann ich Rieke nicht antun und mir selbst auch nicht.»

Diese Art von Grübelei brächte ihn nicht weiter, dachte sich Wilhelm bald und seine Hände öffneten den zweiten Brief, ohne dass er sich dessen bewusst wurde. Erst als er die Anrede las, sprang er auf, starrte auf die wenigen Zeilen und wollte nicht glauben, was da geschrieben stand. Schneller als man ihm seiner Leibesfülle wegen zugetraut hätte, rannte er ins Schlafzimmer, einen Jubelschrei auf den Lippen. Im letzten Moment unterdrückte er die lautstarke Freude, wohl wissend, dass starke Gefühlsregungen, ob guter oder schlechter Art, seiner Frau schaden könnten. Er trat langsam an Riekes Bett und fragte leise, wie sie sich fühle.

«Mein liebster Wilhelm», sie lächelte ihn an, «ein bisschen schwach fühle ich mich, bin aber froh darüber, dich zu sehen. War ich krank? Merkwürdig, aber ich kann mich an nichts erinnern. Was ist geschehen?»

Mit weit aufgerissenen Augen sah Friederike ihren Mann an. Wusste sie wirklich nicht, was vorgefallen war? Durfte Wilhelm den Brief erwähnen? Er lächelte, versuchte Zeit zu gewinnen und gab Rieke einen zarten Kuss auf die blasse Wange.

«Liebes, du hast lange geschlafen, warst sehr krank. Zum Glück scheint es jetzt wieder aufwärts zu gehen mit dir. Mach mir bitte nicht noch einmal solche Sorgen, versprichst du mir das?»

«Ja, mein Wilhelm, ich verspreche dir, schnell gesund zu werden. Aber ich bin müde, möchte gern noch etwas ausruhen», sie sank zurück, die Augen fielen ihr zu, leise bat sie, «schick doch bitte noch Minchen herein, ich will auch ihr sagen, dass ich bald wieder auf den Beinen sein werde.»

Wilhelm erschrak, was sollte er tun, was ihr antworten? Durfte er ihr mitteilen, dass ihr Kind weggelaufen war? Da ging ein Ruck durch Friederike, sie saß kerzengrade im Bett und schaute mit panischer Angst in den Augen um sich.

«Minchen, oh Gott, Minchen, wo ist sie? Habt ihr sie gefunden? Ist sie wieder zu Hause? Sprich, Wilhelm, sag doch endlich, was geschehen ist!»

Voller Furcht, seine Frau erneut zu verlieren, setzte Wilhelm sich dicht neben Rieke hin und nahm sie ängstlich besorgt in den Arm. Er schluckte, überlegte sich seine nächsten Worte genau. Es galt, Friederike auf keinen Fall zu überfordern. Er hielt ihr das Schreiben hin.

«Liebste, schau, hier ist ein Brief aus Berlin, meine Schwester schrieb ihn und teilt darin mit, dass unser Kind seit Ende Januar bei ihr lebt und dass es Minchen gut geht. Unsere Tochter möchte gern noch eine Zeitlang in Berlin bleiben. Anscheinend versteht sie sich mit ihrer Kusine bestens und die beiden Mädchen wollen vorerst zusammenbleiben.»

Mit angehaltenem Atem wartete Wilhelm auf Riekes Antwort. Wie würde sie auf die Nachricht reagieren? Sie griff nach dem Brief, las ihn und lächelte unter Tränen.

«Oh Wilhelm, wie freue ich mich, dass es unserem Kind gut geht und es bei Annemarie in besten Händen ist. Natürlich gönne ich Minchen die Ferien und freue mich darüber, dass sie sich mit Elisabeth Berlin anschauen will. Sag mir doch bitte, wie lange ich geschlafen habe. Es ist so hell draußen und die Sonne scheint warm ins Zimmer. Ist es etwa schon Frühling?»

Wilhelm fiel ein Stein vom Herzen. Rieke nahm die Nachricht besser auf, als er befürchtet hatte. Er erhob sich, zog die Vorhänge zur Seite und deutete auf den Kastanienbaum, der mitten im Garten stand und den sie vom Schlafzimmer aus gut sehen konnten.

«Schau hin, meine Liebste, die große Kastanie, unser Baum, unter dem wir im Sommer gerne sitzen, er hat schon ganz dicke Knospen. Bald kannst du die ersten Blätter erkennen und danach folgt die schöne Blüte.»

Staunend betrachtete Rieke den Baum und den Garten, in dem Narzissen und Veilchen um die Wette blühten und den Kirschbaum neben Metas Haus, der wie eine zartrosa Wolke aussah.

«Ja, meine geliebte Friederike», flüsterte Wilhelm, um den Zauber dieses Augenblickes nicht zu zerstören, «du hast sehr lange geschlafen, in einer Woche feiern wir das Osterfest. Du bist also rechtzeitig aufgewacht, um Janne zu sagen, welche köstlichen Gerichte uns sie an Ostern servieren soll.»

«Ostern? In einer Woche schon? Da muss ich gleich aufstehen, wenn wir es richtig feiern wollen.»

Sie schwang die Beine aus dem Bett und fiel mit einem leisen Wehlaut wieder zurück. Meta, die gerade ins Zimmer trat, lachte belustigt.

«So schnell, meine liebe Rieke, schießen die Preußen nicht, auch wenn du selbst eine Preußin bist. Wer, so wie du, lange im Bett gelegen hat, ist noch viel zu schwach zum Aufstehen. Morgen beginnen wir mit langsamen Schritten. Jetzt ruhst du erst einmal, und keine Widerworte, jetzt habe ich hier das Sagen und das bleibt auch noch eine Weile so!»

«Meta, wie schön, dass du bei mir bist, dann weiß ich alles in besten Händen!» Rieke strahlte ihre Freundin an, «Also gut, ich bleibe liegen, aber einen Brief an Minchen zu schreiben, das dürft ihr mir nicht verbieten. Sie wird sicher wissen wollen, dass es uns allen gut geht.»

Meta und Wilhelm schauten sich an, er nickte unmerklich, dann holte Meta rasch Riekes Schreibutensilien. Bald vernahm man aus dem Schlafzimmer nur noch das Kratzen der Feder auf dem Schreibpapier.

«Herzenskind, geliebtes Töchterlein!   Kappeln, kurz vor Ostern im Jahre 1890

Nie werde ich den schrecklichen Augenblick vergessen, als ich am Morgen Deines Geburtstages in Dein Zimmer trat und feststellen musste, dass Du uns verlassen hattest. Ohne ein Wort bist Du gegangen, ließest uns, Deine Eltern, im Ungewissen zurück. Dein Vater war empört, verstand Dein Vorgehen nicht und ich verzweifelte an der vermeintlichen Tatsache, dass Du nicht mehr am Leben sein könntest. Ich wurde darüber krank, sehr krank. Nun bin ich genesen und freue mich, dass Du bei der Tante unterkommen konntest und Dich dort, in Berlin, Deines Lebens freust. Ahntest Du nicht, dass ich Dich verstanden hätte. Dass die Verlobung mit Jan nicht mehr infrage kam, wusste ich doch nicht und auch nicht, dass Du keine noch längere Brautzeit auf Dich nehmen wolltest. Warum redetest Du nicht mit mir? Eine Mutter hat doch für vieles Verständnis. Du fehlst mir, ich würde Dich gerne trösten und Dir sagen, dass Dein Vater und ich immer für Dich da sein werden, komme, was da wolle. Nur der Gedanke, dass Du in Berlin lebst, Dich bei Tante Annemarie in liebevoller Obhut befindest, lindert meinen tiefen Schmerz ein wenig. Bitte, antworte mir bald. In Liebe und Sehnsucht, Deine Mutter Friederike Schulze.»

Schnell steckte sie das Schreiben in einen Umschlag und rief nach Janne, die den Brief zur Post tragen sollte. Dann ließ sie sich in die Kissen sinken und schlief ein. Als Wilhelm später nach ihr sah, hörte er ihren gleichmäßigen Atem und wusste, dass auch er in dieser Nacht endlich zur Ruhe kommen würde. Jetzt hieß es, auf Minchens Antwort zu warten und darauf, dass sie irgendwann genug vom Großstadtleben haben und nach Hause zurückkehren würde....

8. Berlin, im Herbst 1890

Schwer atmend ließ sich Wilma auf die nächstbeste Bank fallen, die ihr auf dem Weg durch den Tiergarten in die Quere kam. Ihre Füße brannten vom Laufen durch die große Stadt Berlin und das Herz schmerzte ihr von all den barschen Absagen und mitleidigen Blicken der Dekane, Professoren oder Lehrer, die sie inzwischen aufgesucht hatte. Ihre Augen folgten einem goldbraunen Kastanienblatt, das gemächlich zur Erde segelte.

Goldbraune Blätter? Wilma erschrak, wurde es bereits Herbst? Wo war die Zeit geblieben. Seit einem dreiviertel Jahr lebte sie schon bei Tante Annemarie und Kusine Leila. Nach Leilas Schulabschluss gewährte die Mutter ihr ein Stück der ersehnten Unabhängigkeit.

«Liebe Elisabeth», Annemarie Clementis Augen blickten streng, auch wenn ihr Mund lächelte, «ich weiß, wie viel Überwindung es dich gekostet hat, die Schule weiter zu besuchen, und bin überzeugt, dass du es mir eines Tages danken wirst. Ehe zur Wintersaison der Ernst des Lebens auf dich zukommt, lasse ich dir in diesem Sommer so viel Freiheit, wie ich es verantworten kann. Ich bitte dich nur, an gewisse Regeln zu denken, die du nicht brechen solltest. Lache, tanze und freue dich über jeden Tag. Aber bleibe dabei stets eine verantwortungsbewusste junge Dame. Nur darum bitte ich dich.»

Fassungslos, staunend starrte Leila ihre Mutter an. Dann besann sie sich und bedankte sich artig, ehe sie Wilma an der Hand nahm und mit ihr die schmale Treppe hinauf ins Dachgeschoss eilte, wo zwei kleine Kammern lagen. Eine davon bewohnte Auguste, die im Winter lieber auf dem Hängeboden schlief, im Frühling und Sommer aber gern den größeren Raum unter dem Dach in Anspruch nahm. Das andere Kämmerchen, das ein breites Bett und eine Kommode beinahe vollständig ausfüllte, sah die Kusinen jetzt häufig. Wilma liebte den Blick aus dem Dachfenster über die Hinterhöfe, wenn Leila von ihren Erlebnissen erzählte. Sie nutzte ihre Freiheit weidlich aus, traf sich mit anderen jungen Leuten im Tiergarten und berichtete stolz von ihrer neuesten Eroberung.

«Stell dir nur vor, wen ich heute im Zoo traf, du wirst es nicht glauben, aber ich war völlig von den Socken, als eine von den Balletteleven der Oper, mit denen ich im Café saß, einen Mann ansprach, der am Nebentisch saß. Erinnerest du dich noch an den Schauspieler aus dem Stück von Gerhard Hauptmann, das wir mit meiner Mutter gemeinsam anschauen durften? Ja, genau der», Leila grinste und freute sich über Wilmas ungläubiges Gesicht, «eben dieser Ramon Santi saß dort, der Mann, dessen Namen ich nicht vergessen hatte und seine Schauspielkunst auch nicht. Und weißt du was? Er war sich nicht zu schade, sich mit zu uns an den Tisch zu setzen und aus seinem Leben zu erzählen. Unglaublich, was er alles erlebt hat. Das hättest du hören müssen.»

Wilma ließ Leilas Geplapper an sich vorbei ziehen, ihr war eine Ausbildung wichtiger als sinnlose Vergnügungen. Sie ging die Möglichkeiten in Gedanken immer wieder durch, wollte jede erdenkliche Chance nutzen und schreckte erst aus ihrer Versunkenheit auf, als Leila sie an der Schulter rüttelte.

«He, Wilma, aufwachen! Kommst du nun mit oder nicht?»

«Wohin sollte ich denn mitkommen?»

«Ach du liebes Lieschen, hast du mir überhaupt nicht zugehört? Wir, das heißt, meine Freunde und ich, wir treffen uns bei «Kempinski». Das ist nicht weit von hier, auch in der Friedrichstraße. Was ist, kommst du mit oder willst du hier versauern?»

«Oh Leila, was soll ich bei euch? Da passe ich wirklich nicht hin. Du und deine «Jungen Wilden» ihr habt euer Vergnügen im Kopf und ich das Lernen.»

«Was redest du für dummes Zeug, Wilma» Leila schüttelte den Kopf so heftig, dass ihr kupferfarbenes Haar nach allen Seiten flog, «ein bisschen Spaß darfst du dir ruhig gönnen. Meine Freunde sind Schriftsteller, Theaterleute, Maler und Musiker, am Beginn ihrer Karriere. Geld haben wir alle nicht und deshalb treffen wir uns gern bei Kempinski. Das ist eine Weinhandlung mit einer Probierstube, wo man für 75 Pfennige ein Glas Sekt bekommt oder sechs Austern mit Brot. Und wenn wir lange genug über Gott und die Welt diskutiert haben und so richtig hungrig sind, suchen wir uns eine urige Eckkneipe, in der man für drei Groschen Löffelerbsen essen kann.»

«Löffelerbsen, das hab ich ja noch nie gehört», jetzt wurde Wilma auf einmal neugierig, «was soll das denn sein? Sind es Erbsen, die mit dem Löffel gegessen werden?»

«Na ja, nicht ganz», Leila freute sich, der Kusine eine typische Berliner Spezialität erklären zu dürfen, «Das ist eine dickflüssige Suppe aus ungeschälten gelben Erbsen, mit Schweineohren und Schnauzen, oder mit Wurst. Kartoffeln sind, glaube ich, auch noch drin. Auf jeden Fall muss die Suppe so dick sein, dass der Löffel drin stehen bleibt. Deshalb heißt es Löffelerbsen. Kapiert?»

Wilma hatte es erfasst, konnte sich aber nicht vorstellen, dass solch eine Suppe ihr schmecken würde. Die Neugier siegte über ihren Verstand und sie ließ sich überreden, Leila zu begleiten.

«Na siehste», Leila lachte, «hat doch gar nicht wehgetan. Wir sind jung und haben alles Recht der Welt, uns zu amüsieren. Und nun komm, sonst ist die Bande weg und wir können sehen, wo wir bleiben.»

Es war tatsächlich nicht sehr weit bis zu diesem ominösen «Kempinski», wo bereits die große Schar der Freunde Leilas sich um die zahlreichen Stehtische gruppierte. Wilma ließ sich von ihrer Kusine einfach mitziehen und lauschte bald genauso hingerissen wie Leila den Erlebnissen der anderen jungen Leute. Alle sprachen über die neuesten Theateraufführungen, Vernissagen oder Konzerte. Für das junge Mädchen aus der tiefsten Provinz waren die berühmten Namen, mit denen die anderen umherwarfen, unbekannt, bis auf einen. Als der Name Gerhard Hauptmann fiel, horchte Wilma auf. Eine junge Frau, schlank und mit einem blassgepuderten Gesicht, schwärmte geradezu von dem Dichter.

«Stellt euch vor», begann sie verzückt, die Augen gen Himmel erhoben, als sei ihr Schwarm schon ein Dichterfürst, «er hat gerade ein neues Stück auf die Bühne gebracht. Es heißt «Das Friedensfest» und zeichnet dabei aber eine Familienkatastrophe nach. Natürlich streiten sich mal wieder Hinz und Kunz darüber, ob es gelungen ist oder ob man es verbieten solle. Ach, der Gerhard Hauptmann versteht die einfachen Leute. Dabei sieht er so edel aus. Auf dem Titelblatt der «Modernen Dichtung», dem Monatsheft für Kunst und Kritik, dass gerade erschienen ist, befindet sich sein Konterfei. Mit dem schmalen, blassen Gesicht, den eisblauen Augen und dem vollen dunklen Haar, ist er ein Mann zum Verlieben, sage ich euch, einfach zum Verlieben.»

«Weißt du denn nicht, liebe Lou», warf ein anderes Mädchen ein, «dass er längst verheiratet ist? Drei Söhne hat er auch. Da hast du keine Chancen!»

«Bei mir um so mehr, meine schöne Lou», lachte einer der jungen Musiker, der sein Instrument, ein Cello, unübersehbar neben sich stehen hatte.

«Hör bloß auf», mokierte sich die mit «Lou» Angesprochene, «wissen wir doch alle, dass du nur dein Cello liebst und sonst nichts und niemand.»

«Zweifle an der Sonne Klarheit, zweifle an der Sterne Licht, zweifle, ob lügen kann die Wahrheit, nur an meiner Liebe zweifle nicht», ließ sich eine dunkel-samtige Stimme vom Eingang her vernehmen und Wilma erschrak. Diese Stimme hatte sie nie vergessen und sie wusste sofort, zu wem sie gehörte und wer hier soeben aus Shakespeares Hamlet zitierte.

«Ramon Santi», hauchte Leila hingerissen neben ihr, «das ist ein Traum und gleich wache ich auf. Wilma, bitte, zwicke mich, damit ich weiß, dass dies jetzt gerade geschieht. Bitte!»

Noch ehe Wilma reagieren konnte, trat einer der Schauspieleleven zurück und überließ seinen Platz am Stehtisch dem berühmten Kollegen. Santi stellte sich so nahe neben die Kusinen, dass Wilma der betörende Duft seines Rasierwassers, in das sich Zigarettenrauch mischte, in die Nase stieg. Leila schien einer Ohnmacht nahe. Sie klammerte sich an Wilmas Arm und schmachtete den Mann mit ihren grünen Augen derart an, dass es Wilma schon peinlich wurde. Doch Ramon Santi bemerkte Leila scheinbar gar nicht. Er sonnte sich in der Bewunderung der jungen Menschen um ihn herum und gab gekonnt kleine Anekdoten aus seinem Theaterleben preis. Allzu rasch für Leilas Empfinden verabschiedete er sich, und warf noch hin, dass man ihn im nahegelegenen Kabarett antreffen könne, sofern man es wolle. Er habe dort eine Verabredung mit der grünen Fee. Ein schmelzender Blick in die Runde und fort war er.

«Oh, mein Gott, dass ich Ramon hier treffen würde und ihm so nahe sein durfte, das werde ich nie im Leben vergessen», Leila schaute zur Tür, als bewahre die noch das Abbild des verehrten Künstlers.

«He, Leila, wach auf, er ist doch weg», Wilma brannte eine Frage auf der Zunge, «erkläre mir lieber, wer die grüne Fee ist, mit der er sich treffen will. Ist das eine Kollegin vom Theater?»

«Du Schäfchen, weißt du denn überhaupt nichts? Man merkt, dass du in einem Provinznest aufgewachsen bist», Leila lachte, wandte sich endlich der Kusine zu, «die grüne Fee, das ist ein ganz spezielles alkoholisches Getränk, das aus Wermut, Anis, Fenchel und was weiß ich noch welchen Kräutern hergestellt wird. Man nennt es Absinth, es hat einen recht hohen Alkoholgehalt und ist grün. Angeblich soll es süchtig machen, deshalb hüte dich davor!»

Leila lachte laut und drängte mit den anderen dem Ausgang zu. Wilma überlegte einen Moment und genau diesen Augenblick zu lange, denn schon war die Meute verschwunden und mit ihr die Kusine. Ratlos sah sich Wilma um und entschied sich dafür, langsam nach Hause zu gehen und auf die nächste Vorstellung bei einem Lehrinstitut vorzubereiten. Oder, überlegte sie, sollte sie mit Justes Hilfe eines der abgelegten Kleider der Tante umändern? In ihrem Wollkleid war ihr inzwischen viel zu warm und Annemarie Clementi, die Wilmas knappe Garderobe bemerkt hatte, sortierte mit Auguste gestern einige ihrer Sommerkleider aus, für die sie sich inzwischen zu jugendlich fand. Juste, die kein Blatt vor den Mund nahm, meinte lakonisch, die Kleider wären schlichtweg zu eng geworden. Vielleicht würde Juste endlich darüber reden, wo sie die Zeit vor der Einstellung bei der Tante verbracht hatte. Doch Wilma hoffte vergeblich. Jedes Mal wenn sie davon anfing, beendete Juste abrupt ihr Geplapper und verwies auf den Mund, in den sie einige Nadel steckte, die sie zum Ändern der Kleidung brauchte. Kaum war ihr Mund wieder frei, ließ sich Juste über Leila aus und deren neue Angewohnheit, sich abends, wenn eigentlich Schlafenszeit wäre, heimlich aus dem Haus zu schleichen. Wilma erschrak, sie glaubte bis jetzt, dass niemand Leilas verstohlenes Verschwinden bemerkt hatte.

«Na, ich schlafe doch gleich nebenan», Juste grinste verschwörerisch, «da kriege ich mit, wenn das Fräulein leise die Treppe runter huscht. Keine Sorge, ich verrate schon nichts. Aber die Leila soll bloß auf sich aufpassen. Wie schnell man in die Bredouille kommt, weiß ich selber nur zu gut.»

Wilma horchte auf, kam da noch mehr? Würde Juste endlich reden? Konnte es sein, dass ein Mann sie in Schwierigkeiten gebracht hatte? Aber war das Mädchen dafür nicht noch viel zu jung? Doch Augustes Mund schloss sich rasch um die nächsten Nadeln und die Gelegenheit war vorbei. Nicht, dass Wilma sich nicht selbst Gedanken über die nächtlichen Ausflüge ihrer Kusine gemacht hatte. Ihre Einwände wurden aber von Leila mit einem spöttischen Lachen und einer abschätzigen Handbewegung abgetan.

«Ach komm Wilma, lass mir mein Vergnügen. Es geschieht nichts, was ich nicht verantworten könnte. Schau, ich bin jung und wenn es nach meiner Mutter geht, bald verheiratet. Ich will nichts weiter als lachen, tanzen und das Leben genießen, solange ich es noch darf. Verstehst du das nicht?»

Doch, Wilma verstand die Kusine, auch wenn sie selbst sich aus dieser Art von Vergnügung nicht viel machte. Für sie ging der Sommer dahin, mit der

Suche nach einer Möglichkeit, noch irgendwo zu studieren. Dass Leila immer öfter über Nacht fortblieb, machte ihr Sorgen. Doch ihr Versprechen, der Tante davon nichts zu sagen, hielt sie ein. So saß sie an diesem Herbsttag hier auf der Bank und grübelte. Wie konnte es möglich sein, dass sie noch keine Schule und erst recht keine Universität gefunden hatte, die sie aufnehmen wollte. Wie oft schlich sie wie ein geprügelter Hund nach Hause, wenn es erneut von Seiten der Schulen hieß, sie habe kein Abitur vorzuweisen. Das überhebliche Gesicht eines Dekans, vor dem sie kürzlich gestanden hatte, würde sie nie vergessen, weder den schmalen Gelehrtenkopf noch das spärliche Haar, die lange Nase oder die angewidert gekräuselten dünnen Lippen.

«Verehrtes Fräulein Schulze, eine ansehnliche junge Dame wie Sie, sollte es doch nicht nötig haben, den Blaustrumpf zu spielen», er lächelte süffisant, «dass Sie als Lehrerin nicht heiraten dürfen, ist Ihnen doch bewusst. Das wäre gerade in Ihrem Fall die reinste Verschwendung. Ich kann mir eher vorstellen, dass bald ein Mann in Ihrem Leben auftauchen wird, der Ihnen ein behütetes Dasein an seiner Seite zu bieten hat. Glauben Sie mir, mein Fräulein, als Ehefrau und Mutter werden Sie die Erfüllung Ihres Lebens finden.»

Sein Lächeln verschwand, er machte eine ungeduldige Handbewegung, als könne er es kaum erwarten, dass sie sein Büro verließ und nahm, ohne weitere Notiz von ihr zu nehmen, die nächste Akte zur Hand. Wilma spürte, wie Wut in ihr hochstieg und sie rannte beinahe aus dem Dienstzimmer. Sie wusste, dass sie ihm ins hochnäsige Gesicht gespuckt hätte, wäre sie auch nur eine Sekunde länger geblieben. Weitere Erfahrungen ähnlicher Art zeigten ihr deutlich, dass sie als Frau und dazu noch ohne Abitur, nicht die geringste Chance hatte, einen Bildungsweg zu finden, der ihren Wünschen und Träumen entsprach. Doch was wünschte sie sich eigentlich? Diese Art von Abfuhr sollte ihr vorletzter Versuch gewesen sein, denn Wilmas Selbstbewusstsein erlitt einen weiteren gewaltigen Knacks, als sie gestern bei der Direktorin des Lehrerseminars vorstellig wurde. Um Volksschullehrerin zu werden, das hatte ihr die Tante am Morgen mitgeteilt, müsse sie kein Abitur vorweisen und ihr die Adresse des Lehrerseminars in die Hand gedrückt. Mit frischem Mut machte Wilma sich auf und stand schließlich vor einer älterlichen Frau, die sie mit scharfen Augen musterte und ihr dann eine einzige Frage stellte:

«Warum wollen Sie Lehrerin werden, Fräulein Schulze?»

«Weil, weil ich», Wilma stotterte herum, ihr fiel kein einziger stichhaltiger Grund ein, «weil ich so viel an Bildung und Wissen ansammeln möchte, wie es mir möglich ist. Davon träume ich, seit ich denken kann.»

Es war die reine Wahrheit, das spürte Wilma mit einem Mal, allerdings eine, die der Direktorin nur ein müdes Lächeln abrang. Sie griff neben sich auf den Stapel Akten und gab Wilma ihre Unterlagen zurück, ohne sie sich auch nur ansatzweise angesehen zu haben. Ihr Gesicht drückte eine Mischung von Verständnis aber auch von Überdruss aus.

«Fräulein Schulze, so sehr ich Ihren großen Wissensdurst persönlich auch verstehen mag, wenn Sie mir geantwortet hätten, dass Sie Kinder lieben und sich nichts sehnlicher wünschen, als den Kleinen das Lesen und Schreiben beizubringen, dann würde ich Sie sofort in unserem Institut aufnehmen. Zu viele Mädchen habe ich hier erlebt, die glaubten, unbedingt Lehrerin werden zu wollen. Das ist aber leider nicht Ihr Begehr. Sie wollen nicht lehren, Sie wollen lernen. Wissen, um des Wissens willen, das vermitteln wir hier nicht. Damit sind sie bei Helene Lange viel besser aufgehoben.»

Als Wilma nachfragen wollte, wer diese Helene Lange denn sei, wies die Direktorin nicht unfreundlich, aber bestimmt zur Tür und gab Wilma noch ein «Viel Glück für Sie» mit auf den Weg. Zuhause bat das Mädchen zunächst die Kusine um Auskunft über diese seltsame Helene Lange, von der sie noch nie gehört hatte, doch Leila wusste auch nichts von ihr. Am Abend, nach dem obligaten Kartenspiel mit Kusine und Tante, bei dem Wilma die Tante absichtlich gewinnen ließ, weil sie wusste, dass Annemarie es hasste zu verlieren, traute sie sich, die Frage nach Helene Lange zu stellen.

«Und ob ich diese Dame kenne, persönlich sogar, weil ich einigen ihrer Zöglinge Unterstützung gewährte, als sie ihr Lehrerinnenseminar aufbaute. Die gute Helene Lange ist der Meinung, dass... warte, ich habe diese sogenannte gelbe Broschüre irgendwo aufbewahrt! Elisabeth, weißt du...ah ja danke. Hier ist es, sieh selbst», damit drückte sie Wilma ein dünnes Heft in die Hand und bedeutete ihr, daraus vorzulesen.

Das Mädchen blätterte kurz in der Broschüre, dann las es laut:
«Petition an das preußische Unterrichtsministerium und das preußische Abgeordnetenhaus, eingereicht am 9. Januar des Jahres 1888,

Die Unterzeichneten-Helene Lange, Minna Cauer, Anna Luise Dorothea Es werden zwei Forderungen gestellt:

1. dass dem weiblichen Element eine größere Beteiligung an dem wissenschaftlichen Unterricht auf Mittel- und Oberstufe der öffentlichen höheren Mädchenschulen gegeben und namentlich Religion und Deutsch in Frauenhand gelegt werden.

2. dass von Staats wegen Anstalten zur Ausbildung wissenschaftlicher Lehrerinnen für die Oberklassen der höheren Mädchenschulen errichtet werden sollen.»

Wilma hielt den Atem an. Diese Frauen hatten sich was getraut. So mutig wäre sie wohl kaum. Was aus der Petition geworden sei, fragte sie die Tante und die wusste, dass die Eingabe im Abgeordnetenhaus nicht behandelt und von Seiten der Regierung nach einem knappen Jahr abgelehnt worden war. Annemarie hob die Stimme und den Zeigefinger:

«Aber, Mädchen, merkt es euch, es war beileibe keine Niederlage. Diese «Gelbe Broschüre» machte Helene Lange mit einem Schlag auch über liberale und pädagogische Kreise hinaus bekannt. Diese gelbe Broschüre wurde zum entscheidenden Anstoß zur Reform des Mädchenschulwesens. Als sie merkte, dass der Staat an der Erziehung seiner Mädchen kein Interesse hatte und mit dem liberalen Kaiser Wilhelm I. auch die Hoffnung auf eine bessere Bildung für Frauen und Mädchen starb, eröffnete Helene Lange im vergangenen Jahr die Realkurse für Mädchen. Sie dauern etwa zwei Jahre. Damit will sie eine allgemeine Bildungsgrundlage für praktische, gewerbliche und kaufmännische Berufe ins Leben rufen. Das ist wirklich eine gute Sache, findet ihr nicht?»

Die Kusinen nickten eifrig, doch später, als sie im Bett lagen, stöhnte Leila .

«Oh, meine Mutter, sie kann eine rechte Plage sein. Seit ich die blöde höhere Mädchenschule abgeschlossen habe, liegt sie mir in den Ohren, ich solle doch so einen Realkurs belegen. Als ob ich nicht genug vom Lernen hätte. Ich bin jung und will mein Leben genießen. Diesen Sommer der Freiheit habe ich Mutter abschwatzen können. Doch jetzt, wo es auf den Winter zugeht, hat sie vor, mich von einer exklusiven Veranstaltung zur anderen zu schleppen, um mich schnellstmöglichst an den Mann zu bringen. Weißt du was? Ich hab nicht die mindeste Lust mich verschachern zu lassen. Frei will ich sein, so wie du und mir die Freunde und vielleicht sogar den Mann selbst aussuchen, mit denen ich mein Leben und meine Freiheit verbringen möchte. Verstehst du das? Niemand sperrt mich jemals wieder ein und niemand darf mir vorschreiben, was ich zu tun und zu lassen habe!»

Mit angehaltenem Atem hatte Wilma der Kusine zugehört. Empfand sie nicht ähnlich wie Leila? Wollte nicht auch sie ihr Leben selbst bestimmen? An einen Mann dachte sie dabei weniger, sie suchte eine geistige Freiheit und die würde sie vielleicht bei Helene Lange finden.

In dieser Nacht träumten die beiden Mädchen von ihrer Zukunft, einem Leben, das kaum unterschiedlicher hätte sein können. Am nächsten Morgen machte Wilma sich bereit, das Institut von Helene Lange aufzusuchen. Als sie vor die Frau mittleren Alters trat, war sie zunächst enttäuscht. Sie hatte sich etwas Charismatischeres erwartet als diese eher unscheinbare Erscheinung mit dem breitflächigen Gesicht einer Bäuerin und dem schlichten Dutt auf dem Kopf. Doch in dem Moment, als Helene Lange sie ansprach, vergaß Wilma alle ihre Vorurteile. Ein gewinnendes Lächeln veränderte ihr herbes Antlitz und die sympathische Stimme tat ein Übriges. Warm und weich, aber dennoch mit großer Überzeugungskraft, fragte die Direktorin nach Wilmas Begehr. Dem Mädchen fiel es nun nicht mehr schwer, ihr Anliegen vorzubringen. Mit angehaltenem Atem wartete sie auf das Urteil der Frau, das ihr bisheriges Leben verändern konnte. Eine Weile blieb es still in dem schlicht eingerichteten Büro, Helene Langes verständnisvoller Blick musterte Wilma ausgiebig. Dem Mädchen schien es, als schaue die ältere Frau ihr bis ins Herz und prüfe ihren Verstand. Endlich brach sie das Schweigen, erklärte der Jüngeren, was sie erwartete und sprach von ihrem eigenen Leben.

«Was ich dir jetzt sage, soll deinem besseren Verständnis für mein Institut dienen, Wilma? Durch meine Tätigkeit als Lehrerin an höheren Töchterschulen wurde ich mit den Missständen in der Lehrerinnenausbildung aber auch mit den ungenügenden Lehrinhalten für Mädchen konfrontiert. Vor allem bürgerliche Mädchen sollen nach wie vor auf ein müßiges Leben an der Seite eines Ehemannes vorbereitet werden. Das ist, wie ich denke, ein Lebensmodell, das nicht mehr in die heutige Zeit passt. Immer mehr Frauen und Mädchen des einfachen Bürgertums sind heute in der Situation, sich ihren Lebensunterhalt selbst verdienen zu müssen, ein Problem, auf das sie die höheren Töchterschulen nur ungenügend vorbereiten. Deshalb suchte ich vor einiger Zeit einen Weg, Mädchen einen gleichwertigen Bildungsweg wie Jungen zukommen zu lassen. Gleichzeitig versuchte ich, diese Ausbildung in qualifizierte Frauenhände zu legen. Mädchen sollten dazu befähigt sein, eine eigenständige Persönlichkeit zu entfalten. Das ist mir nach wie vor das Wichtigste.»

Helene Lange unterbrach ihre Erklärung, es schien ihr unangenehm, das auszusprechen, was sie dem jungen Mädchen nun zu eröffnen hatte. Regungslos erwartete Wilma das Urteil dieser Frau, der sie ihr Leben anvertrauen würde, so sehr hatte sie die kurze Rede angerührt und überzeugt. Ein Blick, in dem Verständnis aber auch ein wenig Mitleid lag, traf das Mädchen, ein Räuspern, dann sprach Helen Lange die Worte aus, vor denen Wilma sich gefürchtet hatte.

«Ich bedaure es sehr, mein liebes Kind, aber im Augenblick habe ich keinen Ausbildungsplatz mehr frei. Du kommst zu einer ungünstigen Zeit. Wenn es dir möglich wäre, so lange zu warten, würde ich dich gern im nächsten Frühjahr wiedersehen. Dann beginnt ein neuer Kurs und da hätte ich dich gern dabei. Mir imponiert deine Entschlossenheit, unbedingt lernen zu wollen. Nur das Wissen darüber, wie unsere Welt funktioniert, wird uns in Zukunft weiterbringen. Daran glaube ich und auch daran, dass dieses Wissen nicht nur Männern vorbehalten sein darf. Wir Frauen sind um keinen Deut weniger intelligent als sie, auch wenn sie uns das vormachen wollen. Nun Wilma, wirst du wiederkommen?»

«Nichts lieber als das, verehrte Frau Lange. Endlich bin ich an der richtigen Stelle angelangt, dort, wo ich hingehöre. Den Winter werde ich nutzen, um mich auf Ihr Seminar vorzubereiten, denn ich möchte mich Ihres Vertrauens würdig erweisen.»

«Wohl gesprochen, junge Dame», Helene Lange lächelte und reichte Wilma ihre Hand, «wir sehen uns im nächsten Frühjahr!»

Damit war Wilma entlassen und eilte davon, als hätte sie Flügel. Sie wollte schnell zu Leila und Tante Annemarie, um den beiden die frohe Botschaft zu verkünden. Zu ihrer Enttäuschung waren Mutter und Tochter aufgebrochen, um Leila mit der passenden Garderobe für die anstehenden Winterbälle zu versehen. Nur Auguste öffnete dem Mädchen. Sie drückte Wilma einen Brief in die Hand, der nach kurzem Blick auf den Absender auf dem Stapel ungeöffneter Schriftstücke landete. Wilma hatte sich geschworen, auf keinen Fall den Kontakt zu ihren Eltern wieder aufleben zu lassen. Würde sie lesen, was die Mutter geschrieben hatte, könnte sie ihre Gefühle nicht weiter unterdrücken und antwortete ihr mit Sicherheit. Gerade jetzt, mit der Aussicht auf den begehrten Platz bei Helene Lange, wäre das die falsche Entscheidung...glaubte sie...

9. Kappeln, im Dezember 1890

Wie konnte es nur sein, dass draußen bereits wieder Winter war. Friederike sah traurig den sacht fallenden Schneeflocken zu und erinnerte sich daran, wie froh ihr Minchen in jedem Jahr den ersten Schnee begrüßt hatte. Sie brachte kaum die Geduld auf, sich Mütze, Schal und Handschuhe anziehen zu lassen und tanzte ausgelassen in der frisch gefallenen weißen Pracht umher. Mit ausgestreckter Zunge fing die Kleine die Eiskristalle auf und jubelte, wenn einer davon auf ihrer Zungenspitze schmolz. Mit Jan lieferte sie sich viele fröhliche Schneeballschlachten, um mit ihrem Kinderfreund nachher bei Meta genüsslich den heißen Kakao zu schlürfen. Wo mochte ihr Minchen jetzt wohl sein? Fiel in Berlin ebenfalls Neuschnee? Dass es dem Mädchen gut ging, das las Friederike in den Briefen der Schwägerin, die ihr, in für ihr Seelenheil viel zu langen Abständen, kurze Berichte über die Tochter zukommen ließ. Dennoch hätte Rieke ihr Kind lieber zu Hause gewusst, als in der großen Stadt, die nicht ohne Gefahren war, wie sie aus ihrer eigenen Kindheit und Jugend noch wusste. Mit gemischten Gefühlen erinnerte sie sich an die schwere Grippewelle des vergangenen Jahres. Im Oktober von Russland herkommend, verbreitete sie sich mit rasender Geschwindigkeit entlang der Eisenbahnstrecken und hatte im November schon Berlin erreicht. Das Städtchen Kappeln, das zum Glück weitab lag, wurde weitgehend von der Krankheit verschont und in der Hauptstadt blieben alle Verwandten gesund. Friederike wandte sich seufzend um. Sie spürte, dass all diese Grübeleien zu nichts führten, außer dass sie traurig machten. Ob Meta etwas von Jan gehört hatte, der sich kaum noch zu Hause blicken ließ, seit Minchen verschwunden war? Sie hüllte sich in einen warmen Umhang und ging die wenigen Schritte zum Haus der Nachbarin.

«Bitte, liebste Meta», flehte sie in Gedanken, «sei zu Hause, ich brauche dich und deine tröstende Nähe so sehr.»

Als habe sie die Freundin erwartet, öffnete Meta ihre Haustür in dem gleichen Moment, als Rieke die Hand hob, um anzuklopfen.

«Komm rein, schnell, es ist kalt und ich wollte gerade zu dir!»

Die immer noch ansehnliche, stattliche Blondine zog Rieke rasch ins Haus und nahm ihr den Umhang ab. Aus der Küche duftete es verlockend nach Kaffee und frisch gebackenem Kuchen. Im Ofen loderte ein Feuer, das Rieke die Kälte aus den Knochen vertrieb. Sie wusste gut, dass es nicht nur am Feuer lag. Bei ihrer besten Freundin fühlte sie sich immer wohl und geborgen. Mit Meta besprach sie alles, redete sich den ganzen tiefen Kummer über Wilhelmines Verschwinden vom Herzen und sie konnte sich auf die Verschwiegenheit der Freundin verlassen.

«Ach Meta», ächzend ließ sie sich auf die Bank am Küchenfenster fallen, von der man eine hervorragende Sicht auf die Schlei hatte. Heute aber hinderte der starke Schneefall die Freundinnen daran, mit den Augen und dem Herzen den Fluten des Gewässers zu folgen.

«Was treibt dich zu mir, Rieke? Hast du endlich Post von Minchen erhalten? Oder ist etwas mit Wilhelm?»

Fragend schaute Meta die kleinere und zierlichere Friederike an. Sie schien dünner, fast mager geworden zu sein. In den kastanienbraunen Haaren zeigten sich einzelne silberne Fäden und um die Augen herum hatten sich zarte Fältchen angesiedelt. In den vergangenen Monaten war Rieke um Jahre gealtert. Tiefes Mitgefühl stieg in Meta auf, doch sie wusste, sie durfte es nicht zeigen. Damit stieße sie die Frau, die ihr seit langem eine enge Vertraute war, nur noch heftiger in ihre Verzweiflung. Es gab aber etwas, das bisher stets geholfen hatte, Rieke etwas abzulenken, das «weißt du noch» Gespräch.

«Liebes», Meta goss den frisch aufgebrühten Kaffee ein und setzte sich zu der Freundin, «weißt du noch, wie wir damals, in dem schrecklich kalten Winter, als sogar die Schlei zufror, unseren Kindern gemeinsam das Schlittschuhlaufen beibrachten?»

«Oh ja», Rieke ging zum Glück sofort darauf ein, «was hatten wir für einen Spaß, selbst wenn wir zwei erwachsenen Frauen uns öfter ungewollt auf das Eis setzten, um die Kinder zum Lachen zu bringen. Und erinnerst du dich noch an all die vielen Schneeballschlachten von Jan und Minchen im Garten?»

«Ja, und wie sie sich hinterher auf heißen Kakao und Apfelpfannkuchen stürzten», Meta lachte in Erinnerung an Minchens schokoladenverschmiertes Mündchen und Jans Versuch, den Rekord im Pfannkuchenverdrücken zu brechen, «und wie du mir vergeblich versuchtest zu erklären, dass Pfannkuchen bei euch in Berlin etwas ganz anderes wären, als hier bei uns. Berliner nannten wir die und auch Wilhelm und dich, als ihr damals nach Kappeln gezogen seid.»

«Wie könnte ich das vergessen», Rieke sah in Gedanken noch einmal den Tag vor sich, als sie mit ihrem frisch angetrauten Mann das Haus zum ersten Mal betraten, in dem sie bis heute zusammenlebten. Der preußische Beamter und Bauingenieur Wilhelm Schulze war vom Kaiser nach Kappeln gesandt worden um im Jahre 1870 mitzuhelfen, aus dem soeben erst zur Stadt erklärten Flecken eine richtige Stadt zu machen, mit all den öffentlichen Gebäuden, die man in Preußen für unabdinglich hielt. Für Friederike war dieses Kappeln, im hohen Norden an der Schlei gelegen, eine gewaltige Enttäuschung. Sie, das Kind der Großstadt Berlin, fühlte sich in dem provinziellen Städtchen fehl am Platz.

«Ich erinnere mich noch, als wäre es gestern gewesen, wie Wilhelm und ich an diesem Tag im Mai zum ersten Mal den Garten betraten und ich über die Hecke in den Deinen schaute. Da saßest du und sahst uns an, dein kleiner Jan spielte im Gras zu deinen Füßen und ich wünschte mir sofort, dass meinen Ehemann und mir bald auch so ein süßes Kerlchen geschenkt würde. Und als ich das vorsichtige Lächeln in deinen Augen sah, wünschte ich mir noch mehr als alles andere, dich zur Freundin.»

«Und das ist wahr geworden, bis heute», Meta legte gerührt ihre kräftigen Finger auf Riekes schmale, knochige Hand, «eine bessere Freundin als dich, kann ich mir nicht vorstellen. Unsere Kinder durften eine schöne glückliche Kindheit miteinander verbringen. Auf diese Weise kamst du zu einem Jungen und ich zu einem Mädchen, genauso, wie wir es uns gewünscht hatten.»

Meta wandte ihren Blick vom Fenster ab und sah gerade noch, wie Rieke sich verstohlen eine Träne wegwischte.

«Verzeih mir, Liebe, ich hab wohl mal wieder deinen Schmerz aufgewühlt. Das wollte ich nicht!»

«Ich weiß», Rieke lächelte, auch wenn das Lächeln Meta nicht überzeugen konnte, «irgendwie warte ich immer noch auf eine Antwort von Minchen aus Berlin. Wenn meine Schwägerin Annemarie mir nicht ab und zu mitteilen würde, dass es dem Mädchen gut geht, wüsste ich nicht, ob ich dieses Leid überleben könnte.»

Stumm strich Meta der Freundin über den Arm. Was sollte sie entgegnen, sie erlebte Riekes Enttäuschungen mit, wenn schon wieder keine Antwort auf einen der vielen Briefe kam, die sie an ihre Tochter schrieb. Sie versuchte das

Gespräch in andere, ungefährlichere Bahnen zu lenken, was leider nicht so einfach war.

«Sag mal Rieke, hättest du Lust, mich demnächst in die neue Knopffabrik zu begleiten? Natürlich erst, wenn der Schneefall aufgehört hat. Weit ist es ja nicht und ich könnte ein paar schöne Knöpfe gebrauchen, falls ich mir wieder ein Kleid nähe. Aus Perlmutt soll es in der Fabrik welche geben, aus Holz geschnitzte und sogar Knöpfe aus Steinen. Das kann ich mir nicht vorstellen und muss es mir ansehen und du doch sicher auch.»

«Oh ja, da will ich gerne mitkommen», Rieke ging zu Metas Freude auf den Vorschlag ein, «und stell dir vor, das weiß ich von meinem Wilhelm, die fertigen dort auch Häkelnadeln an. Ganz modern ist diese Fabrik, sagte mein Mann, sie wird mit einem Windrad betrieben und hat daneben noch eine Dampfmaschine, falls der Wind einmal ausbleibt!»

«Das wird wohl kaum geschehen, oder hast du Kappeln und unsere Schlei jemals ganz ohne Wind erlebt?»

Meta lachte und Rieke stimmte mit ein. Für den Rest des Tages schien die Stimmung gerettet und Friederike trat ihrem Mann mit einem Lächeln auf den Lippen entgegen, als er am Abend nach Hause kam. Sie hatte Janne angewiesen, Wilhelms Leibspeise zuzubereiten, denn sie wollte heute endlich wieder etwas freundlicher zu ihm sein. Weihnachten, das Fest der Liebe stand vor der Tür und da hatten alle Unstimmigkeiten zu schweigen.

Oft genug ärgerte sich Rieke über ihren Ehemann, seit Minchen auf und davon war. Manchmal glaubte sie, dass er gar nicht merkte, wie sehr sie sich grämte und wie viel Schuld sie sich selbst am Verschwinden ihrer Tochter gab. Am schlimmsten schien ihr der Juli, als Wilhelm nach Hause kam und sich lang und breit darüber ausließ, dass die Insel Helgoland endlich durch einen Vertrag zwischen England und dem Deutschen Reich an Preußen zurückgegeben wurde. Diese sonderbare Insel, Rieke wusste nicht einmal, wo sie genau lag, sollte in den Kreis Süderdithmarschen in der Provinz Schleswig-Holstein eingegliedert werden. Wilhelm machte sich noch lustig über den Namen des Vertragswerks, das er abschätzig «Hosenknopfvertrag» nannte. Das erklärte er damit, es habe sich um einen Tausch der viel größeren Insel Sansibar, die vor Afrikas Ostküste lag, gegen Helgoland gehandelt. Deshalb stand in den Zeitungen zu lesen, dass deutschnationale Kritiker von einem «Tausch, Hose gegen Hosenknopf» sprachen und Reichskanzler Caprivi vorwarfen, er habe weder wirtschaftliche noch kolonialpolitische Gesichtspunkte berücksichtigt. Natürlich fragte man die Helgoländer selbst nicht nach ihrer Meinung. In der englischen wie auch der deutschen Presse und bei den Geheimdiensten, mutmaßte man, dass die Einwohner von Helgoland mehrheitlich dagegen gewesen sein sollen, echte Preußen zu werden. Allerdings waren sie von den deutschen Badegästen wirtschaftlich abhängig. Am wichtigsten für sie schien vor allem, dass sie nach dem Vertrag keine Steuern zahlen mussten, ihnen Zollfreiheit 20 Jahre lang garantiert wurde und erst die nach dem Jahr 1890 auf Helgoland geborenen Männer wehrpflichtig sein sollten. Wilhelm sah Rieke beifallheischend an, doch die hatte, so wie er es sah, gar nicht zugehört. Zu tief schien sie in ihre Trauer um die verlorene Tochter versunken. Ärgerlich warf er die Zeitung auf den Frühstückstisch und marschierte grußlos aus dem Haus. Er wusste nur zu gut, dass Rieke, kaum dass hinter ihm die Haustür ins Schloss gefallen war, zu Meta hinüberrannte und sich bei ihrer Freundin ausweinte. Wie hatte es geschehen können, dass seine Frau ihn nicht mehr verstand, grübelte er auf dem Weg ins Rathaus. Als er an seinem Schreibtisch saß und die Baupläne und Bauanträge durchsah, ertappte er sich dabei, dass er Friederike eigentlich beneidete. Sie war in der Lage, ihren Kummer mit einer Freundin zu teilen. Meta würde sich, wie so oft, verständnisvoll um sie bemühen, sie aufmuntern und ablenken.

«Und wer kümmert sich um mich? Ein Mann soll alles tragen, ohne zu jammern und zu wehklagen», Wilhelm stützte den Kopf müde und traurig in seine Hände, «niemand fragt danach, wie ich mich fühle und ob ich mein Minchen nicht ebenso vermisse wie Rieke. Wem soll ich mein Leid klagen? Es gibt viele Menschen in meinem Leben, aber da ich mit meiner Frau immer sehr glücklich war, habe ich mich nie darum bemüht, einen richtigen Freund zu finden. Das rächt sich. Werde ich, nach Minchen, nun meine Rieke verlieren?»

Wilhelm atmete tief durch, nahm dann energisch den nächstbesten Bauplan zur Hand, entschlossen, seiner Friederike das Leben nicht schwerer zu machen, indem er auch noch herumjammerte. Er ahnte nicht, dass nur zwei Straßen weiter, seine Frau sich ebenfalls vornahm, ihren Ehemann, den sie nach wie vor von Herzen liebte, mit ihrem Kummer nicht mehr zu belasten. Bei Meta konnte und durfte sie sich ausweinen, das musste genügen. Für Wilhelm wollte sie die Friederike bleiben, die an seiner Seite das Glück gefunden hatte. In ihrem Bemühen, den jeweils anderen nicht merken zu lassen, wie man sich wirklich fühlte, erstarrten beide, machten ihre Liebe zu einem Ritual, hinter dem sie ihre wahren Gefühle verbargen. Wie verkrampft sie miteinander umgingen, spürten sie nicht. Das nahende Weihnachtsfest fürchteten beide, die tagelange Nähe würde ihre mühsam bewahrte Haltung zum Bröckeln bringen. Aber in Streit geraten, das wollte auch keiner. Rieke hielt die Hoffnung aufrecht, dass ihr Minchen vielleicht zu Weihnachten käme oder wenigstens einen Brief senden würde. Wilhelm hoffte darauf, dass er endlich eine Genehmigung bekäme, nach Berlin zu reisen, um dort mit Minchen zu reden und sie mit nach Hause zu bringen. Mit dem, was dann geschah, damit hatte wohl niemand gerechnet, am allerwenigsten Meta. Sie, in ihrer Vorfreude auf den Besuch ihres Sohnes, überschlug sich beinahe mit den Vorbereitungen, die Jan das Fest unvergesslich machen sollten. Doch statt des Dreiundzwanzigjährigen kam ein Brief. Rieke, die gerade bei ihrer Freundin weilte, als der Postbote kam, sah mit Entsetzen, wie Meta totenblass wurde, mit dem Kopf auf den Tisch sank und einen herzzerreißenden Schrei von sich gab. Mit tränenüberströmtem Gesicht schob sie Rieke das Schreiben hin. Die nahm es auf und las:

«Liebe Mutter,

Es tut mir unendlich leid, Dir Kummer zu bereiten, aber ich habe es nicht fertig gebracht, zu kommen und Dir selbst zu sagen, dass ich auswandere. Wenn Du diese Zeilen in deiner Hand hältst, bin ich bereits in Amerika gelandet. Ja, Du liest richtig. Ich habe mein Studium aufgegeben, in das ich mich verrannt hatte. Nachdem Wilhelmine mir den Laufpass gab, weil sie nicht noch jahrelang auf eine Heirat warten wollte, ließ mich meine Konzentration im Stich. Ein guter Freund, dessen Eltern im letzten Jahr nach Amerika gingen, berichtete mir mit glänzenden Augen von diesem Land der unbegrenzten Möglichkeiten. Da ich, durch eigene Schuld, wie ich offen gestehe, in unserem Land nichts Rechtes mehr werden kann, versuche ich also in Amerika mein Glück. Wenn ich in New York bin und weiß, was ich machen will, melde ich mich bei Dir, das verspreche ich.

Bis dahin verbleibe ich, Dein Dich liebender Sohn Jan.»

Langsam ließ Rieke das Blatt sinken, setzte sich neben die weinende Meta und legte ihren Arm um deren Schultern. Fassungslos versuchte sie irgendwie zu verstehen, was in Jan vorgegangen war. Sie vertraute dem jungen Mann, der seit zwanzig Jahren der Nachbarssohn war, hatte ihn gemeinsam mit ihrer eigenen Tochter aufwachsen sehen, kannte ihn, wie sie bis jetzt geglaubt hatte, ebenso gut wie seine eigene Mutter. Damit, dass er alles hinwerfen und nach Amerika gehen würde, hätte sie nie gerechnet und, wie es aussah, auch Meta nicht.

«Meta», die Freundin tat ihr leid, «wie kann ich dir helfen? Was sollen wir nur tun?»

«Ich weiß es doch auch nicht», ratlos zuckte Meta mit den Schultern, «wir werden Jans Entschluss akzeptieren müssen. Wie sollten wir ihn zurückholen. Amerika ist weit weg und ziemlich groß, glaube ich. Wer da nicht gefunden werden will, den findet niemand!»

Das musste Friederike schließlich einsehen. Eilig lief sie hinüber zu ihrem Haus und informierte Janne kurz über das Geschehen. Sie wolle bei der Freundin bleiben, sie auch nachts nicht allein lassen, das möge Janne dem Hausherrn ausrichten. Rasch packte Rieke ein paar Sachen zusammen, nahm auch ihr Schreibzeug mit und eilte zurück zu Meta. Die hatte sich in der Zwischenzeit nicht von der Stelle gerührt, starrte blicklos durch das Fenster in die Nacht, die draußen über der Schlei wartete. Erst als Rieke sie behutsam rüttelte, fuhr sie auf.

«Ich muss doch noch den Teig für die Wiehnachtspoppen kneten, Jan und Minchen mögen sie so gern. Holst du von dir bitte noch den Johannisbeersaft zum Bemalen? Meiner ist leer.»

Sie schien durch die Freundin hindurchzusehen, ging langsam, wie eine Schlafwandlerin in die Küche, griff automatisch zu Mehl und Zucker und hörte erst auf, als Rieke ihr die Sachen aus der zittrigen Hand nahm.

«Meta, das Weihnachtsgebäck kann warten. Bitte, leg dich hin, ich koche dir einen Schlaftee, damit du zur Ruhe kommen kannst. Meta, bitte!»

Erschrocken schaute Meta hoch, sah den Brief auf dem Tisch liegen und ihr fiel alles wieder ein. Mit wankenden Schritten, von Rieke unterstützt, ging sie langsam in ihr Schlafzimmer. Wie eine willenlose Puppe ließ sie sich auskleiden und ins Bett legen. Nur kurz verließ die Freundin sie, um in der Küche den Tee zuzubereiten, eine Steingutflasche mit heißem Wasser zu füllen, ein dickes Handtuch darum zu wickeln und bei Metas Füßen unter der Bettdecke zu platzieren. Rieke wusste genau, wie beruhigend es sein konnte, warme Füße zu haben. Sie blieb bei Meta am Bett sitzen, bis deren gleichmäßige Atemzüge ihr verrieten, dass sie eingeschlafen war. Ein inniger Blick auf die Schlummernde, dann setzte Rieke sich in der Küche an den Tisch und nahm ihr Schreibzeug aus der Tasche. Die Tür zum Schlafzimmer der Freundin ließ sie einen Spalt weit auf. Lange saß sie da und überlegte. Sollte sie Minchen schreiben? Würde ihre Nachricht wieder auf dem Stapel ungelesener Briefe landen, von dem ihr die

Schwägerin Annemarie berichtet hatte? Gab es jetzt, wo Jan außer Landes war, vielleicht einen winzigen Funken der Hoffnung, dass Minchen zurückkäme? Das Mädchen musste es unbedingt erfahren, trug sie doch an der ganzen Sache einen nicht unerheblichen Teil der Schuld. Las sie in dem Brief von Jans Ausreise, würde sie sicher darauf reagieren, las sie ihn nicht...? Darüber mochte Rieke nicht nachdenken. Ihr war nur wichtig, den Kontakt zu ihrer Tochter wieder herzustellen. Was daraus entstünde, das musste man abwarten. Hoffen und Harren, hält manchen zum Narren, hatte die Mutter oft zu ihr gesagt. Diesen Gedanken scheuchte sie rasch aus ihrem Kopf. Friederike griff zur Feder.

«Mein liebes Minchen,   *Kappeln, den 20. Dezember 1890*

Es ist kein schöner Anlass, aus welchem ich Dir heute schreibe und wünsche und hoffe, dass Du diese Zeilen liest. Meta erhielt soeben einen Brief von Jan, von dem sie dachte, er käme an Weihnachten nach Hause, nach Kappeln. Doch in dem Schreiben erklärte er ihr, dass er nach Amerika ausgewandert sei, weil er einfach nicht darüber hinwegkam, dass Du Eure Verlobung aufgelöst hast. Was zwischen Euch wirklich geschehen ist, hast Du mir leider nie mitgeteilt. Es gibt so vieles, über das ich mit Dir gern gesprochen hätte, aber Du gabst uns keine Möglichkeit dazu. Auf meine Briefe antwortest Du nicht und ich weiß nicht, ob Du sie überhaupt liest. Ich wünschte mir sehr, dass Du auf diesen reagierst. In der Hoffnung, dass du dich eines Tages wieder für uns, die wir allein in Kappeln zurückblieben, interessieren wirst, berichte ich dir von den Ereignissen in unserem Städtchen. Mit der Weltstadt Berlin und all ihren aufregenden Begebenheiten, kann sich Kappeln wohl kaum messen. Aber auch hier hält die Industrie Einzug. Eine Knopf-Fabrik gibt es seit Neuestem, betrieben von einem Windrad, das ganz in der Nähe, in Wittkiel hergestellt wurde. Wie man hört und es wird immer noch viel geredet hier im Ort, sollen auch die Senfmühlen und die Wollkratzerei, die wir beide einmal besuchten, solche neumodischen Windräder erhalten. Erinnerst Du Dich? Weil Du Dich oft über die rauen Wollstrümpfe beklagtest, bin ich eines Tages mit Dir in die Wollkratzerei gegangen. Dort hat man Dir gezeigt, wie die Schafswolle zwischen großen Drahtbürsten solange gerieben wird, bis sie ganz locker ist. Erst danach kann sie zu Garn versponnen werden. Erinnerst Du Dich auch noch daran, dass die Frau, die an der Kratz-Maschine arbeitete, Dir sagte, dass Deine Strümpfe nicht aus der Wolle, die sie hier bearbeiten, gestrickt sein könnten, denn die wäre so weich, dass sie niemals kratzte. Du liest also, unser idyllischer Ort wird ein industrielles Gesicht erhalten. Das meint zumindest Dein Vater, der sich vor Arbeit kaum retten kann und von einem «goldenen Industrie-Zeitalter» spricht. Ich kümmere mich um Meta, der es nicht gut geht und sehe mit Besorgnis aus dem Fenster. Draußen weht seit Tagen ein heftiger und eiskalter Ostwind, der dicke Eisschollen in die Schlei treibt. Wir hoffen, dass unsere zerbrechlich erscheinende Pontonbrücke den Eisgang unbeschadet übersteht. Vorher will ich noch den Brief an Dich mit der Eisenbahn hinübersenden.

Geliebte Tochter, schreib mir bitte bald zurück.

In tiefer Liebe und Sorge, Deine Mutter Friederike Schulze»

Es wurde ein stilles Weihnachtsfest, bei den Schulzens und bei Paulsens. An Silvester mochte keiner der vier an eine ausgelassene Knallerei denken, auch nicht an Sekt um Mitternacht und daran, was das Neue Jahr wohl mit sich bringen würde. Erst als es an der Haustür klingelte, schraken Rieke und Meta von ihrem leise geführten Gespräch hoch. Die beiden Männer, in eine weitere Partie Offiziersskat vertieft, merkten es nicht. Da riss Janne, das Dienstmädchen, das seit langem zur Familie gehörte, die Tür zum Salon auf und winkte Rieke zu.

«Was ist denn los, Janne? Ist irgendwo ein Feuer ausgebrochen?»

Bei dem Wort «Feuer» wurden auch die Männer endlich aufmerksam, denn beide gehörten der freiwilligen Kappelner Feuerwehr an, die vor Jahren gegründet wurde, als in der Straße, in der sie lebten, ein Reetdachhaus so schnell abbrannte, dass die Bewohner nur noch das nackte Leben retten konnten. Janne lachte und deutete auf die Haustür, vor der sich ein paar seltsame Gestalten drängten und ein merkwürdig brummendes, unheimlich anmutendes Geräusch zu vernehmen war.

«Oh du lieber Himmel», Rieke schlug sich an die Stirn, «ich habe doch glatt vergessen, dass heute der Rummelpott umgeht. Was mach ich jetzt nur? Wir haben doch gar nichts vorbereitet.»

«Ich auch nicht, Rieke», Meta sah auf einmal wieder unglücklich aus, «auch bei mir liegt nichts bereit für den Rummelpott. Oh weh, oh weh, das bedeutet Unglück für das ganze nächste Jahr!»

Ein helles Lachen, in dem ein wenig Schadenfreude mitschwang, kam von der Tür. Janne, die mit einer großen Schüssel dort stand, lachte über ihr nettes, sommersprossiges Gesicht. Sie pustete sich ein paar vorwitzige Löckchen aus der Stirn, die sich unter der weißen Haube hervorgewagt hatten. Sie wusste, das niemand ihr das selbständige Handeln ankreiden würde.

«Alles halb so schlimm, ihr habt zum Glück ja eure Janne. Ich hab schon daran gedacht, eine Menge Futjes zu backen, Pförtchen, wie ihr Preußen sagt. So kommt das noch zurecht. Und nun sollen die Kinder singen...»

Die in allerlei seltsames Zeug gekleidete Kinderschar, die vor der Haustür wartete, legte mit ihrem Rummelpott-Gesang los:

«Fruken mach de Dör op, de Rummelpott will in...»

Und «ick bün een lütten König, giff mi nich to wenig...»

Dazu brummelte und rumorte der Rummelpott, eine Blechdose, die mit einer Schweinsblase bezogen war, in der ein dünner Stab steckte. Ein wahrlich gespenstisches Geräusch. Als alle Kinder bedacht waren, zogen sie von dannen und man hörte noch lange ihren Gesang über die Straße herüberwehen: «Rummel rummel rutsche...»

Im Hause Schulze war es nun allerdings vorbei mit der trüben, so gar nicht festlichen Stimmung. Jes Paulsen besann sich als Erster. Er lief die wenigen Schritte hinüber in sein Haus und kam in Windeseile mit einer Buddel vom feinsten Rum zurück. Wilhelm, der nicht zurückstehen wollte, rückte eine Flasche seines heißgeliebten Rotweins heraus. Aus beidem und diversen geheimnisvollen Zutaten zauberte Janne im Handumdrehen einen köstlichen Punsch. Sie stellte noch eine Schüssel mit Pförtchen auf den Tisch, den kleinen Apfelkuchen, die hier zu Silvester dazugehören. Und damit der viele Alkohol die Freunde nicht zu schnell außer Gefecht setzte, servierte ihnen das tüchtige Hausmädchen eine schmackhafte Mitternachtssuppe, deren Zutaten sie auch unter wüsten Androhungen spaßiger Art nicht verriet. Um Mitternacht stießen die beiden Ehepaare miteinander an und jeder ahnte, woran die anderen gerade dachten. Dann trennte man sich, froh darüber, dass die heiklen Feiertage vorüber waren und der Alltag die trübseligen Gedanken nicht erst hochkommen lassen würde. Rieke saß noch lange am Fenster, in eine warme Decke gehüllt, sandte ihre, in Liebe verpackten Neujahrsglückwünsche, in den sternenklaren Himmel und hoffte, dass Minchen in Berlin zur selben Zeit das Gleiche tat...

10. Berlin, im April 1891

Müde und mit schmerzenden Füßen schleppte sich Wilma nach Hause. Dass es längst Mitternacht geschlagen hatte und der Weg zur Friedrichstraße durch ein gerade des Nachts recht belebtes Viertel führte, störte sie nicht mehr. Es war ein guter Abend gewesen, die Gäste bei «Aschinger» wohlgelaunt und mit reichlich Trinkgeld um sich werfend. Beruhigend klimperten die Münzen in ihrer Tasche.

«Wieder ein Stückchen weiter auf dem Weg in die Selbstständigkeit», freute sich Wilma, und dachte bei jedem Schritt nach Hause daran, wie sie zu dieser Arbeit gekommen war. Im Nachhinein schien es ihr, als sei dies eine der Launen des Schicksals gewesen, die uns das Leben vor die Füße wirft und dann zusieht, ob man etwas daraus macht, oder nicht.

«Ich habe damals die Gelegenheit beim Schopf ergriffen» lächelte das junge Mädchen und erinnerte sich. Es war kurz nach Weihnachten und sie entfloh der weihevollen Atmosphäre bei Tante Annemarie, die sie zu sehr an die weihnachtlichen Bräuche zu Hause in Kappeln gemahnten. Außerdem lag ihr das opulente Weihnachtsmahl noch im Magen, fetter Gänsebraten, der noch zwei Tage später auf den Tisch kam, weil diese Gans für die drei Frauen viel zu groß war. Auguste, die den Braten verabscheute, war beim Verzehren des Tieres auch keine Hilfe.

«Ne, bleibt mir mit der Gans vom Leib», wehrte sie sich, «ich hab doch schon mit fünf Jahren bei uns auf dem Hof die Gänse hüten müssen und spüre bis heute die Bisse vom schrecklichen Ganter. Lieber haue ich mir ein Ei in die Pfanne, als eines von den Biestern essen zu müssen!»

Nachdem die Tante sich zu einem Mittagstündchen hinlegte, Leila etwas von einer Verabredung murmelte und schneller verschwand, als die Kusine fragen konnte, ob sie mitkommen dürfe, warf Wilma einen Blick aus dem Fenster. Es war kalt, aber trocken. Eine blasse Wintersonne zog müde ihre kurze Bahn über den fahlblauen Himmel. Auch sie schien es heute eilig zu haben, in ihr Bett zu kommen. Wilma überlegte, hierbleiben und sich langweilen, das war keine Option. Dort draußen, da wartete das Leben auf sie, ein Stadtbummel könnte das Richtige sein. Als sie endlich auf der Straße stand, spürte sie die Kälte deutlicher, als sie es drinnen vermutet hätte. Wie gut, dass sie sich den Muff umgehängt hatte, Tante Annemaries fürsorgliches Weihnachtsgeschenk. Der Muff, eine wärmende Rolle aus Rotfuchsfell, in die man die Hände stecken konnte, war ein wahrer Hingucker, hing an einer gedrehten Kordel um Wilmas Hals und war himmlisch warm und weich. Zum Glück hatte die Tante darauf verzichtet, ihr einen dieser modernen Muffs zu schenken, an denen noch Kopf und Schwanz des verwendeten Tieres hing. Passend dazu legte Leila ihr eine Pelzkappe als Geschenk in die Hände. Die sah genauso zauberhaft aus und wärmte Wilma nun den Kopf und vor allem die Ohren. So gegen den Winter ausgerüstet flanierte das Mädchen die Friedrichstraße entlang, durch die Kaiserpassage und ging langsam in Richtung «Unter den Linden». Wie erwartet, war eine Menge Volkes unterwegs und Wilma ließ sich mit der Menschenschar treiben. Irgendwann brannten ihr die Füße, und der Mund schien staubtrocken.

«Jetzt käme mir eine «Berliner Weiße» recht», dachte sie und spürte schon die angenehm herbsüße Note des obergärigen Bieres auf der Zunge. Weil die Erfinder der Biersorte aus einer nach Berlin ausgewanderten Hugenottenfamilie stammen, wie die ihrer Mutter, kannte Wilma die «Berliner Weiße» gut. Wo aber fände sie jetzt so etwas, überlegte sie und hob die Augen zu den bunt flackernden Reklameleuchten, die es hier gab. Als habe es so sein müssen, war sie vor einer dieser neuen Stehbierhallen angekommen, die überall wie Pilze aus dem Boden schossen. In riesigen Buchstaben stand dort «Aschinger». Achselzuckend machte Wilma einen Schritt durch die Tür und fand sich in einer Art Halle wieder, in der Stehtische verteilt standen, die meisten von vielen Menschen umlagert. Es war laut und warm, Wilma schlüpfte aus ihrem Mantel, sah sich suchend um und merkte nicht, dass sie direkt neben der Tür zur Küche stand. Die Schwingtür öffnete sich zu ihr hin und mit Elan kam eine junge Frau heraus, die ein Tablett voller Brötchen auf den Armen balancierte. Ihr Schwung ließ sie direkt in Wilma hinein rennen, das Tablett fiel ihr aus den Händen und die Brötchen rutschten herunter. Wilma breitete geistesgegenwärtig ihren Mantel aus und die Schrippen, wie die Brötchen hier hießen, davor bewahrt, auf dem Fußboden zu landen. Dankbar sah die Frau zu ihr hoch, während sie das Gebäck vorsichtig von Wilmas Mantel fischte und wieder aufs Tablett legte.

«Oh Mann, wenn du nicht gewesen wärst, dann hätte ich ordentlich Ärger gekriegt. Bei sowas versteht unser Chef keinen Spaß. Ich wäre bestimmt hochkant rausgeflogen. Warte hier, ich komm gleich wieder!»

Verwundert sah Wilma ihr hinterher. Die junge Frau hatte abgehetzt gewirkt, das blonde Haar verschwitzt unter der weißen Haube und der zierliche Körper schien für so eine schwere Arbeit eigentlich nicht geschaffen. Ob sie auf die Stelle angewiesen war? Es hörte sich so an. Was für ein schlimmes Schicksal wohl dahintersteckte? Wilma wollte sich eben umwenden, um sich nach einem freien Platz umzusehen, da sprach eine sonore Männerstimme sie an. Sie erschrak, drehte sich um und fand sich einem gutgekleideten Mann gegenüber, der in den Dreißigern zu sein schien. Sein weiches, rundes Gesicht mit dem welligen dunklen Haar, das an der Stirn schon stark zurückwich und dem großen Schnauzbart, wirkte dadurch irgendwie alterslos. Doch ein Blick in die Augen, hellbraun und scharf wie die eines Falken, ließ alle Weichheit des Gesichtes vergessen. Dieser Mann wusste genau, was er wollte, und wie er es bekam, das spürte Wilma sofort.

«Gestatten, August Aschinger mein Name. Verzeihen Sie mir bitte, mein Fräulein, dass ich Sie einfach anspreche, aber ich habe Sie eben beobachtet und auch Ihre blitzschnelle Reaktion auf die Ungeschicktheit meiner Angestellten. Das brachte mich darauf, Sie etwas fragen zu wollen. Wenn Sie so freundlich wären, mir in mein Büro zu folgen? Darf ich Ihnen, sozusagen als kleines Dankeschön, eine Erfrischung servieren lassen?»

Er wartete Wilmas Erwiderung gar nicht erst ab, winkte einer Frau hinter dem Tresen zu und orderte zwei Kaffee. Dann öffnete er eine Tür und bat Wilma herein. Er ließ sie aber nicht vorangehen, hielt ihr auch nicht die Tür auf und mit der Selbstverständlichkeit eines Arbeitgebers kam er auch gleich zur Sache.

«Wie sie unschwer erkennen konnten, Fräulein...», er hielt inne und wartete, dass sie ihm ihren Namen verriet, «also, Fräulein Schulze, bin ich im Moment in der unglücklichen Lage, dass mehrere meiner Leute krank geworden sind und es mir daher an Personal fehlt. Solche Missgeschicke, wie das, was Ottilie da passiert ist, kann ich nicht dulden. Ihre Aufmerksamkeit und Geistesgegenwart brachte mich auf den etwas ungewöhnlichen Gedanken, Sie zu fragen, ob Sie nicht vielleicht Zeit und Lust hätten, bei mir zu arbeiten?»

Aschinger hielt inne, seine Augen fixierten sie so stark, dass Wilma schnell einen Schluck des inzwischen servierten Kaffees nahm, um ihren trockenen Hals zu befeuchten und um ein wenig Zeit zu gewinnen. Da sie bei der Tante wohnen und leben durfte, hatte sie keine Ausgaben und war auf eine Arbeit eigentlich nicht angewiesen. Aber sie mochte auch nicht ständig um etwas bitten müssen. Ihr Erspartes ging langsam zur Neige, denn Schulhefte, Bücher und die allernotwendigsten Kleidungsstücke hatten ein ziemliches Loch in ihre Kasse gerissen. Etwas dazuzuverdienen käme ihr nicht ungelegen. Zudem war sie im Haus der Tante oft allein, von Auguste abgesehen. Annemarie schlief ohnehin bis in die Mittagsstunden und Leila machte es ihr neuerdings nach, weil sie Bälle, Opern und Konzerte mit der Mutter besuchen musste, um «sich einen Mann zu angeln» wie sie es ausdrückte. An ruhigen Abenden schlich sich Leila dennoch heimlich aus dem Haus, sobald die Tante zu Bett ging. Wilma schwieg darüber, hatte aber kein gutes Gefühl bei der Sache. Also Zeit hätte sie, niemand würde sie vermissen und ein kleiner Verdienst konnte nicht schaden. Sie gab sich einen Ruck und sah August Aschinger furchtlos in die Augen.

«Herr Aschinger, ich wäre nicht abgeneigt, für Sie zu arbeiten, möchte aber genauer wissen, woraus diese Arbeit besteht, was ich zu tun hätte, was Sie mir zahlen wollen und vor allem, wann mein Dienst beginnt und endet!»

Der Bierbrauer mit der Vision von einer Reihe von Stehbierhallen, gefiel die direkte Art des Mädchens und er gratulierte sich zu dem spontanen Entschluss, sie anzusprechen.

«Fräulein Schulze, ich dachte daran, Sie am Tresen zu platzieren, wenn sie es sich zutrauen, Bier zapfen zu lernen und sonstige Getränke auszuschenken. Anderenfalls könnten Sie, so wie Ottilie, das ist die Frau, die das Tablett fallen ließ, an den Tischen die Schrippen verteilen, die bei uns kostenlos zu jeder bestellten Mahlzeit serviert werden. Die Arbeitszeit ist hier geteilt, von morgens um sieben Uhr bis nachmittags um drei oder von drei bis nachts um elf Uhr. Was meinen Sie, könnten Sie sich das vorstellen?»

Er behielt für sich, dass die Tresenarbeit anspruchsvoller war und deshalb auch besser bezahlt wurde. Da kam auch schon Wilmas Antwort.

«Herr Aschinger, ich würde gern die Nachmittagsschicht übernehmen, am Tresen vorzugsweise. Ich denke, das werde ich schon lernen. Es kommt darauf an, wie viel Sie mir zahlen, wann ich einen freien Tag habe und ob pro Schicht eine freie Mahlzeit inbegriffen ist.»

Wilma hielt den Atem an, war sie zu forsch, zu bestimmend? Würde der Mann einen Rückzieher machen? Die meisten Männer umgaben sich nicht gern mit couragierten Frauen. Geduckt wirkende, schüchterne graue Mäuschen waren den Meisten von ihnen lieber.

«Donnerwetter, Fräulein Schulze, Sie wissen aber genau, was Sie wollen. Das gefällt mir. Willkommen also in meinem «Bierpalast», lachte Aschinger und freute sich über seine Wortschöpfung, denn einen Palast, in dem Bier ausgeschenkt wurde, den gab es seines Wissens noch nicht, «dann begleite ich Sie ins Kontor, zu Herrn Weißgerber, meinem Prokuristen, der Ihnen sagt, wie viel Sie an Lohn erhalten werden und alle anderen Einzelheiten mit Ihnen besprechen wird. Wir sehen uns hoffentlich bald am Tresen in meinem Bierpalast...Bierpalast», fügte er noch einmal lachend hinzu.

Der Rest war schnell erledigt und bereits am nächsten Nachmittag wartete Ottilie auf Wilma, um sie in die Gepflogenheiten von «Aschinger» einzuweisen. Der Tante, die entsetzt aufstöhnte, als ihre Nichte darlegte, sie wolle arbeiten gehen, erklärte Wilma, dass sie es wirklich zu schätzen wisse, was die Tante alles für sie tat, aber sie müsse ja irgendwann auf eigenen Füßen stehen. Bis zum Frühjahr sich dem süßen Nichtstun ergeben, das sei nicht ihre Art, und etwas Geld auf der hohen Kante, wenn es ans Studieren ginge, könne sicher nicht schaden. Das sah Annemarie Clementi schließlich ein. Insgeheim imponierte ihr die Haltung des jungen Mädchens und sie wünschte sich, dass auf ihre Tochter Elisabeth, die sich von allen lieber Leila rufen ließ, ein wenig von der Entschlossenheit ihrer Kusine abfärben würde.

Der Geburtstag, erst den von Leila und dann Wilmas, feierte man im Hause Clementi standesgemäß mit Torte und Kaffee, einem Glas Champagner, den die nun Zwanzigjährigen nach Meinung von Annemarie endlich einmal kosten durften. Ein Geburtstagspaket aus Kappeln für Wilma war ausgeblieben, wie auch zuvor zu Weihnachten. Das verdankte sie sicher ihrer Tante, die Bruder und Schwägerin darüber informiert hatte, dass Wilma drohte, jedes Geschenk sofort ungeöffnet an den Absender zurückzuschicken. Die Briefe ließ das Mädchen, wie alle anderen vorher, ungelesen in einer Schachtel unter dem Bett verschwinden und versuchte, sie zu vergessen. Leila sorgte für die nötige Ablenkung und schwärmte ihrer Kusine oft von ihrer «Clique» vor, einer Schar junger Künstler jeglicher Art, mit denen sie durch die einschlägigen Lokale zog. An der festlich gedeckten Kaffeetafel aber spielte sie gekonnt das unschuldige junge Ding. Die Mutter mochte Leila damit täuschen, doch Wilma nicht. Sie versuchte der Kusine ins Gewissen zu reden, stieß jedoch auf taube Ohren.

«Ach, sei keine Spielverderberin, man ist nur einmal jung und das Leben so schnell vorbei. Irgendwann werde ich heiraten müssen und das brave Heimchen am Herd spielen, an jedem Schürzenzipfel ein kleines Kind. Da will ich vorher unbedingt noch meinen Spaß haben. Du solltest mal mitkommen und dein Gouvernantengetue ablegen. Ein bisschen Koks oder ein paar Gläschen von der grünen Fee machen auch aus dir einen anderen Menschen. Sei kein Frosch, an deinem nächsten freien Abend kommst du mit, ob du willst oder nicht, ich schleppe dich einfach ab!»

Kichernd verschwand Leila aus der Tür, schlich die Treppe hinunter, gekonnt jeder knarrenden Stufe ausweichend. Erst im Morgengrauen kam sie wieder. Wilma, die ratlos zurückblieb, wusste nicht so recht, ob sie den Reden ihrer Kusine Glauben schenken, oder sie als Hirngespinste, als Aufschneiderei betrachten sollte. Dann nahm die neue ungewohnte Arbeit Wilma gefangen. Sie merkte schnell, dass es ihr Spaß machte, wann immer sie Gelegenheit dazu hatte, vom Tresen aus die Gäste zu beobachten. Mit Ottilie, ohne deren Ungeschicklichkeit sie diese Stelle nie bekommen hätte, verband sie inzwischen fast so etwas wie Freundschaft. Otti, wie die junge Frau genannt werden wollte, kam aus einer Arbeiterfamilie und lernte viel zu früh, was es heißt, schon als Kind Geld verdienen zu müssen. Ihr Schicksal war eines, wie man es leider oft findet. Der Vater wurde arbeitslos, vertrank jeden mühsam verdienten Groschen, den die älteren Kinder nach Hause brachten, die Mutter, ständig schwanger, vermochte es nicht, sich gegen die brutalen Übergriffe ihres Mannes auf sie und die Kinder zu wehren. Mit zwölf Jahren lief Otti von zu Hause fort, als der Vater sie für ein paar Mark an einen seiner Freunde verschachern wollte. Die Mutter unternahm nichts dagegen. Bei einer Pastorenfamilie fand sie dann schließlich Unterschlupf.

«Auch wenn ich dort als billiges Dienstmädchen ausgebeutet wurde, außer Kost und Logis gab es nichts», berichtete Otti auf ihre trockene Art, «wenigstens war ich in Sicherheit. So dachte ich jedenfalls, bis eines Abends mein Vater vor der Tür stand und mich zurückforderte. An den Haaren zerrte er mich mit sich fort, so sehr ich auch schrie. Der Pastor stand stumm daneben und konnte nichts tun, denn mein Vater, als mein Vormund, hatte das Sagen über mich.»

«Ja und was geschah dann?» Wilma hatte atemlos zugehört und empfand tiefes Mitgefühl für ihre Kollegin. Wie schon häufiger stellte sie fest, wie viel Glück sie selbst als Kind gehabt hatte.

«Bei der ersten Gelegenheit lief ich wieder davon. Der Frauenverein, von dem ich inzwischen gehört hatte, nahm mich auf und besorgte mir ein Zimmer in einer Wohnung, die ich mir bis heute mit zwei anderen Mädchen teile. Es ist eng, aber gemütlich warm und zu essen haben wir immer etwas. Auch wenn es manchmal nur altbackene Schrippen sind, die ich von hier mitnehmen darf. Es ist sicher und es geht uns gut. Nie wieder soll ein Mann über mich bestimmen dürfen, das sage ich dir, nie wieder.»

«Von diesem Frauenverein möchte ich noch mehr hören, liebe Otti, wenn du später Zeit hast. Jetzt muss ich weiterzapfen, unsere Gäste sind durstig.»

Wilma wandte sich wieder ihrer Arbeit zu und beglückwünschte sich insgeheim dafür, dass sie eine vergleichsweise glückliche und unbeschwerte Kindheit hatte erleben dürfen. Hier, bei Aschinger lernte sie im Gespräch und beim Zuhören, die anderen, viel dunkleren Seiten des Lebens kennen. Trotzdem war sie gern hier. Der Chef selbst legte viel Wert auf Sauberkeit und achtete auf die Gesundheit seiner Angestellten. Er stellt den Bediensteten sogar die Kleidung zur Verfügung, täglich frische gestärkte weiße Schürzen und Häubchen. Wichtig war ihm ebenfalls, dass kein Gast den Frauen und Mädchen zu nahe treten durfte. Umgekehrt duldete er auch keine Art der Prostitution in seinem Bierpalast.

«Der gute Ruf meines Hauses sorgt für stets volle Tische und guten Umsatz. Davon leben wir alle», prägte er seinen Leuten immer wieder ein, «denkt daran, nur ein zufriedener Gast gibt reichlich Trinkgeld. Aus diesem Grund ist das Essen so preiswert, kostet ein belegtes Brötchen zehn Pfennige, die Löffelerbsen nur zwanzig und Bierwurst mit Kartoffelsalat dreißig Pfennige. Die Schrippen gibts umsonst dazu, das ist der Kniff, mit dem ich meine Bierhalle bekannt gemacht habe. Denkt also daran, der Gast ist bei «Aschinger» König, aber wir sorgen dafür, dass er seine Schatztruhe nur hier bei uns leert.»

Viel ging an diesem Abend auf dem Weg nach Hause durch Wilmas Kopf. Der Weg schien jetzt, im beginnenden Frühjahr nicht weit. Über ein Jahr weilte sie schon in Berlin und es wurde ihr mehr und mehr vertraut. Mit der Straßenbahn zu fahren, war ihr längst zur Gewohnheit geworden, wenn es zu kalt war oder regnete. An den Geburtstag der Mutter Ende Februar dachte sie kurz, schob den Gedanken an sie und ihren Vater aber rasch wieder beiseite.

«Nein, ich vergebe euch nicht, niemals, dass ihr mir die Möglichkeit zur Weiterbildung verwehrt habt. Vor allem du, die du dich meine Mutter nennst, meintest, ich solle mich mit der Rolle der zukünftigen Ehefrau und Mutter zufriedengeben. Meine wahren Bedürfnisse hast du nie erkannt und sie haben dich auch nie interessiert. Auf eine Nachricht von mir kannst du lange warten. Ich gehe meinen Weg auch ohne dich, das wirst du schon sehen. Eines Tages, eines Tages...»

Wilma fühlte die vertraute Wut in sich aufsteigen und wusste, wenn sie ihr nachgab, würde sie den Rest der Nacht nicht schlafen können und wäre am nächsten Tag zu müde zum Arbeiten. Es blieben ihr noch ein paar Schritte bis zur Haustür, sie atmete tief ein und lenkte ihre Gedanken auf freundlichere Dinge. Sie dachte an den kommenden Sonntag, an dem sie nicht zu Aschinger musste und sich mit Otti im Zoo verabredet hatte. Ob es schon warm genug war, das neue leichte Sommerkostüm anzuziehen, dass sie sich vor kurzem kaufte? Darauf freute sie sich noch, als sie endlich im Bett lag. In dem Bett auf der anderen Seite des Jungmädchenzimmers lag Leila und ihre regelmäßigen Atemzüge sagten Wilma, dass die Kusine bereits in tiefem Schlaf lag. Das war leider nicht in jeder Nacht so. Oft, viel zu oft schlich sich das Mädchen erst im Morgengrauen ins Haus und in ihr Zimmer. Wo sie sich herumtrieb, das verriet sie nicht. Ihre immer blasser werdende Gesichtsfarbe und die dunklen Ringe unter den grünen Augen, sprachen Bände. Wilma machte sich Sorgen. Sollte sie der Tante von Leilas nächtlichen Ausflügen berichten? Würde sie dann nicht sofort das Vertrauen der Kusine verlieren? Aber war Leilas Gesundheit das nicht wert? Wieder und wieder schob sie eine Aussprache vor sich her. Durfte sie die Tante mit solchen Dingen belasten? Was, wenn an den Vermutungen nichts dran war? Wilma fielen die Augen zu, doch ehe der Schlaf sie gänzlich übermannte, hörte sie, wie Leilas Atem auf einmal aussetzte. Sie schrak hoch, horchte, da... rasselnd setzten die Atemgeräusche neuerlich ein. Erleichtert sank Wilma zurück in ihre Kissen und fuhr erneut auf. Wieder war es zu still, von Leila nichts zu hören. Sie eilte hinüber zum Bett der Kusine und lauschte angestrengt. Kein Atem, keine Bewegung, Totenstille! Verzweifelt schüttelte sie das Mädchen, das schlaff wie eine Lumpenpuppe in ihren Armen lag. Sie ließ sie zurücksinken, rannte aus dem Zimmer, in die Küche und rüttelte an der Leiter zum Hängeboden. Juste schlief dort, solange es nachts noch manchmal fror.

«Juste, Juste, schnell, wach auf, Leila hat.. Leila ist...»

«Was is los», kam es schlaftrunken von oben.

«Nun komm schon, du musst den Doktor holen, sofort!»

Wilma verlor die Geduld, wollte wieder zu Leila, da kam ihr Auguste auf der Leiter entgegen, angezogen, so gut es ihr in der Eile und Enge möglich gewesen war. Sie schnappte sich ihr Schultertuch und öffnete schon die Tür, da drehte sie sich noch einmal um und sah mit weit aufgerissenen Augen an.

«Ist Leila wirklich tot? Was für ein Unglück!»

Dann stürmte sie wie der Blitz davon. Wilma hoffte, dass der Doktor schnell zu ihnen kommen würde. Auch sie beeilte sich, rannte die Treppe hinauf in das Mädchenzimmer und fand Leila genauso bewegungslos daliegen, wie vorhin. Wilma drehte den Lichtschalter um und beglückwünschte die Tante noch in Nachhinein für das Verlegen des elektrischen Lichtes, denn sofort wurde es beinahe taghell im Zimmer. Erleichtert erkannte sie, dass sich Leilas Brustkorb unmerklich hob und senkte, sie lebte also noch. Vorsichtig legte sie ihr die Hand auf die Stirn, die zwar schweißnass, aber nicht fiebrig heiß war.

«Meta wüsste jetzt, was zu tun wäre», dachte sie und vermisste zum ersten Mal die Kappelner Nachbarin, die ihr wie eine zweite Mutter gewesen war, «warum hab ich früher nur nicht besser aufgepasst, wenn Meta jemanden untersuchte, der krank war. Wie oft hat sie einen Kräutertee gemacht und uns damit von Bauchweh und Kopfschmerzen befreit. Wegen kleiner Kinkerlitzchen rennt man nicht gleich zum Doktor, sagte sie immer.»

Ob Juste bald mit dem Arzt kam? Wilma fühlte, wie die Angst um Leila in ihr hochkroch. Sie durfte nicht sterben, dafür war sie noch viel zu jung. Krampfhaft suchte sie in ihrer Erinnerung nach einem Gebet, darauf hoffend, dass dies Leila helfen könnte. Da, kamen Schritte die Treppe hinauf? Schwere Männerschritte? Die Tür öffnete sich und der Doktor eilte zu Leilas Bett, seinen Mantel zur Seite werfend. Er kniete nieder, leuchtete Leila in die Augen, von denen fast nur das Weiße zu erkennen war, fühlte ihren Puls und horchte die Brust ab. Dann rief er, ohne sich umzudrehen, man möge sofort die Tante wecken, es sei ernst.

Auguste, die schon auf der halben Treppe nach unten war, hatte dies geahnt und beeilte sich, Annemarie aus dem Bett zu bekommen. Inzwischen spitzte sich das Drama zu. Leilas bislang regungsloser Körper begann zu zucken, weißlicher Schaum trat über ihre bläulich verfärbten Lippen. Der Doktor nahm rasch eine Spritze aus seiner Arzttasche und injizierte den Inhalt in Leilas Vene, die er blitzschnell abgebunden hatte. Als wäre sie zu Stein erstarrt sah Wilma dem Geschehen zu, unfähig sich zu bewegen, und murmelte immer wieder:

«Nicht sterben, Leila, bitte nicht sterben, du darfst nicht sterben...»

Stöhnend richtete der Doktor sich auf, hielt sich den schmerzenden Rücken. «Erst einmal haben wir das Problem hier im Griff. Und das nach einer schwierigen Geburt, mein Rücken fühlt sich an, als ob er durchbrechen wollte.»

Ehe Wilma fragen konnte, ob Leila am Leben bleibe, stürmte Juste ins Zimmer, gefolgt von der ächzenden Hausherrin, die ihren Morgenmantel um die füllige Figur geschlungen hatte. Als sie Leila reglos daliegen sah, erschrak sie.

Mit einer Unpässlichkeit hatte sie gerechnet und war Auguste nur gefolgt, um den Mädchen eine Standpauke zu halten. Dass man einen Arzt nicht mitten in der Nacht aus dem Bett holen sollte, wegen nichts und wieder nichts, das gäbe es in ihrem Haus nicht. Doch nun, angesichts ihrer totenbleichen Tochter, blieben ihr die Worte im Halse stecken. Sie sank neben Leilas Bett nieder, griff nach der schlaffen Hand ihres Mädchens und sah den Doktor fragend an.

«Was ist mit ihr? Was hat sie, wird sie leben oder ist sie dem Tode nah?»

Tränen ließen ihr übers Gesicht, der Arzt reichte ihr die Hand, um ihr aus der unbequemen Position aufzuhelfen und meinte beruhigend:

«Gnädige Frau, zunächst ist der akute Anfall Ihrer Tochter vorüber. Sie wird jetzt schlafen. Könnten wir uns vielleicht irgendwo ungestört unterhalten? Es gibt da einige Dinge, die ich Sie fragen muss!»

Annemarie Clementi geleitete den Doktor hinunter und sagte Juste, sie möge rasch frischen Kaffee aufbrühen. Dann schloss sie die Tür zum Salon. Wilma, die sowieso bei der Kranken bleiben wollte, dachte sich, dass die Tante ihr schon sagen würde, was mit Leila los sei. Dass die Unterredung mit dem Doktor so lange dauern könnte, hätte sie nie vermutet. Endlich hörte sie unten die tiefe Stimme des Arztes, dann fiel die Haustür ins Schloss und Auguste kam und bedeutete Wilma, sie solle zur Tante kommen, sie, Juste bliebe bei dem schlafenden Fräulein.

«Komm rein und setz dich», die Stimme der Tante klang streng, «was weißt du über Elisabeths Zustand? Sag die Wahrheit, ihr beiden Mädchen steckt doch andauernd zusammen, also musst du etwas wissen. Nun?»

Verwirrt sah Wilma die Tante an. Was sollte sie sagen? Sie wusste wirklich nicht, wie Leila so krank geworden war und auch nicht, warum.

«Liebe Tante», mühsam suchte das Mädchen nach den richtigen Worten, «es ist doch so, ich arbeite, wie du weißt, bei Aschinger und lerne in meiner freien Zeit für die Aufnahme in das Seminar von Helene Lange. Leila hingegen will ihr Leben genießen, sagt sie. Sie trifft sich oft mit ihren Freunden. Wo und wie, teilt sie mir nicht mit. Es tut mir leid, aber ich weiß wirklich nicht, was Leila krank gemacht haben könnte, das musst du mir glauben.»

Prüfend schaute Annemarie der Nichte in die Augen. Durfte sie ihr Glauben schenken? Junge Mädchen handeln oft impulsiv und tun Dinge, ohne darüber nachzudenken, das wusste sie und beschloss, Wilma die Wahrheit zu sagen.

«Setzt dich hin, Kind du bist sicher genauso erschöpft wie ich», lächelte sie beruhigend, «nehmen wir an, es ist so, wie du sagst. Du hast keinerlei Anzeichen einer Sucht an dir. Der Doktor sagte mir, worauf ich achten solle.»

Wilma erschrak, warum sprach die Tante von Sucht? Sollte Leila etwa...?

Da fragte die auch schon weiter: «Hast du jemals gesehen oder hat Leila dir davon erzählt, dass sie Rauschgift in irgendeiner Form zu sich nimmt? Der Arzt sagt, es weisen alle Symptome darauf hin, dass sie Kokain schnupft. Also?»

Wieder schlich sich der gestrenge Unterton in die Stimme der Tante. Wilma schrak erneut zusammen und überlegte fieberhaft. Da war doch...

«Es ist schon eine ganze Zeit her», sie dachte angestrengt nach, «es muss zu unseren Geburtstagen gewesen sein, da lud Leila mich ein, mit ihr und ihrer Clique einen Abend zu verbringen, damit ich auch mal was vom Leben hätte, und ein bisschen lockerer würde. Sie erwähnte etwas Ähnliches wie «Koks» aber ich wusste nicht, was sie meinte, wollte nicht fragen, um nicht als dummes Landei dazustehen. Ach ja, von der «Grünen Fee» sprach sie auch und sagte, es sei eine Art Alkohol, der, wie sie es beschrieb, sie glücklicher und leichter mache. Ich bin aber nie mitgegangen, hatte einfach keine Zeit dazu und kann dir deshalb nur berichten, was Leila sagte. Was sie getan hat, das weiß ich leider auch nicht.»

Eine Weile war es still im Salon, dessen Halbdunkel sich allmählich erhellte, der Morgen graute und Wilma fürchtete sich davor, was dieser Tag noch alles an Unheil bringen würde. Dann seufzte die Tante auf und meinte:

«Geh ins Bett Kind, ich glaube dir und bin froh darüber, dass du mir alles mitgeteilt hast, was du weißt, so wenig es auch sein mag. Wir können Leila im Moment nicht helfen. Unser Doktor versprach mir, morgen, das heißt schon heute, Leila genauer zu untersuchen. Er hat da noch eine Vermutung, die er aber erst mit einem Test belegen will. Nein, frag nicht, darüber kann ich mit dir nicht reden und nun geh, ich muss nachdenken!»

Viel Schlaf fand Wilma nicht mehr. Ständig grübelte sie über die Andeutungen der Tante nach. Sie machte sich Vorwürfe. Hätte sie doch mit Leila ausgehen sollen? Würde sie das Mädchen vor dem Kokain beschützt haben können? Warum hatte sie nicht genauer hingesehen, wenn Leila so oft des Nachts verschwand? Wieso war sie zu feige gewesen, der Tante von Leilas nächtlichen Aktionen zu berichten.

«Hätte, würde, könnte», dachte sie mutlos, «das hilft Leila auch nicht. Wenn sie nur am Leben bleibt...»

11. Kappeln, Ostern 1891

Hinter Wilhelm fiel die Tür zu und Friederike begab sich sofort in den Salon, wie der Wohnraum immer noch genannt wurde. Schon lange nutzte man den Raum täglich als Wohnzimmer. Die dunklen Möbel, die sie einst aus Berlin mitgebracht hatte, glänzten dank Metas Geheimrezept für Möbelpolitur wie neu. Nur das Klavier hatte Staub angesetzt, statt Noten stapelten sich die Bücher auf dem geschlossenen Deckel. Die Tasten schlummerten im Verborgenen, seit langem spielte sie nicht mehr darauf, die Erinnerungen an vergangene, glücklichere Stunden schmerzten zu sehr.

«Meta», dachte sie, eilte zum Fenster und zog die Gardinen beiseite. Wie sie es befürchtet hatte, lag drüben bei der Freundin noch alles im Dunkeln. Langsam drehte sie sich wieder um und hob die Decke vom Käfig des Papageis, den ihr Wilhelm vor achtzehn Jahren geschenkt hatte, damit er ihr über Metas Verlust hinweghalf. Sprechen sollte er können, der Vogel, das behauptete der Verkäufer. Doch in all der Zeit lernte das Tier nur einige Silben und die nur von Minchen. Niemand anderen ließ er näher an sich heran. Minchen kraulte ihm früher hingebungsvoll das Köpfchen, er knabberte mit dem harten Schnabel zärtlich an ihren Ohren. Jetzt hockte er auf seiner Stange im Käfig und schaute Friederike aus kleinen schwarzen Augen an.

«Ach Vogel», sie seufzte, «du kannst mir auch nicht sagen, ob ich mein Kind wiedersehen werde. Sie fehlt mir so sehr, meine süße Wilhelmine.»

«Mine», echote der Papagei und krächzte noch einmal, «Mine.»

«Ja, das kannst du als einziges Wort, du dummer Vogel.»

Rieke schüttete Körner in den Napf und redete dabei weiter, wohl wissend, dass sie keine Antwort erhalten würde.

«Wenn mein Wilhelm sich damals nicht so unter Druck hätte setzen lassen von den Honoratioren dieser Stadt, dann wärest du nicht hier. Nur weil ich ihm gehorchte und schweren Herzens meine beste Freundin Meta verleugnete, kamst du als Dank zu mir. Nicht gut genug für mich wäre sie, hieß es, unehelich geboren und die Mutter von zweifelhaftem Ruf. Es zerriss mir beinahe das Herz, weil ich so tun musste, als kenne ich Meta nicht mehr. Zum Glück hielt dieser Zustand nicht lange an und als wir uns wieder in die Arme schließen durften, meine Meta und ich, da schwor ich, ihr von nun an die allerbeste Freundin zu sein, für immer. Siehst du, Vogel, deshalb laufe ich jetzt auch zu ihr und kümmere mich um sie. Das ist das Mindeste, was ich für sie tun kann, denn meine Meta war immer für mich da, wenn ich sie brauchte. Jetzt braucht sie mich. Verstehst du das?»

Rieke lachte ein wenig über sich selbst, die Gespräche mit einem Papagei führte und auch noch auf Antwort wartete. Sie ging hinaus und hörte von drinnen eine krächzende Stimme «Meta, Meta» rufen. Konnte das sein? Oder hatten die strapazierten Nerven ihr einen Streich gespielt?

Rieke rief Janne zu, dass sie zu Meta ginge, als sie an der Küche vorbei kam und die treue Dienstmagd reichte ihr noch eine Kanne Tee. Die paar Schritte bis zu Metas Haus, den Haustürschlüssel rasch herumgedreht und schon stand Rieke in der Diele. Stille schlug ihr entgegen, eine Stille, die nichts Gutes bedeutete. Sie kannte sich aus, marschierte geradeaus ins Schlafzimmer und zog auch dort die Gardinen vom Fenster weg. Helles Frühlingslicht strömte in den Raum und erreichte das Bett, in dem sie von Meta nichts sehen konnte, so hatte die sich in die Decken eingemummelt.

«He, aufwachen, du Schlafmütze, es ist schon bald Mittag», lachend zog Rieke die dicke Decke herunter. Das Lachen verging ihr rasch. Zitternd und zähneklappernd lag die Freundin da, mit flatternden Augenlidern. Rieke fasste ihr an die Stirn und erschrak erneut, denn sie glühte vor Fieber. Schnell legte sie ein anderes, noch nicht durchgeschwitztes Laken über Meta und rannte los. Auf dem kurzen Weg nach Haus schimpfte sie innerlich über Metas Starrsinn, mit dem sie sich weigerte, ein Dienstmädchen anzustellen.

«Ich bin aus einfachen Verhältnissen und den Luxus einer Dienstmagd nicht gewöhnt. Aber ich sage dir, liebe Rieke, wenn ich eine benötige, dann leihe ich mir deine Janne aus, die ist eine ganz Versierte, auf die kannst du stolz sein», so hatte es Meta ihr in die Hand versprochen.

Janne rannte sofort los, um den Arzt zu rufen, und Rieke eilte zu Meta zurück. Die war noch ohne Bewusstsein, fror aber nicht mehr, sondern hatte sogar das Laken zur Seite gestrampelt, das sie bedeckte. Behutsam zog Rieke sie aus, wusch ihr den Schweiß ab und hüllte sie in ein frisches Nachthemd. Da trat Doktor Otto Spliedt ins Zimmer, langjähriger Hausarzt der beiden Familien. Er winkte müde ab, als Rieke ihn mit Fragen überfiel.

«Liebe Frau Schulze, hier ist meine Diagnose schnell gestellt. Ihre Freundin hat die Grippe, die Influenza, die im vergangenen Jahr schon einmal durch Europa raste. Sie erinnern sich vielleicht daran, obwohl Kappeln weitgehend verschont blieb. Diesmal hat es uns in Schleswig-Holstein auch erwischt und Meta ist nur eine von vielen Grippe-Patienten hier.»

«Was kann ich für Meta tun, Herr Doktor. Gibt es eine Arznei, die ihr hilft?»

Doktor Spliedt schüttelte bedauernd den Kopf.

«Es tut mir leid, sie wird es aushalten müssen. Diese Krankheit verläuft, der jetzigen Erkenntnis nach, oft kurz, mit Fieber, Kopf- und Gliederschmerzen, Übelkeit und Erbrechen. Wegen des oft nur drei Tage währenden Verlaufs nennt man diese Grippe «Blitz-Katarrh». Meta muss viel trinken, eine kräftige Brühe wäre gut und sie sollte möglichst nicht allein bleiben, falls Komplikationen auftreten. Aber das machen Sie schon, nicht wahr, Frau Schulze?»

Freundlich und nicht allzu besorgt nickte Otto Spliedt der beunruhigten Rieke zu und verließ das Haus. Janne, die vorsorglich dageblieben war, wurde von Friederike hinüber geschickt, ihr ein paar Sachen einzupacken, die sie in den nächsten Tagen brauchen würde, denn eines war klar, sie ließe Meta nicht allein. Janne kam auch die schwierige Aufgabe zu, Wilhelm am Abend von der Lage hier zu unterrichten und ihm begreiflich zu machen, dass er nicht zu ihr kommen dürfe, der Ansteckungsgefahr wegen. Nach kurzer Zeit kam sie zurück, blieb auf Riekes Anweisung im Flur und stellte dort die Reisetasche ab und ein Tablett mit schmackhaft belegten Broten.

«Nachher koche ich eine Hühnerbrühe, die stelle ich auch hier ab.»

Damit verschwand sie und Rieke blieb mit der Kranken allein. Der Tag verlief recht eintönig. Meta wachte nicht auf, wälzte sich unruhig im Bett umher oder schlief fest. Mehrmals wechselte Rieke das durchgeschwitzte Bettzeug und Metas Nachthemd. Von Wadenwickeln, die das Fieber heruntertreiben könnten, hatte der Arzt abgeraten. Das belaste den ohnehin labilen Kreislauf der Patientin zu sehr und könne die Lage verschlimmern. Also blieb Rieke nichts anderes übrig, als über die Freundin zu wachen und ihren Gedanken nachzuhängen. Aus dem Fenster schaute sie auf die immer noch halb zerstörte Pontonbrücke. Wie befürchtet, hatte schwerer Eisgang das ohnehin zerbrechlich erscheinende

Bauwerk ernsthaft beschädigt. Nun musste warmes, ruhiges Wetter abgewartet werden, ehe man über Abriss oder Reparatur entscheiden konnte. Metas und ihren gemeinsamen Geburtstag, denn sie waren am selben Tag zur Welt gekommen, hatten die beiden Ehepaare ruhig und im Andenken an ihre Kinder gefeiert, die ihr eigenes Leben führten. Dass von Minchen kein Brief aus Berlin kam, daran hatte sich Rieke zwar nicht gewöhnt, es aber weitgehend akzeptiert, nicht zuletzt, weil von Schwägerin Annemarie kurze Berichte über die Tochter kamen. Anders war es mit Jan. Seit seiner Nachricht, er wandere nach Amerika aus, gab es von ihm kein Lebenszeichen mehr und Meta verzweifelte fast daran. Rieke stand auf, verließ den Platz am Fenster und wanderte unruhig durch die Wohnung. Sie selbst erkrankte nach Minchens Fortgang an Leib und Gemüt. Damals war die Freundin unermüdlich um sie gewesen und hatte ihr durch diese schwere Zeit geholfen. Das musste sie Wilhelm unbedingt mitteilen, damit er verstand, warum Meta im Augenblick Vorrang hatte.

Freudig schwenkte Wilhelm indessen auf dem Nachhauseweg den Brief, der heute aus Berlin gekommen war. Wie würde sich seine Rieke darüber freuen, noch mehr, wenn er ihr mitteilte, dass sie gemeinsam in die Hauptstadt fahren und ihr Töchterlein zum Heimkommen überreden konnten. Endlich, nach so langer Zeit hatten die Mühlen der preußischen Bürokratie zu seinen Gunsten gemahlen. Nach dem ewigen «Unabkömmlich» sein und dass die Bauvorhaben dringlich wären und absolute Priorität vor privaten Dingen hätten, genehmigte das Bauamt in Berlin ihm endlich den ersehnten Heimaturlaub.

«Wie sich das seltsam anhört», schmunzelte Wilhelm in sich hinein, «das Wort «Heimaturlaub». Meine Heimat ist längst diese Stadt Kappeln geworden, seine gradlinigen Einwohner mir die besten Freunde, und Berlin weit weg und lange her. Aber die Chance, unsere Tochter aufzusuchen und sie nach so einer langen Zeit in die Arme schließen zu können, ist jedes Katzbuckeln vor dem Kaiser wert. Wie wird mein Riekchen sich freuen.»

Er öffnete seine Haustür und rief nach ihr. Nicht eine Minute länger wollte er auf ihr strahlendes Gesicht warten, wenn er...da kam ihm Janne entgegen, nahm ihm Hut und Mantel ab und druckste verlegen herum.

«Janne, was soll das, wo ist meine Frau? Ich muss dringend mit ihr reden.»

«Sie ist doch bei Meta», die sonst so schlagfertige Dienstmagd fand die richtigen Worte einfach nicht, «sie ist ansteckend und deshalb bleibt sie drüben und hat hohes Fieber, die Grippe und es ist ziemlich schlimm.»

Jetzt hatte Wilhelm genug von dem Gestammel, machte auf dem Absatz kehrt und lief zu Metas Haustür. Dort hämmerte er so laut dagegen, dass die Nachbarn neugierig aus ihren Fenstern schauten.

«Um Himmels Willen, hör auf mit dem Krach», tönte ihm Riekes Stimme durch die geschlossene Tür entgegen, «du weckst Meta noch auf. Ich bin froh, dass sie endlich eingeschlafen ist.»

«Riekchen, bitte öffne mir», Wilhelm verlegte sich aufs Flehen, «es gibt gute Neuigkeiten. Die musst du unbedingt hören!»

«Dann sprich, hören kann ich sie auch durch die Tür. Die bleibt nämlich zu, weil ich nicht will, dass du dich an dieser schrecklichen Grippe ansteckst!»

Endlich erreichte das Wort «Grippe» Wilhelms Gehirn. Erschrocken zuckte er zusammen. Wer war da drinnen krank, Meta? Rieke? Er brauchte Gewissheit.

«Riekchen, mach auf, ich muss sehen, dass es dir gut geht, bitte und den Brief will ich dir unbedingt auch noch zeigen. Also öffne mir doch!»

«Mein Liebster, ich fühle mich gesund, aber Meta hat es richtig schlimm erwischt. Sie fiebert und hat Schüttelfrost. Der Doktor, der als Einziger hier Zutritt hat, meinte, es wäre möglich, dass sie es in drei Tagen überstanden hätte. Dann komme ich wieder nach Hause. So lange wirst du dich gedulden müssen. Es ist mir wichtig, dass du dich keiner Ansteckung aussetzt. Janne darf auch nicht rein, sie stellt uns alles, was wir benötigen, vor die Tür. Sei bitte so lieb und halte dich daran. Mir geschieht nichts, du weißt, ich bin zwar klein, aber zäh. Und nun geh nach Hause. Es ist zu kalt, um hier lange vor der Tür zu stehen, wie die zwei Königskinder, die zusammen nicht kommen.»

Ein leises, zärtliches Lachen drang durch die Haustür, dann hörte Wilhelm nur noch, wie sich Riekes Schritte entfernten. Resignierend wandte er sich um und warf sich zu Hause in seinen Sessel und schlug die Hände vor das Gesicht. Die Tränen konnte er nicht zurückhalten, es musste sie aber auch niemand sehen. Janne, die ihm das Abendessen servierte, meinte, die gnädige Frau käme sicher bald zurück. Ihrer Patin, die auch an dieser Grippe erkrankt sei, gehe es wieder besser. Dabei habe sie sich erst vor einer knappen Woche ins Bett gelegt. Wilhelm tat so, als tröste ihn diese Nachricht, setzte sich an den Schreibtisch, um den Eltern in Berlin mitzuteilen, dass er und Friederike demnächst in die Hauptstadt kämen und sie aufsuchen wollten. Dann hob er die Zeitung auf, den «Schleiboten» und versuchte, sich mit den Meldungen aus dieser Region abzulenken. Irgendwie fesselte ihn heute nichts, auch nicht, dass es nun in

Flensburg eine von Pferden gezogene Straßenbahn gäbe. Die Überlegung, dass an der Ostseeküste zukünftig Badekarren aufgestellt werden sollten, in denen sich die badefreudigen Damen und Herren in die passende Badebekleidung hüllen könnten, fand Wilhelm ein bisschen zu weit hergeholt. Ihm spukte ständig der Gedanke im Kopf herum, wie es Rieke erging, die eine einsame Nacht bei Meta verbrachte. Als er allein im Bett lag, schlief er lange nicht ein, vermisste Rieke und ihre Nähe. Er grübelte über die Frage nach, ob er der Schwester von seiner geplanten Reise nach Berlin berichten solle, oder ob Annemarie es ausplaudern und damit Minchen vielleicht verschrecken würde. Irgendwann schlief er doch ein, von Friederike auf einem Badekarren träumend, der von Pferden durch Berlin gezogen wurde.

Meta ging es bald besser. Das Fieber sank in dramatischer Eile, die blassen Wange röteten sich und sie fühlte sich nach drei Tagen wieder gut genug, um für kurze Zeit aufzustehen und mit Rieke gemeinsam am Tisch zu essen. Heute stocherte sie im zarten Hühnerfrikassee nur herum, ihr Blick ging hinaus auf die Schlei, schien weder das blaue Wasser, noch die zahlreichen Segelschiffe, die es bevölkerten, wahrzunehmen. Traurig stützte sie den Kopf in die Hände, als wäre er ihr zu schwer und seufzte.

«Ob ich meinen Jungen jemals wiedersehen werde? Warum schreibt er mir nicht? Weiß er nicht, wie viel Sorgen ich mir mache? Wenn er ahnte, dass ich beinahe gestorben wäre. Ach, ich mag dieses Leben nicht mehr, es ist mir zu schwer, zu anstrengend. Ich wünschte, ich hätte meine Ruhe, die ewige Ruhe.»

Fassungslos lauschte Rieke den Worten ihrer Freundin. Wer könnte besser als sie verstehen, dass man sich um sein Kind sorgt, wenn man nicht weiß, wo es ist und wie es ihm geht. Aber solche Töne, so traurig und resignierend, die kannte sie von der stets zupackenden Meta nicht. Sie beschloss, zunächst nicht darauf einzugehen. Möglicherweise waren es die Nachwirkungen der Grippe, die Meta doch sehr geschwächt hatte. Rieke wollte abwarten und sich mit Dr. Spliedt beraten, wenn diese Melancholie nicht bald vorüber ginge.

Zwei Tage später bat Rieke auf einem Zettel, den sie in den Korb für Janne legte, um frische Wäsche und Kleidung für sie selbst. Der Arzt hatte ihr geraten, sich komplett umzukleiden und vorher möglichst zu baden und die Haare zu waschen, ehe sie wieder nach Hause ginge. Sonst könnten sich ihre Leute immer noch an der Grippe anstecken, deren Keime sich überall, sogar in der Kleidung verstecken könnten. Auch Meta sollte baden, doch Meta zeigte sich gleichgültig, ignorierte Riekes Bedenken. Sie blickte sie nicht an, ihre Stimme klang verbittert.

«Geh du nur nach Hause, es ist ja egal, ob ich hier allein bin und es muss sich auch niemand um mich kümmern. Für mich ist sowieso alles vorbei. Also, immer fort mit dir, ich brauche dich hier nicht..»

Erschüttert sah Rieke zu, wie Meta ihr den Rücken zukehrte und tat, als wäre sie schon gegangen. Das ging nicht mit rechten Dingen zu, sie erkannte ihre Freundin nicht mehr wieder. Was sollte sie tun? Am besten wäre es, auf den Doktor zu warten, der in der nächsten Stunde kommen wollte. Er konnte ihr vielleicht erklären, was mit Meta los sei. Geduldig hörte der erfahrene Arzt Friederikes Klagen an, sprach dann ausführlich mit Meta, die ihm gegenüber zugänglicher schien. Dann kam er zurück zu Rieke und bat sie, sich zu setzen.

«Liebe Frau Schulze», begann er mit sanfter Stimme, «was ich Ihnen jetzt anvertraue, bleibt bitte unter uns. Nur mit Ihrem Gatten dürfen Sie darüber reden. Versprochen?»

Erwartungsvoll sah er sie an und Friederike blieb nichts anders übrig, als zuzustimmen, auch wenn ihr nicht wohl dabei war. Worauf wollte der Doktor hinaus? Stand es so schlecht um Meta?

«Wie ich befürchtet habe, leidet Ihre Freundin an den speziellen Folgen der Grippe, die den meisten Erkrankten zum Glück erspart bleibt. Es sind, das las ich kürzlich in einem Ärztebericht, sehr wahrscheinlich psychische Auswirkungen, die nach dem Überwinden der eigentlichen Grippeerkrankung weiterbestehen oder sogar danach erst auftreten. Man spricht von «nervlichen Invaliden», die von «post-influenzaler Depression», «Lethargie» und «grippaler Katalepsie» gequält werden. Das sind Fachbegriffe, Frau Schulze, mit denen ich sie nicht weiter behelligen möchte. Ihre Freundin ist im Moment nicht zurechnungsfähig, hat sich in keiner Weise unter Kontrolle und es steht zu befürchten, dass sie, wenn sie sich allein gelassen fühlt, das Leben nehmen könnte. Sie muss unter ständiger Obhut bleiben, für Wochen, vielleicht für Monate. Das kann ich Ihnen nicht zumuten, so sehr sie ihre Freundin auch mögen. Der Ehemann von Frau Paulsen ist, soweit ich erfahren habe, häufig in Geschäften unterwegs. Deshalb halte ich es für richtig, Meta in eine Anstalt einzuweisen, die auf solche Fälle spezialisiert ist. Dort werden Sie ihre Freundin sicher besuchen dürfen, wenn sie auf dem Wege der Besserung ist. Es ist das Beste für Sie alle. Glauben Sie mir.»

Der Doktor sah Rieke eindringlich an, doch die zögerte nicht eine Sekunde und machte ihren Standpunkt unmissverständlich klar.

«Oh nein, das kommt nicht in Frage. Meta ist meine Freundin und wie eine Schwester für mich. Lassen Sie mich mit meinem Mann sprechen. Er wird damit einverstanden sein, dass Meta zu uns kommt. Dort ist sie nicht allein, Janne und ich werden uns bei der Betreuung abwechseln. Das geht bestimmt, Sie werden sehen. Meta ist doch jetzt nicht mehr ansteckend, oder?»

«Nach dem Stand unserer heutigen Wissenschaft sind solche psychischen Erkrankungen nicht ansteckend. Und die Grippe hat Frau Paulsen überstanden.»

Der Arzt erhob sich, lächelte Rieke zu und machte sich auf den Weg zum nächsten Patienten. An der Tür drehte er sich noch einmal um und lüpfte seinen Hut, als Zeichen seiner Hochachtung.

Die Unterredung mit Wilhelm hatte es allerdings in sich. Rieke wusste, dass er nicht leicht davon zu überzeugen wäre, dass sie nicht nur Metas Betreuung übernehmen, sondern ihn auch noch allein nach Berlin schicken wolle.

«Ich bin enttäuscht von dir», warf Wilhelm ihr vor, «du lässt mich also im Stich und unsere Tochter auch. Du stellst deine Freundin über deinen Ehemann und dein einziges Kind? Habe ich dich richtig verstanden? Weißt du, was du mir und Minchen damit antust?»

«Mein Lieber, ist das nicht etwas zu dramatisch? Du bist ein Mann, erwachsen dazu und solltest dich doch in Berlin allein zurechtfinden. Dort bist du schließlich aufgewachsen. Wenn du zu Annemarie fährst und mit Minchen reden kannst, wirst du sie besser davon überzeugen können, nach Hause zu kommen als ich. Es ist bekannt, dass Mädchen ihre Väter mehr lieben, als ihre Mütter. Natürlich wäre ich liebend gern mit dir gefahren, aber Meta braucht mich. Wenn ich mich nicht um sie kümmere, muss sie in eine Anstalt. Und wie es dort zugeht, das brauche ich dir ja nicht zu erzählen.»

Rieke hielt inne, sah ihren Mann bittend an und schmiegte sich in seine Arme. Zu lange hatte sie seine Nähe entbehrt. Dass es ihm ähnlich erging, konnte sie deutlich spüren. Da wusste sie, dass sie gewonnen hatte.

So rasch wie möglich machte Wilhelm sich auf den Weg nach Berlin. Auch wenn es mit der Eisenbahn heute viel schneller ging, als zur Postkutschenzeit, fliegen konnte er eben doch nicht. Das dachte er, bis er in einer Zeitung las, die ein Mitreisender hatte liegen lassen, dass ein gewisser Otto Lilienthal in der Nähe von Berlin erste Versuche mit einem Segelflieger gemacht und tatsächlich in einer Art Gleitflug vom Erdboden abgehoben hatte. Kopfschüttelnd legte Wilhelm die Zeitung zur Seite. Fliegen wie ein Vogel, frei durch die Lüfte, dieser uralte Menschheitstraum, ob der jemals Wirklichkeit werden könnte? Dann hielt der Zug und er machte sich sofort auf den Weg zum Haus von Annemarie. Viel zu lange hatte er auf das Wiedersehen mit seiner Tochter gewartet. Während die Droschke sich durch den immer dichter werdenden Straßenverkehr der großen Stadt zwängte, malte er sich aus, wie er bei Annemarie klingeln, Minchen öffnen und ihm dann jubelnd um den Hals fallen würde.

Endlich erkannte er das Haus seiner Schwester. Die Droschke hielt an, Wilhelm drückte dem Kutscher das Fahrgeld in die Hand, wartete nicht auf das Wechselgeld, eilte zur Haustür und läutete.

Nichts rührte sich. Er klingelte erneut, es blieb still. Dann hielt er den Finger lange auf dem Klingelknopf, doch es öffnete immer noch niemand. Sollte die Klingel defekt sein? Bei dieser neumodischen Sache mit der Elektrizität kam ihm das nicht unmöglich vor. Ob er es ein weiteres Mal versuchen sollte? Er läutete erneut und horchte mit dem Ohr an der Tür. Drinnen im Haus hörte man es leise klingeln. Also war damit alles in Ordnung. Aber wo steckten seine Schwester und die beiden Mädchen?

«Selbst wenn die Damen bummeln gegangen sind oder sonst einem Vergnügen nachlaufen», grübelte Wilhelm, «dann müsste doch wenigstens das Dienstmädchen zu Hause sein. Ich kann mir nicht vorstellen, dass meine auf Sicherheit bedachte Schwester ihr Haus ganz allein lässt.»

Und doch schien es so zu sein. Wilhelm trat einen Schritt zurück und sah zu den Fenstern hinauf. Es sah so aus, als ob alles fest verschlossen wären. Wilhelm überlegte, was er jetzt tun sollte. Lautes Magengrummeln gab ihm die Antwort. Er nahm seinen Koffer in die Hand und machte sich auf die Suche nach einem Restaurant, in dem er seinen Hunger stillen konnte. Er war schließlich den ganzen Tag unterwegs und hatte vor Aufregung nicht daran gedacht, etwas zu sich zu nehmen. Ein gut gefüllter Teller mit Brazkartoffeln und Buletten, die nirgendwo so gut schmeckten, wie in Berlin, und ein frisches Bier dazu, dann war er bereit, noch einmal zum Haus seiner Schwester zurückzugehen.

Dort war auch jetzt alles verschlossen und still. Wilhelm trat zurück und sah nach oben, auch da sah es unverändert aus. Er machte einen weiteren Schritt nach hinten und trat dabei um ein Haar einer älteren Dame auf den Fuß. Die schrie ihn empört an, ob er nicht besser aufpassen könne, ob er keine Augen im Kopf habe. Wilhelm entschuldigte sich sofort. Es war ihm peinlich, aber er wusste sich nicht anders zu helfen und fragte, ob die die Dame vielleicht etwas vom Verbleib Frau Clementis und der Mädchen wisse. Sie wäre seine Schwester und er sei auf der Suche nach ihnen.

«Ach, die Frau Clementi», die ältere Frau verzog missbilligend ihren Mund, «die ist mit den beiden jungen Damen vor ungefähr zwei Wochen fortgefahren, mit recht viel Gepäck, falls Ihnen das weiterhilft!»

12. Berlin, im Januar 1892

Wilma ließ den Brief sinken, den die Tante ihr geschrieben hatte. Darin hieß es kurz und knapp, dass sie die Kur um ein paar Wochen verlängern müsse, da sich Elisabeth noch nicht gesund genug fühle, für die lange Reise von der Schweiz bis nach Berlin.

«Pah, die Kur», Wilma lachte und es klang nicht freundlich, «wer glaubt denn heute noch an eine Kur, wenn ein junges Mädchen plötzlich für Monate verschwindet und dann munter und kerngesund nach Hause kommt. Inzwischen müsste das unerwünschte Kind geboren, Leila wieder rank und schlank und vor allem vorzeigefähig sein. Bald wird die Tante ihr einen unbedarften jungen Offizier aus gutem Haus aussuchen, dem sie die unschuldige Jungfrau vorspielen muss. Arme Leila, so hat sie sich ihr künftiges Dasein bestimmt nicht vorgestellt. Aber sie kann froh sein, dass sie überhaupt noch am Leben ist.»

Empört warf Wilma den Brief in die Ecke. Was sollte sie mit der Nachricht anfangen? Würde sich ihre Welt erneut auf den Kopf stellen, so wie im letzten Jahr, zu Ostern? Damals wäre Leila beinahe gestorben, Kokain und zu viel Absinth, die sogenannte «grüne Fee», brachten das ohnehin sehr schlanke Mädchen, an den Rand des Abgrunds. Als der Arzt noch eine Schwangerschaft feststellte, griff Tante Annemarie ein und stellte ihr Leben und das der Mädchen auf den Kopf. In Windeseile organisierte sie einen Platz in einem Sanatorium in der Schweiz für sich und Leila. Dann fragte sie Wilma, ob sie in der Zeit, die Leila zum Gesundwerden benötigen würde, zu den Großeltern oder vielleicht zurück nach Kappeln gehen wolle.

«Mit uns in die Schweiz fahren, möchtest du wohl nicht. Allein hier im Haus darfst du nicht bleiben, mein Kind», ließ die Tante sich herab, Wilma aufzuklären, «ein junges, unbescholtenes Mädchen kann unmöglich für sich allein leben. Und ehe du nach Auguste fragst, die geht für ein halbes Jahr zurück in ihr Heimatdorf, solange werden wir mit Sicherheit fort sein. Damit sie mir anschließend wieder zur Verfügung steht, zahle ich ihr bis dahin sogar den halben Lohn. Du siehst also, Elisabeths Capricen kosten mich eine Stange Geld. Denk darüber nach und sage mir bis morgen, wofür du dich entschieden hast. Und nun geh, ich habe noch viel zu erledigen vor der Abreise.»

Mit Leila über die Sache zu reden, schien Wilma nicht angebracht. Die Arme lag mit Entzugserscheinungen im Bett. Der Arzt hatte versprochen, am Abend mit einem starken Beruhigungsmittel vorbei zu kommen, damit Leila etwas schlafen könnte. Außerdem wurde es für Wilma höchste Zeit, sich zu Aschinger zu begeben, ihre Arbeit dort wartete. Wohin sie sich wenden könnte, darüber würde sie später nachdenken, dachte sie. Doch manchmal geschehen Wunder, oft dann, wenn man sie am wenigsten erwartet. Ottilie, Wilmas Kollegin bei Aschinger, machte ihr hektische Zeichen, dass sie unbedingt mit ihr reden müsse, sobald sich dafür eine Gelegenheit ergäbe. Als sich eine Pause abzeichnete, kam sie zum Tresen und sprudelte los.

«Sag mal, weißt du vielleicht jemanden, der ein Zimmer braucht? Meine Mitbewohnerin ist Knall auf Fall ausgezogen. Einfach so. Nun müssen wir anderen zwei ihre Miete mitbezahlen, wenn wir nicht ganz schnell Ersatz finden. Das kann ich mir aber nicht lange leisten.»

«Wie groß ist denn das Zimmer und was soll es kosten? Ich wüsste da jemanden», Wilma horchte auf, lag hier die Lösung ihrer Probleme?

«Wer wohnt sonst noch bei dir? Und wo liegt die Wohnung? Ist es weit von hier?»

«Wilma, sag jetzt nicht, dass du bei uns einziehen willst», Ottilie strahlte vor Freude, «ich könnte mir nichts Schöneres vorstellen. Ist das wirklich wahr?»

In Kürze erklärte Wilma der Kollegin, dass sie interessiert sei und sich das Zimmer am nächsten Tag gern ansehen möchte, dabei könne man ja über alle Einzelheiten reden. Otti zeigte sich damit mehr als einverstanden und eilte davon, den nächsten Stehtisch abzuräumen, ehe neue Gäste eintrafen.

Wilma sang in Gedanken auf dem ganzen Weg nach Hause und freute sich über das Wunder, das ihr so unerwartet in den Schoß gefallen war. Die beiden Mädchen wurden sich am folgenden Tag schnell einig. Wilma gefiel das Zimmer bei Otti. Es war nicht besonders groß, aber sauber und lag viel dichter an Aschinger, als die Wohnung der Tante. Dass in unmittelbarer Nähe auch die Seminarräume von Helene Lange lagen, machten für Wilma die Wahl noch leichter. Frohen Herzens sagte sie Ottilie zu. Bereits am übernächsten Tag, wenn sie bei Aschinger frei hatte, wollte sie mit Sack und Pack einziehen. Doch das Schicksal hatte anderes mit ihr vor.

Wieder war es ein Brief, der sie bei der Tante erwartete, diesmal nicht von ihrer Mutter. Der Absender war das Institut von Helene Lange. Mit knappen Worten teilte diese ihrer Schülerin mit, dass bis auf Weiteres der Unterricht am Seminar leider nicht stattfinden könne, da beinahe alle Lehrkräfte an der Grippe erkrankt wären und somit kein Unterricht möglich sei. Wann der Lehrbetrieb wieder aufgenommen werden könnte, sei jetzt noch nicht abzusehen, da die hohe Ansteckungsrate ein Zusammentreffen von Lehrerinnen und Schülerinnen zu riskant mache. Man werde es ihr rechtzeitig mitteilen.

Wilma las die kurzen Zeilen nochmals und begriff, dass sie ihren Traum von der Weiterbildung zunächst einmal begraben musste. Sie überlegte, welche Möglichkeiten ihr blieben. Zurück nach Hause, nach Kappeln, das war die schlechteste Option. Zu den Großeltern zu ziehen, erschien ihr auch nicht richtig, weil die den Eltern sofort Bescheid geben und sie zu ihnen zurück schicken würden. Es blieb ihr also nur, bei Ottilie Unterschlupf zu finden. Im Nachhinein gratulierte Wilma sich selbst dazu, Anfang des letzten Jahres die Arbeit bei Aschinger angenommen zu haben. Der Lohn war eigentlich für das Seminar geplant und sie hatte seither jeden Groschen, den sie erübrigen konnte, gespart. Das Geld kam ihr jetzt zugute, es ermöglichte ihr, das Zimmer bei Otti für längere Zeit zu bezahlen. Tante Annemarie war nicht zuzumuten, dafür aufzukommen, nur weil sie mit Leila verreiste. Am besten, sie sagte ihr gleich morgen, dass sie eine Unterkunft gefunden habe.

«Eine Wohngemeinschaft ist es also, in die du ziehen willst», Annemarie sah die Nichte prüfend an, «ich kann mir dein neues Quartier leider nicht selbst anschauen, dafür fehlt mir im Moment die Zeit. Das verstehst du sicher. Das heißt, ich muss dir vertrauen, dass du mich nicht anlügst und zu irgendeinem windigen Liebhaber ziehst. Aber bis jetzt hast du dich recht gesittet benommen, was ich von meiner lieben Tochter leider nicht behaupten kann. Dazu wirst du bei Helene Langes Institut in guter Obhut sein. Dann geh in Gottes Namen, mein Kind und gib auf dich acht, versprich mir das bitte.»

So besorgt hatte Wilma die Tante noch nie erlebt. Leilas tiefer Fall schien ihr eine Lehre gewesen zu sein. Natürlich stimmte sie zu, auf sich aufzupassen, die Absage des Seminars behielt sie für sich. Da war das letzte Wort noch nicht gesprochen und es konnte sich vielleicht eine neue Perspektive ergeben. Die Tante nickte ihr wohlwollend zu und verließ den Salon, in Gedanken mit der nahen Abreise beschäftigt. Wilma sah es ihr nach, auch wenn sie gehofft hatte, sie wäre Annemarie ein klein wenig wichtiger gewesen. Doch jetzt begann ein neues Leben, ihr eigenes, in das niemand reinzureden hatte.

«Uff, das haben wir geschafft», Otti wuchtete eine der beiden Reisetaschen in das Zimmer, das von nun an Wilma gehören sollte. Die andere Tasche trug die Freundin selbst herein.

«So fühlt sich Freiheit an», jubelte Wilma und drehte sich übermütig im Kreis, Otti mit sich wirbelnd. Lachend fielen die beiden Mädchen aufs Bett, kichernd und prustend. Da trat eine weitere junge Frau durch die offene Tür. Sie sah merkwürdig aus, klein und irgendwie schief gewachsen, aber mit wachem Blick, offenem Gesicht, von dichtem krausem Haar umwogt, dass sich kaum von der Strickmütze bändigen ließ.

«Oh, hallo, da ist ja Jette», Ottilie zog den Neuankömmling zu sich herunter, «Jette, das ist unsere neue Mitbewohnerin. Sie heißt Wilma und ist zum Glück nicht mehr das Landei, das sie noch vor einem Jahr war.»

«Na warte, dir geb ich gleich Landei», in Wilma jubilierte es immer noch, nichts hätte ihr jetzt die gute Laune verderben können, «wie wäre es, wenn euch die Landpomeranze zu einem zünftigen Abendessen einlädt? Da lernen wir uns alle gleich besser kennen und zum Kochen habe ich jetzt keine Lust.»

«Gute Idee», Ottilie fand sich sofort bereit dazu, während Jette bedauernd ablehnte. Sie müsse noch zu einer wichtigen Versammlung, meinte sie und verschwand.

«Da geht sie hin, die rote Jette», grinste Otti, « und das ist schade, ihr zwei werdet euch ganz sicher gut verstehen.»

«Wieso sagtest du «rote Jette? Soweit ich sehen konnte, hat sie schwarze Haare und keine roten», wandte Wilma ein.

«Du Schäfchen, ich habe doch nicht Jettes Haare gemeint, sondern ihre Gesinnung.»

«Was soll das heißen, Otti? Was ist eine rote Gesinnung?»

«Also doch Landei, sag mal, weißt du denn überhaupt nichts über Politik? Gibt es bei euch im Norden keine Sozialisten? Unsere Jette jedenfalls, eigentlich heißt sie ja Henriette, Henriette Polzin, wenn du es genau wissen willst, ist überzeugte Sozialistin und widmet sich in ihrer knappen Freizeit intensiv der sozialistischen Frauenbewegung. Was sie da genau macht, musst du sie schon selbst fragen, wenn du Glück hast und sie mal zuhause erwischst. Aber nun lass uns los. Wir beide machen heute Abend Berlin unsicher, versprochen!»

Wilma lächelte, bei der Erinnerung an den Beginn der Freundschaft zwischen den drei sehr unterschiedlichen jungen Frauen. Nach ihrem Einzug bei Otti und Jette verlief ihr Leben in ziemlich geordneten Bahnen. Sie genoss den herrlichen Sommer in Berlin, fühlte sich wohl in ihrer neuen Umgebung und verschwendete kaum einen Gedanken an Leila und die Tante, von denen sporadische Grüße aus der Schweiz kamen. Die Kusine hatte sich wohl erholt und war von ihren Süchten befreit. Von ihrer Schwangerschaft schrieb sie nie. Wilma berichtete stets nur kurz von ihrem Leben mit Otti und Jette und beließ es dabei. Eines Abends, als die Drei gemeinsam frei hatten, saßen sie in der Küche am Tisch bei einer Flasche Wein, die Jette spendierte. Draußen fiel ein feiner, alles durchdringender Spätsommerregen und Otti feuerte den großen Kachelofen an, der die gesamte Wohnung wärmte. Es machte sich eine unerklärliche melancholische Stimmung breit, in der sich die drei Frauen aus ihren jeweiligen Leben erzählten. Als die Rede auf Leila und deren ungewollte Schwangerschaft kam, huschte ein Schatten über Jettes Gesicht. Aufmerksam betrachtete Wilma die Freundin, denn dazu war Jette inzwischen geworden. Mit ihrer etwas nüchternen, kräftig zupackenden und doch irgendwie einfühlsamen Art, ergänzte sie die Runde aufs Beste. Sie schien kurz zu überlegen, ob sie den Freundinnen ihre Geschichte erzählen sollte, entschied sich aber dann dafür.

«Deine Kusine tut mir leid», begann Jette und nahm noch einen Schluck Wein, ehe sie fortfuhr, «wer könnte sie besser verstehen als ich. Wilma, weißt du, was aus dem Kind werden soll, das sie erwartet?»

Das Mädchen schüttelte den Kopf, das Kind wurde nie erwähnt, weder auf den Postkarten noch in den kurzen Briefen, die Leila ihr schrieb.

«Dann wollt ihr vielleicht hören, wie es mir erging, als ich in der gleichen unheilvollen Situation steckte, wie deine Leila?»

Zustimmend nickten Otti und Wilma und Jette setzte ihre Rede fort.

«Schaut mich an, eine Schönheit bin ich wirklich nicht, war es auch nie. Und trotzdem interessierte sich ein junger Mann für mich, als ich noch nicht einmal siebzehn Lenze zählte. Damals hielt ich es für ein Wunder, dass Franz, so hieß er, mir immer wieder versicherte, dass er mich von ganzem Herzen liebe. Es war ein wunderbarer Sommer, so schön und sonnig wie in diesem Jahr und wir fuhren so oft ins Grüne, wie es uns nur möglich war. Dort draußen, in einem kleinen Wäldchen auf einem weichen Bett aus Moos gab ich ihm nach und wurde zur Frau. Er konnte einfach unwiderstehlich sein, versprach mir den Himmel auf Erden und ich glaubte ihm nur zu gern. Zimmermannsgeselle sei er, arbeite bei einer großen Firma, die Holz für Möbel zurechtmachte. Ein gutes Einkommen sei ihm sicher und bald würde er auch genügend verdienen, um eine Frau und später eine Familie zu ernähren. In Gedanken hörte ich bereits die Hochzeitsglocken läuten und fand, ich sei die glücklichste Braut der Welt. Ein paar Wochen später, der Sommer neigte sich seinem Ende entgegen und es wurde zu kühl, um im Wald unsere Liebe zu leben, da kam er mit mürrischem Gesicht an. Auf meiner Frage, was los sei, antwortete er knapp, dass aus der Hochzeit nichts würde. Das ganze Geld, das er zur Seite gelegt hatte, um die Möbel für unsere Wohnung zu kaufen, sei ihm gestohlen worden. In der Kammer, die er mit einem anderen Gesellen bewohnte, hätte man sein Geldversteck aufgespürt und alles daraus entnommen. Nun stünde er ohne einen Pfennig da und müsse doch noch in dieser Woche die Möbel, die man für ihn anfertigte, abholen und bezahlen. Was aber am schlimmsten sei, so brachte er unter wütendem Schluchzen heraus, dass er nicht einmal mehr die erste Miete der Wohnung, die er für uns beide ausgesucht hatte, zahlen konnte. Erst am Ende der Woche bekäme er den nächsten Lohn und bis dahin wäre die schöne Wohnung wahrscheinlich längst weitervermietet.»

Jette machte eine Pause. Wie sehr sie dieses Unglück bis heute bedrückte, sah man ihr deutlich an. Gespannt warteten die beiden anderen Mädchen darauf, wie die Geschichte weiterging.

«Ihr ahnt sicher, was nun kommt», Jette sah in ihr Glas, als ob dort drin ihr Leben läge, «ich dumme Kuh bot Franz all mein Erspartes an. Dreihundert Mark hatte ich auf der hohen Kante, als Aussteuer oder um über die Runden zu kommen, falls ich einmal nicht arbeiten könnte. Franz schaute mich ungläubig an, dann fiel er mir um den Hals und beteuerte immer wieder, dass er alles zurückzahlen wolle, auf Heller und Pfennig. Ich müsse nur etwas Geduld haben, bis zur nächsten Woche. Auf dem Heimweg schwärmte er mir vor, wie wir bald das Aufgebot bestellen, dann in der schönen hellen Wohnung glücklich wären, bis ans Ende unserer Tage. Und ich dumme Kuh glaubte ihm jedes Wort und gab ihm das Geld. Die Woche verging, Franz ließ sich nicht bei mir blicken. Auch in der darauffolgenden Woche blieb er verschwunden. Verzagt klapperte ich alle

Krankenhäuser ab, vermutete, es wäre ihm etwas geschehen. Ich verstand die Welt nicht mehr, was konnte nur passiert sein? Ich wartete und hoffte, doch von Franz sah und hörte ich nichts mehr. Ich magerte ab, mir wurde ständig übel und manchmal kam eine bleierne Müdigkeit über mich. Was war los mit mir? Ihr ahnt es sicher, ihr Lieben. Die alte Hökerin, bei der ich ab und zu einkaufte, sah es mir an.»

«Na, wann ist es denn soweit?» Sie grinste böse.

«Ich wurde rot, was meinte sie? An eine Schwangerschaft dachte ich nicht, so unbedarft, wie ich damals noch war. Doch die Hökerin ließ nicht locker.»

«Du kriegst ein Kind, das sehe ich, da hab ich einen Blick für. Ist ja noch am Anfang, denke ich und vielleicht wirst du es ja von allein los. Und wenn nicht, weißt du dann wohin mit dir und dem Kind? Was bist du, Dienstmädchen? Na, das eine weiß ich, deine Herrschaft wird dich hochkant rauswerfen, wenn sie merkt, dass du schwanger bist. Oder ist es etwa vom Hausherrn? Nein? Dann darfst du keine Gnade erwarten. Du kannst von Glück reden, wenn du keinen schlechten Eintrag in dein Gesindebuch bekommst. Ich schätze, so zwei Monate hast du noch, ehe man es dir ansieht. Nutze die Zeit und such dir einen Kerl, dem du das Balg anhängen kannst. Heirate ihn und wenn das Kleine zu schnell nach der Hochzeit kommt, dann ist es eben eine Frühgeburt und fertig. Männer sind dumm, die fallen auf so was leicht rein. Glaub ruhig einer alten Frau mit Lebenserfahrung.»

«Ich habe bis heute ihr hämisches Lachen im Ohr und rannte aus dem Laden, als wäre der Teufel hinter mir her. Den Vorschlag, einen anderen Mann zu betrügen, setzte ich natürlich nicht um. Irgendwie hoffte ich, dass sich alles von allein erledigen, ich also entweder gar nicht schwanger wäre oder eine Fehlgeburt haben würde. Beides traf nicht ein, ich ließ es trotzdem einfach laufen. An dem Tag, als meine Dienstherrin bemerkte, dass mein Bauch sich rundete, stellte sie mich zur Rede und warf mich hinaus. Ich hatte gerade noch so viel Zeit, meine Habseligkeiten zusammenzuschnüren, da schloss sich die Haustüre hinter mir, endgültig. Wohin mit mir und dem Kind in meinem Leib? Es war Winteranfang und schon ziemlich kalt. Draußen schlafen, kam nicht infrage. Lange stand ich am Landwehrkanal, sah in das tiefe dunkle Wasser. Sollte ich meinem Leben ein Ende setzen? Ein Sprung, und alle Not wäre vorbei? In diesem furchtbaren Augenblick zwischen Leben und Tod, spürte ich eine zarte Bewegung in mir, als streichle ein Engelsflügel über mein Inneres. Mein Kind bat mich, es leben zu lassen, das glaubte ich damals. Ich überlegte, wie ich uns beide retten könnte, da fiel mir in meiner Not nur die Hökerin ein. Ob sie mir Obdach gewähren würde, für eine Nacht oder zwei, bis ich wusste, wohin ich wollte?»

«Ach ne», die Alte lachte spöttisch, «ist es soweit? Bist du rausgeflogen? Und nun kommst du angekrochen und meinst, die olle Lene könne dir helfen?»

Ich nickte nur, hoffte und bangte.

«Eines sag ich dir, Mädchen, ich bin kein Almosenverein. Das schlag dir aus dem Kopf. Aber ehe du einer Engelmacherin in die Hände fällst, die dir irgendwo auf einem gottverlassenen Hinterhof mit dreckigen Fingern das Kind aus dem Leib reißt, geb ich dir lieber eine Adresse.»

«Hastig kritzelte sie etwas auf ein Stück altes Papier und drückte es mir in die zitternde Hand. Dann schob sie mich zur Tür hinaus, die sie eilig hinter mir verriegelte. Da stand ich nun und wusste nicht, wohin. Zunächst lief ich die Straße hinunter, bis ich eine Gaslaterne fand, die hell genug leuchtete, um das Gekritzel auf dem Zettel entziffern zu können. «Gebäranstalt für ledige Mütter» las ich und eine Adresse. Müde schleppte ich mich mit meinem Bündel dorthin und wurde von einer mürrischen Frau mittleren Alters empfangen. Sie saß hinter einer Art Schreibtisch und ließ mich stehen. Ihr stechender Blick machte mir Angst. Sie betrachtete mich ausgiebig und meinte, dass es noch zu früh sei. Sie nähmen Schwangere erst sechs Wochen vor der zu erwartenden Geburt auf. Meine Augen, in denen pure Verzweiflung stand, schienen sie zu erweichen.»

«Hm, na gut», knurrte sie, «ehe du ins Wasser gehst, weil du nicht weißt wohin, kannst du bleiben. Aber arbeiten musst du dafür, jede Verrichtung, die anfällt. Ohne aufzumucken. Hast du das verstanden? Geld gibt es dafür nicht, nur Kost und Logis. Wenn dein Geburtstermin da ist, erhältst du die Entbindung umsonst. Nur die Ärzte und die Medizinstudenten sind dabei, weil sie was lernen sollen. Das musst du über dich ergehen lassen. Hast du das alles kapiert?»

Gottergeben nickte ich, war heilfroh, dass man hier für mich und mein Kind bis zur Geburt sorgte. Dafür hätte ich alles getan. Leicht war die Arbeit in der Gebäranstalt auf keinen Fall, aber ich ließ mir nichts anmerken. Dann kam der Tag, an dem mein Kind auf die Welt drängte. Die grauenvollen Einzelheiten einer Geburt will ich euch Jungfräulein besser verschweigen. Nur davon rede ich, dass ich mich vor Scham am liebsten verkrochen hätte, als die Studenten an mir herumfingerten und meine Blöße vor allen unbedeckt blieb. Dass man mir irgendwann ein Papier unter die Nase hielt, das ich unterschreiben sollte, bekam ich in meiner Not gar nicht richtig mit. Dann endlich, war es vorbei und ich hatte mein Kind im Arm, einen winzigkleinen Jungen mit wunderschönen blauen Augen, an die ich mich bis heute erinnere. Kaum war er geboren, nahm man ihn mir fort. Ich durfte ihn nicht mehr sehen, man sagte mir, ich hätte das Kind doch selbst zur Adoption freigegeben. Ich schrie und tobte, wollte mein Kind, meinen Sohn zurück. Da kam der Arzt, den ich schon während der Geburt gesehen hatte und streckte mir einen Zettel hin, auf dem ich meine Unterschrift erkannte. Es war eben jenes Papier, das ich in meiner Unwissenheit und den Schmerzen der Wehen, unterschrieben hatte. Der Doktor meinte noch, wenn ich das nicht akzeptiere und hier weiter so herumkrakeele, dann ließe er mich sofort in eine Nervenheilanstalt einweisen, aus der ich nie im Leben wieder herauskäme. Was also sollte ich tun? Ich schwieg und schwor mir, sobald ich draußen wäre, nach meinem Kind zu suchen.»

Jette brach ab, wischte sich die Tränen mit einer wütenden Bewegung fort und fuhr mit erstickter Stimme fort:

«Glaubt mir, ich habe nie aufgehört, ihn zu suchen. Jedes Mal, wenn ich einen kleinen Jungen mit leuchtend blauen Augen sehe, dann denke ich mir, das könnte er sein, mein Sohn. Er ist jetzt acht Jahre alt....!»

Stumm schauten die Mädchen sich an, mit Tränen in den Augen. Jette brach als Erste das Schweigen. Sie fegte die dunkle Traurigkeit mit einer forschen Handbewegung vom Tisch, die beinahe ihr Weinglas mit hinunter stieß. Sie lachte, doch es klang alles andere als glücklich.

«Kommt Kinder, lasst die alten Geschichten. Heute ist heute und wir sind zusammen. Wir sind jung, Berlin ist eine tolle Stadt, und wer weiß, was alles noch auf uns zukommt!»

An diesem Abend kam keine echte Fröhlichkeit mehr auf. Kurz überlegte Wilma, ob sie von sich und ihrem Leben in Kappeln erzählen sollte, verschob es aber dann auf eine Zeit, in der es angebrachter wäre. Nach Jettes traurigem Schicksal erschien ihr die eigene Kindheit und Jugend banal und um einiges erfreulicher, als sie es bisher empfunden hatte.

«Wer weiß», dachte sie, als sie im Bett lag und der Mond, der durchs Fenster ihr direkt ins Gesicht schien, sie am Einschlafen hinderte, «wer weiß, was das Leben für mich noch alles an Überraschungen bereit hält!»

Sie ließ nicht lange auf sich warten, die nächste Wende in Wilmas Dasein. Als sie am Mittag zum Dienst bei Aschinger erschien, rief ihr ein Kollege zu, sie möge sofort ins Büro des Chefs kommen. Blitzschnell ließ sie ihre Arbeit der vergangenen Tage in Gedanken Revue passieren, aber ihr fiel keine Verfehlung ein. Trotzdem machte sich ein mulmiges Gefühl in ihr breit, als sie bei August Aschingers Büro anklopfte.

«Herein», kam von drinnen die sonore Stimme des Chefs, « ah, du bist es Wilma. Komm, setz dich, ich möchte etwas mit dir besprechen.»

Aschinger wies auf den Stuhl vor seinem Schreibtisch und Wilma dachte, dass es nichts Schlimmes sein könne, wenn er sie zum Platznehmen auffordert.

«Tja, hm, also», Aschinger ließ sich Zeit, betrachtete das junge Mädchen mit einem kleinen Lächeln in den Augenwinkeln und legte die Fingerspitzen aneinander, «du weißt, dass ich mit dir und deiner Arbeit zufrieden bin, nicht wahr? Deshalb frage ich nun, ob du mit einer Erweiterung deiner Aufgaben in meinem Haus einverstanden wärest. Die Idee meiner Stehbierhalle wurde hier in Berlin so gut angenommen, dass ich weitere Filialen eröffnen werde. Etwas wird sich bald ändern. Wir öffnen früher und schließen später. Das mache ich vor allem, um auch die sogenannte gehobene Klasse zu mir zu locken. Die möchten oft nach Oper oder Konzert noch eine Kleinigkeit zu sich nehmen, sind aber nicht auf ein großes Diner aus. Oder die Herrschaften haben die Nacht im Varieté verbracht, beim Glücksspiel und einem wie auch immer gearteten Vergnügen, das bis zum Morgengrauen dauert. Um diese Zeit sind nur wenige Lokale geöffnet, in die sich ein unbescholtener Bürger oder gar ein Adliger hineintrauen würde. Da kommen wir ins Spiel. Kannst du mir folgen, Wilma?»

«Oh ja,», sie war seinen Ausführungen mit wachsendem Interesse gefolgt und sah schon die neuen «Aschinger» vor sich, «es müsste etwas eleganter aussehen, aber nicht zu sehr, um die normalen Gäste nicht abzuschrecken. Statt Stehtische würde ich kleine Sitzecken einrichten, mit nicht zu bequemen Sesselchen, damit die Besucher nicht viel länger sitzen bleiben, als für den Verzehr nötig ist. Oh, ich sehe das schon richtig vor mir!»

Erschrocken unterbrach sie sich, was dachte sie sich dabei, sie konnte dem Chef doch nicht so übereifrig kommen. Was sollte er von ihr halten? Mit großen Augen sah sie, dass Aschinger ein leichtes Schmunzeln in den Mundwinkeln nicht unterdrücken konnte.

«Fräulein Schulze, Wilma», jetzt lachte er, «Sie denken ja fast genauso über das neue Aschinger, wie ich. Da habe ich wohl ins Schwarze getroffen. Nun gut, lassen Sie uns die Sache noch ein bisschen vertiefen. In Erinnerung an meine bayrische Heimat werde ich alles in Blau-Weiß dekorieren, die Stehtische weitestgehend beibehalten, aber ein paar Sitzgelegenheiten einführen. Danke für diese Idee. Was ich von Ihnen will, ist Ihr Einverständnis, im Schichtdienst arbeiten zu wollen. Ich habe Sie beobachtet und Ihren guten Überblick gesehen, mit dem Sie alle Gäste im Auge haben. Deshalb will ich Sie auch weiter hinter dem Tresen haben, aber als Schichtleiterin. Nun, was sagen Sie?»

Wilma schluckte, er siezte sie auf einmal, das hatte doch etwas zu bedeuten? Fiel sie die Treppe rauf, wie hier eine Beförderung spöttisch genannt wurde? Sie musste nicht lange überlegen, frei und unabhängig wie sie war, griff sie zu. Dass am Ende in der Lohntüte einiges mehr drin läge, das sicherte Aschinger ihr gern zu. Innerlich jubelnd lief sie nach der Arbeit nach Hause. Doch dort wartete ein Schreiben auf sie, dass ihre Freude erheblich dämpfte. Es kam vom Lehrerinnenseminar, bei dem sie sich vor vielen Monaten angemeldet und es beinahe vergessen hatte. Mit Bedauern, so schrieb man ihr, müsse auch das Wintersemester abgesagt werden, da durch die Grippewelle mehr Lehrpersonal verstorben sei, als man habe voraussehen können. Neue Ausbildungskräfte seien zur Zeit schwer zu bekommen und man bitte um Geduld bis zum kommenden Frühjahr.

Wilma stützte den Kopf in die Hände, wusste nicht, ob sie erleichtert sein müsste, weil sie jetzt doch bei Aschinger weiterarbeiten oder der verpassten Weiterbildungschance nachtrauern sollte. Bald stellte sie fest, dass die neue Schichteinteilung bei Aschinger ihr Freude machte, fand es äußerst interessant, zu beobachten, welche Art von Gästen im Morgengrauen eintraf. Hafenarbeiter, die vor ihrer Maloche noch ein Bier kippen wollten, gaben gutgekleideten Nachtschwärmern die Klinke in die Hand und die wiederum räumten ihre Plätze für die selbsternannte «jeunesse dorée», die lachend den Bierpalast stürmten. Eines Morgens sah Wilma von ihrem Platz hinter der Theke aus, wie eine solche Clique hereinkam und mitten unter ihnen ein bekanntes Gesicht.

«Oh mein Gott», sie schlug die Hände vor den Mund, «was macht Ramon Santi hier? Hoffentlich erkennt er mich nicht.»

Sie überlegte fieberhaft, was sie tun sollte, wenn er käme und nach Leila fragte. Durfte sie ihm von der Kur und von der Schwangerschaft berichten? War das nicht Leilas Sache? Sie zitterte vor Aufregung so sehr, dass ihr fast ein Tablett mit frisch gespülten Gläsern aus den Händen fiel. Das war ihr noch nie passiert.

«Ruhig atmen», befahl sie sich, «an etwas anderes denken und woanders hinschauen. Dann geht das Zittern vorüber.»

Als sie wieder zu dem Tisch hinsah, an dem Ramon Santi gerade noch gestanden hatte, war der leer und die Tür schloss sich soeben hinter der ausgelassenen Bande. Erleichtert wandte Wilma sich wieder ihrer Arbeit zu.

Silvester kam, sie meldete sich freiwillig zum Dienst bei Aschinger. Was sollte sie auch allein ins neue Jahr hineinfeiern. Jette war bei ihren Sozis und Otti traf sich mit einem neuen «Verlobten», den sie noch nicht lange kannte. Wilma dachte sich, dass sie bei Aschinger wenigstens mit den Kollegen anstoßen könnte und der Bonus vom Chef käme ihr gelegen, wenn sie im Frühjahr die Ausbildung zur Lehrerin beginnen wollte.

Es war kalt und sternenklar draußen und es ging auf Mitternacht zu, da saß auf einmal in ihrer Nähe ein Mann, der sie zu beobachten schien. So unauffällig, wie möglich, schaute sie ihn sich genauer an und was sie sah, gefiel ihr. Blondes Haar, das ihm in die Stirn fiel, ein markantes, männliches, aber nicht zu hartes Gesicht mit einem Mund, der dagegen ein wenig zu weich erschien. Die Farbe der Augen erkannte sie auf diese Entfernung nicht genau, sie konnten grau oder blau sein. Wilma ertappte sich dabei, dass sie immer wieder in seine Richtung sah und oft schaute er im selben Moment zu ihr hin. Warum klopfte nur ihr Herz so stark? Was hatte das zu bedeuten? Sie kannte diesen Mann doch nicht. Wollte das Schicksal ihr Leben aufs Neue komplett umkrempeln? Durfte sie das zulassen? Sie versuchte, all diese wirren, unsinnigen Gedanken abzuschütteln, da verkündete draußen das beginnende Feuerwerk, dass soeben ein Neues Jahr anbrach. Was würde es ihr bringen? Freud oder Leid?

Da trat der Unbekannte zu ihr an den Tresen, zwei gefüllte Gläser in der Hand und reichte ihr eines davon.

«Richard von Dahlen», stellte er sich galant vor, «gewähren Sie, mein Fräulein, mir die Bitte, mit Ihnen auf das Neue Jahr anstoßen zu wollen? So ganz einsam möchte ich dem, was da auch immer kommen mag, nicht begegnen und da Sie mir ebenfalls allein zu sein scheinen, da dachte ich...»

Er brach ab, sah Wilma in die Augen und sie konnte nicht anders. Sie nahm ihr Glas entgegen, stieß mit ihm an und ahnte, dass dies der Beginn eines neuen Lebensabschnittes sein würde....

13. Kappeln, im Januar 1892

Friederike saß in ihrem Wohnzimmer, den Kopf in die Hände gestützt, vor sich auf dem Tisch ein leeres Blatt Papier. Heute war der Geburtstag ihrer Tochter. Wilhelmine sollte an diesem Tag volljährig werden, einundzwanzig Jahre alt und damit der Kindheit und Jugend entwachsen. Unter normalen Umständen würde sie inzwischen verheiratet oder zumindest verlobt sein und ihr Vater gäbe seine Vormundschaft an den Verlobten oder Ehemann ab. Vielleicht wäre Minchen bereits Mutter und sie selbst, Friederike, hätte ein Enkelkind auf dem Schoß, während die ganze Familie den Geburtstag feierte. Nichts dergleichen würde heute wahr werden. Schlimm genug, dass ihr Mädchen nicht zu Hause weilte, viel schlimmer war die Tatsache, dass sie, die Mutter nicht einmal wusste, wohin sie den Brief mit der Gratulation senden sollte.

Als Wilhelm im vergangenen Frühling aus Berlin zurückkam, lief sie ihm voller Freude entgegen, konnte kaum erwarten, dass er aus der Kutsche stieg. Sie spähte angestrengt über seine Schulter, in der Annahme, die Tochter käme ebenfalls heraus. Ihre unfassbar tiefe Enttäuschung spürte sie heute noch, hörte immer noch Wilhelms Worte, die er nur mühsam über die Lippen brachte.

«Es tut mir unendlich leid, Rieke, aber ich habe sie nicht gefunden!»

In ihrem Schmerz sah sie nicht, wie grau Wilhelm im Gesicht aussah, wie er sich anstrengte, die Tränen zurückzuhalten, rasch den Kutscher entlohnte und sich mit ihr auf den kurzen Weg nach Hause macht. Dort schritt er sofort zum Esszimmer, entnahm dem Schrank ein Glas und eine Flasche, goss sich einen Rum ein und stürzte das scharfe Getränk auf einmal herunter.

«Bitte, Liebes, entschuldige, das habe ich jetzt gebraucht», er sank auf den Sessel am Fenster und bedeutete Rieke, sie möge ebenfalls Platz nehmen. Er sah ihr in die Augen und begann mit leiser Stimme von seiner Reise nach Berlin zu berichten.

«Kannst du dir vorstellen, mein Riekchen, wie mich tiefe Verzweiflung überfiel, als ich vor Annemaries Haus stand und mir niemand öffnete. Die kurze Mitteilung der Nachbarin, dass meine Schwester mit den Mädchen verreist sei, so wie es aussah, für längere Zeit, machte es mir noch schwerer. Was tun? Wohin mich wenden? In meinem Kopf drehte sich ein Mühlrad. Da stand ich mit meinem ganzen Gepäck auf der Straße und dachte nur daran, dass Minchen unerreichbar zu sein schien. Irgendwann, es dunkelte bereits, fiel mir ein, dass ich bei den Eltern Unterschlupf finden könnte. Ich rief also die nächste Droschke und klammerte mich unterwegs an die tröstliche Vorstellung, dass Mutter mich liebevoll umarmen und Vater mir all die Hilfe gewähren würde, derer ich jetzt dringend bedurfte. In Gedanken sah ich bereits, wie Mutter mich mit Piroggen und Hagebuttentee, ihrem Allheilmittel, bewirtete, ich mit den Eltern am Tisch sitzen und wir Pläne zur Auffindung von Minchen machen würden. Doch dann, als ich mich schon wunderte, wie lange es dauerte, bis mir jemand die Tür öffnete, stand meine Mutter vor mir und ich erschrak zutiefst. Du kennst sie, die kräftige Ostpreußin, mit ihrer ausladenden Oberweite. Dies war jedoch eine schmale Frau mit verhärmtem Gesicht, in eine nicht mehr ganz saubere Schürze gehüllte, die ich im ersten Moment für eine Dienstmagd hielt. Erst als sie mich ansprach, erkannte ich ihre Stimme. Diese Frau war meine Mutter. Du vermagst dir kaum vorzustellen, wie tief mich die Erschütterung durchdrang. Sie zog mich schnell in die Wohnung und sofort in die Küche, ihr heiliges Reich, das in einer Art unaufgeräumt war, wie ich das von ihr nicht kannte. Sie bat mich, Platz zu nehmen und musste zuvor noch ein paar nicht eben saubere Tücher vom Stuhl räumen. Dann erzählte sie unter Tränen, dass Vater immer verwirrter wurde, keine Minute ohne Aufsicht bleiben durfte, damit er nicht etwas anstellen konnte, was nicht wieder gutzumachen sei. Ich solle mir selbst ein Bild davon machen, sie habe mich nur nicht so ganz unvorbereitet zu meinem Vater lassen wollen.»

Wilhelm brach ab, die Stimme versagte ihm und über seine Wangen liefen Tränen. Erschüttert legte Rieke ihm ihre Hand auf die Seine und spürte, wie dieser große und bisher recht stark wirkende Mann zitterte, aufgewühlt von der Erinnerung an die Begegnung mit seinem Vater. Nach einer Weile beruhigte er sich so weit, dass er den Faden seines Berichtes wieder aufnehmen konnte.

«Ach, Liebes, ahnst du, welche Kraft es mich kostete, meinen Vater zu sehen, diesen einst so robusten Mann, dem Helden meiner Kindheit, nun zu einem körperlichen und geistigen Wrack verkommen, der sabberte wie ein Kleinkind und keinen vernünftigen Satz herausbrachte. Torkelnd und zitternd näherte er sich mir und stammelte Unzusammenhängendes, das Mutter mir übersetzte. Er hätte mich zwar erkannt, glaube jedoch, ich sei auf Urlaub vom Militärdienst. Ich widersprach nicht und machte auf Geheiß meiner Mutter gute Miene zum üblen Spiel. Später, als wir den Vater gemeinsam ins Bett gebracht hatten, saßen wir lange zusammen und beratschlagten, wie es weitergehen solle. Dass ich Mutter meine Anwesenheit nicht auch aufdrängen konnte, stand außer Zweifel. Was sie am dringendsten brauchte, war Entlastung bei der Pflege des Vaters. Das Dienstmädchen hatte gekündigt, es kam mit Vaters seltsamem Benehmen nicht zurecht. Die Nachbarin passte hin und wieder auf, wenn Mutter einkaufen ging. Ich beschloss, über Nacht zu bleiben und mich am nächsten Morgen um alles Nötige zu kümmern. Die Einzelheiten erspare ich dir lieber, Rieke. Die finanzielle Situation der Eltern erwies sich zum Glück als geregelt. Ein neuer Arzt, denn der bisherige Hausarzt schien unfähig zu sein, half uns, eine Pflegerin für Vater zu finden, die Mutter tagsüber unterstützte und eine Zugehfrau fürs Gröbste fand sich auch. Im Moment kommen sie zurecht. Wie lange es mit Vater noch geht, das steht in den Sternen. Dass ich unter diesen Umständen nicht viel Zeit erübrigen konnte, nach unserem Minchen zu suchen, verstehst du sicher. Meine Nachforschungen ergaben lediglich, dass Leila anscheinend sehr krank wurde, meine Schwester mit ihr eine Kur antrat und Minchen als Begleitung wohl mitgenommen hat. Eine Adresse oder auch nur einen Aufenthaltsort konnte ich nicht ermitteln. Auch wo das Dienstmädchen geblieben ist, entzieht sich leider meiner Kenntnis. Sie sei zurück in ihr Dorf, hieß es. Doch wo dieses Dorf liegt, konnte mir die Nachbarin auch nicht sagen. Nun weißt du alles. So schwer es auch fallen mag, es bleibt uns nichts anderes übrig, als abzuwarten, ob Annemarie uns einen Brief oder eine Karte von ihrem jetzigen Domizil sendet. Erst dann können wir uns mit Minchen in Verbindung setzten. Es tut mir unendlich leid, mein Liebes....»

Noch jetzt traten Friederike die Tränen in die Augen, als sie an den todunglücklichen Wilhelm dachte, der ihr traurig gegenüber saß und ihr gestehen musste, dass er seine Tochter nicht gefunden hatte. Den ganzen Sommer über warteten sie auf Nachricht von Annemarie, doch sie ließ nichts von sich hören. Rieke lenkte sich ab, kümmerte sich um die Frau des Bürgermeisters, die nach zehnjähriger Ehe noch schwanger geworden war und nun beinahe hysterisch auf die kleinste Unpässlichkeit reagierte. Die nicht mehr junge Frau tat sich schwer mit der Schwangerschaft, schwankte ständig zwischen Hoffnung und Trübsinn und brachte die anderen Damen der Kappelner Gesellschaft mit ihren übertriebenen Launen zur Verzweiflung. Ausgerechnet Rieke hatte sie zur Vertrauten auserkoren und je näher der Entbindungstermin rückte, desto öfter ließ sie nach ihr rufen. Auch sonst öffnete Rieke sich wieder mehr der Öffentlichkeit. Die junge Frau des neuen Pastors brachte frischen Schwung in die Damen, die sich mit den üblichen Teegesellschaften und Kaffeekränzchen mehr oder weniger langweilten. Den allzu freien Äußerungen der Frau Pastor über Frauenvereine und Frauenbildung mochten die meisten der recht konservativ eingestellten Damen allerdings nicht immer zustimmen, bis sich eines frühen Morgens ein Drama am Ufer der Schlei abspielte. Noch wochenlang war dies der Hauptgesprächsstoff in der kleinen Stadt. Ein Fischer, der, früher als sonst, weil die Fische an jenem Morgen wohl anderswo herumschwammen, mit seinem Boot anlegte, sah etwas am Ufer liegen. Es zappelte, musste also lebendig sein. Schnell sprang der Fischer an Land und lief zu dem Bündel hin. Dabei hörte er einen schwachen Hilferuf, der vom Wasser kam. Einen Kopf konnte er erkennen und eine Hand, die ihm hilfesuchend zuwinkte. Da schien soeben jemand zu ertrinken, vermutete er und ließ das Bündel erst einmal liegen. So rasch ihn seine Füße trugen, rannte er zu seinem Boot und ruderte auf die kabbelige Schlei hinaus, deren Wasser von einem aufkommenden Westwind immer heftiger aufgewühlt wurde. Der Fischer hielt Ausschau nach dem Kopf und bekam es mit der Angst zu tun, als er nichts mehr erkennen konnte. Weiße Schaumkronen machten es ihm unmöglich, so etwas wie einen Menschenkopf entdecken zu können. Ein zweites Boot tauchte auf, ebenfalls ein Fischer, der vor dem zu erwartenden Sturm nach Hause wollte. Gemeinsam suchten sie das aufgewühlte Wasser ab und hatten beinahe alle Hoffnung aufgegeben, da verfing sich das Ruder des Fischerbootes in einem Stück Stoff, dass sich als Kleid erwies. Eine leblose Frau, deren langes, nasses Haar wie Tang auf dem Wasser schwamm, trieb heran und mit vereinten Kräften hob man sie in eines der Boote. Am Ufer hatten sich inzwischen ein paar Frühaufsteher angefunden, die sich um das zappelnde, schreiende Bündel kümmerten, ein Säugling, wie sich herausstelle. Endlich kam das Boot mit der Frau am Ufer an und eifrige Hände hoben sie heraus. Der Doktor, den jemand alarmiert hatte, kümmerte sich sofort um die Reglose, hob ihre Arme hoch und senkte sie wieder, drückte kräftig auf die Brust und legte die Frau dann auf die Seite. Er sah auf die Menschenmenge, die sich inzwischen um sie herum versammelt hatte. Bedauernd schüttelte er den Kopf, sie sei nicht mehr zu retten. Da näherte sich die mitleidige Seele, die das aufgefundene Kind im Arm hielt. Das Kleine schrie und weinte zum Gotterbarmen. Im selben Augenblick schlug die Ertrunkene die Augen auf und spie einen Schwall Wasser aus. Die gerade noch Totgeglaubte, unfähig zu sprechen, streckte die Arme nach ihrem Kind aus und fand ins Leben zurück. Eilig brachten hilfsbereite Menschen Mutter und Kind ins Warme, versorgten die Frau mit trockener Kleidung und heißem Tee. So nahm das Ganze doch noch einen guten Ausgang. Bald stellte sich heraus, dass die Frau, die ihrem Leben in der Schlei ein Ende setzen wollte, die Ehefrau eines Arbeiters war, der gerade seine Stellung verloren hatte. Seinen letzten Lohn vertrank er in der Kneipe am Hafen und tobte dann all seine Verzweiflung und den Ärger an seiner Frau aus. Voller Angst vor ihrem um sich schlagenden, brüllenden Mann und nicht zuletzt vor der ausweglosen Zukunft, die vor ihr und ihrem Kind lag, wusste sie wohl keinen anderen Ausweg, als ihr elendes Leben in der Schlei zu beenden.

«Stellen Sie sich vor, meine Damen», schilderte die Pastorin den Frauen, die ihrer Einladung zu einer Gesprächsrunde gefolgt waren, «welch ein Drama hinter dieser Rettung steckt, so etwas können wir uns kaum vorstellen. Die arme Frau legte ihr erst vor ein paar Wochen geborenes Kind mit Absicht am Ufer nieder, darauf hoffend, das eine mitleidige Seele sich des Würmchens annähme, wenn sie dem Leben, das sie nicht mehr aushielt, entflohen war. Alles erschien ihr aussichtslos, eine unendliche Folge von tiefem Leid, ein Ehemann, der, wenn er trank, sich in ein wildes Tier verwandelte, das sie grün und blau schlug und das wenige Geld, das sie dringend zum Überleben benötigten, in die Kneipe trug, um sein eigenes Elend im Alkohol zu ertränken. Denken Sie einmal darüber nach, was Sie getan hätten, würden Sie sich in der Lage dieser Frau befinden. Ich glaube, es ist an der Zeit, dass wir bessergestellten Damen hier in Kappeln eine Art Wohltätigkeitsverein gründen, uns um solche Familien kümmern. So etwas darf hier nie wieder geschehen. Keine Frau, egal welcher Gesellschaftsschicht sie angehört, sollte gezwungen sein, sich aus Verzweiflung für den Tod zu entscheiden und ihr Kind allein und mutterlos zurücklassen zu müssen. Bitte, meine Damen, Sie sind Ehefrauen und vor allem Mütter. Öffnen Sie ihre Herzen für die Ärmsten der Armen. Und Sie können noch mehr tun. Indem Sie Ihre

Gatten dahingehend beeinflussen, die Arbeiter in ihren Fabriken und auf den Gütern nicht von heute auf morgen zu entlassen, ihnen angemessene Löhne zu zahlen und nicht einfach vor die Tür zu setzen, wenn sie krank werden. Dafür danke nicht nur ich von Herzen, sondern vor allem unser Herrgott, dessen Lohn Ihnen dereinst zuteilwerden wird!»

An diesem Tag ging eine sehr nachdenkliche Friederike nach Hause. Sie fragte sich, wie sie bisher die Not und das Elend, dass es sogar in einem idyllischen Städtchen wie Kappeln gab, übersehen konnte. Ihr erster Weg führte sie zu Meta, die inzwischen auch von der Gesellschaft akzeptiert wurde, aber keinerlei Interesse an Kaffeekränzchen und sonstigen Veranstaltungen zeigte. Sie hörte Rieke aufmerksam zu und schaute der Freundin dann mit ernster Miene in die Augen.

«Rieke, du bist zwar eine liebe und herzliche Person, aber mitunter scheinst du blind zu sein. Oft malst du dir deine Welt schöner, als sie in Wirklichkeit ist. Und sei mir bitte nicht böse, wenn ich dir ganz offen die Wahrheit sage, du versteckst dich hinter dem Schmerz um deine verlorene Tochter, um der wahren Welt nicht die Stirn bieten zu müssen. Unser Leben ist nicht immer ein Honigschlecken. Doch du glaubst, wenn du es verleugnest, dass es dann auch nicht wahr ist.»

Meta verstummte und sah Rieke, der die Tränen über die Wangen liefen, mitleidig an. Sie wusste, dass sie soeben etwas ausgesprochen hatte, das längst überfällig gewesen war. Wilhelm schützte seine Frau viel zu sehr vor den Stürmen des Lebens und auch sie selbst, als Riekes beste Freundin, hätte ihr viel früher die Augen öffnen sollen. Rieke erhob sich langsam, wie eine alte Frau, als schmerze sie jede Bewegung. Mit einem Blick, der Meta bis ins Herz traf, wankte sie aus der Tür und die wenigen Schritte nach Hause. Wilhelm ließ sie ausrichten, dass sie Kopfschmerzen habe und nicht gestört werden wollte. In dieser Nacht ging Friederike Schulze, geborene Lavalle aus Berlin, hart mit sich ins Gericht. Metas Worte hatten sie zutiefst getroffen, aber zugleich wach gerüttelt.

«Meta hat ja recht», grübelte sie, «ich hab mir das Leben zu leicht gemacht, Schwierigkeiten einfach nicht sehen wollen und bei meinem Minchen nicht erkannt, was dem Wesen dieses Kindes gerecht geworden wäre. Kein Wunder, dass sie davongelaufen ist. Ich dachte, sie sei zufrieden damit, sich auf die Rolle der Ehefrau und Mutter vorzubereiten, und unterstützte sie nach

Kräften darin. Dabei habe ich vollkommen übersehen, dass für Wilhelmine das Lernen, das Wissen immer an erster Stelle kam. Mein Gott, wie kann ich das nur wieder gut machen. Ich will ihr schreiben, selbst wenn ich die Briefe nicht abschicken kann, noch nicht. Eines Tages werde ich Minchen in meine Arme schließen können und dann sage ich ihr...sage ich ihr...!»

Eine Tränenflut unterbrach ihren Gedankengang. Und mit den Tränen flossen ihr Selbstmitleid und die falschen Illusionen, die sie sich gemacht hatte, dahin. Würde es ihr gelingen, ein anderer, ein besserer Mensch zu werden?

Nun also, an diesem 18. Januar 1892 schrieb sie einen neuen Brief an die Tochter, von der sie immer noch nicht wusste, wo sie war und ob sie noch lebte.

«An mein liebes Minchen!   *Kappeln, am 18. Januar 1892*

Heute ist Dein Geburtstag, der Tag, an dem ich Dich auf die Welt brachte und hoffte, das Schicksal möge nur Gutes für Dich bereithalten. Leider kann ich Dir nicht persönlich sagen, wie sehr ich mich freue, dass Du mit dem heutigen Tage volljährig geworden bist. Wie so oft in den letzten zwei Jahren, seitdem Du uns verlassen hast, schreibe ich Dir. Eines Tages, wirst Du meine Briefe lesen, das weiß ich. Wie mag es Dir in der großen weiten Welt ergehen, wo auch immer Du Dich gerade befindest. Ich hoffe, Du bist wohlauf und glücklich, so wie Du es als kleines Mädchen warst, auf der Fotografie, die immer vor mir steht, wenn ich Dir schreibe. Heute muss ich Dir die traurige Nachricht mitteilen, dass wir meine alte Freundin Anna Köhnke im vergangenen Dezember zu Grabe getragen haben. Wie hätte sie sich über die internationale Foto-Ausstellung gefreut, die demnächst in Hamburg stattfinden soll. Anna war in der letzten Zeit ziemlich gebrechlich geworden, hatte aber immer noch einen regen Geist und liebte es, mit einigen interessierten Damen über das Weltgeschehen zu diskutieren. Die Pontonbrücke ist leider auch noch nicht vollständig repariert. Neuerdings redet man von einem Brückenneubau. Das Schlimmste aber, was hier in unserer Stadt geschehen ist, war das Drama, das sich am Ufer der Schlei abspielte. Die Ehefrau eines hiesigen Arbeiters legte dort ihr erst wenige Wochen altes Kindlein ab, ehe sie ins Wasser sprang. Ihr Mann hatte wieder einmal zu viel getrunken und sie brutal misshandelt. Die Ärmste wusste keinen anderen Ausweg, als sich zu ertränken. Zum Glück wurde ihr Ansinnen bemerkt und Fischer zogen die arme Frau noch lebendig aus der Schlei. Der Polizei-Sergeant griff den Ehemann auf, arretierte den Randalierer und Frau und Kind hatten vorerst Ruhe. Unsere neue Pastorin hat versprochen, sich künftig um solche und ähnliche Fälle zu kümmern

und etliche Damen aus unseren Zirkeln erboten sich, ihr bei der Gründung einer Art von Wohltätigkeitsverein zu helfen. Natürlich bin ich auch dabei. Seit diesem Vorfall weiß ich, dass ich mit Deinem Vater unendlich viel Glück habe. Er würde nie im Leben die Hand gegen mich erheben. Warum aber gibt es so viele Frauen, die schreckliche Schicksale erdulden und als Eigentum eines Mannes, so gut wie keine Rechte haben. Sind wir denn weniger wert als Männer, nur weil wir Frauen sind, als Mädchen geboren wurden? Du wirst es hoffentlich einmal besser haben und für Dich selbst entscheiden dürfen. Auf dem Weg dorthin bist Du ja bereits. Das wünsche ich Dir von ganzem Herzen. In Gedanken an Dich, verbleibe ich,
Deine Dich immer liebende Mutter, Friederike Schulze.»

Mit unendlicher Trauer faltete Rieke das Schreiben zusammen und legte ihn auf den Stapel nicht abgesendeter Briefe, ähnlich dem, der bei Wilma in einer Schachtel unter dem Bett darauf wartete, endlich geöffnet und gelesen zu werden...

14. Berlin, im Juli 1894

Wilma öffnete mühsam die Augen, verwirrt sah sie sich um. Wo war sie? Was konnte geschehen sein? Sie erinnerte sich nicht, in ihrem Kopf herrschte Leere. Mit einem Wehlaut sank sie zurück in die Kissen. Ihr wurde schwarz vor Augen, dann fiel sie erneut in die Dunkelheit.

Lachend lief sie mit Richard am Ufer eines Sees entlang. Feiner weißer Sand säumte ihn, zwei schneeweiße Schwäne schwammen lautlos und majestätisch an ihnen vorüber. Wilma spürte ein Händchen in der ihren und sah ein Kind, ein kleines Mädchen, das sie beide an den Händen hielt und laut jubelte, wenn sie und Richard es hoch in die Luft schwangen.

«Engelchen, Engelchen flieeeeeeg», riefen sie, da breitete das Mädchen seine Flügel aus und erhob sich in die Lüfte. Immer höher flog es, als wolle es die Sonne erreichen. Fassungslos starrte Wilma hinter dem Kind her und fühlte in sich eine Leere, die, wie sie ahnte, niemals mehr ausgefüllt werden konnte.

Mit einem Ruck fuhr sie auf, öffnete erneut die Augen und fand sich in ihrem eigenen Bett wieder. Jemand klopfte leise an die Tür.

«Richard» zu mehr als einem Flüstern reichte es nicht, Wilmas Hals schien so trocken, als sei sie tagelang durch eine Wüste gelaufen, «eine Wüste? Ich erinnere mich an glühende Hitze, sengende Sonne und endlose Weite. Wo war ich nur? Richard, bist du das?»

«Nein, Liebes, das bin nur ich, Otti, wenn du dich erinnerst!»

Behutsam trat Ottilie näher, ein Tablett in beiden Händen jonglierend. Sie stellte es auf dem Nachtschränkchen ab und legte ihre kühle Hand auf Wilmas heiße Stirn. Rasch goss sie Wasser in ein Glas und reichte es der kranken Freundin, die es in einem Zug herunterstürzte, wie eine Verdurstende.

«Du hast immer noch Fieber, Wilma. Es ist zum Glück nicht mehr so hoch, wie es heute Nacht war. Geht es dir besser? Weißt du, was mit dir geschah?»

Wilma schüttelte den Kopf und bereute die Bewegung sofort. Als ob jemand mit einem Hammer auf ihre Schläfen hieb, so fühlte es sich an. Ihr

Körper brannte, jeder Knochen im Leib tat ihr weh. Was war das nur für ein scheußliches Gefühl.

«Nein Otti, ich habe keine Ahnung, nicht warum ich krank bin und auch nicht, wie ich hierher ins Bett gekommen bin. Ich dachte, du könntest es mir sagen. Wieso weißt du es nicht? Was ist denn geschehen? Oh, mein Kopf, er tut so furchtbar weh. Und der Rest meines Körpers fühlt sich an, als ob ich unter die Räder der Straßenbahn geraten wäre», ein grauenvoller Gedanke durchzuckte das Mädchen, «hatte ich einen Unfall?»

«Nein, einen Unfall würde ich das nicht nennen», Otti drückte die Freundin sanft aber bestimmt zurück in die Kissen, «ein heftiges Fieber, das dich um ein Haar das Leben gekostet hätte, erfasste dich. Versuche doch bitte, noch etwas zu schlafen. Nachher kommt der Doktor, der kann dir genauere Auskunft erteilen. Er ist schließlich Arzt. Ich lasse die Tür nur angelehnt. Rufe, wenn du was brauchst, Ja?»

Wilma hörte Ottis Stimme wie durch einen dichten Nebel leiser und leiser werdend, dann fiel sie erneut in einen Dämmerschlaf. Buntes Feuerwerk leuchtete hell hinter ihren geschlossenen Lidern und sie sie träumte sich zurück, zu jenem Silvesterabend, an dem sie mit Richard vor der Stehbierhalle von Aschinger stand und ein Glas Champagner mit dem Mann trank, der bis vor ein paar Minuten noch ein gänzlich Unbekannter gewesen und ihr nun schon so vertraut erschien. Als Richard von Dahlen stellte er sich vor und nahm ihr gleich den Wind aus den Segeln.

«Das «von», mein verehrtes Fräulein, hat nichts zu bedeuten. Alter Adel zwar, jedoch total verarmt. Mit diesem «von» kann ich mir leider kein Brot kaufen. Bin Student und Arbeiter. Das soll heißen, dass ich Medizin studiere und in jeder freien Minute mir in einer Druckerei das Geld dafür verdiene. Es ist also absolut kein Staat mit mir zu machen, deshalb warne ich Sie hiermit vor mir.»

Seine lachenden Augen straften seine warnenden Worte Lügen. Wilma, die in sich ein Kribbeln und Prickeln spürte, dass kaum vom Champagner kommen konnte, verlor sich im selben Augenblick an ihn und an die Liebe. Dies musste der Mann sein, auf den sie gewartet hatte, dieser oder keiner. Von diesem Moment an erschien ihr das Leben wie ein einziger Traum. Sie schwebte auf rosaroten Wolken, ließ sich von Richard eine Zukunft ausmalen, die sie sich selbst nie hätte vorstellen können. Jede Sekunde, die sie getrennt waren, erschien ihr wie eine Ewigkeit und jede Minute, die sie miteinander verbrachten, raste viel zu schnell dahin. Nichts und niemand konnte sie aus ihrem Wunschdenken aufwecken. Besorgt sahen Ottilie und Jette, wie Wilma sich immer mehr aus ihrer Gemeinschaft löste, nur noch mit diesem Mann zusammen sein wollte und um ein Haar ihre Ausbildung zur Lehrerin nicht angetreten hätte. Otti beriet sich mit Jette und die beiden jungen Frauen nahmen ihre Freundin ins Gebet.

«Hör mal Wilma, da ist ein Brief gekommen», Otti hielt ihr das Schreiben unter die Nase, «es ist von deinem Lehrer-Seminar. Willst du ihn nicht öffnen?»

Wilma riss ihr den Umschlag aus der Hand und warf ihn auf den Tisch, ohne ihn zu aufzumachen und zu lesen.

«Ach», meinte sie mit wegwerfender Handbewegung, «den brauche ich nicht mehr. Wenn Richard und ich eine Familie gründen wollen, kann ich doch sowieso keine Lehrerin mehr sein. Lehrerinnen dürfen nicht heiraten, das wisst ihr. Und ein Leben ohne Richard gibt es für mich nicht.»

Es bedurfte der gemeinsamen Überredungskunst von Otti und Jette, um Wilma zu bewegen, den Brief zu öffnen, der ihr die Teilnahme am nächsten Semester zusagte, das gleich nach Ostern beginnen sollte. Erst als Jette aus ihrer langen Erfahrung im Frauenverein berichtete, wie schnell eine junge Frau zur Witwe werden oder von ihrem Mann verlassen, mit kleinen Kindern plötzlich dastand, ohne Einkommen und ohne Ausbildung, die ihr eine Arbeit sicherte, da wurde Wilma hellhörig. Die Freundinnen hatten recht. Sie war in keiner Weise abgesichert. Noch arbeitete sie ja bei Aschinger. Nach der Hochzeit würde Richard ihr das gewiss nicht mehr erlauben. Nach der Hochzeit? Siedendheiß fiel ihr etwas ein. Sie dachte nach. Hatte er ihr eigentlich irgendwann einmal einen Heiratsantrag gemacht? Sie ging selbstverständlich davon aus, dass sie beide zusammengehörten, für immer. Sah er das auch so? In diesem Moment sprach Jette genau das aus.

«Sag doch, Wilma, hat dein «alter Adel» dir überhaupt schon mal einen Antrag gemacht? Und hast du ihn... du weißt schon was? Bitte, pass auf dich auf. Versprich es uns. So verliebt wie du bist, kannst du Gutes von Schlechtem nicht mehr unterscheiden. Tu dir selbst den Gefallen und lass dich zur Lehrerin ausbilden. Das kannst du, das kriegst du problemlos hin, glaub uns. Es ist eine große Chance für dich. Willst du wirklich den Rest deines Lebens bei Aschinger verbringen? Dass dein Richard dich in absehbarer Zeit heiraten wird, ist eher unwahrscheinlich. Er studiert Medizin, sagtest du, das kann dauern. So schnell wird er keine Familie ernähren können, selbst wenn er das wollte. Denk bitte mal drüber nach!»

Wilma nahm sich die Worte ihrer Freundinnen zu Herzen, so schwer es ihr auch fallen mochte, Richard so etwas wie Unredlichkeit ihr gegenüber zu unterstellen. Die Beispiele der Mädchen, die von Männern im Stich gelassen wurden, als sie eine Schwangerschaft feststellten, führten Wilma deutlich vor Augen, wo sie landen könnte, widerführe ihr auch so ein Schicksal. Noch am selben Abend zählte sie das Geld, das sie zurückgelegt hatte. Ihr Erspartes, vor allem das gute Trinkgeld, dass es bei Aschinger gab, machten zusammen eine Summe aus, die ihr gestatten würde, die zwei Jahre Ausbildung zu überstehen. Das musste sie ihrem Richard sagen, gleich morgen. Es war nicht so einfach, wie sie sich es erhofft hatte, ihren Liebsten von der Notwendigkeit zu überzeugen, die Schulung zu beginnen, doch endlich gab er nach. Das Osterfest wurde zur Krönung Ihrer Liebe. Die Sonne schien warm von einem strahlend blauen Himmel. Es ist «Kaiserwetter», sagten die Berliner und drängten hinaus aus der Enge und Düsternis der Hinterhöfe, in die Natur.

Wilma und Richard ließen sich mitziehen. Die Menschenmenge schob sich «Unter den Linden» und ums Brandenburger Tor. Sie nahmen Gesprächsfetzen wahr und merkten lange nicht, von wem hier die Rede war.

«Seht nur, die Polizei riegelt den Straßenrand ab, wird er wirklich hier vorbeikommen? – Oh ja, ich will ihn auch sehen! – Was gibts denn da schon zu schauen, ist nur ein Krüppel, weiter nix!» – Mensch, pass auf, was du sagst, sonst landest du noch in Moabit! – Majestätsbeleidigung is det!»

Da dämmerte es Wilma, dass hier in wenigen Minuten Kaiser Wilhelm II. in seiner Kutsche vorüberfahren würde und sie zupfte Richard am Ärmel.

«Lass uns hierbleiben und auf den Kaiser warten. Ich hab ihn doch noch nie gesehen, bitte!»

Ehe er antworten konnte, drückte die erwartungsvoll aufgeregte Menge die beiden nach hinten, schubste und schob. Um ein Haar hätten sie sich verloren, würde Richard nicht den Ärmel von Wilmas Jäckchen fest in der Hand gehalten haben. Sie hörten noch schallende «Hurra»-Rufe, dann donnerten die Hufe der Kutschpferde laut über das Straßenpflaster, Wilma reckte sich, die Menschen vor ihr bildeten eine undurchdringliche Mauer. Hüte flogen in die Luft, erneutes «Hurra» und schon war der große Moment vorüber. Rasch zerstreute sich die Menge und Wilma hängte sich enttäuscht an Richards Arm.

«Zu schade, ich hätte den Kaiser zu gern von Nahem gesehen.»

«Wahrscheinlich würdest du nur eine seiner prächtigen Paradeuniformen erblicken, in die sich SM, Seine Majestät, wie wir Berliner respektlos unseren Souverän nennen, sich mit Vorliebe kleidet. Ihn selbst, in normalem Anzug, sieht man so gut wie nie. Er versteckt sich und seine Mängel zu gern unter Goldlitzen und Lametta.»

«Stimmt es denn», neugierig geworden, wagte Wilma nach des Kaisers Gebrechen zu fragen, «hat er wirklich einen verkrüppelten Arm?»

«Ja leider, meine Liebe. Er schämt sich dafür und versucht, ihn mit seinen aufwändigen Uniformen zu überspielen. Der linke Arm von SM wurde wohl bei seiner schwierigen Geburt verletzt und blieb deutlich kürzer und schwächer als der rechte. Nun lass uns aber nicht mehr vom Kaiser reden, sondern mit der Pferdebahn ins Grüne fahren. Hast du Lust dazu? Möchtest du lieber in den Zoo oder an den Wannsee? Dort könnten wir ein Ruderboot mieten und uns ein lauschiges Plätzchen unter einer Trauerweide suchen.»

Wilma wurde hellhörig, Richard schien ein solches Plätzchen bereits zu kennen. Sollte das bedeuten, dass er schon mit anderen Mädchen unter einer Trauerweide....?

Schnell schob sie den Gedanken beiseite. Dieser Tag war viel zu schön, um ihn mit Misstrauen anzufüllen. Sie war jung und wollte etwas erleben. Der Sommer stellte sich auf die Seite der Liebenden. Wann immer sie Zeit für ihre Liebe hatten, ließ er die Sonne von einem wolkenlosen Himmel scheinen und wolkenlos erschien auch jeder Tag für Wilma. Sie saugte das Wissen, das ihr im Lehrerinnenseminar vermittelt wurde, wie ein Schwamm auf, lernte mit einer Mühelosigkeit, die sie selbst erstaunte. Bei Aschinger arbeitete sie an jedem Samstag, darum hatte der Chef sie gebeten, als sie ihm sagen musste, dass sie kündigen wollte.

«Liebes Fräulein Schulze, liebe Wilma, wenn Sie mir diese vertrauliche Anrede gestatten, nur sehr ungern lasse ich Sie gehen, habe Ihre Arbeit immer geschätzt, Ihren Überblick am Tresen, Ihre zuvorkommende Freundlichkeit den Gästen gegenüber und die notwendige Distanziertheit, die Komplikationen gar nicht erst aufkommen ließen.»

Wilma spürte, wie ihr die Röte in die Wangen stieg, so viel Lob hörte man selten aus dem Mund des eher strengen August Aschinger. Der fuhr unbeirrt fort. Er bot ihr an, an den Wochenenden weiter für ihn zu arbeiten. Gerade dann, wenn die Gäste zahlreicher in sein Etablissement strömten, als unter der Woche und eine gehobenere Klientel seinen Bierpalast besuchte, würde er sie gern hinter dem Tresen sehen.

«Ich denke auch, liebe Wilma, dass Sie das Geld, das sie dabei verdienen, gut gebrauchen können, solange Sie sich noch in der Ausbildung befinden, habe ich recht?»

Dem konnte das Mädchen nicht widersprechen und mit einem Lächeln geleitete Aschinger sie hinaus. Triumphierend berichtete Wilma ihrem Richard am Abend von diesem Gespräch und der Aussicht auf ein wenig mehr Geld. Nie hätte sie geglaubt, dass diese Tatsache zu dem ersten Streit zwischen ihr und Richard führen würde. Fassungslos sah sie, wie das markante Gesicht ihres Liebsten Zornesrot anlief.

«Bist du von Sinnen», Richards Stimme wurde unangenehm laut, «wieso glaubst du, dass ich es zulassen würde, dass meine Liebste in einem Lokal von angetrunkenen Männern begafft und vielleicht sogar angefasst wird. Es kommt überhaupt nicht infrage, dass du weiter in dieser Kaschemme arbeitest. Du wolltest zu deinem Seminar, so hatten wir es besprochen und bei Aschinger kündigen. Und das tust du auch, sofort! Hast du mich verstanden?»

Ungläubig sah Wilma den Mann an, von dem sie bisher geglaubt hatte, dass er sie liebe. Was brachte ihn dazu, ihr vorschreiben zu wollen, was sie zu tun habe?

«Richard», begann sie, innerlich zitternd, aber nach außen mit fester Stimme, «ich glaube, du vergreifst dich soeben im Ton mir gegenüber. Ich bin erwachsen und dir keine Rechenschaft schuldig. Wir sind nicht verheiratet, nicht einmal verlobt. Du hast also kein Recht, mir zu sagen, was ich tun oder lassen soll. Ich lief von zu Hause fort, um mir ein eigenes Leben aufzubauen, und das werde ich auch. Niemand darf mir in meine Entscheidungen dreinreden. Ich lebe, wie ich will, ob mit dir oder ohne dich, das liegt an dir. Ich hoffe, das hast du jetzt verstanden.»

Richard war viel zu verblüfft über Wilmas Rede, um sie zu unterbrechen. Er überlegte kurz, ob er sich ihr aufsässiges Verhalten gefallen lassen durfte. Einerseits imponierten ihm ihr Mut und ihre Entschlossenheit, andererseits war er der Mann und sollte das Sagen haben, auch wenn ihre Beziehung offiziell nicht existierte. Gab er nicht nach, würde er sie verlieren und das wollte er nicht.

«Liebste» tat er zerknirscht, «da hast du einen ganz falschen Eindruck von mir bekommen. Ich fürchtete nur, du würdest dich mit der vielen Lernerei und der zusätzlichen Arbeit bei Aschinger übernehmen und mir eines nicht allzu fernen Tages zusammenbrichst. Das siehst du vielleicht jetzt nicht ein, aber ich bin davon überzeugt, dass es so kommen wird. Bedenke bitte, dass ich nur aus Sorge um dich so sprach.»

Während er redete, nahm er ihre Hand und schloss sie in seine Arme. Den letzten Worten ließ er einen überwältigenden zärtlichen Kuss folgen und Wilmas Ärger schmolz dahin. Die Wogen schienen fürs Erste geglättet und Wilma schwor sich, Richard zu beweisen, dass sie problemlos beides schaffte, lernen und arbeiten und ihm außerdem noch die fröhliche, liebevolle Gefährtin zu sein, die er sich wünschte.

So ging ein Sommer voller Glück und Liebe dahin, ein goldener Herbst folgte und der Winter sah die beiden in Richards Kämmerchen unter einer Decke liegen. Weder Kälte noch Hitze, nicht Regen, noch Sturm konnten die innige Zuneigung der jungen Frau ins Wanken bringen. Selig tanzte Wilma durch die Tage und Nächte, warf den Überfluss ihrer Liebe wie einen goldenen Regen in die Luft, um allen Menschen auf dieser Erde, die keine Geborgenheit und Herzenswärme kannten, davon etwas zu schenken. Nichts um sie herum vermochte Wilma aus ihrem Traum zu wecken. Weder der hohe Preis, den Hamburg dem Ausbruch der Cholera zahlte mit beinahe 9000 Toten, noch die Tatsache, dass der Berliner Arzt Robert Koch versuchte, die Epidemie untere Kontrolle zu halten und dabei wertvolle Erkenntnisse sammelte, schien sie zu interessieren. Auch die sehr viel näherliegende Gründung einer Bau- und Wohnungsgesellschaft drang nicht zu ihr vor. Henriette, die sehnlichst hoffte, dass mit dieser Einrichtung endlich menschenwürdiger Wohnraum geschaffen würde, war von Wilma enttäuscht, als sie der jungen Frau freudig davon berichtete. Wilma wirkte abweisend und schien die Freundin so schnell wie möglich loswerden zu wollen. Dem Thema des geplanten Wohnungsbaues schenkte sie keine Beachtung. Ottilie und Henriette, die Wilma nur noch sporadisch zu Gesicht bekamen, schüttelten die Köpfe und sorgten sich um das Mädchen. Natürlich hofften sie, dass dieser verarmte Adelsspross es ehrlich mit ihr meinte, aber gerade Jette kannte durch ihren sozialistischen Frauenverein zu viele tragische Frauenschicksale, um Wilmas Liebschaft nicht mit einer großen Portion Misstrauen zu beobachten. Otti, die als Bedienung bei Aschinger oft genug hinter die allzu wohlmeinenden Masken der Männer blicken konnte, pflichtete Jette bei. Doch was sollten sie tun, außer zu versuchen, Wilma zur Vorsicht zu raten. Das Mädchen lebte in ihrer eigenen Welt, in der die Liebe ihres Richard unantastbar blieb. Sie vertraute ihm blind, schlief in seinen Armen ein, wann immer es möglich war und wachte dort am liebsten auch wieder auf. Die Briefe, die ihre Tante ihr schrieb und denen die Korrespondenz ihrer Mutter beilag, blieben unbeachtet und wanderten ungeöffnet weiter in die Schachtel unter ihrem Bett. Das Zimmerchen bei Otti allerdings, das behielt Wilma und zahlte pünktlich die Miete dafür, ohne dass sie hätte sagen können, warum sie das tat. Wollte sie einen Zufluchtsort, ein Zuhause, in das sie im Notfall flüchten könnte? Sie lachte sich selbst aus. Welche Zwangslage müsste das wohl sein? Bei Richard war sie doch so sicher wie in Abrahams Schoß.

Der Frühling kam und mit ihm endete das erste Jahr von Wilmas Ausbildung. Sie bestand die anstehenden Prüfungen, auch wenn die Noten nicht mehr so überragend gut waren, wie zu Beginn. Richard steckte ebenfalls in den Prüfungen zum Mediziner, zerbrach sich den Kopf über das Thema seiner Doktorarbeit und lernte die Nächte hindurch, in denen Wilma bei Aschinger arbeitete. Das jedenfalls sagte er ihr und die dunklen Ringe unter seinen Augen schienen es zu bestätigen. Immer reizbarer wurde er und sie reagierte viel zu empfindsam darauf. Bei beiden lagen die Nerven blank. Nur wenn sie gemeinsam im Bett lagen, ermattet nach der Liebe, kamen sie zur Ruhe, für viel zu kurze Stunden. Doch auch die wurden immer seltener. Richard kam kaum noch nach Hause. Er lerne mit einem Kommilitonen, damit er die wichtigsten Prüfungen bestünde, behauptete er stets und beschwichtigte das aufkeimende Misstrauen seiner Liebsten.

Als Wilma um Pfingsten herum auf einmal mit einer ständigen Müdigkeit zu kämpfen hatte, schob sie es auf die viele Arbeit. Doch dann kam morgendliche Übelkeit hinzu und ihre Menstruation blieb schon zum zweiten Mal aus. Sie brauchte kein Medizinstudium, um zu wissen, das konnte nur bedeuten, dass sie schwanger war. Einen schlechteren Zeitpunkt hätte es dafür kaum geben können. Anfangs versuchte sie, ihren Zustand einfach zu ignorieren. Nicht jede Schwangerschaft führte auch zu einem lebensfähigen Kind, das wusste sie aus Richards Lehrbüchern, in denen sie oft geblättert hatte. Die Natur selbst sorgte manchmal dafür, auch das stand dort, dass Kinder, die an einem Defekt litten, vorzeitig und meist tot zur Welt kamen.

«Es kann auch an meiner Überarbeitung liegen, dass meine Menstruation ausbleibt», damit beruhigte sie sich selbst, «was soll ich mit einem Kind? Wie eine Mutter fühle ich mich eigentlich nicht. Es gibt so viel Anderes, Wichtigeres in meinem Leben.»

Mit dem fortschreitenden Sommer ließ sich die Tatsache, dass sie ein Kind bekam, nicht mehr verleugnen. Wilma wartete vergebens immer wieder auf den perfekten Zeitpunkt, um Richard mitzuteilen, dass er Vater würde. Als er aber nach erfolgreicher Verteidigung seiner Doktorarbeit nicht gleich zu ihr kam, sondern lieber mit irgendwelchen Freunden feiern wollte, hielt Wilma es nicht länger aus. Draußen brannte die Sonne den ganzen heißen Samstag auf die Stadt und auch die hereinbrechende Nacht brachte keine Abkühlung. Der Dienst bei Aschinger fiel ihr schwerer als sonst, die drückende schwüle Luft schien über dem Tresen festzukleben und raubte ihr den Atem. Endlich draußen vor der Tür stellte Wilma kaum einen Unterschied fest. Die gewitterschwere Luft lag wie eine dicke Decke zwischen den hohen Häusern und erstickte jede Lebendigkeit. Kurz überlegte sie, ob sie sich auf die Suche nach Richard machen, oder lieber gleich zu ihm nach Hause gehen sollte, doch der Gedanke an die Hitze, die in dem winzigen Dachkämmerchen herrschen musste, schreckte sie ab. Kurzerhand eilte sie den Pariser Platz entlang, «Unter den Linden», zum Brandenburger Tor, auf der Suche nach Richard.

War es Zufall, war es Schicksal, an der Ecke zur Wilhelmstraße kam ihr eine Gruppe angetrunkener Menschen entgegen, singend und torkelnd. Mitten unter ihnen sah sie Richard und er war nicht allein. Sein rechter Arm hielt ein junges blondes Mädchen eng umschlungen, in der linken Hand schwenkte er eine Champagnerflasche.

«Hier, hier bin ich», wollte Wilma rufen, doch die Worte bleiben ihr im Halse stecken, als sie mitansehen musste, wie ihr Geliebter stehenblieb und die Unbekannte zärtlich auf den Mund küsste. Die junge Frau schlang beide Arme um Richards Hals, erwiderte den Kuss mit unverhohlener Leidenschaft und drückte ihren leichtbekleideten Körper in einer Weise an Richard, die unmissverständlich zeigte, dass sie in ihm mehr sah, als nur einen Freund. Wie zu Eis erstarrt blieb Wilma stehen und sah der Gruppe nach, die bereits um die nächste Ecke bog. Als eine Droschke sie um ein Haar überfahren hätte, weil sie nicht bemerkte, dass sie mitten auf der Straße stand, erwachte sie aus ihrer Erstarrung. Sie lief und lief und merkte erst, wohin ihr Weg sie geführt hatte, als sie vor dem Haus stand, in dem die Wohnung von Jette, Ottilie und ihr Zimmer lagen. Hektisch kramte sie in ihrem Beutel herum und fand den Schlüssel.

«Ins Bett, nur ins Bett», diesem Gedanken ließ sie als einzigem Raum in ihrem Hirn, das so wild pochte und klopfte, als wolle es ihren Schädel sprengen. Wie sie es geschafft hatte, den Schlüssel ins Schloss zu bringen, ihn umzudrehen und in ihr Zimmer zu taumeln, wusste sie später nicht mehr. Sie fiel auf ihr Bett und eine gnädige Ohnmacht umfing sie...

15. Kappeln, im Juli 1894

Friederike konnte mit sich zufrieden sein, wieder war ein Tag vergangen, an dem sie sich nicht der Trauer um ihr verlorenes Mädchen hingegeben hatte. Über drei Jahre war Wilhelmine nun schon fort, aus ihrem Leben verschwunden und schien sich nicht mehr an ihre Eltern erinnern zu wollen. Berlin hieß nun ihre Heimat und nicht das kleine Kappeln. Manchmal sprach Rieke mit Meta, ihrer besten Freundin darüber, doch die meiste Zeit organisierte sie die Belange ihres Vereins, der sich für bedürftige Frauen und Mädchen einsetzte, die unter der Willkür von Ehemännern und Vätern zu litten. Niemals hätte sie geglaubt, dass eine derart große Not in Kappeln und in dessen näherer Umgebung zu finden sei. Aber es gab auch hier Ausbeutung und Übergriffe auf Frauen, die nicht geduldet werden durften.

Ein leises Klopfen am Fenster riss Friederike aus ihren Gedanken. Meta winkte ihr, sie möge herauskommen. Sie griff nach einem leichten Tuch, denn auch in einem warmen und sonnenreichen Sommer wie in diesem Jahr, wehte mitunter ein recht kühler Wind von der Schlei herauf. Meta saß schon auf der Bank unter der großen Kastanie und hob ein, mit rotschimmernder Flüssigkeit gefülltes Glas empor.

«Komm, Rieke, koste mal, ich hab etwas ausprobiert und möchte wissen, ob und wie es dir schmeckt!»

Rieke nahm Platz und nippte vorsichtig an dem Inhalt ihres Glases. Meta probierte gern neue Rezepte aus und ab und zu war das Ergebnis doch recht gewöhnungsbedürftig. Diesmal aber...

«Mmh, köstlich und so erfrischend, was hast du da gezaubert?»

«Das errätst du nie», Meta lachte, «es sind rote Johannisbeeren, davon gibt es viel zu viele in diesem Jahr, gemischt mit frischer Minze und natürlich mit reichlich Zucker, der unserer Figur nicht guttut. Na, schmeckt es dir?»

Statt einer Antwort hielt Rieke ihr das leere Glas hin und trank es etwas bedächtiger aus. Über der Schlei legte sich der Abend zur Ruhe, wollte sich mit seinem Sternenmantel zudecken, aber die Mittsommersonne ließ es nicht zu. Gemächlich sank sie dem dunkler werdenden Horizont entgegen, flammte in den prachtvollsten roten und goldenen Farben, tauchte für einen Moment unter den Rand der Welt, nur um dann mit den rosenroten Strahlenfingern der Morgenröte, den Tag aus seinem viel zu kurzen Schlummer zu wecken.

«Ach Meta», seufzte Rieke und es hörte sich beinahe sorglos an, «wie wunderschön es hier ist. Hier möchte ich bis in alle Ewigkeit sitzen und träumen. Wo auf der Welt könnte es schöner sein als an diesem Fleckchen Erde.»

Wie zur Antwort sauste ein Pärchen Fledermäuse um die beiden herum und Meta legte ihre Hand auf die ihrer Freundin.

«Du hast recht, so eine Nacht lädt zum Träumen ein, aber das Leben, auch unseres, besteht leider nicht aus Luftschlössern. Und doch bleibt mir nur meine Fantasie, wenn ich an Jan denke, meinen Sohn im fernen Amerika. Zum Glück schreibt er mir ja jetzt ab und zu. Er arbeitet in einer Bank, teilte er mir vor kurzem mit und hat mit sehr viel Geld zu tun. Er verdient auch gut und lebt in einer schönen Wohnung mit Blick auf einen großen Park. Er fragte nach deiner Tochter, scheint sie wohl nicht vergessen zu können. Jedenfalls erwähnt er nie eine Frau in seinen Briefen. Hast du inzwischen etwas von Minchen gehört? Wie schrecklich, dass ihr sie nicht gefunden habt, als ihr im März in Berlin wart.»

Meta verstummte verlegen. Sie ahnte, dass sie besser nicht von Minchen gesprochen hätte, nicht nachdem, was vor ein paar Monaten geschehen war.

Friederike, die den sanft schaukelnden Segelschiffen im Hafen zusah, ließ ihre Gedanken zurückwandern, zu jenem Tag Anfang März, als ihr Wilhelm aufgeregt nach Hause kam, sie um die immer noch schlanke Taille fasste und wild im Kreis umher schwenkte.

«Liebes Riekchen, wir werden richtig modern! Stell dir vor, Kappeln erhält demnächst ein Kraftwerk und dann haben wir Strom! Das müssen wir feiern und dann erkläre ich dir alles ganz genau!»

Wilhelm ließ es sich nicht nehmen, eine Flasche seines besten Portweines zu öffnen und mit ihr auf die Elektrizität anzustoßen. Genüsslich schwenkte er die rubinrote Flüssigkeit in seinem Glas und labte sich am samtigen Bouquet, ehe er einen Schluck auf der Zunge rollen ließ. Dann sah er seine Frau an und begann mit einer ausschweifenden Erklärung.

«Wie du sicher weißt, meine liebe Rieke, betreibt der Herr Gammelgaard eine Kisten- und Fassfabrik am Ufer der Schlei, in der Nähe der Ziegelei. Er hat jetzt vor, ein Elektrizitätswerk zu errichten, um mit dem Strom besser und schneller seine Waren herstellen zu können. Das Kraftwerk wird Gleichstrom erzeugen, und zwar mehr, als für den Betrieb benötigt wird. Deshalb, so will es der Herr Gammelgaard, kann der überschüssige Strom an alle interessierten Verbraucher in unserer Stadt abgegeben werden. Man solle den jeweiligen Stromverbrauch selbst notieren. Was er kostet und wohin der Strom geliefert wird, das besprechen wir demnächst noch genauer mit diesem Herrn. Eines ist sicher, mein Liebes, wir werden ganz bestimmt eines der ersten Häuser sein, die in Zukunft mit Strom leben. Dann ist endlich Schluss mit der Gasbeleuchtung und den altmodischen Petroleumlampen. Was glaubst du, was man mit Strom alles machen kann. Das wird ein wunderbar modernes Leben und auch für dich wird vieles leichter sein, das darfst du mir jetzt schon glauben. Auf die Zukunft! Unsere, liebste Rieke und die von Kappeln!»

Lange saßen die beiden an diesem Abend noch beisammen und es stellte sich zwischen ihnen eine solch tiefe Innigkeit ein, wie es sie in den vergangenen Monaten nicht oft gegeben hatte.

«Wenn ich damals geahnt hätte, was auf uns zukam», warf Friederike sich in Gedanken vor, «dann würde ich diesen Abend noch sehr viel mehr genossen haben.»

Es wurde Nacht, draußen schien der Vollmond und gaukelte den Menschen eine trügerische Helligkeit vor, da klopfte es laut an die Haustür. Janne öffnete und ins Wohnzimmer schoss ein Botenjunge, der Wilhelm ein Blatt Papier untere die Nase hielt.

«Te-Tele-gramm für Sie», stotterte er, atemlos vom raschen Lauf und von der Aufregung, denn Telegramme waren in Kappeln eine Rarität, «kam gerade an und ich soll...ich soll...»

«Ist ja schon gut, Junge, nun gib es mir endlich und dann ab in die Küche, Janne hat bestimmt noch ein Stück Kuchen für dich, oder ein belegtes Brot.»

Wilhelm riss dem Boten das Telegramm beinahe aus der Hand und winkte ihn aus dem Zimmer. Er las die wenigen Worte und wandte dann sein Gesicht Rieke zu. Die erschrak zutiefst, so unglaublich schnell veränderte sich die Mimik ihres Mannes. Gerade eben war er noch voller Fröhlichkeit, entspannt und munter, jetzt wich jede Farbe aus seinem Gesicht. Die Augen wirkten riesig, der

Mund stand ihm offen und ein Keuchen drang heraus. Wilhelm tastete nach einem Stuhl und ließ sich darauf niedersinken. Er schien plötzlich um Jahre gealtert. Langsam hob er den Kopf und schaute sie an, als habe er einen Geist gesehen.

«Wilhelm, Liebster, was ist, sprich doch!» Rieke ergriff eine unerklärliche Angst. Wilhelm würde doch keinen Herzanfall erleiden? Hatte der Doktor neulich nicht etwas angedeutet, das wie «Herzschwäche» klang? Mit zitternden Fingern nahm sie das Telegramm aus Wilhelms bebender Hand entgegen und las es.

«Eltern tödlich verunglückt+erwarte euch umgehend+Gruß, Annemarie.»

Voller Mitleid sah Rieke ihren Wilhelm an, der mit tränenüberströmtem Gesicht vor ihr saß, zusammengesunken wie ein alter Mann. Sie wollte auf ihn zueilen, ihn umarmen und trösten, ihm sagen, dass er nicht allein sei in seinem Kummer. Doch ehe sie ihn erreichte, ging ein Ruck durch ihn hindurch, er stand auf, kerzengerade und befahl mit der festen Stimme eines Heerführers:

«Du Rieke, beginnst sofort mit dem Packen. Nur das Nötigste, das wir in Berlin brauchen werden und die Trauerkleidung natürlich. Janne soll Proviant bereitstellen für die Reise morgen. Ich muss jetzt sofort unbedingt eine Liste anfertigen, mit Anweisungen für meine Assistenten. Die bringe ich heute Abend noch ins Rathaus. Ist dir alles klar?»

Ohne auf ihre Antwort zu warten, eilte er an den Schreibtisch, an dem sonst Rieke saß und schrieb fieberhaft an einer langen Liste. Dabei schimpfte er leise vor sich hin.

«Warum muss das ausgerechnet jetzt passieren. Die Ziegelei Ancker kommt mit den vielen Aufträgen kaum hinterher und ich sollte koordinieren, welcher Bauantrag Priorität hat und welcher Auftraggeber warten muss.»

Zur Ruhe kam Wilhelm in dieser Nacht nicht mehr. Lange schrieb er noch, brachte dann das Geschriebene ins nächtlich stille Rathaus und legte es gut sichtbar auf seinen Schreibtisch. Auch am nächsten Morgen, kaum dass er und Rieke in der Eisenbahn saßen, schwirrten ihm immer noch die Ziegel im Kopf herum, glasierte, unglasierte, rote, gelbe, braune und er versuchte, seiner Frau zu erklären, was es damit auf sich hatte.

«Bitte entschuldige meine Unaufmerksamkeit, Liebste. Gerade jetzt, wo so viele wichtige Bauvorhaben anliegen, die alle den Anckerschen Ziegel verbauen möchten, ist es nötig, den Überblick zu behalten. Der größte und beinahe fertige

Bau ist der Westturm des Schleswiger Doms. Du erinnerst dich, wir haben den Dom schon öfter besucht. Unser verstorbener Kaiser Wilhelm I. schenkte diesen Turm der Stadt Schleswig, als Zeichen der Anbindung Schleswig-Holsteins an Preußen. Da kommt unser hervorragender Kappelner Ziegel gerade recht. All die Türmchen und Fialen, die ihn schmücken sollen, sind Spezialanfertigungen. Da muss jede noch so kleinste Einzelheit stimmen. Außerdem gingen noch etliche andere Bestellungen ein, für die Volksschule auf dem Gallberg in Schleswig und eine Landwirtschaftsschule wird ebenfalls aus Ziegeln errichtet. Verstehst du nun, liebes Riekchen, warum ich mit den Gedanken immer noch bei meiner Arbeit bin und nicht bei meinen verunglückten Eltern, wie es eigentlich angebracht wäre?»

Was blieb Rieke anders übrig, als Wilhelm zuzustimmen, auch wenn sie mit ihren Gedanken bereits in Berlin weilte. Würde Annemarie ihnen helfen können, Minchen zu finden? Ließe sich das Mädchen überhaupt aufspüren? Und was käme bei der Beerdigung der Schwiegereltern auf sie zu?

Stumm hockten beide im Zug nebeneinander, blind für die winterkahle Landschaft, die draußen vorbeizog und schon ein Versprechen von Frühling in sich trug. Ohne Trost füreinander saßen sie beisammen und waren Welten voneinander entfernt. Endlich, für Rieke schien es eine Ewigkeit her zu sein, dass sie die Bahn bestiegen hatte, hielt der Zug, und Wilhelm drängte sich durch die Massen der Aus-und Einsteigenden, auf der Suche nach einer Droschke.

«Wo sollen wir eigentlich hin? Zu deinen Eltern? Hast du einen Schlüssel für deren Wohnung? Oder fahren wir erst zu Annemarie. Sie hat doch sicherlich schon die Sache in die Hand genommen.»

Rieke zupfte Wilhelm am Ärmel, doch der reagierte nicht. Eigentlich wäre sie gern sofort zur Schwägerin gefahren, erhoffte sie sich dort die ersehnte Auskunft über die Tochter, aber Wilhelm schob sie in die Droschke und wies den Kutscher an, zur Wohnung der Eltern zu fahren.

«Willst du etwa in ein Hotel?», herrschte er Rieke in einem Ton an, bei dem ihr die Antwort im Hals stecken blieb. Dann waren sie bereits angekommen. Ehe Wilhelm den Hausmeister suchen konnte, der ihm die Wohnungstür öffnen sollte, schwang sie von allein auf und seine Schwester stand im Eingang.

«Gut, das du endlich da bist», ihre Stimme klang kühl, «es gibt so viel zu bedenken, bei dieser unerfreulichen Angelegenheit. Damit kannst du mich doch nicht allein lassen. Nun komm schon rein, wir müssen etliche Papiere sichten.»

Wilhelm, der mit seiner Schwester nie gut ausgekommen war, sie erschien ihm zu selbstständig, seit sie als Witwe allein über sich bestimmte, knurrte zurück.

«Dass du den Tod unserer Eltern als «unerfreuliche Angelegenheit» betrachtest, lässt ja tief blicken. Hast du dich in der letzten Zeit mal um die beiden gekümmert oder bist du, wie immer, nur deinen eigenen Vergnügungen nachgerannt?»

Rieke hielt sich im Hintergrund, ließ die beiden ihren geschwisterlichen Zweikampf allein ausführen und begab sich in die Küche. Als sie kurze Zeit später mit Kaffee und etwas Gebäck, das sich noch hatte auffinden lassen, in den Salon trat, saßen beide einträchtig nebeneinander und sortierten Papiere. Sie setzte sich dazu und sprach das aus, woran sie schon die ganze Zeit dachte.

«Könnt ihr bitte aufhören und, Annemarie, würdest du mir berichten, wie eure Eltern ums Leben kamen. Denn außer den spärlichen Worten des Telegramms, wissen wir nichts. Dass Schwiegervater recht verwirrt war und Schwiegermutter mit seiner Betreuung bis an ihre Grenzen ging, das schien der Stand der Dinge zu sein, als Wilhelm das letzte Mal in Berlin weilte. Du hattest dich ja in die Schweiz zurückgezogen, soweit ich weiß.»

Diese Spitze konnte Rieke sich nicht verkneifen und die Schwägerin sprang sofort darauf an.

«Was denkst du dir, ich fuhr nicht zu meinem Vergnügen in die Schweiz, sondern weil Leila todkrank war und nur die reine Bergluft ihr helfen konnte. Dass unsere Eltern sowieso keine Hilfe von mir annehmen wollten, kann dir Wilhelm sicher bestätigen. Und nun, bitte sehr, sollst du erfahren, was mit den beiden geschehen ist.»

Annemarie rückte sich auf dem Stuhl zurecht, nahm noch einen Schluck Kaffee, schien das Unvermeidliche hinauszögern zu wollen. Dann räusperte sie sich und begann.

«Es war vor drei Tagen, noch recht früh am Morgen. Meine Mutter schlief vor Erschöpfung so fest, dass sie nicht bemerkte, wie Vater leise aufstand und die Wohnung verließ. Das Hausmädchen war noch nicht anwesend und auch die Pflegerin kam immer erst nach dem Frühstück, weil Vater dann ansprechbarer war. Mutter wachte davon auf, dass die Wohnungstür laut ins Schloss fiel, so berichtete es mir die Nachbarin, lief zum Fenster und sah, wie Vater, nur mit dem Schlafanzug bekleidet, auf die Straße torkelte. Sie schnappte sich ihren

Mantel, warf ihn über ihr Nachthemd und eilte Vater hinterher. Sie hatte ihn beinahe eingeholt, streckte schon die Hand aus, um ihn am Ärmel zu packen und zurückzuziehen, da kam die Straßenbahn um die Ecke und erfasste beide. Sie müssen auf der Stelle tot gewesen sein. Als die Straßenbahn endlich ein Stück weitergeschoben wurde, damit man die Leichen darunter hervorziehen konnte, hielt Mutter immer noch Vaters Ärmel in ihrer Hand. Das ist alles. Mehr konnte auch die Polizei nicht herausfinden, die den Unfall untersuchte.»

Schwer atmend endete die Schwägerin. Rieke sah ihr an, dass dieser viel zu plötzliche Tod der Eltern sie trotz aller Unstimmigkeiten zwischen ihnen ziemlich getroffen haben musste und sie verspürte etwas wie Mitleid für Wilhelms Schwester. Die beiden wandten sich nun wieder den Papieren zu, die sie überraschend unordentlich und unsortiert nicht nur im Schrank, sondern an den unmöglichsten Orten gefunden hatten.

«Das sieht Vater gar nicht ähnlich», meinte Wilhelm, «seine Schrift ist auch kaum noch lesbar. Er muss sehr viel verwirrter gewesen sein, als wir ahnten. Vielleicht war dieser plötzliche Tod das Beste für ihn.»

In all den Vorbereitungen für die Beerdigungen, die Unterredungen mit dem Pastor und dem Bestatter, blieb kein Raum für das, was Friederike immer stärker auf der Seele brannte. Sie standen am Grab und schauten hinunter auf die beiden Särge, die nun bis in alle Ewigkeit vereint sein sollten. Was der Pastor predigte und was die Trauergäste an Beileidsbekundungen murmelten, ging an Rieke vorbei. Sie fühlte sich wie eine zu Stein gewordene Statue und hätte am liebsten laut geschrien.

«Was kümmern mich die Toten. Ich will nur wissen, ob Wilhelmine noch lebt. Wo ist sie, wo ist mein Kind, mein Töchterlein, mein Minchen? Warum sagt es mir niemand?»

Mit der Erde, die sie in einer kleinen Schaufel auf die Särge warf, wäre sie gern mit hinunter gesunken, hätte nichts mehr gehört und nichts mehr gesehen, sie würde endlich Ruhe haben, die ewige Ruhe. Sie wankte, kippte nach vorn und Wilhelm packte rasch ihren Arm, um sie vom Grab fortzuziehen. Sie fühlte sich innerlich tot, so tot, wie die beiden da unten, die sie um ihren Frieden beneidete. Nachdem die Trauergäste gegangen, die Wohnung verlassen hatten und die Schwägerin sich ihrem Haus zuwandte, kam die Erlösung für Friederike, an die sie schon nicht mehr geglaubt hatte.

«Ich weiß, wie sehr du deine Tochter vermisst, die euch, ihre Eltern eigentlich nicht wiedersehen will», Annemarie drückte Rieke einen Zettel in die Hand, «aber ich mag mir deine Leidensmiene nicht länger mitansehen. Auf dem Papier steht eine Anschrift, an die ich bisher deine Briefe weiterschickte. Dort soll Minchen, oder Wilma, wie sie sich jetzt nennt, mit zwei anderen Frauen leben. Mehr kann ich nicht für dich tun, Friederike. Was du mit dieser Information machst, ist allein deine Sache.»

Damit wandte sie sich um und verschwand im Hauseingang. Fassungslos blieben Wilhelm und Rieke zurück. Dem Droschkenkutscher, der in diesem Moment abfahren wollte, rief Wilhelm ein «Halt» hinterher und bat ihn, sie zu der Adresse zu kutschieren, die auf dem Zettel stand. Rieke zitterte am ganzen Leib vor Aufregung. Gleich, in wenigen Minuten würde sie ihre Tochter endlich in die Arme schließen können, so hoffte sie, dann wäre alles wieder gut. Daran glaubte sie felsenfest. Die Droschke hielt vor einem unscheinbaren Haus. Wilhelm läutete an der angegebenen Wohnung, eine junge Frau mit schwarzem Haar und schiefem Rücken öffnete, offensichtlich auf dem Weg nach draußen. Auf Wilhelms Frage, ob er Wilhelmine Schulze sprechen könne, die hier wohnen sollte, kam die knappe Antwort:

«Sie hat noch ein paar Sachen hier, wo sie jetzt lebt, das weiß ich nicht!»

Die grenzenlose Enttäuschung in Riekes Augen ließ die Frau innehalten, es war Henriette Polzin, die den Schulzes die Tür geöffnet hatte. Einen kurzen Moment lang überlegte sie, ob es Wilma recht wäre, wenn sie, Jette, mehr über sie preisgäbe. Die unausgesprochene Bitte in der verzweifelten Miene der unbekannten Frau, in der sie Wilmas Mutter vermutete, ließ sie ihre Bedenken verwerfen. Im Weitergehen begriffen, rief sie über ihre schiefe Schulter zurück:

«Fragen Sie doch bei Aschinger nach ihr!»

Dann verschwand sie mit wehenden Röcken um die nächste Ecke. Rieke, die sich kaum noch auf den Beinen halten konnte, klammerte sich hilfesuchend an Wilhelms Arm.

«Wer ist Aschinger? Kennst du den Mann? Hast du von ihm schon gehört?»

Das hatte Wilhelm nicht, konnte sich keinen Reim auf den Namen machen, aber der nächste Droschkenkutscher, den er anhielt, gab Auskunft und fuhr die beiden gleich zu Aschingers Bierpalast. Wilhelm bat Rieke, in der Kutsche zu bleiben, denn so eine Kneipe sei sicher nichts für eine Dame wie sie. Dass er insgeheim fürchtete, die Tochter als eine Art Bardame oder Animiermädchen dort drinnen vorzufinden, verschwieg er seiner Frau. Angenehm überrascht von der Helligkeit und Weite der Stehbierhalle, verweilte er zunächst einen Moment an der Tür, ließ das ungewohnte Ambiente auf sich wirken. Dann hielt er eine junge Frau an, eine Kellnerin, wie er vermutete, die einen soeben frei gewordenen Tisch abräumte.

«Verzeihen Sie, wenn ich Sie so einfach anspreche, aber ich bin auf der Suche nach meiner Tochter. Wilhelmine Schulze, so heißt sie und soll hier arbeiten. Kennen Sie sie vielleicht?»

Voller Hoffnung sah Wilhelm das Mädchen an, das ohne nachzudenken, mit den Achseln zuckte und meinte:

«Ne, juter Mann, ne Wilhelmine, die jibts hier nich!»

Sie eilte weiter, einen tief enttäuschten Vater zurücklassend. Dass die gesuchte Wilhelmine die Wilma war, die immer samstags am Tresen arbeitete, soweit dachte die Kellnerin nicht. Außerdem glaubte sie, sich aus solchen Angelegenheiten heraushalten zu müssen, weil die Familiensachen anderer Leute für einen selbst meist nur Ärger brachten. Kaum hatte sie das nächste Tablett auf dem Arm, waren der Fremde und seine Frage bereits vergessen. Wilhelm verließ mit hängenden Schultern und müden Schritten das Lokal, stieg in die wartende Kutsche und befahl:

«Fahren Sie uns zum Bahnhof, auf dem schnellsten Weg!»

«Aber Wilhelm, was willst du am Bahnhof? Ich muss doch zu Minchen und wir können das Gepäck nicht einfach zurücklassen. Wo ist denn unser Minchen? Sag doch was, um Himmels Willen!»

«Ach, Friederike, bei Aschinger kennt sie niemand, die haben von ihr noch nie gehört. Es war eine Sackgasse, leider», am ganzen Körper bebend ließ er sich auf die zerschlissenen Polster der Droschke fallen und bat seine Frau, «lass uns nach Hause fahren, bitte. Weitere Enttäuschungen ertrage ich nicht mehr, verstehst du das?»

Wer könnte Wilhelm besser verstehen als sie, seine Frau, dachte sich Rieke. Nun war sie es, die dem Kutscher die Adresse von Wilhelms verstorbenen Eltern nannte, dort ihre Sachen zusammen sammelte und sich nach dem nächsten Zug erkundigte, der gen Norden, in Richtung Kiel fuhr.

«Komm, mein Liebster», ermunterte sie den völlig gebrochenen Mann, der bis vor ein paar Stunden noch ihre Stärke und ihr Halt gewesen war, «komm, wir fahren nach Hause, nach Kappeln.»

Dass auch sie jetzt den Glauben daran verloren hatte, ihre Tochter jemals wiederzusehen, das verschwieg sie Wilhelm. Trotz all ihrer Trauer und ihrem Kummer wusste sie, dass sie nun die Stärkere sein musste, ihrem Mann Trost und Beistand sein und darauf vertrauen, dass sich irgendwann alles zum Besseren wenden würde.

«Jetzt», dachte Rieke ein paar Monate später, als sie mit Meta gemeinsam den Himmel über der Schlei betrachtete, «jetzt weiß ich, dass es manchmal hilft, einem anderen beizustehen, dann vergisst man den eigenen Kummer leichter.»

Und doch war da tief in ihr noch ein winziger Funken Hoffnung, eine leise Stimme, die ihr zuflüsterte, dass sie ihr Kind, ihr Minchen, nicht für immer verloren hatte...

16. Berlin, Ende Juli 1894

«Aufwachen, du Schlafmütze», lachend trat Ottilie an Wilmas Bett, «Zeit, dich ein bisschen hübsch zu machen, du hast Besuch!»

Die Freundin half Wilma aus dem Bett, die, auf noch recht wackeligen Beinen sich mit dem Wasser in der Waschschüssel, den Schlaf aus Augen und Gesicht spülte. Ein frisches Nachthemd streifte sie ihr noch über, dann sank Wilma erschöpft zurück in die Kissen.

«Ist es mein Richard? Endlich», flüsterte sie und wurde von Ottilie prompt ausgelacht.

«Sag mal, wovon träumst du? Der feine Herr von Dahlen hat sich noch kein einziges Mal hier blicken lassen, seit du uns vor die Tür gefallen bist. Nicht einmal hat er sich nach dir erkundigt. Den Kerl kannst du getrost vergessen, wenn du mich fragst, der ist keine Träne wert!»

Zaghaft klopfte es jetzt an der Tür und ein tizianroter Haarschopf lugte ins Zimmer.

«Leila!» Kerzengerade schoss Wilma hoch. «Leila, bist du das wirklich?»

«Ja, bin ich», lachend und weinend zugleich, schlossen sich die Kusinen in die Arme.

«Wie geht es dir, bist du wieder ganz gesund und was macht die Tante?»

«Alles ist bestens», Leila lachte, wurde schnell wieder ernst, «meiner Mutter geht es gut, aber ich habe nach dir gesucht und die Adresse gefunden, an die Mutter dir die Briefe deiner Eltern geschickt hat. Sie selbst würde sie mir nie im Leben verraten haben, also durchsuchte ich heimlich ihren Schreibtisch und, voilá, hier stehe ich.»

«Wie gut, dass du gekommen bist», Wilma schloss die Augen. Sollte sie Leila von ihrer Liebe und dem Unglück erzählen, das diese Liebe ihr brachte? Ohne darüber nachzudenken strich sie über ihren Bauch, der ihr seltsam flach und leer erschien. Leer? Wilma riss die Augen auf, versuchte sich zu erinnern, da legte Otti ihr die Hand auf die Schulter und drückte sie sanft in die Kissen zurück.

«Es ist schon gut, Wilma, wir wissen, was dir widerfahren ist und ich denke, Leila wird dafür Verständnis haben, wenn du es ihr sagst.»

«Was ist mit dem Kind? Ich war doch schwanger, oder?»

Wilma sah verwirrt von einer zur anderen und wieder war es Ottilie, die sie besänftigte.

«Ja, du hast dich nicht getäuscht. Als du vor unserer Tür zusammenbrachst, trugst du ein Kind unter dem Herzen. Doch die lebensbedrohliche Kopfgrippe, die du dir irgendwo eingehandelt hast und das schrecklich hohe Fieber, das dich beinahe das Leben kostete, hat das Kleine nicht überstanden. Als das Fieber sank, kamen die Wehen und du verlorst dein Kind. Es war noch viel zu winzig, konnte nicht überleben. Und es war ein Mädchen, das wolltest du doch wissen.»

Wilma blieb stumm, Tränen rannen ihr die schmal gewordenen Wangen herunter. Otti nickte Leila zu und verließ leise das Zimmer.

«Arme Wilma», Leila strich tröstend über das wirre Haar der Kusine, «wenn du wüsstest, wie gut ich dich verstehe, habe ich doch Ähnliches durchgemacht. Auch ich war schwanger, als meine Mutter mich in die Schweiz schleppte, dort in einer Klinik mein Kind abtreiben und mich anschließend in einem Sanatorium von der Kokainsucht heilen ließ. Nächtelang habe ich geheult wie ein Schlosshund, weil ich das Kind, das Unterpfand meiner Liebe zu Ramon, um jeden Preis behalten wollte. Ich habe gefleht und gebettelt und schließlich, nur um eine Dosis Kokain zu bekommen, eingewilligt, es wegmachen zu lassen. Glaub mir, ich habe mich danach gehasst, mehr als ich meinen ärgsten Feind hassen könnte und wäre am liebsten gestorben...»

Leilas Stimme versagte, auch sie weinte jetzt, um ihr Kind, ihre Liebe und ihr Leben. Nun war es Wilma, die ihr Trost zusprach.

«Leila, Liebes, danke, dass du so offen zu mir warst. Wie unglaublich tapfer du gewesen sein musst, aus dieser Seelenhölle wieder herauszufinden. Ich denke, deine Mutter hat aus ihrer Sicht das Beste für dich getan. Trage es ihr nicht nach, denn sie war in den schlimmsten Stunden für dich da. Wie gut, dass meine Mutter nichts von meinem Unglück weiß. Sie ist lange nicht so stark wie deine. Und doch ahne ich, dass ich in den Fieberträumen nach ihr schrie.»

Lange saßen die Kusinen noch beieinander und vertrauten sich ihr Leid an. Leila hatte Ramon Santi nicht wiedergesehen, so sehr sie es sich zuerst gewünscht hatte. Doch nach ihrer Rückkehr stellte sie überrascht fest, dass ihre Liebe zu ihm erloschen und sie sich nicht einmal mehr sein Gesicht vorstellen konnte. Bei Wilma schien es ähnlich zu sein, nur dass die Wut auf den untreuen Richard noch heftig in ihr brodelte. Dass er sich anscheinend überhaupt nicht mehr für sie interessierte, nicht nachfragte, wo sie geblieben war und wie es ihr erging, verstand sie nicht. Und als sie in sich hineinhorchte, stellte sie fest, dass, ähnlich wie bei Leila, der goldene Überschwang ihrer Liebe zu schwarzer Asche verbrannt war. Ottilie hatte recht, dieser Mann war es nicht wert, dass Wilma ihm auch nur eine Träne nachweinte. Und doch erschien es ihr schwer, ja fast unmöglich, die Gedanken an Richard aus ihrem Herzen zu reißen.

Leila verabschiedete sich irgendwann, versprach, bald wiederzukommen und machte sich nachdenklich auf den Weg nach Hause. Sie hatte einen Entschluss gefasst, den sie ausführte, ohne lange zu zögern. Sie ahnte, dass sie es nicht mehr tun würde, wenn sie noch lange darüber nachdachte. Sich in ein anderes Leben einzumischen, das verstieß eigentlich gegen ihr Moralempfinden. Doch Wilmas Trauer vor Augen und deren Sehnsucht nach ihrer Mutter, die sie nie zugeben würde, setzte sie sich in ihrem Zimmer hin und schrieb einen Brief.

«Liebe Tante Friederike, *Berlin, 30. Juli 1894*

Es fällt mir nicht leicht, Dir zu schreiben. Weil ich aber soeben lange mit Wilma, wie Minchen sich nun nennt, gesprochen habe und ihren Kummer sah, tue ich es doch. Ich habe selbst erlebt, wie wichtig eine Mutter sein kann, wenn man in einer Situation steckt, die allein kaum zu bewältigen ist. Und ich sehe, dass Wilma Dich jetzt gern an ihrer Seite hätte. Sie selbst brächte den Mut kaum auf, sich an Dich zu wenden, deshalb tue ich es für sie. Ich wusste nichts von ihrer schweren Erkrankung und dass sie daran beinahe gestorben wäre. Ich wusste auch nichts von ihrer unglücklichen Liebe, von dem Mann, der sie im Stich ließ, als sie ihn gebraucht hätte. Viel zu sehr war ich mit meinen eigenen Umständen beschäftigt und ich wäre beinahe zu spät gekommen. Doch nun kann ich Dir mitteilen, dass Wilma sich eine schwere Kopfgrippe zugezogen hat, sich aber auf dem Wege der Besserung befindet. Bei zwei guten Freundinnen, in deren Wohnung sie jetzt wieder lebt, ist sie in bester Obhut. Die beiden jungen Frauen kümmern sich rührend um Wilma, die endlich neuen Lebensmut hat und sich nicht mehr aufgibt. Sie selbst würde Dir wahrscheinlich nicht schreiben, aus

Angst und Scham, Du könntest sie für ihr Verhalten verurteilen. Leider ist sie dem falschen Mann in die Hände gefallen, von dem sie sich nun aber losgesagt hat. Sie ist kein leichtsinniges Ding, nur etwas irregeleitet. Deshalb verfasse ich diesen Brief und bitte Dich um Verständnis für Deine Tochter. Bitte, schreibe ihr bald, dass Du ihr nicht böse bist, ich werde dafür sorgen, dass sie Deinen Brief auch wirklich liest.   Es grüßt Dich von Herzen,

Deine Nichte Elisabeth-Leila...»

17. Kappeln, im August 1894

Mit zitternden Händen öffnete Friederike den Brief, der an sie und Wilhelm gerichtet, soeben aus Berlin eingetroffen war. Was hatte es zu bedeuten, dass nicht Wilhelmine oder Schwägerin Annemarie ihr schrieb, sondern die Nichte Elisabeth, die sich lieber Leila nannte. Was hatte sie Schlimmes mitzuteilen, was die anderen nicht konnten oder wollten? Rieke fürchtete sich davor, das Geschriebene zu lesen, legte das Blatt Papier auf den Tisch, nahm es wieder auf und ließ es abermals sinken. Sie schaute hoch, sah durch das Fenster ihre Freundin Meta im Garten und fasste einen Entschluss. Sie eilte nach draußen.

«Meta, du musst mir helfen, das schaffe ich einfach nicht!»

«Was schaffst du nicht?», Meta legte die Rosenschere aus der Hand und sah Rieke mit verzerrtem Gesicht auf sie zulaufen, «was hast du da? Bist du wegen dieses Papiers so verstört?»

Stumm hielt die Freundin ihr das Blatt entgegen. Meta ergriff es und fragte:

«Soll ich dir vorlesen? Geht das über deine Kraft?»

Rieke nickte nur. Zwischen Hoffnung und Angst gefangen, war sie zu mehr nicht fähig.

«Gut, Liebes, dann setzen wir uns aber besser hin. Komm auf die Bank, im Schatten ist es ein wenig angenehmer. Warte, ich hole uns noch rasch etwas zum Trinken!»

Rieke folgte der Freundin, allein sein, wenn auch nur für einen winzigen Moment, das konnte sie jetzt nicht. Endlich saßen die beiden nebeneinander und Meta las Leilas Schreiben laut vor. Riekes Augen wurden immer größer, je weiter Meta las und dicke Tränen liefen ihr übers Gesicht. Sie wusste selbst nicht, ob es Freudentränen waren, oder Tränen der Trauer und Enttäuschung.

«Warum», schluchzte sie, als Meta geendet hatte, «warum hat sich mein Kind nicht an mich gewandt in ihrer Not, warum vertraute sie sich wildfremden

Menschen an? Was habe ich ihr getan, dass sie sich so konsequent von mir abwendet? Stell dir vor, sie wäre gestorben an diesem Fieber und ich wäre nicht an ihrer Seite gewesen, ist das nicht eine grausame Vorstellung?»

«Rieke, beruhige dich», Meta redete auf die Freundin ein, als wäre sie ein krankes Kind, das Trost benötigte, «es war richtig, dass deine Nichte dir schrieb. Es scheint doch, als würde Minchen sich schämen, für das, was ihr widerfahren ist. Ich glaube, das ist der Grund, warum sie sich scheut, dir selbst zu schreiben. Dass Leila dich benachrichtigte, halte ich für eine gute Lösung. So, wie du deine Schwägerin beschrieben hast, ist sie viel zu sehr mit sich beschäftigt, um daran zu denken, wie sehnsüchtig du auf ein Lebenszeichen deiner Tochter hoffst.»

Eine Weile blieb es still zwischen den beiden Frauen, dann atmete Rieke tief ein und bedankte sich bei Meta für ihre offenen Worte.

«Du bist, wie so oft, mein Fels in der Brandung. Magst du mir auch noch raten, was ich jetzt machen soll. Mit Wilhelm werde ich über Leilas Brief nicht reden können. Er steckt bis zu den Ellenbogen in Arbeit und korrespondiert eifrig mit dem Geheimrat Herrmann Muthesius über den Bau der vier Türme der Levensauer Hochbrücke. Dieser Herr Geheimrat ist preußischer Baubeamter und intensiv am Projekt des neuen Kanals beteiligt, der die Ostsee mit der Nordsee verbinden soll. Wilhelm hat mir das erklärt, aber ich habe das Meiste schon wieder vergessen», Rieke lächelte verlegen, «Zahlen und Architektur, das ist nun mal nicht meine Welt. Komm doch zu uns rüber, am besten abends, dann kann Wilhelm uns das nochmal genauer auseinandersetzen. Was meinst du?»

Meta sagte gern zu, nicht nur, weil ihr Mann Jes von den Bauarbeiten an diesem Kanal berichtet hatte, die er auf seinen Reisen durchs Land zu sehen bekam, sondern weil Wilhelm oft recht spannend zu erzählen wusste. Einem Glas Portwein war sie auch nicht abgeneigt. Doch nun sollten Leilas Brief und Riekes Antwort darauf wichtiger sein.

«Wie ich dich kenne, liebe Rieke, würdest du am liebsten sofort in den allernächsten Zug steigen und nach Berlin zu Minchen fahren. Bedenke jedoch, dass deine Tochter sicher nichts von Leilas Kontaktaufnahme zu dir weiß. Sie ahnt nicht, dass du zu ihr möchtest, ist vielleicht noch immer nicht im Reinen mit sich und dir und könnte dir die Tür vor der Nase zuschlagen, wenn du unverhofft bei ihr auftauchst. Möchtest du das riskieren?»

«Du hast recht, Meta, daran habe ich nicht gedacht. Ich wollte doch nur meinem Kind in seiner Not beistehen. Was schlägst du also vor?»

«Das ist nicht so einfach», Meta überlegte eine Weile, «ich glaube nicht, dass Wilhelm dich gleich wieder nach Berlin fahren lässt, schon gar nicht allein. Und er wird kaum Urlaub bekommen, so kurz nach eurer Rückkehr. Deine Nichte schreibt ja ganz deutlich, dass sie dafür sorgen wird, dass Minchen deinen Brief auch liest, wenn du ihr schreibst. Sie rechnet also mit einer Antwort von dir. Lass dir Zeit, lies den Brief in aller Ruhe selbst noch einmal und überlege dann genau, was du Minchen schreiben willst. Davon hängt euer weiterer Kontakt ab. Ich weiß, das bedeutet, dass du schon wieder viel Geduld haben musst. Aber es zeichnet sich ein Silberstreif am Horizont ab. So ungewiss wie bisher ist es nicht, dass deine Tochter dir tatsächlich antwortet.»

«Ach Meta, du bist wirklich die beste Freundin, die eine Frau wie ich haben kann. Es geht mir schon viel besser und ich werde mich gleich hinsetzen und Minchen schreiben. Je schneller der Brief bei ihr ankommt, desto schneller wird sie auch antworten, da bin ich mir ganz sicher!»

Mit zuversichtlicher Miene erhob sich Friederike und eilte zurück in ihr Haus, wo sie sich gleich ans Schreiben begab. Kopfschüttelnd schaute Meta hinter ihr her. Sie teilte Riekes Euphorie nicht, wollte die Freundin aber nicht beeinflussen. Es wäre durchaus möglich, dass Minchens Sinn sich geändert hatte und sie ihrer Mutter wirklich antworten würde.

Rieke saß schon am Tisch, Feder und Tinte bereit und brachte alles, was ihr Herz bewegte, schnell zu Papier.

«Meine über alles geliebte Tochter,   *Kappeln, 15. August 1894*

Ach mein armes, liebes Kind, warum hast Du Dich mir nicht anvertraut? Wer, wenn nicht Deine Mutter, würde Dir in solch schweren Zeiten besser zur Seite stehen? Ich hoffe, es geht Dir jetzt wieder gut. So gern ich auf der Stelle zu Dir eilen würde, es ist mir im Moment einfach nicht möglich. Dein Vater ließe mich nie im Leben allein nach Berlin reisen und er ist zur Zeit unabkömmlich. Wie Du vielleicht weißt, ist der Kanal, der quer durch Schleswig-Holstein gebaut wird, bald fertig und bedeutet für die Schiffe eine enorme Abkürzung, wenn sie von der Nord- in die Ostsee fahren. Dein Vater ist da irgendwie mit eingebunden, was er genau tut, ist mir unbekannt. Aber es scheint wichtig zu sein. Wie wäre es, wenn du zu uns nach Kappeln kämest? Hier könntest Du in Ruhe gesund werden und darüber nachdenken, was Du mit Deinem Leben in Zukunft anfangen willst. Uns geht es soweit gut, Meta lässt Dich ganz lieb grüßen. Ihr Jan ist in Amerika und arbeitet bei einer großen Bank. Sie vermisst ihn, so wie ich

Dich vermisse. Bitte, schreibe mir bald, ob Du zu uns kommen magst.

Ich denke liebevoll an Dich, Deine Mutter, Friederike Schulze.»

Rieke las in ihrer neu gewonnenen Zuversicht nicht noch einmal durch, was sie geschrieben hatte, faltete das Blatt und steckte es in einen Umschlag, den sie selbst sofort zur Post brachte.

Und dann begann das Hoffen und Bangen und Warten....

18. Berlin, Mitte Februar 1895

In der Stadt trieb sich einer dieser Februartage herum, die schon den Frühling in sich tragen, die Sonne kräftiger und wärmer erscheinen lassen und den Winter ein wenig vergessen machen. Auch Wilma zog es an diesem Tag hinaus. Der Tiergarten lag nicht weit entfernt und auf einem der Bänke, die unter den noch kahlen Bäumen standen, ließ sie sich nieder. Seit ihrer schweren Erkrankung vor einem halben Jahr war sie zwar genesen, aber immer noch schnell erschöpft. Es schien, als ob Körper und Seele Zeit bräuchten, sich von den Verletzungen zu erholen, die das Leben ihnen zugefügt hatte. Wilma drehte ihr blasses Gesicht der Sonne entgegen, die sie mit sanften Strahlenfingern streichelte. Sie war mit sich zufrieden, alles wendete sich zum Guten und sie hatte sich sogar halbherzig mit den Eltern versöhnt. Sie lehnte sich langsam zurück, genoss die unverhoffte Wärme und ließ ihre Gedanken zurückwandern.

Damals, vor einem halben Jahr, als sie aus der Ohnmacht erwachte, in die sie die Krankheit geschleudert hatte, kam Leila und bemühte sich um sie. Die Kusine ließ nicht locker, bat Wilma immer und immer wieder, die Briefe ihrer Mutter wenigstens zu lesen, antworten müsse sie nicht. Durch die häufigen Besuche kam Leila in engen Kontakt mit Wilmas Mitbewohnerinnen Otti und Jette. Schnell freundeten sich die jungen Frauen unterschiedlichster Herkunft an. Zu dritt brachten sie Wilma endlich dazu, den letzten Brief aus Kappeln zu lesen. Mit versteinertem Gesicht las sie die bewegenden Worte ihrer Mutter und auf einmal brachen die Dämme, die sie um ihre Seele herum aufgebaut hatte. Eine wahre Flut an Tränen schoss ihr aus den Augen, die von den Freundinnen mit Bergen von Taschentüchern, frisch aufgebrühtem Kaffee und rasch gebackenen Pfannkuchen aufgefangen wurden. Schwach und zittrig wie eine alte Frau, saß Wilma im Bett, den Rücken von zahllosen Kissen und die wunde Seele vom Trost der drei Mädchen gestützt. Leila war die Erste, die das betretene Schweigen brach, das nach Wilmas Ausbruch entstanden war.

«Und? Wirst du antworten?» - «Das weiß ich noch nicht», Wilma ahnte, dass sie es noch nicht konnte, zu viel stand zwischen ihr und der Mutter, «ob sie mir verzeiht? Ob sie verstehen kann, warum ich damals heimlich verschwand, verschwinden musste? Wie soll ich das erklären und wie ihr begegnen? Ich weiß es einfach noch nicht!»

Jette antwortete ihr, ausgerechnet die «rote Jette», die im Frauenverein, dem sie angehörte und den Sozialisten, die sie mit Leib und Seele unterstützte, tagtäglich mit viel schlimmeren Tragödien zu tun hatte.

«Mensch Wilma, stell dir vor, du hättest ein Kind und wüsstest nichts von ihm, nicht wo es lebt, wie es ihm geht und ob es sich nach dir sehnt. Denk doch mal an deine Mutter, die du über vier Jahre im Ungewissen gelassen hast. Weißt du, wie grausam das ist? Bestimmt wollte sie immer nur dein Bestes. Was du von ihr erzählt hast, es war wenig genug, lässt mich ahnen, dass sie einfach nicht aus ihrer Haut heraus und sich gegen alle geltenden Gesellschaftsregeln stellen konnte. Der Lebensentwurf, den sie für dich gewählt hatte, war in ihren Augen sicher das Beste, was sie dir mitgeben konnte. Du magst es anders sehen, aber Mütter sind nun mal so. Nun gib dir einen Ruck und antworte ihr.»

Otti und Leila pflichteten ihr bei, beknieten ihrerseits Wilma, die sich bald nicht mehr anders zu helfen wusste, als zuzustimmen.

«Ist ja schon gut, ihr schrecklichen Nervensägen. Ich schreibe an meine Mutter, versprochen. Aber für heute hab ich genug von euch, bin müde und möchte schlafen. Morgen ist auch noch ein Tag.»

Sie verfasste tatsächlich ein kurzes Schreiben, in dem sie sich vorsichtig ausdrückte und nicht viel von sich preisgab. Es begann tatsächlich eine behutsame Korrespondenz, eine Annäherung zwischen ihr und der Mutter, die sie selbst sich noch vor kurzem kaum hätte vorstellen können.

Als Wilma endlich soweit hergestellt war, dass sie aufstehen konnte und nicht mehr sofort ermüdete, kam die Tante in Leilas Begleitung und bot ihr an, wieder in ihrem Haus zu wohnen.

«Liebes Kind, so gut ich deinen Unabhängigkeitsdrang verstehe, aber hier, in diesem Zimmerchen zu leben, ist doch nichts für die Dauer. Bei mir wohnst du besser, ohne dass es dich etwas kostet. Leila würde sich auch freuen, nicht ständig nur mit mir alten Frau zusammenhocken zu müssen.»

Leila lachte und meinte, dass es mit der Kusine bestimmt sehr viel lustiger wäre, als mit ihrer Mutter, die Entscheidung darüber aber einzig bei Wilma läge.

Unverrichteter Dinge zog Annemarie wieder ab, nicht ohne bei Jette die Miete für das Zimmer bis zum Jahresende bezahlt zu haben. Wilma dankte ihr insgeheim dafür. Doch sie hatte sich geschworen, frei und eigenverantwortlich leben zu wollen. Leila, die das wusste, vertraute ihr an, dass auch sie bei der Mutter ausziehen und in ein Wohnheim für Schwesternschülerinnen umsiedele, weil sie Krankenschwester werden wolle. Wilma staunte, woher kam dieser Sinneswandel bei der einst so leichtfertigen Leila? Otti lacht und meinte, dass der Umgang mit Jette stark auf die junge Frau abgefärbt habe.

«Seit deine Kusine mit Jette die Ärmsten der Armen aufgesucht hat, ist sie von dem Gedanken beseelt, dass dort unbedingt geholfen werden muss. Frag sie doch einfach selbst danach.»

An einem Winterabend, während draußen die Kälte durch die Straßen kroch und sich die weniger Glücklichen, die keinen Ofen besaßen, unter fadenscheinigen Decken in die Strohsäcke verkrochen, die ihnen als Betten dienten, saßen die vier jungen Frauen zusammen. Henriette schilderte, wie es in den Hinterhöfen und Kellern der Häuser zuging, in denen Menschen hausten, die keine Perspektive auf ein besseres Leben hatten.

«Ihr kennt eigentlich nur die Vorderfronten der Häuser, oft herausgeputzt, mit großen Fenstern und einem herrschaftlichen Portal. Wie es aber dahinter aussieht, ahnt ihr nicht. Nach dem Haupteingang gelangt man in den ersten Hinterhof, hell, luftig, oft mit Blumenrabatten und einer Laube ausgestattet, in der die Bewohner des Vorderhauses ihre Sommerabende verbringen können. Dann folgt der zweite Hinterhof, enger, dunkler, aber immer noch sauber. Teppichstangen und Wäscheleinen findet ihr dort und die Fenster des ersten Hinterhauses erhalten noch genügend Tageslicht. Der Durchgang zum dritten Hinterhof ist düster und feucht, genauso wie das schmale Etwas, das sich Hof nennt. Hier liegen Aborte, manchmal ein Kohlenhandel oder eine kleine Werkstatt, notdürftig in einem Bretterverschlag untergebracht. Hier ist noch ein Haus hineingezwängt, das den Namen Haus eigentlich gar nicht verdient. Die Fenster zeigen zur Wand des nächsten Gebäudes und es bleibt dort auch an den hellsten Sommertagen düster. Die neuerrichteten Wohnungen werden an Arme vermietet, die sie trockenwohnen «dürfen». Dann wirft der Vermieter diese Leute raus und gibt die jetzt nicht mehr ganz so scheußlichen Wohnungen an Menschen, die seine horrende Miete zahlen können. Wer das nicht vermag, die Miete schuldig bleibt, fliegt raus und kann froh sein, wenn er einen Raum im

Keller bekommt. Ganze Familien hocken in einem einzigen, oft unbeheizbaren Raum. Dort ist es ständig dunkel, die Feuchtigkeit läuft die Wände herunter und überall bildet sich Schimmel. Wer bis dahin noch einigermaßen gesund war, hier wird er unweigerlich sterbenskrank. Hier blüht die tödliche Lungenkrankheit, die Tuberkulose, wie sie genannt wird und gegen die der bekannte Arzt Robert Koch, ein Heilmittel sucht. Wisst ihr, wie gut wir es hier haben? So warm und angenehm wohnen zu dürfen, ist heutzutage ein Privileg, meint ihr nicht?»

Lange blieb es still in der Küche, in der die vier Mädchen am warmen Ofen saßen. Da meldete sich Leila zu Wort.

«Ja, liebe Jette, wir leben hier sehr gut. Was ich auf den Wegen, auf denen ich dich begleiten durfte, gesehen habe, machte mich sprachlos und wütend zugleich. Da gibt es Frauen, die den ganzen Tag Schwerstarbeit in den unterschiedlichsten Fabriken leisten, oft bis zu zwölf Stunden am Stück, dann nach Hause eilen, kochen und sich um die Kinder kümmern, die sich selbst überlassen oder in der zweifelhaften Obhut einer Großmutter oder der älteren Geschwister bleiben. Kommt der Ehemann nach Hause und bringt den Lohn mit, haben sie Glück. Doch oft genug vertrinkt er ihn, um sein Elend für kurze Zeit zu vergessen. Dann müssen die Frauen anschreiben lassen, die Miete schuldig bleiben und das Ende vom traurigen Lied ist häufig, dass der Mann keinen anderen Ausweg mehr weiß, einfach Frau und Kinder im Stich lässt und auf Nimmerwiedersehen verschwindet. Was bleibt der Frau dann anderes übrig, als Heimarbeit zu machen, für ein paar Pfennige Tüten zu kleben oder Ähnliches. Selbst die kleinen Kinder sind dazu gezwungen mitzuhelfen. Doch bei diesen grauenvollen Zuständen, sterben sie viel zu schnell. Die Frauen, vom harten Leben gebeutelt, sehen bereits mit Ende zwanzig aus wie Greisinnen und ihre Lebenserwartung ist nicht hoch. Das alles passiert unter unseren Augen und den Augen der Reichen und Mächtigen. Niemand kümmert sich darum und von Hilfe ist weit und breit nichts zu sehen. Da muss etwas geschehen. Das Leben in dieser großartigen Stadt sollte wieder menschenwürdiger werden. Und wenn ich als Krankenschwester in Zukunft dazu beitragen kann, dann weiß ich, dass ich den richtigen Weg eingeschlagen habe.»

In dieser Nacht schlief Wilma lange nicht ein. War ihr wirklich nie bewusst, welch ein gutes Leben sie bisher führen durfte? Was konnte sie beisteuern, dass sich die Zustände änderten? Auf jeden Fall wollte sie sich so schnell wie möglich eine Arbeit suchen. Wieder bei Aschinger am Tresen zu stehen, das ließen ihre geringen, durch die Krankheit geschwächten Kräfte nicht zu. Die Ausbildung zur Lehrerin weiter zu betreiben war unmöglich, sie hatte zu viel versäumt. Bis zum Frühjahr zu warten, wenn das nächste Semester begann, das konnte sie sich finanziell nicht leisten. Wilma seufzte, noch hatte sie keine Ahnung, wo und wie es für sie weitergehen sollte.

Wieder einmal warf ihr das Leben einen Ball zu, den sie nur aufzufangen brauchte. Sie las am folgenden Tag in der Zeitung, dass man junge Frauen und Mädchen mit einer angenehmen Stimme suche, weil das Telefonnetz in Berlin sich immer mehr ausweite. Man bedürfe der Hilfe bei den Verbindungen der Telefon-Apparate untereinander. Richtig vorstellen konnte Wilma sich das Ganze nicht, aber da sie eine schöne Stimme hatte, bewarb sie sich. Nur eine Woche später flatterte ein Schreiben ins Haus, in dem man sie bat, sich bitte persönlich vorzustellen. Glücklich kehrte sie anschließend zu ihrer Wohngemeinschaft zurück, einen Beutel mit Delikatessen schwenkend.

«Hier kommt das frischgebackene Fräulein vom Amt», jubelte sie schon an der Wohnungstür und beantwortete die stürmischen Fragen gern.

«Ja also, das ist eine Frau, die mit vielen anderen Frauen an einem Tisch sitzt, der mit Löchern gespickt ist, in die Stöpsel hineingesteckt werden. Einen Kopfhörer hat jede auf und wenn jemand telefonieren will, dann sagt man «Hier Amt, was beliebt?» Danach steckt man den entsprechenden Stöpsel in die passende nummerierte Öffnung und verbindet so die Gesprächsteilnehmer miteinander. Dass man dazu eine wohlklingende Stimme haben muss und zur Verschwiegenheit verpflichtet wird, ist selbstverständlich. Außerdem gehört eine gute Schulbildung dazu und ausgezeichnete Umgangsformen. Das alles scheine ich zu haben und deshalb bin ich ab morgen das Fräulein vom Amt.»

Otti und Jette gratulierten Wilma zu ihrer neuen Arbeit und als später noch Leila dazustieß, machten sich die vier Mädchen über die Delikatessen her. Unerwarteterweise fühlte sich Wilma in der Menge der jungen Frauen im Fernsprechamt wohl, die alle eine gewisse Unabhängigkeit anstrebten. Nach ein paar Wochen hatte sie sich so gut eingearbeitet, als habe sie nie etwas anderes getan. Das Weihnachtsfest verbrachte sie mit den Freundinnen, auch wenn ihre Mutter per Brief sie anflehte, nach Kappeln zu kommen. Immerhin gab es die gute Ausrede, dass sie nach einer solch kurzen Zeit im Amt noch keinen Urlaub bekäme. Zum Geburtstag kam ein Paket aus Kappeln, über das sich Wilma doch sehr freute und Metas leckere Marmelade und Riekes schmackhafte Kekse teilte sie gern mit den Freundinnen. Jetzt, nur ein paar Wochen später, saß sie hier auf der Bank im Tiergarten und dachte darüber nach, was sie ihrer Mutter zum Geburtstag schreiben könnte. Die Sonne schien, Stille herrschte ringsum und Wilma nickte ein. Da sauste auf einmal etwas um ihre Beine, ein Hund, der frei herumlief und sie freudig anwedelte. Schon wollte sie ihn festhalten, was sich schwierig gestaltete. Irgendwie packte sie das Tier am Nackenfell und hielt es fest. Ein etwa zehnjähriges Mädchen trat zwischen den Hecken hervor, die Leine des Hundes in der Hand.

«Haben Sie Männe gesehen? Er ist mir einfach davongelaufen!»

«Wenn Du den Dackel meinst, der ist mir erst entwischt, nachdem er um mich herum wuselte. Hier ist er, ich hab ihm den Schal als Leine umgebunden.»

«Vielen Dank, dass Sie sich des Hundes angenommen haben, er ist ein rechter Schlingel, unser Männe!»

Die wohlmodulierte Stimme, die das aussprach, was Wilma von dem Hund hielt, gehörte einer Frau, die hinzutrat. Sie war unzweifelhaft eine Dame, in schlichte schwarze Eleganz gehüllt, das nachtdunkle Haar wohlfrisiert und sittsam mit einem erlesenen Hut bedeckt. Sie nahm Wilma gerade in Augenschein, da fing das Hundevieh ein lautes Gebell an. Auf einen Fingerzeig Wilmas war er sofort ruhig und legte sich friedlich zu Wilmas Füßen hin.

«Sieh an, sieh an», die Dame lächelte, «da haben Sie wohl eine Eroberung gemacht, meine Liebe. Unser Dackel scheint Sie zu mögen.»

Die Fremde lächelte weiter und Wilma hatte das Gefühl, sie schon lange zu kennen. Dunkel wie ihr Haar waren auch die Augen und das ebenmäßige Gesicht wirkte sympathisch. Unwillkürlich lächelte Wilma zurück. Da streckte ihr die Unbekannte eine feingliedrige Hand hin.

«Bitte, verzeihen Sie, dass ich mich noch nicht vorgestellt habe, mein Name ist Martha Liebermann, das ist meine Tochter Käthe, den Dackel Männe kennen Sie ja bereits und wir wohnen nicht weit von hier, am Pariser Platz.»

Wilma stellte sich ebenfalls vor. In kürzester Zeit fanden die ältere, etwa vierzigjährige Frau, der man die vornehme Herkunft ansah und anhörte, und die fünfzehn Jahre jüngere Wilma zueinander, als wären sie schon lange befreundet. Martha, die bald bemerkte, wie sehr ihr Kind fror, lud alle ins Café Kranzler ein.

«Unser Palais wird gerade umgebaut, das geht schon seit Monaten so, seit mein Mann es von seinen Eltern geerbt hat. Nichts als Lärm und Dreck. Dorthin kann ich noch niemanden einladen und das Kranzler hat den besten Kuchen.»

19. Kappeln, Ostern 1895

Aufgeregt eilte Friederike durch den Garten zu Meta, die dort gerade ein paar Narzissen schnitt, um das Haus für Ostern zu schmücken. Überrascht sah sie auf, als Rieke wild mit einem Brief winkte.

«Na, was ist denn mit dir los? So kenne ich dich doch gar nicht. Hat dein Minchen geschrieben?»

«Nein, liebe Meta, du wirst es nicht glauben, das hier ist eine Einladung zur Eröffnungsfeier des großen Kanals zwischen Nord- und Ostsee. Sie findet am 20. Juni statt und Wilhelm und ich, wir sind tatsächlich eingeladen. Oh, ich bin so aufgeregt und weiß gar nicht, was man zu solch einer Feier trägt. Wilhelm hat es da besser, er zieht einfach die Uniform an, die ihm als preußischer Beamter zusteht. Denk dir, dazu gehört sogar eine Gala-Uniform, damit macht er immer noch eine gute Figur. Und ich... ach ich weiß nicht..!»

«Nun beruhige dich, komm mit in die Küche, ich brühe uns einen feinen Tee auf, der hilft immer. Und dann überlegen wir gemeinsam.»

Wie Meta geahnt hatte, beruhigte sich ihre Freundin schnell. Das Problem der passenden Garderobe könnte man in Flensburg lösen und sich vorher noch ein paar Modemagazine bestellen.

«Es schadet nie, auch modisch auf dem neuesten Stand zu sein und nicht nur politisch, wie unsere Männer», lachte Meta.

«Oh, du hast recht», Rieke grinste spitzbübisch, «wir könnten ja auch die Frau Bürgermeister zu Rate ziehen, die weiß doch immer, was man wann und wo trägt.»

Meta blieb eine Antwort schuldig, dachte sich aber ihr Teil, denn die Gattin des Bürgermeisters galt als kapriziös. Sie würde sich nur in den Vordergrund drängen. Seit sie ihr Kind bei der Geburt verloren hatte und der Arzt ihr kaum noch Hoffnung auf ein weiteres machte, ließ sie alle Welt an ihrem Leid teilhaben und gab jedem das Gefühl, auf sie Rücksicht nehmen zu müssen.

«Nein, das lassen wir besser», auch Rieke hatte überlegt, «am Ende sind der Bürgermeister und seine Gattin gar nicht eingeladen und es gibt dann nur Neid und Missgunst. Du hast recht, liebe Meta, blättern wir in Modejournalen und ich lasse mir in Flensburg ein passendes Kostüm schneidern. Das wird schön, wenn wir beide zusammen durch Flensburg bummeln, wie lange haben wir das schon nicht mehr gemacht? Es wird höchste Zeit, meinst du nicht?»

Als Wilhelm am Abend vom Dienst nach Hause kam, erwartete ihn dort eine bestens gelaunte Ehefrau, die mit Janne gemeinsam ein köstliches Mahl zusammengestellt hatte. Verwundert blickte er auf den festlich gedeckten Tisch und seine herausgeputzte Friederike.

«Riekchen, was ist los? Habe ich den Hochzeitstag vergessen? Oder gibt es sonst einen Anlass zu dieser unangekündigten Feier? Erwarten wir Gäste? Soll ich mich umziehen?»

Sie lachte und gab ihrem Gatten einen innigen Kuss.

«Nein, mein Liebster, nichts dergleichen. Es ist nur so, dass ich mich bei dir dafür bedanken möchte, dass du es möglich gemacht hast, eine Einladung zur Eröffnung des Nord-Ostsee-Kanals zu erhalten. Du ahnst nicht, wie stolz ich auf dich bin. Und, ach ja, umziehen solltest du dich bald auch einmal, es muss nicht heute sein. Ich will nur sehen, ob dir deine Uniform noch passt.»

Erleichtert genoss Wilhelm den Abend und dachte nicht an sein schlechtes Gewissen. Ihr Hochzeitstag stand demnächst an, der fünfundzwanzigste, wie ihm siedendheiß einfiel. Da wäre ein etwas aufwändigeres Geschenk für seine Frau angebracht. Aber ausgerechnet jetzt drohten der Gemeinde harte Steuererhöhungen. Bei der letzten Stadtvertretersitzung wurde bekannt, dass der Haushaltsplan Kappelns ein Defizit aufwies. Eine lebhafte Diskussion war die Folge und es gingen die wildesten Vorschläge ein, wie die Stadtverwaltung rasch zu Geld kommen könne. Die Stadtvertreter einigten sich bald darauf, dass es nur über Steuererhöhungen möglich sei und nach heftigen Protesten, kam der Vorschlag, man möge zusätzliche Steuern einführen, die alle Bürger belasteten und nicht nur die Gewerbetreibenden oder die Landwirte.

«Du glaubst nicht, liebe Rieke», gestand Wilhelm zu vorgerückter Stunde, als er dem kräftigen Rotwein schon reichlich zugesprochen hatte, «du glaubst nicht, was da für ein Unsinn vorgeschlagen wurde. Es schlugen die Wogen der Entrüstung hoch, als über Jagdschein- Vergnügungsboot und Fahrradsteuern gestritten wurde. Alle waren gegen etwas oder für etwas, nur einig wurde man sich nicht. Das Verrückteste schien eine Klaviersteuer zu sein, die ausgerechnet der Herr Pastor vorschlug, gleichzeitig aber darauf bestand, dass die Orgel und sein eigenes Klavier von den Steuern auszunehmen seien. Es kommen stürmische Zeiten auf uns zu, befürchte ich, Liebste.»

«Eine Klaviersteuer?» Rieke schrie entsetzt auf, «soll ich etwa mein kleines Piano versteuern müssen oder gar verkaufen? Das kommt überhaupt nicht in Frage, sag das deinen Stadtvertretern, sonst lernen die mich kennen!»

Sie sprang auf und stellte sich vor ihr Klavier, wie eine Löwin, bereit, ihr geliebtes Musikinstrument mit dem Leben zu verteidigen. Wilhelm ging zu ihr, und nahm sie in seine Arme, sich mühsam das Lachen verbeißend.

«Liebes Riekchen, beruhige dich, noch ist nichts entschieden und wer weiß, ob diese, doch recht obskuren Steuern überhaupt eingesetzt werden.»

Rieke, der die beiden genossenen Gläser Wein zu schaffen machten, holte tief Luft, dann musste sie lachen, über die Steuern, aber auch über sich selbst.

«Oh du lieber Himmel, wenn ich darüber nachdenke», japste sie, als der Lachanfall vorüber war, «über welchen Unsinn ich mich aufgeregt habe. Aber weißt du was, ich werde Minchen davon berichten. Sie wird sicher gleichfalls in Gelächter ausbrechen. Gleich morgen schreibe ich ihr.»

«Tu das, Liebste», Wilhelm freute sich insgeheim, dass diese Geschichte nochmal gut ausgegangen war, « jetzt hast du ja die Möglichkeit dazu. Weißt du noch, wie du im vergangenen Jahr wochenlang verzagt darauf gewartet hast, dass Minchen dir schreibt, nachdem Leila unser Kind darum gebeten hatte?»

Rieke nickte, wie könnte sie vergessen haben, dass jeder einzelne Tag für sie zwischen Hoffen und Bangen verging. Tagtäglich passte sie den Postboten ab, in der Erwartung, dass er einen Brief von Minchen dabei hätte. Wie groß war dann ihre Enttäuschung, wenn sie wieder einmal leer ausging. Bis dann, eines Tages im Herbst ihr Wunsch in Erfüllung ging. Ausgerechnet an diesem Morgen war sie nicht zu Hause, die Pastorin hatte ihre Damen darum gebeten, ihr zu helfen, die Kirche für das Erntedankfest zu schmücken. Als Rieke heimkam, stand Janne mit einem undefinierbaren Blick in der Haustür und deutete stumm auf den Tisch im Wohnzimmer. Da lag er, der sehnsüchtig erwartete Brief von Minchen. Sie konnte es nicht glauben, fürchtete, das Schreiben würde sich in Luft auflösen, wie ein Traum, wenn sie es berührte. Doch es war echt, wirklich und wahrhaftig. Sie riss den Umschlag auf, überflog die kurzen Zeilen und weinte. Ob vor Glück oder Enttäuschung über die beinahe nichtssagende

Botschaft, das wusste sie selbst nicht. Als Wilhelm nach Hause kam und sie in sich zusammengesunken im Sessel kauernd vorfand, den Brief in der Hand, tröstete er sie, nachdem er Minchens Nachricht gelesen hatte.

«Weine nicht, meine Liebste, es ist zwar nicht viel, was unser Kind hier schreibt, aber es ist immerhin ein Anfang. Bedenke, wie lange es her ist, dass wir Kontakt zu unserer Tochter hatten. Sie hat dir geschrieben, das ist die Hauptsache und bald wird sie mehr von sich preisgeben. Wichtig ist jetzt vor allem, wie du darauf reagierst. Sei bitte nachsichtig mit ihr, mache ihr keinerlei Vorwürfe und du wirst sehen, es wendet sich von ganz allein zum Guten. Glaube mir.»

Tagelang lief Rieke umher und drehte jede Möglichkeit einer Antwort wohl hundertmal im Geiste hin und her. Sie formulierte Sätze, strich sie in Gedanken wieder und dachte sich neue, unverbindlichere Wendungen aus. Schließlich schrieb sie Ihrer Tochter einen einfühlsamen Brief, ohne jegliche Art der Vorhaltungen und Zurechtweisungen. Sie berichtete Alltägliches von Meta, dem Damenkränzchen und den Neuigkeiten aus Kappeln, die Minchen vielleicht interessieren könnten. Dann sandte sie ihn bangen Herzens ab und das Warten begann erneut. Die heimliche Hoffnung, die zwischen ihren Zeilen zu lesen war, dass Minchen vielleicht zu Weihnachten zu ihnen käme, ging nicht in Erfüllung. Doch sie verstand das Argument ihrer Tochter, sie bekäme auf ihrer neuen Telefondienststelle so kurz nach ihrem Eintritt noch keinen Urlaub.

Wilhelm zeigte sich erleichtert darüber, dass seine Tochter einen, wie er meinte, anständigen Beruf habe, als sogenanntes «Fräulein vom Amt» und musste seiner Frau haarklein berichten, was er über diese Tätigkeit wusste. Mit großen Augen hörte Rieke zu. Sie versuchte sich ihr Kind vorzustellen, mitten zwischen Knöpfen, die zu drücken waren und Menschen, die einander aus der Entfernung deutlich hören konnten. Welch einen verantwortungsvollen Beruf ihre Tochter hatte. Man stelle sich vor, zwei verfeindete Parteien würden aus Versehen miteinander per Telefon verbunden. Oder ein Fräulein vom Amt verriete durch einen Irrtum ein Geheimnis, eines, von dem Leben abhingen. Auch Meta war beeindruckt, als Rieke ihr von Minchens neuem Beruf berichtete.

Ganz allmählich schlichen sich in die vorsichtig beginnende Korrespondenz zwischen Mutter und Tochter wieder alte Vertrautheiten ein und Rieke glaubte fest daran, dass es eines Tages ein Wiedersehen gäbe. Noch drängte sie nicht darauf, versuchte aber ihrem Minchen eine Rückkehr leichter zu machen, indem sie von den alltäglichen Begebenheiten aus Kappeln erzählte. Sie hoffte, dass die kleine Stadt an der Schlei ihrer Tochter wieder vertrauter würde.

So saß sie auch jetzt am Tisch und schrieb nach Berlin:

«Allerliebstes Minchen,   Kappeln, nach Ostern 1895

Dein neuer Name Wilma ist mir noch fremd und mag mir nicht recht aus der Feder fließen. Verzeih mir, wenn Du für mich weiterhin mein Minchen bist. Heute möchte ich Dir von aufregenden Neuigkeiten berichten. Weißt Du, Dein Vater und ich, wir sind zur Einweihung des neuen großen Nord-Ostsee-Kanals eingeladen, der auf Geheiß unseres Kaisers quer durch das Land erbaut wurde. Im Sommer soll er fertig sein und die dreitägigen Eröffnungsfeierlichkeiten finden in Kiel statt. Dorthin sind wir eingeladen und dort werden wir aller Wahrscheinlichkeit nach sogar unserem Kaiser begegnen, der die Einweihung persönlich mit seiner Anwesenheit beehrt. Dazu benötige ich natürlich die passende Garderobe. Wie gern wäre ich jetzt in Berlin, flanierte mit Dir durch die großen Geschäfte und sähe mir die neueste Mode an. Ich weiß leider nicht mehr, was eine feine Dame heutzutage trägt. Wärst Du vielleicht so lieb und schicktest mir ein paar aktuelle Modemagazine? Meta und ich machen schon Pläne für ein neues, festliches Kostüm. Schließlich kann ich Seiner Majestät nicht in einem Allerweltskleid vor die kaiserlichen Augen treten. So etwas fiele auf meinen Wilhelm zurück und er müsste darunter leiden, dass alle Welt glaubt, er könne seiner Gattin kein angemessenes Kleid kaufen. Erinnerst Du Dich noch an unsere große Mühle, die schöne «Amanda», die stolze Nachfolgerin der Abgebrannten, in der wir damals um ein Haar mitverbrannt wären? So lange stand sie verwaist und leer auf dem Mühlenfeld, weil ihr Besitzer, der Peter Thomsen, sich einfach auf und davon gemacht hat, nach Amerika angeblich und seine arme Frau mit der Mühle und den vielen Schulden allein zurückließ. Nun hat sich endlich ein Pächter gefunden. Friedrich Hadenfeld, der sich allerdings nur auf fünf Jahre Pachtzeit einließ. Aber das ist erst einmal gut so, das meint zumindest Dein Vater. Es könnte sein, dass dieser Herr Hadenfeld den Vertrag verlängern wird, wenn er feststellt, das sich gutes Geld mit dieser Mühle verdienen lässt. Einen schönen Schrecken eingejagt hat mir vor kurzem Dein Vater, als er mit der Nachricht kam, dass ich nun Steuern auf mein Klavier zahlen müsse. Denk dir nur, mein Piano, auf dem ich seit langem nicht mehr spiele, fiele dem Finanzamt zum Opfer. Zu meinem Glück stand heute in unserer Zeitung, dem «Schleiboten», dass der Stadt Kappeln die Erhebung solch unsinniger Steuern untersagt wurde. Auch die angedachte Fahrradsteuer kommt nicht zum Tragen. Mir ist das gleichgültig, ich gehe lieber zu Fuß. Über eine Fahrradsteuer würde sich vor allem Meta ärgern, die so gern mit ihrem Fahrrad durch unser schönes Land radelt. Sie lässt Dich übrigens ganz herzlich grüßen. Ich hoffe, dass es Dir gut ergeht und Du wohl und gesund bist.

Ich denke jeden Tag voller Liebe an Dich, Deine Mutter, Friederike Schulze.»

20. Berlin, zum Jahresende 1895

Gedankenvoll sah Wilma aus dem Fenster ihres Zimmerchen in die wirbelnden Schneeflocken, die am letzten Tag dieses Jahres Berlin in ein Wintermärchen verwandelten. Sorgsam deckten die weißen Kristalle alle Not und alles Elend der Metropole zu. Morgen würde nur noch ein schmutziggrauer Matsch davon übrig sein, von zu vielen gleichgültigen Füßen, Hufen und Rädern zertrampelt.

«Was mache ich da nur», rief Wilma sich selbst rasch zur Ordnung, «mir geht es doch gut, mein Leben hat sich zum Besseren gewendet. War ich im vergangenen Jahr, im November, krank, schwach und ohne jede Perspektive, so kann ich heute auf eine Zeit zurückschauen, die mir viel Neues brachte und mich in eine Welt katapultierte, die ich mir vorher nie erträumt hätte. Wo wäre ich heute ohne die Bekanntschaft mit Martha Liebermann, die sich bald zu einer echten Freundschaft entwickelte. Wie oft habe ich sie inzwischen in ihrem unvergleichlichen Palais am Pariser Platz besucht. Die Umbauarbeiten sind dort längst abgeschlossen und es ist ein richtiges Zuhause geworden, wenn es auch sehr elegant und edel eingerichtet ist. Hier reitet sogar der Kaiser des Öfteren vorbei und man kann ihn vom Fenster aus beobachten, ohne dass er es merkt. Nur das Atelier, das Max Liebermann, der ein weithin bekannter Maler ist, sich im Dachgeschoss einrichten will, wurde von der Baubehörde nicht genehmigt. Das ärgerte den berühmten Mann mit der hohen Stirn über seinen dunklen Augen, in denen unverkennbarer Schalk sitzt, außerordentlich. Die Idee von einem gewölbten Glasdach, das er im obersten Geschoss des Hauses bauen lassen will, verträgt sich nicht mit den strikten Vorschriften, dass Fassaden und Ornamente am Pariser Platz nicht ohne besondere Genehmigung verändert werden dürfen, heißt es. Ob da des Kaisers Eifersucht dahintersteckt, schaut er doch von seinem Schloss aus genau in diese Richtung? Die Wohnräume der Liebermanns liegen im zweiten Stock. Dorthin gelangen nur enge Freunde und ich zählte dazu, weil Martha es so will. Auch hier gibt es überall kostbare Möbel und Gemälde. Das ganze Gebäude atmet Vornehmheit, ohne kalt zu wirken. Im Gegenteil, Max Liebermann liebt glanzvolle Feste und es treffen sich bei ihm oft mehr als hundert Gäste. Auch am heutigen Abend wird es wieder hoch her gehen, und ich bin das erste Mal auf einen solch großen Ball eingeladen. Himmel, ich muss mich ja noch umziehen!»

Wilma stand eilig auf und nahm das Kleid vom Bügel, das sie an diesem Abend tragen wollte. Eigentlich war es viel zu teuer gewesen für ihr kärgliches Portemonnaie, doch ein gewagter Gedanke sorgte dafür, dass sie es sich dennoch gekauft hatte. Es bestand aus weichem, fliederfarbenem Samt, das Oberteil üppig mit Spitze besetzt und besaß die gerade modernen Keulenärmel, die ihre Taille noch schmaler aussehen ließen. Otti, die noch vor Weihnachten geheiratet hatte und aus der Wohngemeinschaft auszog, kam extra vorbei und erbot sich, Wilma das goldbraune Haar in einem lockigen, komplizierten Knoten aufzustecken. Auf Schmuck verzichtete sie bedauernd, etwas, was zu diesem Kleid gepasst hätte, besaß sie nicht.

«Schätzchen, deine Jugend ist dein schönster Schmuck», lachte Jette, als sie kam und Wilma im Ballkleid sah. Ottilie meinte dasselbe. Leila, die das freigewordene Zimmer von Otti liebend gern übernommen hatte, weil sie sich unter den «Hühnern und Gänsen» im Schwesternwohnheim nicht wohl fühlte, lieh ihrer Kusine noch einen pelzgefütterten Umhang aus cremeweißer Wolle und so ausstaffiert machte sich Wilma auf den Weg. Natürlich konnte sie zum Ball nicht zu Fuß gehen, selbst den kurzen Weg zum Pariser Platz nicht, zumal an diesem Silvesterabend jede Menge unterschiedlichsten Volkes sich auf den Straßen herumtrieb. Jette, die Praktische, rief eine Mietdroschke und Wilma stieg ein.

«Ich komme mir beinahe vor wie Aschenputtel», rief sie den Freundinnen noch zu, «aber ich kann euch nicht versprechen, dass ich um Punkt Mitternacht wieder zuhause bin.»

«Amüsiere dich nur», der Rest dessen, was Leila der abfahrenden Droschke hinterherrief, ging im Geratter der Räder unter.

Martha erwartete ihre Freundin im Foyer hinter dem eindrucksvollen Portal und führte sie in den großen Saal, in dem heute der Ball stattfand. Voller Staunen sah Wilma die vielen Gemälde, die an den Wänden hingen, und hätte sie gern näher betrachtet, aber Martha Liebermann stellte sie den bereits anwesenden Gästen vor. Illustre Namen rauschten an ihr vorbei und kaum konnte sie sich die Vielfalt der Gesichter merken, die sie umringten. Martha schien nach jemand Bestimmtem Ausschau zu halten, sie winkte gleich einem hochgewachsenen Herrn zu, er möge sich ihnen nähern. Sie stellte ihn als den Maler Edvard Munch aus Norwegen vor und er verbeugte sich knapp. Wilma musterte unauffällig den Mann aus dem hohen Norden. Groß und schlank war er, mit kantigen Gesicht und breitem Kinn, das auf einen starken Charakter hinwies. Seine vollen, für einen Mann viel zu weichen Lippen standen dazu in scharfem Kontrast, deuteten auf innere Zerrissenheit. Doch als er sie ansah, mit diesen hellblauen Augen und dem unschuldigen Blick eines Kindes, da mochte sie ihn sofort. Es war, als schaue er in Welten, die nur er allein erblicken durfte. Fasziniert begann sie ein angeregtes Gespräch mit dem skandalumwitterten Künstler, dessen außergewöhnliche Werke das Berliner Publikum einerseits zu Begeisterungsstürmen hinriss, andererseits von einigen Künstlerkollegen als üble Schmiererei abgetan wurde. Wilma stand ein Gemälde des Norwegers immer noch vor Augen, eines, dass sie lange nicht vergessen konnte. Sollte, durfte sie ihn darauf ansprechen? Drehte er sich nicht genau in diesem Moment zur Seite, etwas gelangweilt, wie ihr schien?

«Herr Munch, bitte, ich möchte nicht aufdringlich sein», sie suchte nach den richtigen Worten, die ihn festzuhalten imstande waren, «doch ich habe immer noch den «Schrei» in meinem Ohren und vor meinen Augen, den sie so trefflich dargestellt haben.»

«Der Schrei?» Munch wandte sich ihr wieder zu, «mein Fräulein, wieso ist es ausgerechnet dieses Gemälde, das Sie von mir in Erinnerung haben?»

«Mit wenigen Strichen und beinahe plakativen Farben haben Sie dort eine ganze Geschichte erzählt. Es geht ein ungeheurer Sog aus von diesem Bild, dass einen Schrei sichtbar macht, den Schrei der Natur, der intensiv von allen Seiten auf den Mann einstürmt, der angesichts des flammenden Himmels sich auf der Brücke von den Freunden abwendet, die unbeeindruckt vorausgehen. Sie vernehmen ihn nicht, diesen Schrei. Aber er, er hält sich die Ohren zu und öffnet weit seinen Mund. Es ist, als ob er den unsichtbaren Schrei der Natur, mit sich und in sich selbst sichtbar machen möchte.»

Wilma hielt inne, atemlos wartete sie auf die Antwort des Künstlers, dessen Gemälde sie soeben interpretiert hatte. Was würde er dazu sagen?

Wortlos hatte Munch ihr zugehört, ein feines Lächeln in den Mundwinkeln. Er nickte, als wolle er etwas bestätigen, dass nur er hörte.

«Verehrtes Fräulein Wilma, Sie sind ja eine ganz erstaunliche junge Dame.»

Wilma wäre am liebsten in den Boden versunken, kam jetzt eine typisch männliche Zurechtweisung auf sie zu? Wie sie sich erdreisten könne, über etwas zu sprechen, wo von sie unmöglich eine Ahnung haben könnte? Doch es kam anders. Munch ergriff ihre Hand und beugte sich mit einem angedeuteten Handkuss darüber.

«Verehrtes Fräulein, wissen Sie, das Sie mich unendlich glücklich machen, denn Sie gehören zu den Wenigen, die mein Bild verstanden haben. Die Meisten sehen nur die Figur im Vordergrund, die den Mund aufreißt und glauben, der Schrei käme von dort, käme von diesem Mann. Aber es ist wirklich so gemeint, wie Sie es auffassen. Angesichts der Farbenvielfalt eines Sonnenunterganges im Sommer über Oslo, wo es selten ganz dunkel wird, stellt sich die Natur völlig anders dar. Blutrot, so empfand ich es damals, als ob der Himmel selbst sein Herzblut verströmte, versetzte mich an diesem Abend das überbordende Naturschauspiel beinahe in Panik. Es schien mir, als ob im nächsten Augenblick Blutstropfen vom Himmel regnen und die Welt sich auflösen würde. Das, genau das, habe ich versucht, in diesem Gemälde festzuhalten.»

Edvard Munch blickte über Wilma hinweg, auf etwas, dass nur er in seiner Fantasie sehen konnte, dann schaute er sie wieder an.

«Am tiefsten erschütterte mich damals, als der Schrei verklungen war und ich meinen Freunden folgte, dass sie nichts vernommen hatten, unbeeindruckt vom Geschehen um sie herum, einfach weitergingen. Erstaunlich, dass Sie dies ebenfalls entdeckt haben. Ich danke Ihnen von Herzen dafür! Wenn Sie mögen, dann besuchen Sie doch bitte meine Ausstellung, ich werde sie liebend gern persönlich herumführen.»

Damit wandte Munch sich einem älteren Herrn zu, der seit geraumer Zeit versuchte, die Aufmerksamkeit des Norwegers zu erregen. Bedauernd, wie Wilma es erschien, blickte er noch einmal zu ihr zurück. Nachdenklich sah sie ihm nach. Dass ein Herr mit tiefliegenden Augen und einem blonden Schnauzer, der fast seinen ganzen Mund bedeckte, zu ihr herüberschaute, das bemerkte sie nicht. Er hatte den Dialog zwischen Wilma und Munch mitangehört und sich vorgenommen, einige Erkundigungen über diese junge Frau einzuziehen. Wilma ahnte nicht, dass sie mit diesem Mann eines Tages für lange Zeit zusammen arbeiten würde....

21. Kappeln, im Sommer 1896

Friederike war der Sache allmählich überdrüssig. Seit einiger Zeit schlich Janne herum, mit einem Gesicht wie zehn Tage Regenwetter. Was trieb ihre langjährige Bedienstete nur um? Als Magd mochte Rieke sie nicht bezeichnen, war sie doch im Laufe der Jahre beinahe eine gute Freundin geworden. Heute wollte sie endlich nachfragen. Es wäre ein guter Zeitpunkt, dachte sich Rieke. Draußen regnete es, ein feiner, sanfter Landregen, der bereits den ganzen Tag anhielt und dem ausgedörrten Land die dringend benötigte Feuchtigkeit brachte. Am Abend, als Wilhelm an der Sitzung einer der vielen Vereine teilnahm, denen er inzwischen angehörte, bat Rieke ihre Janne zu sich ins Wohnzimmer.

«Nimm bitte Platz, Janne, scheue dich nicht, wir sind unter uns.»

Verlegen folgte das nicht mehr junge Hausmädchen der Aufforderung.

«Lass uns ganz offen miteinander reden, Janne», begann Friederike mit leiser Stimme, «kann es sein, dass dich etwas bedrückt? Bist du krank oder hat dich ein Unheil getroffen? Ich sehe dir an, dass da etwas nicht so ist, wie es sein sollte. Also, sprich frei heraus. Mir kannst du alles anvertrauen. Mein Wilhelm und ich, wir werden dir helfen, was immer es auch sein mag.»

Janne wirkte unglücklich, knäulte ihre glatt gebügelte, gestärkte Schürze zusammen und suchte sichtlich nach den richtigen Worten. Konnte es sein, dass ihre zuverlässige Janne vielleicht schwanger war? Schon der Gedanke daran schien so abwegig für Friederike, dass sie ihn gleich beiseite schob. Nie hatte sie das Dienstmädchen mit einem Mann gesehen oder davon gehört, dass sie irgendwo eine Liebschaft hätte. Was aber war dann mit ihr los.

«Tja, das ist, also es ist so, dass ich» , Janne wollten die Worte nicht über die Lippen, sie druckste herum, «ich will heiraten», platze sie mit hochrotem Kopf endlich heraus.

«Wie bitte? Du möchtest heiraten? Das kann ich nicht glauben», Rieke schüttelte den Kopf, «du hast doch nie von einem Mann erzählt. Wo kommt er mit einem Mal her? Und warum kommt das so plötzlich?»

Jetzt, wo die Wahrheit heraus war, wurde Janne auf einmal gesprächig. Sie berichtete von ihrem letzten Besuch bei der Mutter, die mit den jüngeren Geschwistern auf einem großen Hof in der Umgebung von Süderbrarup untergekommen war nach dem überraschenden Tod ihres Mannes. Dort habe sie, Janne, den Bauern, den Besitzer des Hofes kennen gelernt, der gerade seine Ehefrau verloren hatte und nun mit drei kleinen Kindern allein dastand.

«Wissen Sie noch, liebe Frau Schulze, wie sie mir damal die Stellung bei ihnen angeboten haben, als mein Vater starb und die Mutter und wir Kinder ganz plötzlich vor dem Nichts standen. Der Bruder des Vaters warf uns aus der kleinen Kate, die bis dahin unser Zuhause gewesen war, einfach hinaus. Da kamen Sie und Meta und nahmen mich mit. Es war das Allerbeste, was mir in meinem Leben passiert ist, und ich bin Ihnen so dankbar dafür. Doch jetzt habe ich die Möglichkeit, einen eigenen Haushalt auf einem Hof zu bekommen, einen Mann und vielleicht sogar noch eigene Kinder. Meine Mutter lebt dort und auch eine meiner Schwestern. Besser könnte ich es nicht treffen.»

Stille entstand, als Janne geendet hatte, aber es war eine freundliche Stille. Jede der beiden Frauen hing einen Moment lang ihren Gedanken und Erinnerungen nach. Friederike sah noch einmal das fünfzehnjährige Mädchen vor sich, das damals sich ruhig von Mutter und Schwester verabschiedete und sein junges Leben ihr anvertraute, einer Frau, die es doch nicht kannte. Nun saß hier, vor ihr, eine Frau Mitte dreißig, die ihre besten Jahre als Dienstmagd in ihrem Haus verbracht hatte. Hatte sie nicht auch ein Anrecht auf ihr eigenes Glück und ein eigenverantwortliches Leben?

Janne, die eigentlich Johanna hieß, nur hatte sie nie jemand so gerufen, sah Friederike an, schaute sich in dem elegant eingerichteten Wohnzimmer um, als sähe sie es bereits zum letzten Mal. All die Jahre gab es nie Ärger zwischen ihnen, hatte Frau Schulze niemals irgendwelche Launen an ihr ausgelassen. Gemeinsam mit Meta fühlte sie sich fast zur Familie gehörend. So etwas war in den anderen Dienstverhältnissen, die sie kannte, undenkbar. Lange hatte sie gezögert, den Mut nicht aufgebracht, Friederike von der geplanten Hochzeit zu erzählen. Doch nun drang der Bauer darauf. Seine Kinder brauchten dringend eine Mutter und er eine patente Ehefrau an seiner Seite. Dass er sich einsam fühlte, stand auf einem anderen Blatt. Aussprechen konnte und wollte er so etwas Gefühlvolles nicht. Aber Janne, die dem wortkargen Mann sehr zugetan war, spürte es dennoch.

«Ach Janne», Rieke fasste sich zuerst, «ahnst du eigentlich, wie sehr ich dich vermissen werde? Du gehörst zu uns, was soll ich ohne dich anfangen?»

«Liebe Frau Schulze, Sie wissen doch, dass ich Sie nicht gern verlasse, aber so eine Chance erhalte ich nie wieder. Verstehen Sie das?»

«Und ob ich das verstehe. Ich wünsche dir von Herzen viel Glück mit der neuen Familie, die nun deine Eigene sein wird. Lass mich bitte wissen, wenn du etwas brauchst. Über deine Aussteuer sollten wir auch reden.»

Wilhelm nahm die Nachricht, dass Janne gehen wollte, mit Sorge auf. Er wusste, dass Rieke nicht die robusteste Gesundheit besaß und bat sie, sich doch möglichst schnell nach Ersatz umzuschauen. Sie versprach es ihm hoch und heilig. Dass sie etwas anderes im Sinn hatte, verschwieg sie ihm. Später, als sie beide nach dem Essen noch gemütlich beisammen saßen, berichtete Wilhelm von der «Schlei-Bank», die sich nun als Aktiengesellschaft neu gegründet hatte.

«Du wirst es nicht glauben, liebe Rieke, aber etliche Bauern und natürlich die Geschäftsleute aus Kappeln und der Umgebung griffen diese neuartige Idee mit Begeisterung auf und zeichneten recht schnell viele Aktien. Damit sind sie sozusagen Miteigentümer der Schlei-Bank und haben die Möglichkeit, sich gegenseitig mit günstigen Krediten unterstützen zu können. Ist das nicht großartig?»

Wilhelm hatte mit einem derartigen Enthusiasmus von der neuen Sache erzählt, dass er zuerst nicht merkte, dass Rieke ihm nicht zuhörte.

«Was sagst du dazu?» Er fragte nach und seine Frau schreckte aus ihrer Versunkenheit auf.

«Wie? Was? Entschuldige bitte, ich war mit meinen Gedanken woanders.»

«Das habe ich bemerkt», Wilhelm antwortete etwas pikiert. Das sah Rieke gar nicht ähnlich. Normalerweise nahm sie regen Anteil an seinen Erlebnissen.

«Bitte verzeih mir» Sie merkte, dass ihr Mann etwas verstimmt war, und versuchte, ihm ihre Unaufmerksamkeit zu erklären, «sei mir nicht böse, ich dachte daran, dass ich Minchen schreiben will und ob ich von Jannes Weggang berichten soll.»

Dass sie etwas anderes im Sinn hatte, sagte sie ihm nicht. Darüber wollte sie zuerst mit Meta und mit der Frau Pastorin reden. Deren Meinungen waren ihr wichtig. Am nächsten Morgen lief sie nach nebenan, sobald Wilhelm das Haus verließ und schüttete der Freundin ihr Herz aus. Meta sah es genauso wie Rieke, dass Janne ihr Glück und eine bessere Zukunft verdient habe. Die Frage, ob sie ein neues Dienstmädchen wüsste, musste sie leider verneinen und wies die Freundin darauf hin, dass gutes Personal immer schwerer zu finden sei.

«Meta, verstehst du, dass ich so bald wie möglich eine neue Magd benötige, wenn Janne sie noch einarbeiten soll. Ich weiß ja, wie schwer es ist, mitten im Sommer jemand Neues zu finden. Kannst du nicht deinen Jes fragen? Der kommt viel im Land herum und hat uns damals auch zu Janne geführt.»

Meta versprach es und auch, dass sie selbst Augen und Ohren offenhalten würde. Riekes nächster Schritt führte sie zur Frau Pastorin. Sie traf sie zum Glück allein an und berichtete von ihrem Dilemma mit einer neuen Magd.

«Liebe Friederike, da kann ich dir auch nicht weiterhelfen. Erst in der vergangenen Woche bat mich die Frau Bürgermeister, die liebe Melanie, um den gleichen Gefallen. Doch leider findet sich zur Zeit nicht einmal im Armenhaus ein Mädchen, das ich guten Gewissens einem Haushalt wie dem euren oder dem des Bürgermeisters empfehlen könnte. Es tut mir wirklich leid, aber du magst selbst bei Melanie nachfragen. Sie hat möglicherweise eine Lösung gefunden. Und nun entschuldige mich bitte, die Frau Lehrer bat mich um eine dringende Unterredung. Darüber darf ich nicht sprechen, du verstehst?»

Was blieb Rieke anderes übrig, als Melanie aufzusuchen, die junge Frau des ebenfalls noch recht jungen Bürgermeisters Plewka, der sich in den vergangenen drei Jahren in seinem Amt schon bewährt hatte.

«Oh, Liebe, komm doch rein», die kapriziöse Melanie ließ Rieke persönlich ins Haus, was bedeuten konnte, dass auch sie noch immer kein Dienstmädchen hatte.

«Was kann ich für dich tun? Verzeih, dass ich etwas konfus bin, aber ein Leben ohne Dienstmagd ist fürchterlich anstrengend. Dauernd muss ich Dinge tun, für die ich nun wirklich nicht erzogen wurde. Weißt du etwa jemanden? Das wäre zu und zu schön!»

Als Rieke eingestehen musste, dass auch sie auf der Suche nach einer Magd sei, änderte sich Melanies Ton recht schnell.

«Das tut mir leid für dich, liebste Rieke. Vielleicht sollte ich dich warnen.»

«Wovor warnen?», Friederike verstand nicht, auf was sie hinauswollte.

«Nun ja, ich habe da etwas Neues ausprobiert. Es gibt jetzt Dienstboten, die nicht mehr im gleichen Haushalt leben, wie ihre Herren. Sie arbeiten nur stundenweise und werden auch so bezahlt. Das erschien mir praktisch. Man fühlt sich freier und nicht vom Personal beobachtet, das kann mitunter ziemlich lästig sein, du verstehst? Es ist außerdem viel kostengünstiger als ein Mädchen, das im Haus lebt, wohnt und isst. Noch gefällt mir die Sache ganz gut, bis auf eines, wenn du das Dienstmädchen benötigst, meistens zur Nacht oder wenn ich mich für eine Veranstaltung umziehen will, dann ist es längst fort und du stehst allein da. Was solls, solange, ich keine herkömmliche Magd gefunden habe, begnüge ich mich mit der Stundenfrau. Aber das Wahre ist es nicht.»

Rieke leistete der verwöhnten jungen Frau noch bei Tee und einem ziemlich trockenen Kuchen Gesellschaft, hörte sich geduldig ihr Geplapper an und eilte dann in sich gekehrt nach Hause. Dort schrieb sie einen Brief an die Tochter.

«Liebste Wilhelmine-Wilma   *Kappeln, im Sommer 1896*

Da Du inzwischen zu einer erwachsenen Frau herangereift bist, widerstrebt es mir, Dich immer noch Minchen zu nennen. Deshalb rede ich Dich ab jetzt mit Deinem Taufnamen an und mit dem, den Du Dir selbst zugelegt hast. Was Du von Deiner Arbeit als Telefonistin berichtet hast, klingt recht gut. Das Telefon ist eine großartige Errungenschaft und ich bin davon überzeugt, dass es hier in Kappeln bald auch «Fräuleins vom Amt"geben wird. Ich spüre aber zwischen den Zeilen, dass Dich diese Arbeit nicht ganz befriedigt. Sie ist doch wohl ein wenig zu eintönig für Deinen stets wachen Geist. Vielleicht ergibt sich für Dich etwas, dass Dich erfüllt und es könnte doch möglich sein, dass eines Tages ein Mann in Dein Leben tritt, der Dich das Ehefrau- und Muttersein nicht mehr als so schrecklich empfinden lässt. Doch zurück zu dem, worüber ich Dir eigentlich schreiben wollte. Dein Vater und ich, wir haben den Kaiser gesehen, als wir in Kiel weilten, und ich war ihm so nah, dass ich in seine stahlblauen Augen schauen konnte. Er trug eine prächtige Parade-Uniform und stützte geschickt die linke Hand auf den dazugehörenden Degen. So konnte man kaum etwas von seinem verkrüppelten Arm erkennen. Welche Ehre mir und Deinem Vater zuteil wurde, kannst Du daran ermessen, indem ich Dir vor Augen führe, dass wir die Einzigen aus Kappeln waren, die an den großen Feierlichkeiten zur Einweihung des Kaiser-Wilhelm-Kanals, wie er nun heißt, teilnehmen durften. Nicht einmal der Bürgermeister und schon gar nicht seine Gattin waren eingeladen. Die gute Melanie platzte beinahe vor Neid, als sie erfuhr, dass wir sogar zum Festbankett gebeten wurden. Dies alles brachte Dein lieber Vater zustande, der in reger Korrespondenz mit dem obersten Bauleiter, dem Geheimrat Muthesius stand. Die beiden fachsimpelten den ganzen Abend über den Kanal, die Schleusen, Widerlager und solche mir unverständlichen Dinge. Als es dann darum ging, dass mit dem Kanal nun eine direkte Verbindung zwischen Hamburg und Kiel besteht und der Getreide- und Futtermittelhandel eine Blütezeit erleben wird, da wünschte ich mir sehnlichst einen Tanzpartner, der mich aus meiner Langeweile erlöste. Das Bankett ging zu Ende, ein Orchester spielte zum Tanz auf und ein schneidiger, gutaussehender Offizier bat Wilhelm um Erlaubnis, mich aufs Tanzparkett führen zu dürfen. Mein lieber Gatte merkte sicher nicht einmal, wozu er die Erlaubnis gab, so sehr war er in das Gespräch mit Muthesius vertieft. Doch der Offizier und ich, wir verbrachten beinahe den ganzen Abend auf der Tanzfläche und jetzt denke ich andauernd an ihn. Kannst Du Dir vorstellen, dass ich, Deine alte Mutter, wie ein Backfisch verliebt bin? Ich weiß aber nicht genau, ob ich den Mann meine oder das Leben, das mir mit einem Mal wieder bunt und aufregend erscheint.

Ich denke an Dich,

Deine wieder junggewordene Mutter, Friederike Schulze.»

Rieke legte die Feder aus der Hand und las sich das Geschriebene noch einmal durch, wie sie es eigentlich immer tat. Doch diesmal erschrak sie zutiefst. Wollte sie ihrer Tochter wirklich anvertrauen, dass sie sich auf ihre alten Tage neu verliebt hatte? So alt fühlte sie sich mit ihren fünfundvierzig Jahren noch nicht, jedenfalls nicht alt genug, um der Liebe zu entsagen. Zwischen Wilhelm und ihr verlief ihr Leben in geordneten, ruhigen Bahnen. Natürlich liebte sie ihren Mann, aber an seiner Seite blieb es viel zu beschaulich, fand sie und erinnerte sich an das Herzklopfen, das sie beim Tanz mit dem Offizier gespürt und genossen hatte. «Ach Adrian», flüsterte sie und verstummte sofort, hatte sie doch beinahe vergessen, dass Wilhelm ebenfalls anwesend war, geruhsam im Sessel sitzend und in der neuesten Ausgabe der «Vossischen Zeitung» lesend. Diese Berliner Gazette ließ er sich immer noch regelmäßig zusenden, um die Verbindung zur alten Heimat nicht ganz zu verlieren. Rieke wusste, dass man ihn dabei kaum stören konnte und atmete erleichtert auf. Er hatte nichts bemerkt. Rasch zerriss sie den Brief an Wilma und begann von Neuem. Den Part über Adrian, ihren Offizier, den ließ sie dieses Mal aus.

22. Berlin, im Februar 1897

Zufrieden betrachtete Wilma die neugeordnete Hängung in der Gemäldegalerie am Matthaikirchhof. Wie so oft schien es eine fast unlösbare Aufgabe, in der übervollen Kunstsammlung noch Platz für die vielen Neuerwerbungen zu finden, die der Leiter der Galerie immer wieder auftrieb. Sie zog sich einen Stuhl heran und ließ den Raum auf sich wirken. Trotz der neuen Oberlichter wirkte er zu eng, zu dunkel.

«Wie gut, dass der Neubau auf der Museumsinsel in Planung ist. Hat ja lange genug gedauert. Hoffentlich darf ich auch dort mitarbeiten, es gibt nichts, was ich mir mehr wünsche!»

Wilma lächelte in sich hinein, als sie daran dachte, wie sehr sich ihr Leben gewandelt hatte. Vor einem halben Jahr ahnte sie noch nicht, was auf sie wartete. Nur, dass sie als «Fräulein vom Amt» keine Zukunft für sich sah, das gestand sie damals bekümmert ihrer Freundin Martha Liebermann. Die beiden nutzten den schönen Oktobertag und bummelten durch den Tiergarten, nur von Dackel Männe begleitet. Die intensive Herbstsonne bemühte sich, die Illusion von Sommer noch ein wenig aufrechtzuerhalten und ließ die bunten Blätter der Bäume leuchten. Dafür hatte Wilma kein Auge, zu tief saß der Ärger in ihr. Es lag an der gestrengen Aufseherin Mathilde Jahnke, mit der sie einmal mehr aneinandergeraten war. Wilmas Kollegin Amalie, die alle nur Malchen nannten, weil die junge Frau ihren richtigen Namen für zu vornehm hielt, war an einer Blasenentzündung erkrankt. Sie klagte nie, obwohl sie unter heftigen Schmerzen litt. Ihr Problem war der allzu häufige Gang zur Toilette, der von der «Jahnke» mit Argusaugen beobachtet wurde. Als Malchen dieses Mal schnell wieder auf ihren Platz huschte, in der Hoffnung, ihre kurze Abwesenheit sei unbemerkt belieben, da baute sich die kräftig gebaute Aufseherin hinter ihr auf, stemmte die Arme in die breiten Hüften und bellte die verschreckte junge Frau mit lauter Stimme an.

«Na, wo haste dir rumjetrieben? Hä? Pinkelpause is noch nich. Det weeste doch. Einmal pro Schicht, mehr is nich drin, is det klar? Wenn ick dir nochmal erwische, dann fliegste! Da kenne ick nischt! Meldung mach icke sowieso!»

Malchen duckte sich und nahm ihre Arbeit mit zitternden Fingern wieder auf. Wilma, die von ihrer Krankheit wusste, wandte sich an die Jahnke und bat sie, doch mal ein Auge zuzudrücken. Heute wäre es ja ziemlich ruhig und es habe kein Telefonteilnehmer unnötig warten müssen. Sie ahnte schon, dass sie besser den Mund gehalten hätte, denn die Jahnke ging förmlich in die Luft.

«Ach, ne, det Fräulein Einjebildet, wat mischste dir ein? Dir hab ich schon lange uffm Kieker. Ick seh janz jenau, wenn du zu ville privatierst. Du bist die Nächste, die hier rausfliegt, det kannste mir glooben.»

Wilma lag schon eine passende Antwort auf der Zunge, als sie sah, dass Malchen ihr signalisierte, sie solle lieber schweigen. Also schluckte sie die schroffen Worte hinunter. Erst auf dem Nachhauseweg, auf dem sie Malchen ein Stück begleitete, machte sie ihrem Ärger Luft.

«Ich habe diese grässliche Frau so satt, immer meckert sie herum, keine von uns arbeitet gut genug, meint sie. Aber selbst kann sie nichts als dasitzen und uns beobachten. Jedes Wort zu viel notiert sie, für jede Kleinigkeit schwärzt sie uns an. Fehlt nur noch, dass sie unsere Gespräche mithören könnte. Das wird sicher bald kommen. So macht die Arbeit als «Fräulein vom Amt» mir keine Freude mehr. Wie anders war das damals, als ich beim Fernmeldeamt anfing. Da wurden wir «Fräuleins» beinahe verehrt, unsere Stimmen waren vor allem bei den männlichen Teilnehmern beliebt. Jetzt ist es reine Böswilligkeit, was wir tagtäglich erleben. Am liebsten würde ich auf der Stelle kündigen. Und du, Malchen, wie hältst du das aus, die ständige Hetze und Schikane der Jahnke?»

«Ach weißt du», Malchens Gesicht verzog sich, als müsse sie gleich weinen, «wenn ich nicht auf das Geld, das ich hier verdiene, angewiesen wäre, dann könnte die olle Jahnke mich mal gern haben. Aber ich, als die Älteste von sieben Kindern, muss Muttern unterstützen. Wenn mein Verdienst wegfällt oder auch nur ein Teil davon, wenn die Jahnke mich meldet, dann müssen wir aus der Wohnung raus, die jetzt schon nur aus zwei Zimmern besteht, die wir auch noch mit einer Schlafgängerin teilen. Mein Bruder soll doch weiter zur Schule gehen, damit aus ihm mal was Besseres wird. Das kostet auch. Also beiß ich die Zähne zusammen und halte die Jahnke aus. Es gibt Schlimmeres, das kannst du mir glauben.»

Das glaubte Wilma ihr gern. In dieser Zeit des Umbruchs, in der junge Frauen und Mädchen endlich einem Beruf nachgehen durften, gab es dennoch kaum eine Auswahl für sie. Wenn sie etwas Bildung aufweisen konnten, war das «Fräulein vom Amt» eine gute Wahl. Wenn nicht, dann blieben nur die Fabriken oder die Arbeit als Dienstmädchen. In die Prostitution abrutschen, das suchte sich niemand freiwillig aus. In Gedanken versunken ging Wilma nach Hause. Sie erinnerte sich noch gut an ihre Einstellung und an das Papier, das sie damals unterzeichnen musste. Darauf hieß es:

«Das weibliche Postpersonal bedarf zur Eingehung einer Ehe der Erlaubnis der zuständigen Dienstbehörde. Da sich aber aus der Verwendung von verheirateten Beamtinnen Schwierigkeiten verschiedener Art ergeben können, kann dem unterstellten weiblichen Personal) die Erlaubnis zur Eingehung einer Ehe nicht erteilt werden.»

Ihr selbst machte es bisher nichts aus, doch sie hatte liebgewonnene Kolleginnen den Dienst quittieren sehen, weil sie heiraten wollten. Auch wenn oft ein Muss hinter der Hochzeit stand, die Wahl zwischen einem unehelichen Kind und der Arbeit als Telefonistin, fiel den Frauen meistens nicht schwer. Wie sie selbst reagieren würde, die Frage stellte sie sich nie, denn ein Mann, mit dem sie sich eine Ehe vorstellen konnte, war bis jetzt nicht aufgetaucht.

«Noch nicht», lachte Martha Liebermann, die sich Wilmas Klagen angehört hatte, «keine Bange, ich gebe mir auch weiterhin Mühe, dich an den Richtigen zu bringen, davon kannst du ausgehen!»

Wilma kicherte, sie hatte sich oft über Marthas Kupplerinnen-Versuche amüsiert und war jeder Annäherung männlicher Wesen bisher erfolgreich aus dem Weg gegangen. Die einzige Ausnahme bildete Liebermanns Dackel Männe. Er schien Wilma fest in sein kleines Hundeherz geschlossen zu haben und begrüßte sie jedes Mal mit lautstarkem Gebell und so heftigem Schwanzwedeln, dass der ganze Hundekörper heftig hin und her wackelte.

«Da fällt mir ein, dass ich ganz vergessen habe, dich zu fragen, ob du Zeit hast, mit uns zu feiern», in Marthas Augen erkannte Wilma ein verräterisches Glitzern, das ihr verriet, dass ihre Freundin etwas im Schilde führte. Da ihr gerade nach all dem Ärger im Amt danach war, sich ein wenig ablenken zu lassen, sagte sie zu.

«Aber Martha, sag, was gibt es denn zu feiern? Worauf sollte ich mich gefasst machen?»

Wilma wusste, dass der humorvolle Max Liebermann den Schalk im Nacken sitzen hatte und oft mit recht originellen Einladungen aufwartete. Das beredte

Schweigen Marthas half ihr auch nicht weiter. Nur dass es sich um etwas ganz Besonderes handele, das ließ Martha durchblicken.

Am nächsten Abend stand Wilma länger vor ihrem Kleiderschrank, als sie es gewöhnlich tat. Eine unerklärliche Stimmung trieb sie dazu, sich besonders herauszuputzen. Ein weich fließendes Kleid aus hauchdünnem Kaschmir, das sie sich in einem Anfall von Größenwahn gekauft hatte und das bislang unbeachtet und ungetragen im Schrank hing, fiel ihr in die Hände. Die Herbstfarben, sanft verlaufend von Goldgelb bis Dunkelrot, passten zur Jahreszeit und zu ihrem noch vom Sommer her zartbraunen Teint und den nussbraunen Haaren, denen die Sonne goldene Strähnchen hinzugefügt hatte. Vornehme Blässe stand ihr ohnehin nicht, meinte sie und drehte sich vor dem Spiegel.

«Also, auf in den Kampf, was immer Martha sich ausgedacht haben mag, heute mache ich dabei wenigstens eine gute Figur!»

Im Palais Liebermann am Pariser Platz ging es schon ziemlich hoch her, als Wilma dort ankam. Ein bestens aufgelegter Hausherr lachte gerade schallend und hob sein Glas.

«Auf seine Majestät, unseren guten Kaiser Wilhelm», dröhnte er, «dem ich soeben ein Gerichtsverfahren angehängt habe. Wollen doch mal sehen, ob er sich nicht doch mit dem Glasdach meines Ateliers abfinden muss.»

Den donnernden Beifall aller Anwesenden nahm Max Liebermann mit einer Grazie entgegen, die man bei dem großgewachsenen Mann nicht erwartet hätte. Wilma mischte sich unbemerkt unter die Gäste und dachte noch:

«Da liegt also der Hase im Pfeffer. Unsere Majestät mag nicht vom Schloss aus auf die Verschandelung seines Pariser Platzes schauen. Wenn SM nur nicht gegenüber wohnen würde, dann hätte Liebermann längst sein Atelier.»

Dann lauschte sie wieder dem Maler, der sich darüber ausließ, dass der Kaiser so oft zur Retourkutsche kam, dass man schon die Uhr nach ihm stellen könne. Die fragenden Mienen seiner Gäste beantwortete er sofort, wobei er wie so oft, in seinen Berliner Dialekt verfiel.

«Na, det is doch unsere Quadriga uffm Brandenburjer Tor. Die hat der olle Napoleon 1806 einfach jeklaut und mitjenommen nach Paris. Aber als denn unser juter Feldmarschall Blücher in Paris rinmarschiert is, da hat der sie prompt zurück nach Berlin jeschickt. Det war 1814, gloobe ick und det ham wir damals janz jroß jefeiert, wir Baliner, als die Kutsche retour kam. Vasteht ihr det nu?»

Die Lacher hatte der berühmte Maler einmal mehr auf seiner Seite und Wilma lachte gerne mit. Das war es, was die Feste bei den Liebermanns so unvergesslich machte, diese ungezwungene Art zu feiern und die seltene Gabe, selbst die unterschiedlichsten Menschen miteinander bekannt zu machen. Wilma schlenderte mit dem Champagnerglas in der Hand durch die Festhalle und betrachtete die vielen Gemälde, die dort hingen. Auf einmal schob sich eine Hand unter ihren Arm und Marthas Stimme riss sie aus ihrer Versunkenheit.

«Liebes, folgst du mir ins Musikzimmer? Dort möchte ich dir unbedingt etwas zeigen.»

Neugierig geworden, betrat Wilma mit ihrer Freundin das mit kostbaren Möbeln ausgestattete, relativ kleine Musikzimmer und wurde wie magisch von einem Ölgemälde angezogen, dass die helle, beinahe durchlässige Leichtigkeit der Farben eines lichtdurchfluteten Sommertages an der See in Holland zeigte.

«Endlich hat er es rahmen lassen», Martha Liebermann deutete auf die Figur einer Frau im Mittelpunkt des Bildes, «da hat er mich beim Lesen und Faulenzen erwischt, siehst du?»

«Wie entspannt du aussiehst, hast sogar das Buch in den Schoß gelegt und scheinst zu träumen», Wilma betrachtete das ziemlich großflächige Gemälde näher, «er hat diese Stimmung ganz hervorragend eingefangen, finde ich. Obwohl nur das von dir verschmähte Buch in roten Farben leuchtet, ist es nicht der Mittelpunkt. Das bist nicht einmal du, Martha, obwohl du das Bild dominierst. Was es für mich so einzigartig macht, ist das Leuchten, das über den Bildrand hinaus bis zu uns hier ins Zimmer scheint und uns glauben lässt, ich säße neben dir an einem Sommertag an der Nordsee.»

«Bravo, junge Dame», ein leises Händeklatschen ertönte hinter den beiden Frauen und ließ sie sich umdrehen, «hervorragend beobachtet. Haben Sie etwas mit Malerei zu tun, mein Fräulein?»

Irritiert starrte Wilma auf den Mann, der eine außergewöhnliche Energie ausstrahlte, auch wenn er ganz ruhig an der Tür lehnte und sie mit einem intensiven Blick betrachtete, der sie um ein Haar erröten ließ. Zum Glück rettete sie Martha aus der Verlegenheit und stellte den Unbekannten als langjährigen Freund ihres Mannes vor. Sie hatten sich beim gemeinsamen Zeichenunterricht vor Jahren kennengelernt und fanden gleich den richtigen Draht zueinander.

«Dieser unverschämte Mensch», lachte Martha, «der hier einfach in unser trautes Beisammensein platzt, ist Wilhelm Bode, derzeitiger Leiter der Berliner

Gemäldegalerie und der Skulpturenabteilung. Sieh dich vor, er neigt dazu, Leute, die er für fähig hält, auf der Stelle für seine Arbeit zu vereinnahmen.»

Wilma sah zu dem Mann hinüber, der sich ihnen nun näherte und Martha mit einem formvollendeten Handkuss begrüßte. Sein prächtiger, über den Mund reichender blonder Schnauzbart berührte dabei Marthas graziös erhobene Hand nicht. Das ebenfalls blonde Haar trug er streng gescheitelt, dabei die hohe Stirn betonend. Tiefliegende Augen von undefinierbarer Farbe über den hohen Wangenknochen im kantigen Gesicht, sahen fragend zu Wilma hin und Martha beeilte sich, ihre Freundin ebenfalls vorzustellen.

Im Nu fand Wilma sich in einer Art Examen wieder, in dem Wilhelm Bode ihre Affinität zur Malerei solange auf Herz und Nieren prüfte, bis Martha ein Machtwort sprach.

«Lieber Bode, nun lass es gut sein, du verwirrst meine Freundin nur und, ich gestehe es, auch mich. Was bezweckst du mit all deinen Fragen? Wilma ist doch keine Kunststudentin.»

«Selbst wenn sie es wäre», Bode entschuldigte sich mit einer angedeuteten Verbeugung, «besser als Sie, mein Fräulein, könnte mir keiner meiner jetzigen Studenten dieses Bild erklären. Ich war schon einmal erstaunt über Ihr Einfühlungsvermögen, als Sie Edvard Munchs «Schrei» trefflich interpretierten. Deshalb überfalle ich Sie nun mit einer Frage, die mir wichtig ist und hoffe auf eine positive Antwort.»

Wilma und Martha sahen sich an und ahnten beide nicht, worauf Bode hinaus wollte. Der räusperte sich, als ob er Mut brauche, die Frage zu stellen.

«Verehrtes Fräulein Schulze, könnten Sie sich vorstellen, mir in meiner Gemäldegalerie zu helfen? Da mir ein neuer Museumsbau bewilligt wird, ist eine Auflistung aller vorhandenen Gemälde vonnöten, mit entsprechender Kurzbeschreibung. Dafür erscheinen Sie mir geeignet, mit Ihrer Fähigkeit, ein Bildnis aussagekräftig und dennoch ohne Ausschweifungen in Worte zu fassen. Selbstverständlich erhielten Sie eine entsprechende Vergütung für Ihre Arbeit. Nun, was meinen Sie dazu?»

Erwartungsvoll richteten sich die zwei Augenpaare auf Wilma, der ihre Gedanken wild durch den Kopf rasten. War das der Ausweg aus dem Dilemma mit der Telefonie? Sich mit Kunst, mit Gemälden zu beschäftigen, das wäre ein Traum. Aber würde sie Bodes Ansprüchen wirklich genügen? Wäre sie in dieser Männerdomäne überhaupt willkommen? Was sollte sie antworten? Traute sie sich die Sache zu? Da kam es bereits über ihre Lippen, ohne dass sie es verhindern konnte.

«Herr Bode, ich fühle mich geehrt und nehme Ihr Angebot sehr gerne an!»

«Oh Himmel», dachte sie erschrocken, «was habe ich getan? Jetzt kann ich nicht mehr zurück. Was soll daraus nur werden?»

Das freudige Lächeln Marthas und das kurze Aufblitzen in Bodes Augen zeigten ihr deutlich, dass sie die richtige Entscheidung getroffen hatte. Bode bat sie, so bald sie von ihrer jetzigen Arbeit frei wäre, sich bei ihm zu melden. Das Gehalt, das er ihr bot und von dem er verlegen meinte, es sei zu gering für ihre neue Aufgabe, lag sogar noch etwas über dem Lohn eines «Fräuleins vom Amt».

Atemlos vor Aufregung lauschte sie Bodes launiger Erklärung über den Bau eines neuen Museums, die Martha nun von ihm verlangte.

«Lieber Bode, so einfach kommst du mir nicht davon. Lange genug hoffst du auf die Genehmigung für ein neues Museum. Wie hast du es geschafft, dass es nun genehmigt ist?»

«Wenn die Damen gestatten! Es ist allerdings eine längere Geschichte. Seit Jahren hatte Johannes von Miquel, der als preußischer Finanzminister beinahe allmächtig war, vom Neubau eines Museums überhaupt nichts hören wollen. Unser Generaldirektor war dadurch so verschüchtert, dass er nicht mehr wagte, diese Forderung zu stellen. Von Miquel zu übergehen und sich direkt an den Kaiser zu gehen, traute sich niemand. Ich hatte, um eine Entscheidung herbeizuführen, mir von der Kaiserin Friedrich (Victoria von Preußen, Witwe von Kaiser Friedrich und Mutter des jetzigen Kaisers Wilhelm II.) versprechen lassen als «Honorar» für den Katalog ihrer Sammlungen, ihre Unterstützung zu gewähren, bei der Durchsetzung dieses Neubaues, für den sie sich interessierte, und zu dessen Ausführung ihr Schützling Ernst von Ihne auserkoren war. Als ich ihr im letzten Winter den Katalog überbrachte, und die Kaiserin erklärte, sie wisse nicht, wie sie mir dafür danken solle, erinnerte ich sie an ihr altes Versprechen. Sie lehnte schroff ab. Von ihrem Sohn wolle und könne sie nichts erbitten, keinesfalls! Alles Bitten half nichts. Als ich schon betrübt davon gehen wollte, sagte mir der Graf Seckendorff, ich möge mich beruhigen, heute frühstücke Seine Majestät bei der Kaiserin Friedrich, da würde sie ihn an den Bau erinnern, ich könne mich darauf verlassen. Und richtig, am nächsten Morgen kam der Generaldirektor ganz aufgeregt zu mir in die Galerie gestürzt und rief, der Bau des Kaiser-Friedrich-Museums sei endlich durchgesetzt und der Kaiser habe die sofortige Inangriffnahme der Pläne befohlen. Gestern Abend, bei einem Hoffest, solle der Kaiser den Kultusminister und Herrn von Miquel in eine Nische gezogen und Miquel Vorwürfe gemacht haben, dass er noch immer das Geld verweigere für einen Bau, den schon sein Vater in Angriff nehmen wollte. Miquel soll geantwortet haben, niemand hätte seit Jahren von der Notwendigkeit dieses Baues gesprochen. Mit Freude stelle er aber sofort jedes gewünschte Geld für den Etat zur Verfügung. Der Generaldirektor fragte mich erstaunt, woher plötzlich dieser günstige Wind wehe. Die Aufklärung darüber konnte ich ihm gern zuteil werden lassen.»

Verschmitzt grinsend, soweit man es unter dem gewaltigen Schnauzbart erkennen konnte, beendete Wilhelm Bode seinen langen Bericht und Martha gratulierte ihm von Herzen zu der guten Entwicklung. Wilma, die sich mit der Politik und den hohen Herren im Parlament nicht auskannte, ahnte zumindest, welch glücklicher Umstand Bode zu seinem Museum verholfen hatte. Es würde bestimmt eine aufregende Sache, dieser Museumsbau und sie, Wilhelmine Schulze aus dem kleinen Städtchen Kappeln an der Schlei, wäre mit dabei.

Jetzt, ein gutes halbes Jahr später, fühlte Wilma sich in der Gemäldegalerie wie zu Hause. Auch wenn die männlichen Kollegen, meist Kunststudenten, die Bode mit unterschiedlichen Aufgaben betraute, sie anfangs kritisch beäugten, so brachten ihre fachliche Kompetenz und ihre freundliche, aber zurückhaltende Art, ihr sehr schnell den Respekt der jungen Männer ein. Die Telefonie hängte Wilma an den Nagel, verabschiedete sich mit solch übertriebener Freundlichkeit von der Aufseherin Jahnke, dass deren verblüfftes Gesicht sie noch den ganzen Weg nach Hause begleitete.

Mit bester Laune kam sie an diesem Abend nach Hause, wo Leila sie erwartete. Die trug noch die Schwesterntracht der Charité, wo sie seit ihrer Ausbildung zur Krankenschwester arbeitete. Aufgeregt packte sie Wilma am Arm und zog sie in die Wohnung. Kaum schloss sich die Tür hinter den beiden, da platze Leila auch schon mit der unglaublichen Information heraus.

«Du ahnst nicht, wem ich heute in der Charité begegnet bin...»

23. Kappeln, Pfingsten 1898

Noch immer überfiel Friederike ein unkontrollierbares Zittern, wenn sie an den Tag zurückdachte, an dem die Flensburger Polizei in Kappeln auftauchte und den von ihr so lange angebeteten schneidigen Offizier verhaftete. Am liebsten wäre sie damals in den Boden versunken vor Scham. Tagelang wagte sie sich nicht vor ihre Haustür, aus Angst, man würde mit Fingern auf sie zeigen. Meta, die Einzige, der sie sich anvertraute, kam ein paar Tage später vom Markt zurück und brachte gute Neuigkeiten mit.

«Rieke», rief sie von weitem, «komm rüber, ich muss meinen Korb noch auspacken. Dabei kann ich dir berichten, über was man in Kappeln so redet.»

Eilig warf Rieke sich ihr Schultertuch um, denn es war recht kühl an diesem späten Herbsttag und trat in Metas Küche.

«Setzt dich erst einmal», bat die Freundin sie und stellte eine Tasse Tee vor Rieke hin, «mach dir keine Sorgen mehr. Natürlich kocht die Gerüchteküche beinahe über, aber zum Glück bringt niemand dich in Verbindung mit diesem Schurken. Da haben andere Damen mehr zu befürchten.»

«Und, was sagt man so»? Rieke schien noch nicht ganz überzeugt, dass sie in den Skandal, der ganz Kappeln erschütterte, nicht doch hineingezogen würde. Dabei hatte alles ganz harmlos begonnen, damals, bei der Einweihung des Kaiser-Wilhelm-Kanals, als ihr Mann, selbst in anregende Gespräche vertieft, ihr den Tanz mit einem jungen Offizier gestattete. Bei einem Tanz blieb es nicht und Rieke verliebte sich ein wenig in den gutaussehenden Mann, der ungemein charmant sein konnte und so gut tanzte. Sie träumte noch von ihm, als sie längst der Kappelner Alltag wieder eingeholt hatte. Dann stand er plötzlich vor ihrer Tür, nach über einem Jahr und bat sie darum, ihm bei der Suche nach einem geeigneten Quartier behilflich zu sein. Wie war das noch? Was führte er an, als Grund für sein Kommen? Rieke überlegte, dann fiel es ihr wieder ein. Ach ja, es sollte der Onkel, ein adliger Gutsbesitzer aus der Nähe von Kappeln, ihn zur Sommerfrische auf sein Gut eingeladen haben. Doch es stellte sich heraus, dass der Onkel sich auf Reisen befand und der junge Mann vom Gutsverwalter unwirsch abgewiesen wurde. Da habe er nicht mehr gewusst, wohin, seufzte er und behauptete, dass er sich an sie erinnert habe und hoffe, sie könne ihm weiterhelfen. Ein Hotel käme nicht infrage, gestand er weiter und tat recht verschämt, das ließe sein schmaler Geldbeutel nicht zu. Rieke fiel nur der Herr Pastor ein, der eine Möglichkeit hätte, dem Mann zu helfen. So geschah es, der Offizier bezog ein Zimmerchen im Pfarrhaus und wurde schnell der Liebling der Kappelner Damenwelt. Die meist etwas älteren Damen, die sich zur besseren Gesellschaft Kappelns zählten, überboten sich mit Einladungen und er hofierte jede einzelne von ihnen so geschickt, dass sie glauben musste, sie allein sei die Auserwählte, der er seinen Charme und vielleicht auch sein Herz zu Füßen legte.

«Was war ich blind», seufzte Rieke und Meta tröstete sie, dass sie ja nicht allein auf diesen Kerl hereingefallen sei. Dennoch trauerte Rieke immer noch ein wenig dem feschen Mann nach, der es so gut verstanden hatte, ihrem Leben wieder Farbe, dem Alltag eine nie gekannte Würze und ihrem Herzen einen rascheren Schlag zu verleihen.

Den ganzen Sommer über spielte der Offizier gekonnt auf der Klaviatur der Verführung und holte bei jeder der Damen das Beste für sich heraus. Erst als er Rieke um etwas Bargeld anflehte, um ein kurzfristiges Darlehen, da wurde sie hellhörig. Behutsam, um sich nicht zu verraten, fragte sie ihre Freundinnen aus und nach kurzer Zeit stand fest, dass der Mann jede von ihnen um Geld gebeten und es bislang nicht zurückgezahlt hatte. Rieke war entsetzt und vertraute sich Meta an. Wilhelm, der bis über beide Ohren mit dem recht komplizierten Mietvertrag des neuen Postgebäudes beschäftigt war, merkte zum Glück nichts von dem Aufruhr, der unter Kappelns Damenwelt herrschte. Er würde den Plan, den die Frauen gemeinsam ausheckten, kaum gutgeheißen haben. Die Frau Pastorin, die dem ungebetenen Gast von Anfang an nicht über den Weg traute, hatte die Idee, wie sie alle aus der Sache herauskommen und den Betrüger, denn das war er bestimmt, auf einfache, elegante Weise loswerden könnten. Einige Kirchenkostbarkeiten, Kelche und Kerzenständer, verbarg sie heimlich im Zimmer des Mannes. Als der Herr Pastor vom Küster auf die fehlenden Dinge aufmerksam gemacht wurde, gab sie ihrem Mann den Hinweis, doch bei dem angeblichen Offizier zu suchen. Natürlich wurden Pastor und Küster fündig und stellten den Mann. Der leugnete vehement, etwas entwendet zu haben, so dass der Herr Pastor zum Schrecken der Damen, die Polizei einschaltete. Sie hatten gehofft, der Betrüger würde nur davongejagt, aber es kam anders. Aus

Flensburg trafen zur selben Stunde zwei Polizeibeamte ein und verhafteten den vermeintlichen Dieb. Er würde schon länger gesucht, hieß es, wegen Betrugs und Heiratsschwindel in mehreren Fällen. Woher der entscheidende Hinweis kam, der die Flensburger Polizei auf den Plan rief, das blieb im Dunkeln, so sehr die ganze Stadt darüber rätselte. Rieke atmete auf. Sie leugnete jede Verbindung zu dem Mann, der nicht einmal ein Offizier war, außer dem Tanz in Kiel, damals bei der Einweihung des Kanals. Die Damen, die ihm solange zu Füßen gelegen hatten, dementierten ebenfalls, seine Opfer geworden zu sein. So verlief die ganze Sache irgendwann einfach im Sand und es wurde gekonnt ein Mantel des Schweigens darüber gedeckt. Rieke vergaß nichts davon, weigerte sich aber, den Mann auch nur in Gedanken mit Namen zu nennen.

«Liebe Meta, lassen wir die Vergangenheit ruhen, ich habe mich wirklich nicht gerade mit Ruhm bekleckert», lachte Rieke, «heute frage ich mich, wie ich mich jemals in diesen Menschen verlieben konnte.»

«Ich habe dich schon verstanden», meinte Meta gutmütig, «dein Wilhelm war damals kaum noch zu Hause. Das Postgebäude, das der Bauer Andresen, der es hatte erbauen lassen, nicht verkaufen, sondern nur vermieten wollte, lag ihm schwer im Magen. Dazu kam die Sache mit dem Peter Kruse, der plötzlich ein Getreidegeschäft hier bei uns eröffnen wollte. Er glaubte an gute Gewinne, der günstigen Lage Kappelns und des inzwischen verbesserten Schiffverkehrs wegen. Du fühltest dich vernachlässigt, als Frau nicht mehr beachtet. Da wundert es mich nicht, dass so ein windiger Kerl dich um den Finger wickeln konnte. Denk doch einfach nicht mehr daran, es ist ja zum Glück nichts passiert, worüber du dich grämen müsstest.»

«Wie immer hast du recht, liebe Freundin», Rieke erhob sich von der Bank unter der Kastanie, «ich will noch einen Brief an Minchen schreiben. Es gibt zum Glück viel Schöneres von hier zu berichten, als diese leidige Sache.»

Sie griff zu Papier und Feder und musste nicht lange überlegen, was sie ihrer Tochter schreiben sollte.

«Meine liebe Wilhelmine-Wilma   Kappeln, zu Pfingsten 1898

So viel ist hier in Kappeln geschehen, dass ich gar nicht weiß, wo ich beginnen soll. Deinem Vater ist es gelungen, nicht nur das neue Postamt zu mieten, sondern dort auch gleich das Fernamt mitaufzunehmen. Er rechnet stark damit, dass in den nächsten Jahren auch in Kappeln die «Telefonitis» ausbrechen wird und wir hier ebenfalls «Fräuleins vom Amt» benötigen. Denk Dir nur, dann kann ich direkt mit Dir in Berlin sprechen. Ein schöner Gedanke, findest Du nicht auch? Sehr schlimm hingegen tobte der gewaltige Sturm, der Ende März über die Ostsee dahergefegt kam. In einer einzigen Nacht hat er den Wormshöfter Damm zerstört, der noch nicht lange besteht. Die üblen Auswirkungen dieser Zerstörung treffen vor allem die Menschen aus Maasholm. Sie haben jetzt keine Möglichkeit mehr, über Land nach Kappeln zu kommen. Alles, was sie benötigen, muss per Boot oder Schiff transportiert werden. Die armen Leute tun mir von Herzen leid. Soeben kam dein Vater mit der Nachricht, dass der einstige Reichskanzler Bismarck gesundheitlich angeschlagen sein soll. Mir ist aber viel wichtiger, zu hören, ob es Dir, meinem Kind, gut geht. Die Welt dreht sich so schnell und ich habe lange nichts mehr von Dir gehört.

In großer Liebe, Deine stets an Dich denkende Mutter Friederike Schulze.»

Rieke ließ die Feder sinken und las den Brief nochmal durch. Ihr fiel auf, dass sie uber das, was sie wirklich bewegte, nichts geschrieben hatte. Dass sie am liebsten sofort nach Berlin fahren möchte, um Minchen in die Arme zu schließen, schrieb sie nicht, auch nicht, dass sie sich oft einsam fühlte, trotz Meta und Wilhelm. Sie hielt einen Moment inne und gestand sich dann ein, dass sie ihren Offizier, der keiner war, trotz allem vermisste. Er hatte es verstanden, ihr ein Stückchen Jugend und Unbeschwertheit wiederzubringen. Bei ihm fühlte sie sich wieder jung und begehrenswert. Mit Wilhelm verband sie eine tiefe Liebe, die sie nicht missen wollte. Aber das Prickeln der Verliebtheit früherer Jahre, das war einer ruhigen Vertrautheit gewichen, einer viel zu ruhigen. Rieke schreckte aus ihrer Versunkenheit auf. Was war das nur für ein Lärm draußen?

Die Tür flog auf und auf zwei Gehilfen gestützt wankte Wilhelm herein. Ächzend ließ er sich aufs Sofa sinken und griff sich stöhnend an die Brust.

«Rieke, den Arzt», brachte er noch über seine Lippen, dann sank sein Kopf nach hinten und die Augen schlossen sich.

«Wilhelm», schrie sie auf, «du darfst doch nicht sterben. Bitte, lieber Gott, bestrafe mich nicht so grausam für meine Sünden, lass mir meinen geliebten Mann!»

24. Berlin, im August 1898

Wilma saß noch beim Frühstück, als Leila von ihrem Nachtdienst in der Charité nach Hause kam, sich müde auf einen Stuhl fallen ließ und die schmerzenden Beine ausstreckte.

«Na», erkundigte sich Wilma mitfühlend, «waren deine Patienten wieder sehr unruhig?»

«Ach ne, die Kinder schliefen tief und fest, bis auf Mariechen, die trotz der Sonde noch nicht richtig Luft bekommt. Du weißt schon, der Luftröhrenschnitt, mit dem unser Doktor Behring der Kleinen schnell helfen konnte, als sie mit akuter Diphterie eingeliefert wurde. Morgen will er sich das Kind noch mal ansehen.»

«He, Leila», Wilma drohte der Kusine schelmisch mit dem Finger, «so wie du von dem Doktor Behring sprichst, könnte man meinen, er wäre dir nicht so ganz gleichgültig.»

Leila wurde rot, wehrte aber vehement Wilmas Unterstellung ab. Für sie war der Oberarzt der Charité einfach ein guter Doktor.

«Und außerdem forscht er an einem Heilmittel gegen die Halsbräune, wie die Diphterie im Volksmund heißt. Er hofft von ganzem Herzen, dass bald kein Kind mehr daran sterben muss. Du solltest ihn sehen, wie warmherzig er mit den Kindern umgeht, obwohl er doch Oberarzt ist.»

«Ganz egal ist der Gute dir aber wohl doch nicht», Wilma konnte es nicht lassen, Leila noch ein wenig aufzuziehen.

«Genauso gleichgültig wie dir dein Richard von Dahlen», konterte Leila, «den habe ich übrigens gestern wiedergesehen. Er kommt demnächst wohl in meine Abteilung. Soll ich ihn von dir grüßen?»

«Untersteh dich!» Wilma drohte ihrer Kusine spielerisch mit dem Finger. Seit der Mann, der Wilmas Leben auf so gefühllose Weise verändert hatte, wieder in Berlin war und in der Charité als Arzt arbeitete, hörte sie fortwährend

Klagen von Leila, wie sehr er die jungen Krankenpflegerinnen, die sich noch in der Ausbildung befanden, verunsicherte. Einerseits machte er ihnen schöne Augen, andererseits nörgelte er ständig an ihnen herum. Die Kranken, egal wie schwer ihre Erkrankungen auch sein mochten, behandelte er mit unerträglicher Arroganz, nur weil sie arm waren und er sie kostenlos behandeln musste. Von diesem Menschen wollte sie nichts mehr hören. Wilma hob das Küchentuch, das sie gerade in der Hand hielt, als wolle sie Leila damit schlagen, da öffnete sich die Tür erneut, Jette trat ein und warf eine Zeitung auf den Tisch.

«Das dürfte dich interessierten, Wilma», sie wies auf die Anzeigenseite, «da steht es schwarz auf weiß, was dein ehemaliger Galan sich gerade leistet. Sieh selbst!»

Leila war schneller, sie schnappte sich die Zeitung und las laut vor:

«Ihre Verlobung geben bekannt - Richard von Dahlen, Doktor der Medizin und Fräulein Elvira Rosenbaum.»

Sie reichte das Blatt an Wilma weiter, die es keines Blickes würdigte.

«Mit dem Mann bin ich schon lange fertig, von mir aus kann der die Fürstin Knopfloch heiraten, das ist mir so was von egal. Er hat sich nie wieder blicken lassen, sich nie danach erkundigt, ob ich ihm ein Kind geboren habe und was eigentlich aus mir geworden ist. Soll er doch unglücklich machen, wen er will.»

«Aber schau dir das genauer an. Ist doch glasklar», Leila lachte, «da hat ein reicher Papa sich einen armen Adligen für sein Töchterlein geangelt, damit das Kind auch zu den «Vons» gehört. Ich wette mit euch, die wird sich schon bald nach der Hochzeit wünschen, ihr Richard wäre nicht nur ein «von» sondern ein «auf und davon». Tut euch das arme Mädel nicht jetzt schon leid?»

Lautes Gelächter erfüllte die gemütliche Küche der drei jungen Frauen. Doch unterschwellig schwang ein bitterer Ton mit. Enttäuschungen hatten alle drei erlebt und ließen als gebrannte Kinder lieber die Finger von den Männern.

«Ich haue mich in die Falle», gähnte Leila und verschwand. Jette, die schon auf dem Sprung schien, zu einer ihrer Frauenversammlungen, griff schnell nach einem Apfel und war ebenfalls verschwunden. Wilma räumte den Tisch ab, trank noch einen Schluck Kaffee und packte sich die belegten Brote ein, die ihr Essen über Tag darstellten. Sie wusste, dass sie heute erst wieder spät heimkäme, weil Wilhelm Bode sie zur Museumsinsel beordert hatte.

«Endlich», jubelte er vor ein paar Tagen, «endlich ist der Bauantrag durch und wir können beginnen. Unser Museum wird jetzt Wirklichkeit.»

Vor Ort, auf der Spitze der Spreeinsel, ließ Bode seinen Gedanken freien Lauf. Wilma lauschte ihm aufmerksam.

«Nun gibt es endlich wieder frische, fröhliche Arbeit! Es galt zuerst, die Pläne mit Architekt Ihne zu entwerfen. Das ist uns gelungen. Aber Platz und Baugrund sind leider ungünstig. Es erwartet uns ein unregelmäßiges Dreieck, das an zwei Seiten vom Wasser, an der dritten von der Stadtbahn begrenzt ist. Eine völlige Ausnutzung dieser für unsere Zwecke kaum genügenden Fläche, lässt sich nur dadurch ermöglichen, dass sich der Eingang an der freien Spitze des Dreiecks befindet, der Hof in der Mitte als Oberlichthof ausgestaltet und mit zur Ausstellungsfläche verwendet wird. Bei einer derart gründlichen Ausnutzung des ganzen Baugrundes erscheint mir für die Unterbringung der Gemäldegalerie wie der Originale und Abgüsse der Plastik christlicher Epochen genug geeigneter Raum vorhanden zu sein. Besonders, wenn die Verwendung des hofartigen Mittelraumes zur Aufstellung der größten Altarwerke, in Bild und Plastik gelingt, und uns die Gestaltung dieses Raumes in der Art der Florentiner Renaissance gestattet wird.».

Atemlos lauschte Wilma Bodes Ausführungen und sah das fertige Museum schon vor ihrem geistigen Auge, da kam ein Mann gelaufen, stolperte über einen Balken, der herumlag und fiel ihr beinahe in die Arme.

«Hoppla, oh, Entschuldigung», es dauerte einen Moment, bis er wieder sicher auf seinen Füßen stand, «ich bitte um Verzeihung, mein Fräulein. Leider habe ich nicht auf meine Füße ge   'et. Ich verspreche Ihnen, das kommt nicht wieder vor!»

Wilma, die sich den Unbekannt   nsah, lächelte freundlich.

«Da gibt es nichts zu verzeihen,   n Herr, auf einer Baustelle liegt immer irgendetwas herum, über das jemand s   ern kann.»

Graublaue Augen strahlten sie ar   'n gebräuntes Gesicht, in dem sich jungenhafter Schalk verbarg, aber auch   tiefe Ernst eines Wissenschaftlers. Blondes, von südlicher Sonne gebleichtes   ‹iges Haar fiel ihm in die Stirn und wurde mit einer ungeduldigen Handbewegu   nach hinten gestrichen.

«Nun, Carl, was gibt es? Verärgern wi   'hon jetzt die Vorderasiaten im Museum nebenan? Das kann ja heiter werde   lie Bauarbeiten beginnen doch gerade erst.»

«Verzeihen Sie mir, Herr Bode, es lag nicht ı   1einer Absicht, Sie zu stören. Ich wollte nur die Abkürzung über das bisher noch   ie Grundstück nehmen.»

Eine knappe Verbeugung in Richtung Wilma, und schon verschwand er um die Ecke. Bode lachte über Wilmas verdutztes Gesicht.

«Tja, liebe Wilma, so sind sie, unsere Archäologen. Da liegt irgendwas jahrtausendelang in der Erde und kein Aas kümmert sich drum, aber kaum kommt davon ein Stück ans Tageslicht, dann kann es ihnen nicht schnell genug gehen, den Rest auch noch auszubuddeln. Der eilige junge Mann eben, das war Carl Meurer, der bei Robert Koldewey arbeitet und den Turm zu Babel finden will.»

«Ja aber den gibt es doch gar nicht», meinte Wilma verwundert, « das ist nur eine Geschichte aus der Bibel, oder nicht?»

«Na, das erzählen Sie mal dem Koldewey. Die Bibel hat mitunter doch recht, sagt er und glaubt fest daran, dass es den Turmbau zu Babylon gegeben hat. Sie wissen sicher, dass sich nebenan das Neue Museum befindet, das vor etwa fünfzig Jahren erbaut wurde. Dort ist das ganze Zeug untergebracht, dass Preußen von den Engländern erwerben konnte, die in Ninive gebuddelt haben. Damit nicht dauernd gefragt wird, wo dieses Ninive eigentlich liegt, hat man die ganze Chose zur vorderasiatischen Abteilung hochgejubelt. Der gute Koldewey möchte da nun auch mitmischen und hat sich Babylon ausgesucht, um dort im Sand nach dem Turm zu graben, den es vielleicht überhaupt nicht gegeben hat. Na ja, jedem das Seine, ich bleibe lieber bei den Malern und Gemälden. Das ist weniger heiß und weniger staubig und vor allem handfester. So, genug erklärt, nun zeigen Sie mir nochmal die Baupläne.»

Wilma gehorchte, behielt aber die Information über den Archäologen im Kopf. Carl Meurer hieß er also, der Mann, der ihr sozusagen in die Arme gefallen war. Sie musste sich anstrengen, auf die Baupläne konzentrieren und auf Bodes Kommentare dazu, die sie protokollieren sollte. Doch seltsamerweise schoben sich in ihren Gedanken immer wieder zwei graublaue Augen über ihre Notizen und lächelten sie an. Auch auf dem Nachhauseweg ging ihr der Blondschopf nicht aus dem Sinn. Irgendetwas an ihm, dass sie nicht benennen konnte, zog sie magisch an.

Die Wohnung war leer, als Wilma dort ankam. Auf der Fußmatte lag die Post. Sie hob sie auf und legte sie auf die schmale Kommode im Flur, wo jede der Bewohnerinnen sie sofort sehen konnte. Dass auch ein Brief für sie selbst dabei war, hatte sie längst bemerkt. Sie nahm ihn mit und öffnete ihn gespannt. Die letzte Hiobsbotschaft ihrer Mutter aus Kappeln lag ihr noch im Magen. Um ein Haar hätte sie den nächsten Zug in Richtung Norden genommen, zum Vater, der den Zeilen der Mutter nach zu urteilen, wohl im Sterben lag. Im letzten Moment erinnerte sie sich an ihren Vorsatz, nie wieder nach Kappeln zu fahren. Nur schmerzliche Erinnerungen warteten dort auf sie, redete sie sich ein. Ein Telegramm brachte Klarheit und beruhigte ihr schlechtes Gewissen, das sich trotz allem meldete. Lächelnd legte Wilma den Brief ihrer Mutter zur Seite. Die befürchtete Herzerkrankung ihres Vaters hatte sich als verhältnismäßig harmlose Magenverstimmung herausgestellt und die Herzschmerzen erwiesen sich als simples Sodbrennen.

«Da hat meine Mutter sich wieder einmal viel zu große Sorgen gemacht», erklärte Wilma ihrer Kusine, die nachfragte, «eigentlich sollte ich sie ja gut genug kennen, um zu wissen, wann sie übertreibt und wann nicht.»

Leila schüttelte den Kopf, warum konnte Wilma den Eltern nicht endlich die Hand reichen. Sie hatte ihr Leben bisher gut gemeistert, auch wenn sie kein Abitur gemacht hatte und nicht studieren konnte. Sie selbst fragte doch auch niemand, ob sie mit ihrem Dasein als Krankenschwester zufrieden war. Zuerst erschien es ihr wie die Erfüllung ihrer Träume. Endlich durfte sie für andere da sein, Kranken helfen gesund zu werden, einen wichtigen Beitrag zu leisten, für das Wohl der Ärmsten. Viel zu schnell stellte sie fest, dass sie nichts anderes war als Putzfrau und Aborteimerleerer. Hinter den Ärzten herräumen und schwere Körbe mit blutbefleckter Wäsche tragen, war nicht das, was ihr vorgeschwebt hatte. Heimlich lauschte sie bei den Visiten der Unterhaltung der Ärzte und ärgerte sich, wenn die sich nur auf Latein unterhielten. Die Studenten zu fragen, das hatte sie längst aufgegeben. Nichts als Hohn und Spott erntete sie bei den unreifen Jünglingen, die sich mehr für ihre Studentenverbindungen und das dabei reichlich fließende Bier interessierten, als für den Aufbau der inneren Organe eines Menschen. Frauen, so lautete die allgemeine Ansicht, stünden geistig dem Kinde näher als dem Mann. Nur Männer verfügten über das nötige Hirn, sich mit intellektuell anspruchsvollen Themen zu befassen und die Komplexität des menschlichen Körpers zu begreifen. Nur Männer wären fähig, sich in der rauen Wirklichkeit zu behaupten, war das ständige Credo, das Frauen wie Leila sich anhören mussten.

«Warum muss es uns Frauen verwehrt bleiben, Ärztinnen zu werden? Nur weil die Männer Angst haben, wir könnten besser sein als sie?»

Den Stoßseufzer, den Leila von sich gab, hörte Wilma schon nicht mehr. Sie überlegte, wie sie sich Zutritt zu einer wissenschaftlichen Bibliothek verschaffen könnte, um dort über Archäologie nachzuschlagen. Warum ihr das auf einmal so wichtig erschien, konnte sie sich nicht erklären. Sie würde Leila sonst bestimmt gesagt haben, dass eine Frau, Hildegard Wegscheider gerade in Halle promoviert hatte. Die junge Lehrerin erwarb den Titel Dr. phil und war damit eine der ersten Frauen, die an einer deutschen Universität den Doktorgrad erhielten. Dass sie in Berlin nicht anerkannt wurde, stand allerdings auf einem anderen Blatt.

Wilma, die zwar müde war, aber einfach nicht einschlafen konnte, schrieb ihrer Mutter den längst überfälligen Brief.

«Liebe Mutter,   *Berlin, im August 1898*

Wie gut zu lesen, dass es Papa wieder besser geht und er zum Glück keine Herzbeschwerden hatte. Hier in Berlin geht es rund zur Zeit. An allen Ecken wird gebaut und gegraben. Eine Hochbahn soll entstehen und eine unterirdische Bahn. Das kannst Du Dir kaum vorstellen, was das für ein Lärm und Dreck ist. Es wäre schön, wenn es hier auch den Apparat gäbe, wie in Amerika, der diesen Schmutz von allein beseitigt. Eine Entstaubungspumpe nennt man das oder Staubsauger, aber wie das funktioniert, weiß ich leider nicht. Richtig aufregend war die Gründung der «Berliner Sezession», die der Ehemann meiner Freundin Martha, der Maler Max Liebermann ins Leben gerufen hat. Mit vielen Künstlerfreunden, mit denen er ausgiebig gefeiert hat, möchte er jetzt ganz neue Wege gehen, die nicht immer den Geschmack der Allgemeinheit treffen. Er hat auch endlich gegen unseren Kaiser durchgesetzt, dass er eine Glaskuppel über seinem Atelier im Palais am Pariser Platz errichten darf. So lange hat Liebermann dafür gekämpft und nun wird es Wirklichkeit. Eine neue Zeitung gibt es auch, die «Berliner Morgenpost»,von einem Herrn Leopold Ullstein gegründet. Der olle Bismarck ist inzwischen verstorben, er wurde ohne großen Pomp in Friedrichsruh beigesetzt. Als unser Kaiser dort endlich ankam, er befand sich gerade mit seiner Lieblingsyacht auf einer Norwegenreise, war der Sarg schon zu und er konnte sich von seinem ehemaligen Kanzler nicht mehr verabschieden. Aber davon wird Vater Dir wohl bereits berichtet haben. Mir geht es gut, ich denke an Euch.

Herzliche Grüße, Eure Wilma»

Achselzuckend legte sie den Brief beiseite. Etwas nichtssagend erschien er ihr, aber was hatte sie ihrer Mutter schon Bedeutendes mitzuteilen? Ihr eigenes Leben hier in Berlin unterschied sich erheblich von dem ihrer Eltern in Kappeln.

Sie fühlte sich wohl hier, hatte Freundinnen, eine äußerst interessante Arbeit bei Wilhelm Bode, wo sie inmitten der unzähligen Gemälde die Kunst nicht nur sah, sondern hautnah erlebte. Nur ihr Herz sehnte sich mitunter nach einem Gefährten, nach jemandem, der sie verstand und dem sie vertrauen durfte. Dass ihr bei diesem Gedanken auf einmal das Gesicht von Carl Meurer vor Augen stand, konnte sie sich nicht erklären. Sie kannte ihn doch kaum. Ob sie ihn wiedersehen würde? Es wäre nicht unmöglich, die vorderasiatische Abteilung lag gleich neben dem geplanten Bode-Museum. Seit dessen Baubeginn hielt sie sich häufiger als nötig dort auf, mit Bode oder in Bodes Auftrag. Bald ertappte sie sich dabei, wie sie jedesmal nach Carl Meurer Ausschau hielt. Oft lief er in seiner üblichen ungestümen Art ihr über den Weg, blieb stehen und verwickelte sie in ein Gespräch. So war es auch heute gewesen. Wie beinahe jedes Mal sprach er von dem spektakulären Ausgrabungsvorhaben Koldeweys, dass dieser mit Riesenschritten vorantrieb.

«Stellen Sie sich vor, Fräulein Schulze, die Reise nach Babylon soll schon im Januar losgehen. Im Frühjahr will Koldewey mit den Ausgrabungen beginnen. Ich wünsche mir sehr, mit dabei sein zu dürfen. Verstehen Sie das?»

«Und ob ich das verstehe, Herr Meurer», Wilma spürte, wie sich etwas in ihr schmerzhaft zusammenzog, «Bei einem solchen Unternehmen dabei zu sein, das muss wie ein Traum sein, der plötzlich in Erfüllung geht.»

«Können Sie das tatsächlich nachempfinden? Sie sind eine erstaunliche junge Dame, so ganz anders als die verwöhnten Püppchen, die mir sonst über den Weg laufen. Mit keiner von ihnen hätte ich mich auch nur annähernd so gut über solche Themen unterhalten können, wie den Turm zu Babel. Leider muss ich jetzt weiter. Darf ich Sie fragen, ob wir unser anregendes Gespräch vielleicht ungestörter fortsetzen können? Halten Sie mich bitte nicht für aufdringlich oder unverschämt, mir liegt nur sehr viel dran. Bitte, sagen Sie ja!»

Wilma konnte nicht anders, sie sagte zu und stellte auf dem Weg nach Hause fest, dass sie sich darauf freute, Carl am Wochenende zu treffen. Sie hatten sich in einem Café am Kurfürstendamm verabredet, wo man ungestört war, aber die Begegnung einer jungen Frau mit einem Mann nichts Anrüchiges haben würde. Munter drehte sie den Schlüssel in der Tür, es schien keine ihrer Mitbewohnerinnen zu Hause zu sein. Leise lachend ließ sie sich auf ihr Bett fallen, dachte an ein spitzbübisches Lachen und zwei graublaue Augen, da öffnete sich die Wohnungstür und Leila stürzte mit verzerrtem Gesicht herein.

«Es ist was Furchtbares passiert», schrie sie und warf sich mit angstvoller Miene neben Wilma aufs Bett, «Jette ist verhaftet worden!»

25. Kappeln, im April 1899

Immer noch nagte die Enttäuschung schwer an Friederike. Wie sehr hatte sie sich auf ein Wiedersehen mit ihrer Tochter gefreut, die angekündigt hatte, das Weihnachtsfest in Kappeln verbringen zu wollen. In Gedanken sah sie sich mit Wilma im Salon sitzen, den geschmückten Weihnachtsbaum neben dem Klavier und auf dem Esstisch standen alle Lieblingsgerichte ihrer Tochter. Wilhelm schaute gerührt drein und sie selbst glühte vor Freude darüber, dass ihr Kind endlich den Weg nach Hause gefunden hatte.

Doch das Schicksal, diesmal in Gestalt des viel zu früh hereinbrechenden Winters machte Wilmas Reise nach Kappeln leider unmöglich. Bereits Anfang Dezember fegte der erste Schneesturm über die Ostsee, die Schlei hinauf und erreichte sogar die Stadt Schleswig. Bis weit in den März hinein bescherte Väterchen Frost dem Norden Deutschlands bittere Kälte und Unmengen an Schnee. Auf der Schlei türmten sich dicke Eisschollen, die sich zu einer geschlossenen Eisdecke verbanden, zur Freude der Maasholmer, die mit Schlitten oder selbstgebastelten Schlittschuhen Kappeln nun leichter über das Eis erreichen konnten. Mit Meta gemeinsam war Rieke, dick gegen die Kälte eingepackt, vorsichtig ein Stückchen übers Eis geschlittert. Wie zwei übermütige Schulmädchen kicherten sie und hatten viel Freude daran. Ein gut gewürzter heißer Glühwein, der an einer rasch aufgestellten Bude ausgeschenkt wurde, rundete das fröhliche Erlebnis ab. Zu Hause angekommen, dämpfte der soeben angekommene Brief von Minchen ihre gute Laune erheblich.

«*Liebe Eltern*», schrieb die Tochter, «*Es tut mir unendlich leid, dass ich Euch nun doch nicht zum Weihnachtsfest besuchen kann. Die Züge, wenn sie denn führen, hätten bis zu 36 Stunden Verspätung, gab mir der Bahnbeamte zur Auskunft. Oft wäre die Strecke blockiert und der Zug könne nicht weiterfahren. Das Warten im ungeheizten Abteil beinhalte die Gefahr zu erfrieren. Er riet mir dringend davon ab, eine solch weite Reise zu unternehmen. Aus diesem Grund habe ich mich schweren Herzens entschlossen, hier in Berlin zu bleiben. Tante Annemarie bot mir und Leila an, die Feiertage bei ihr in der Friedrichstraße zu verbringen. Das werden wir wohl annehmen. Macht Euch keine Sorgen, mir geht es gut. Ein ausführlicher Brief folgt noch. Liebe Grüße, Eure Wilma.»*

Friederike sah Meta an, Tränen standen ihr in den Augen, als die Freundin sie liebevoll in die Arme schloss und zu trösten versuchte.

«Liebe Rieke, es ist natürlich traurig, dass du deine Tochter nicht zu Weihnachten sehen wirst, aber es ist nur vernünftig, dass Minchen diese Reise jetzt nicht auf sich nimmt. Wer kann uns garantieren, dass sie heil und gesund hier ankäme? Und die Rückreise ist genauso gefährlich. Mein Jan hat mir auch geschrieben. Er bleibt drüben in Amerika. Die Fahrt über den Atlantik möchte er jetzt ebenfalls nicht antreten, denn Schneestürme und Frost machen nicht an den Grenzen halt und gelangen problemlos auch übers Meer.»

Sie hielt inne und sah, dass Rieke sich etwas beruhigte.

«Einen Vorschlag für uns hätte ich, der dich vielleicht etwas tröstet. Was würdest du von einer gemeinsamen Weihnachtsfeier halten, du und Wilhelm, Jes und ich. Wenn es uns gefällt, können wir es ja auch auf das Jahresende ausdehnen und gemeinsam Silvester feiern. Wäre das in deinem Sinn?»

«Ja, die Idee gefällt mir», kam es so schnell von Rieke, dass Meta sie überrascht ansah, «aber nur, wenn du ein Rezept für die Pförtchen hast, das genauso gut ist wie das von Janne.»

Rieke lächelte schon wieder und dachte dann mit Wehmut an ihr früheres Dienstmädchen, das inzwischen zur Freundin geworden war, seit sie einen betuchten Bauern geheiratet hatte und auf dessen Hof lebte.

«Stimmt, du hast ja immer noch kein richtiges Dienstmädchen. Die Zugehfrau, die nur stundenweise kommt, ist wohl auch nicht das, was du dir bei dieser Lösung vorgestellt hast?»

«Nein, das ist es wirklich nicht, so reinlich sie auch sein mag. Mir ist allein der Gedanke, dass die Frau auch in anderen Haushalten putzt und sieht, wie es dort zugeht, unangenehm. Wer weiß, was sie bei denen über mich erzählt. Ich habe doch einen Ruf zu verlieren und möchte nicht als unsaubere und unfähige Hausfrau dargestellt werden, verstehst du?»

Meta lachte laut und schenkte Rieke schnell noch ein Glas Glühwein ein.

«Du hörst dich schon beinahe wie die Frau Bürgermeister an. So penibel bist du doch sonst nicht. Überheblichkeit steht dir nicht, meine Liebe.»

Der Vorschlag der Frauen, das Fest gemeinsam zu begehen, wurde von ihren Männern mit Freude aufgenommen und so vergingen Weihnachten und Neujahr in trauter Harmonie zwischen den beiden Ehepaaren. So viel Zeit hatten sie lange nicht mehr zusammen verbracht und stellten fest, dass sie sich immer noch bestens verstanden. Rieke ging zwar auf Jes los, wenn er sie schon wieder beim Kartenspiel über den Tisch gezogen hatte, aber es war nicht ernst gemeint. Wilhelm, der gern gut aß, lobte Metas Anteil am Festmahl für Riekes Geschmack ein wenig zu sehr und sie spielte die Eifersüchtige so gut, dass Meta sie beinahe um Entschuldigung bat. Alle hatten ihren Spaß dabei und versprachen einander, dieses Erlebnis bald wiederholen zu wollen. Im besten Einvernehmen begann so für die Nachbarn und Freunde das Neue Jahr.

Anfang Januar war es mit der Ruhe vorbei. Ein Aufschrei der Empörung bereitete der Hochstimmung beim wöchentlichen Treffen der Damen der Kappelner Gesellschaft ein jähes Ende.

«Meine Damen, es ist eine Schande für uns und unsere Stadt, dass so ein Unheil überhaupt geschehen konnte», echauffierte sich die Frau Pastorin, bei der das Treffen diesmal stattfand, «und das in der Weihnachtszeit, wo doch jeder ein besonders aufmerksames Auge auf unsere armen und ärmsten Mitbürger haben sollte.»

«Ja, das verstehe ich auch nicht», die Bürgermeistersgattin machte runde Augen und tat so, als höre sie davon zum ersten Mal, «hat sich denn niemand um den armen Mann gekümmert?»

«Genau das frage ich mich ebenfalls», die Frau des Schulleiters teilte die Empörung ihrer Freundin, «wir haben doch seit langem ein Armenhaus bei uns in Kappeln. Wieso wohnte der Alte nicht dort?»

Friederike, die durch Wilhelm über das Unglück hinreichend informiert war, schwieg. Sie hörte interessiert zu, wie die anderen Damen sich aus der Affäre zogen. Eigentlich, das war ihre Meinung, hatte sich hier niemand sonderlich mit Ruhm bekleckert und jede der Damen sollte am besten vor ihrer eigenen Tür kehren. Diese Ansicht vertrat auch Meta, mit der sie sich darüber unterhalten hatte. Rieke horchte auf, denn jetzt meldete sich die Frau des Polizeioberen zu Wort. Kam nun die Aufklärung?

«Liebe Freundinnen», die schon etwas gesetztere Luise schaute streng in die Runde, «genau genommen sind wir alle, die wir hier versammelt sind, mit schuld am Tod dieses armen Mannes. Seien Sie einmal ehrlich zu sich selbst, haben Sie ihn wirklich jemals richtig wahrgenommen, als Mensch und nicht nur als Lumpensammler, wenn er vor ihrer Haustür stand? Welche von Ihnen erinnert sich an sein faltiges Gesicht, das von Armut und Not sprach? Sicher war er Ihnen lästig, mit seinen stetigen Rufen nach «Eisen, Lumpen, Knochen und Papier», außer wenn sie sich freuten, dass er sie von altem Kram befreite. Der Alte, der nach Jahren noch gar nicht so viel zählte, durfte laut Satzung nicht ins Armenhaus aufgenommen werden, weil er einen festen Wohnsitz außerhalb unserer Stadt angab. War er an diesem eiskalten Abend nur einfach zu müde, um in sein Quartier zurückzukehren, oder gab es das gar nicht, weil er in seinem Karren schlief, wenn das Wetter es zuließ? Wir wissen es nicht. Auch mein Mann, der Herr Polizeioberst, konnte nichts darüber in Erfahrung bringen. Wenn auch nur irgendeiner geahnt hätte, dass der Lumpensammler kein Obdach hat, man hätte ihn mit Sicherheit nicht auf der Straße erfrieren lassen. Also, meine Damen, Asche auf unsere Häupter!»

Einen Moment lang herrschte betretenes Schweigen, dann kam von der Frau Bürgermeister leise der Vorschlag, dem Verstorbenen eine angemessene Bestattung zu gewähren, auf Kosten des Stadtsäckels, setzte sie noch hinzu. Diese Empfehlung würde sie gern an den Herrn Pastor weitergeben, meinte die Pastorin, dann ging man zur Tagesordnung, sprich zu Kaffee und Kuchen, über.

Rieke, die nur mit allergrößter Anstrengung ihre Meinung für sich behalten konnte, berichtete am Abend ihrem Wilhelm von der Sache.

«Diese heuchlerischen Weiber», eiferte sie sich, «am liebsten wäre ich aufgestanden und gegangen. Keine von denen interessierte sich wirklich für den erfrorenen Lumpensammler. Sie zittern alle nur in Sorge um ihren guten Ruf.»

Wilhelm, der sich ein Grinsen nicht verkneifen konnte, als er sich die Damen vorstellte, wie sie sich als fürsorgliche Bürgerinnen gaben, wusste auch etwas zu dem Thema zu sagen.

«Denk dir, mein Liebchen, was mir gerade heute auf den Tisch flatterte. Ein Schreiben aus Neumünster, dem «Manchester des Nordens» wie man sagt. Dort hat man die Idee, Lumpen in Zukunft kommerziell zu sammeln und sie in den Tuchfabriken weiterzuverarbeiten. Du siehst, die Zeit der Lumpensammler ist vorbei. Euer... wie hieß er eigentlich?»

Wilhelm sah Rieke fragend an und die musste zugeben, dass auch sie den Namen des Erfrorenen nicht kannte. Tief beschämt gestand sie sich ein, nicht besser als die anderen Damen zu sein. Wilhelm lachte ihre Bedenken einfach weg, doch die wollten so schnell nicht weichen. Lange wälzte sie sich im Bett hin und her, plagte sich mit Selbstvorwürfen, während ihr Wilhelm neben ihr den Schlaf des Gerechten schlief und dabei kräftig schnarchte.

Irgendwann erhob Rieke sich und schlich leise in den Salon. Ein Brief an ihre Tochter würde sie ablenken, so hoffte sie.

«*Mein liebes Töchterlein,*   *Kappeln, im April 1899*

Jetzt ist hier Frühling, auch wenn wir daran fast nicht mehr glauben konnten, nach diesem eisigen Winter. Papa und mir geht es gut, aber vielen Menschen auf der Welt leider nicht. Jüngst erfuhren wir aus der Zeitung, dass es immer noch Sklaven gibt. Ist das nicht furchtbar? Aber es ist möglich, diesen Unglücklichen zu helfen, mit einer Anti-Sklaverei-Geld-Lotterie. Das hört sich befremdend an, hat aber einen unwiderstehlichen Anreiz. Man kann dabei vier Millionen Mark gewinnen, wenn man ein Los kauft. Dein Vater hat mir so ein Los zum Geburtstag geschenkt und meinte, ein solch kostbares Präsent hätte ich mir redlich verdient. Dann machten wir Pläne, was wir mit vier Millionen Mark alles anstellen könnten, wenn ich sie gewinnen würde. Wäre das nicht unglaublich, wenn wir vier Millionen Reichsmark, einfach mit vollen Händen ausgeben dürften. Was hatten wir einen Spaß dabei, auch wenn ich mir eine solch große Summe Geldes nicht recht vorstellen kann. Viel naheliegender ist für mich, dass ich endlich ein neues Dienstmädchen gefunden habe. Sie wird, wie einst Janne, hier wohnen. Das ist mir doch lieber als eine stundenweise Zugehfrau. Ich wünsche mir, dass die Neue ein wenig so sein wird wie Janne, die ich immer noch schmerzlich vermisse. Zu viele Dinge musste ich bisher selber tun. Das neue Mädchen, Annchen heißt sie, ist noch recht jung, eben siebzehn Jahre. Sie weiß aber schon, was in einem Haushalt wie dem unseren zu tun ist und stellt sich recht geschickt an. Ich habe sie aus dem Grund ausgesucht, weil sie zuvor bei einem Pastorenehepaar arbeitete. Von dort ist sie sorgfältiges Arbeiten gewöhnt und sie scheint auch gottesfürchtig zu sein. Ihre Arbeit musste sie leider aufgeben, weil dieser Pastor in den Ruhestand trat und in seine Heimat zurückkehren wollte. Annchen, die lieber in der Nähe ihrer Familie bleiben wollte, die in Kappeln wohnt, suchte nach einer neuen Herrschaft, und ich nach einem Dienstmädchen. So kamen wir zusammen. Endlich muss ich mich nicht mehr um jede Kleinigkeit selbst kümmern. Dabei fällt mir ein, dass ich Dich bitten möchte, mir noch einmal ein Schock Papierkragen und Manschetten für Papa zu schicken. Die Berliner Ware ist von besserer Qualität als alles, was ich hier erstehen kann. Dein Vater hat die leidige Angewohnheit, die Kragen schnell durchzuschwitzen und die Manschetten immer vollzukritzeln. Das Geld dafür sende ich Dir mit.

In großer Liebe und Sehnsucht, bleibe ich, Deine Mutter Friederike Schulze.»

26.   Berlin, Mitte Mai 1899

Über der Stadt Berlin lachte am strahlend blauen Himmel eine gutgelaunte Frühlingssonne und vertrieb alle Sorgen, große und kleine. Wilma, die ein Päckchen vorbereitete für die Eltern in Kappeln, lächelte bei dem Gedanken, dass ihrer Mutter nichts wichtiger schien, als Papiermanschetten und Kragen. Ihr schlechtes Gewissen trieb sie dazu, der Bitte ihrer Mutter nachzukommen.

Als sie vor Monaten den Brief mit der Absage ihrer Reise schrieb, war sie nicht ganz ehrlich zu den Eltern. Es lag nicht nur am furchtbaren Winter, sondern vor allem an ihrer eigenen Situation hier in Berlin. Die Sorge um Jette, die von der Polizei verhaftet worden war und den Schrecken von damals, als Leila mit der Hiobsbotschaft ins Zimmer stürmte, das alles glaubte sie immer noch zu spüren. Die beiden Kusinen beratschlagten, was sie für Jette tun könnten und wandten sich an die proletarische sozialistische Frauenbewegung, der Jette seit langem angehörte. Die ältere Frau im schlichten Kleid, das Haar zu einem einfachen Knoten aufgesteckt, die dort im Büro saß, hörte ihnen aufmerksam zu.

«Da kann ick noch nischt zu sagen», meinte sie bedauernd, «kommt mal morjen wieder her, dann weeß ick mehr. Und macht euch keene Jedanken, was die Jette is, das is een hartet Luder, die steckt wat wech. Die kriegt keener so schnell unter, wa!»

Wilma und Leila rätselten noch lange darüber, warum Jette verhaftet wurde und ob sie eine Strafe zu erwarten hätte.

«Einen Rechtsanwalt einzuschalten, das kostet Geld und das können wir uns nicht leisten. Wer weiß, vielleicht ist es nur eine Verwechslung und morgen steht sie quietschvergnügt vor der Tür.»

«Ja, lass uns schlafen gehen, heute richten wir ohnehin nichts mehr aus.»

Wilma schlief kaum in dieser Nacht, denn neben Jette tauchte immer wieder Carl Meurers Gesicht auf, sobald sie die Augen schloss. Was hatte der

Mann nur an sich, dass sie ihn einfach nicht vergessen konnte. Grübelnd warf sich Wilma im Bett hin und her. In der letzten Zeit lief er ihr oft anscheinend unbeabsichtigt über den Weg und vor kurzem hatte es den Anschein, als ob er sie etwas fragen wollte. Doch statt sie zum Kaffee oder Ähnlichem einzuladen, murmelte er rasch ein paar nichtssagende Abschiedsworte und verschwand. Ratlos schaute Wilma ihm hinterher.

Dann kam Jettes Verhaftung und alles andere hatte zurückzustehen. Die Frau von der proletarischen Frauenbewegung, die Leila und Wilma am nächsten Tag aufsuchten, wusste, wo die Vermisste abgeblieben war.

«Det is jar nich jut», berlinerte sie drauflos, «wat die Jette is, die ham se ins Kittchen jebracht. Anjeblich hat se wat mit den Streik zu tun, weil die Polizei een Heftchen mit Namen und Adressen bei ihr jefunden ham. Unser Anwalt is schon unterwegs und kümmert sich.»

Sehr beruhigend hörte sich diese Auskunft nicht an, fanden die beiden Frauen. Sie bedankten sich und überlegten auf dem Heimweg, ob und wie sie selbst Jette finden und ihr beistehen könnten. Ein aussichtsloses Unterfangen, das sahen sie bald ein. Weder wussten sie, zu welchem Polizeirevier man die Freundin gebracht hatte, noch welche Strafe sie erwartete und wo sie die abzubüßen hatte.

«Was sind wir bloß für Unschuldslämmer», lachte Leila, doch es klang alles andere als fröhlich. Sie verabschiedete sich, ihr Dienst in der Charité begann bald.

«Ich höre mich mal bei meinen Patienten während der Nachtschicht um, da gibt es Leute, die dem Sozialismus näher stehen als wir. Sicher war der eine oder andere davon schon mal hinter Gittern.»

Auch Wilma brach auf, Wilhelm Bode neigte in letzter Zeit dazu, ihr mehr und mehr Arbeit aufzubürden, das Meiste hatte mit dem Neubau zu tun und der Planung, welche Kunstwerke dort untergebracht würden und wie sie am besten zur Geltung kämen. Eine Skizze nach der anderen wanderte in den Papierkorb.

«Es ist ein Ding der Unmöglichkeit», wetterte Bode, «jetzt werden noch während des Baues wesentliche Änderungen in seiner Bestimmung angeordnet. Der Herr Generaldirektor nimmt an, dass der Raum für die plastische Abteilung von mir zu reichlich bemessen sei. Und nun, man stelle sich das vor, bestimmt er, dass auch das Münzkabinett und das Kupferstichkabinett im Erdgeschoß mit zur Aufstellung kommen sollen. Da baut man ein neues Museum und macht sofort den Fehler der Überfüllung gleich noch einmal. Das ist doch einfach nicht zu glauben. Diese Ignoranten!»

So ging es jeden Tag, ständig wurden neue Ideen aufgegriffen und wieder verworfen. An einem trüben Nachmittag im Dezember kam Wilma gerade von einem unerfreulichen Gespräch mit dem Architekten, der Bodes Ideen als nicht umsetzbar abgeschmettert hatte und lief direkt in die Arme von Carl Meurer.

«Hoppla, junge Dame», lachte er und hielt sie auf Armeslänge von sich ab, «Wohin denn so eilig? Und dann auch noch schnurstracks über einen armen Archäologen hinweggetrampelt.»

Wilma machte sich eine Spur zu heftig los. Sie wollte nicht zugeben, dass ihr die ungewollte Umarmung gefallen hatte. Wortlos wandte sie sich ab, da kam von ihm ein zögerlicher Einwand.

«Bitte, Wilma, laufen Sie mir nicht davon. Ich habe soeben fantastische Nachrichten erhalten und möchte die so gern mit jemandem teilen. Am liebsten mit Ihnen, wenn ich ehrlich bin. Bitte....»

«Im Augenblick geht es leider nicht, Herr Meurer», Wilma zögerte, er wollte seine Freude mit ihr teilen? Bedeutete das, sie wäre ihm nicht ganz gleichgültig?

«Wir können uns gerne heute Abend treffen, ich muss jetzt weiter, Bode reißt mir sonst den Kopf ab.»

«Wäre schade um den hübschen Kopf. Um acht bei Kempinski?»

Wilma nickte und ging weiter. Jetzt nur nicht Wilhelm Bode verärgern, der wäre imstande und beanspruchte ihre Dienste bis Mitternacht. Wenn er sich in eine Idee verbissen hatte, fand er einfach kein Ende und erwartete das auch von den Mitarbeitern. Doch heute hatte sie überraschenderweise Glück. Bodes Gattin gab einen Empfang und bestand auf seiner Anwesenheit.

«Meine liebe Frau meint, ich müsse mir die Gunst gewisser einflussreicher Herren erhalten und dürfe mich nicht schon wieder drücken», lächelte er etwas schief und ließ sich gegen halb acht nach Hause kutschieren. Wilma beeilte sich, zum Umziehen blieb ihr keine Zeit mehr. Vor dem Spiegel in der Toilette der Bildergalerie kämmte sie schnell ihr Haar und band es irgendwie zu einem lockeren Knoten. Händewaschen, ein Tropfen des teuren Parfüms hinter die Ohren, das sie sich in einem Anfall von Übermut gekauft hatte, als es laut von der nahen Kaiser-Wilhelm-Gedächtniskirche acht Uhr schlug. Atemlos vom raschen Lauf erreichte sie das «Kempinski», wo Carl schon ungeduldig auf sie wartete. Galant reichte er ihr dennoch seinen Arm und führte sie zu einem der Tische. Er entschuldigte sich bei ihr im gleichen Moment, als sie ebenfalls um Verzeihung bat, dass er habe warten müssen.

«Liebe Wilma, ich würde noch sehr viel länger ausharren, die Hauptsache ist doch, dass Sie hier sind und ich Ihnen endlich berichten darf, was mir seit heute Morgen auf der Seele brennt. Doch lassen Sie uns zuerst bestellen, wenn es Ihnen recht ist. Der Wein ist übrigens hier ganz vorzüglich.»

Wilma zierte sich nicht und ließ es sich völlig undamenhaft schmecken.

«Was ist Ihnen so wichtig, und warum bin ausgerechnet ich es, der Sie es mitteilen wollen?»

Wilmas Neugier war geweckt. Carl sah sie an und musste sich zurückhalten, um nicht ihre Hand zu ergreifen. Wo beginnen und wo enden, überlegte er.

«Sie wissen ja, dass ich Archäologe bin und schon bei einigen wichtigen Ausgrabungen mitarbeiten durfte. Von Robert Koldewey und seinem Vorhaben, in Bagdads Nähe, wo die einstige Stadt Babylon lag, nach dem sagenhaften Turm zu Babel zu suchen, habe ich Ihnen bereits berichtet. Jetzt ist sein Traum zum Greifen nahe gerückt, auch für mich.»

Er trank einen Schluck Wein und Wilma fragte sich, ob er ihr sagen wollte, dass er mit nach Bagdad ging. Sie horchte in sich hinein, würde er ihr fehlen? Sie mochte die Gespräche mit ihm, so kurz sie bisher auch gewesen waren. Mehr noch gefiel ihr seine Ausstrahlung, sein ruhiges, bestimmtes Wesen, das ihr ein Gefühl der Sicherheit gab. Doch ehe sie eine Antwort fand, sprach er schon weiter.

«Vor einem Jahr wurde die Deutsche Orient-Gesellschaft gegründet und Koldewey ihr Leiter. Drei Jahre als Lehrer an der Baugewerbeschule in Görlitz, eine Tätigkeit, die ihm nicht zusagte, hatten ihn genug gelangweilt und er war zu neuen Taten bereit. Babylon sollte es sein, hoffte er, das wollte er unbedingt und heute brach er ins Zweistromland auf. Dass er die Grabungslizenz dafür ab März kommenden Jahres erhalten solle, weiß er seit einiger Zeit. Da musste es schnell gehen, viele Vorarbeiten habe ich geleistet und deshalb konnte Koldewey jetzt abreisen. Dass ich ihm hinterherfahren darf, wenn hier alles geregelt ist, steht außer Frage. Ist das nicht großartig?»

«Das ist es, Carl», Wilma wusste nicht, worauf der Mann, der hier saß und vor Begeisterung glühte, hinauswollte, «was habe ich mit alldem zu tun? Warum bin ausgerechnet ich diejenige, mit der sie ihre Freude teilen wollten?»

«Wilma», Meurer schaute ihr tief in die Augen, «können Sie sich das nicht denken? Sie sind mir lieb geworden, auch wenn wir uns noch nicht besonders gut kennen. Sie sind die erste Frau, mit der ich mich über alles unterhalten kann, die komplizierte Zusammenhänge versteht und sich nicht scheut, nachzufragen, wenn sie etwas nicht verstanden hat. Wir haben nicht mehr viel Zeit, schon bald, wahrscheinlich im März, breche ich in den Orient auf, weil ich unbedingt dabei sein möchte, wenn die Geschichte aus der Bibel zur Gewissheit wird. Doch seit ich Sie kenne, liebe Wilma, bliebe ich genauso gern hier, bei Ihnen in Berlin. Begreifen Sie nun, warum ich um jeden Preis mit Ihnen reden musste?»

Wilma schluckte, ihr ging das ein wenig zu schnell. Für langes Abwägen reichte die Zeit nicht. Ihr Herz klopfte wild, als sie ihm zu verstehen gab, dass sein ungewöhnliches Werben bei ihr auf fruchtbaren Boden fiele. Es fühlte sich richtig an und das Leuchten in Carls Augen sagte ihr mehr, als es seine Worte taten. Seine Freude blieb leise, nur am stärkeren Druck seiner Hand spürte sie, wie glücklich sie ihn gemacht hatte.

«Wir haben nur ein paar kurze Wochen, um uns besser kennenzulernen. Dann werden wir eine lange Zeit einander nicht sehen können, liebste Wilma, ist dir das bewusst? Wirst du das aushalten? Überlege es dir gut. Aber du solltest auch wissen, dass in der Einsamkeit eines Ausgräberlagers, jeder Gedanke an ein geliebtes Wesen, das in der Heimat voller Sehnsucht auf mich wartet, das harte und entbehrungsreiche Leben dort um vieles erträglicher macht.»

«Ich denke, dass ich damit zurechtkommen werde», Wilmas Augen sahen in die Ferne, als wäre Carl schon in Babylon, «aber wir können uns schreiben, so viel und so oft es möglich ist, oder?»

«Das werden wir, meine Liebste», Carl lächelte, stand auf und zog sie mit sich, «aber noch bin ich ja hier und wir verbringen so viel Zeit miteinander, wie es nur irgendwie für uns machbar ist. Und jetzt bringe ich dich nach Hause, einverstanden?»

Draußen fielen vereinzelt ein paar Schneeflocken, doch das verliebte Paar bemerkte sie nicht, auch nicht die Kälte, die durch Berlins Straßen schlich und so manchen Obdachlosen in ihre todbringenden Arme nahm. Vor der Haustür verabschiedete Carl sich von Wilma mit einem zarten Kuss.

«Mehr darf ich dir nicht geben, Liebste, so sehr ich es auch möchte. Aber dein Wohlergehen liegt mir am Herzen und ich darf nicht so verantwortungslos sein und dich stärker an mich binden, auch wenn wir beide es wollen. Du sollst wissen, dass du frei bist, wenn ein anderer kommt, der dein Herz erobern will. Ich liebe dich und gerade deswegen ist mir dein Wohl so wichtig. Verstehst du das?»

Statt einer Antwort nahm Wilma seinen Kopf in beide Hände und zog ihn zu sich herunter. Ihre Lippen trafen sich und dieses Mal lag Liebe und Leidenschaft in ihrem Kuss. Eine kurze Umarmung, ein Winken, dann verschwand Carl im immer dichter werdenden Schneegestöber. Nachdenklich betrat Wilma ihre Wohnung. Stille und Kälte erwartete sie, fröstelnd schürte sie den Kachelofen, den Leila hatte ausgehen lassen. Die Kusine litt zunehmend unter ihrem Dienst als Nachtschwester. Gereiztheit und mangelnde Konzentration waren die Auswirkungen der unregelmäßigen Arbeit. Vorsichtig blies Wilma in die beinahe erloschene Glut und brachte das Fünkchen zum Lodern. Rasch legte sie Holz nach, dann Kohle dazu. Ein heißer Tee tate jetzt gut, dachte sie und setzte gerade den Wasserkessel auf, da öffnete sich die Wohnungstür und ein dünnes Gespenst trat ein. Wilma schlug ihre Hände vor den Mund, um einen Schrei des Entsetzens zu unterdrücken, doch das Wesen lachte, wenn der krächzende Laut, der aus seiner Kehle drang, ein Lachen sein sollte.

«Ja Wilma, du siehst richtig, ich bin es leibhaftig, die Jette, die rote...»

Sie sank zu Boden, ehe Wilma sie auffangen konnte und rührte sich nicht mehr.

«Jette, oh mein Gott, was ist dir nur geschehen», mit Mühe hob sie die Freundin hoch und schleppte sie zu ihrem Bett. Den Mantel und die Schuhe zog sie ihr aus und deckte sie mit ihrem eigenen Federbett zu, weil Jettes Zähneklappern unüberhörbar war. Schnell befühlte sie noch die Stirn, die zum Glück nicht fieberheiß schien. Auf den Nachttisch stellte sie noch ein Glas Wasser und dann schob sie den alten, bequemen Ohrensessel an Jettes Bett und bewachte deren Schlummer. Was sie erlebt und wo sie die letzten Wochen verbracht hatte, das konnte Jette auch am nächsten Morgen noch erzählen.

Wilma selbst ließ ihre Gedanken zu Carl wandern und staunte darüber, wie sehr sie ihm vertraute und welche Gefühle sie ihm entgegenbrachte. Die Aussicht, nur ein paar gemeinsame Wochen mit ihm verbringen zu dürfen, um dann vielleicht jahrelang auf ihn warten zu müssen, schreckte sie nicht. Denn obwohl sie sich nach dem Fiasko mit Richard geschworen hatte, sich niemals wieder an einen Mann zu binden, sagte ihr Herz, dass Carl der Richtige war und es wert sei auf ihn zu warten.

Irgendwann musste sie doch eingeschlafen sein, denn sie schreckte erst hoch, als Leila die Wohnung betrat und sich wunderte, dass Jettes Zimmertüre offen stand. Leise kam sie näher und sah Wilma, die im Sessel saß und den Finger auf den Mund legte. Im Bett lag eine Frau, die Leila kaum als Jette erkannt hätte.

In der Küche, wo sich die beiden jungen Frauen trafen, sprachen sie etwas lauter miteinander.

«Ist das wirklich unserer Jette? Das kann ich gar nicht glauben», Leila schien zutiefst erschüttert vom Anblick ihrer Freundin, «wo war sie und was haben sie mit ihr angestellt?»

«Darauf weiß ich leider auch keine Antwort», Wilma schüttelte bedauernd den Kopf, «Jette fiel in Ohnmacht, ehe sie mir irgendwelche Auskünfte geben konnte. Ich denke, wir lassen sie einfach schlafen. Fieber hat sie nicht, scheint aber total erschöpft zu sein. Am besten du legst dich jetzt hin, ich gehe zu Bode und sage ihm, dass ich ein paar Tage frei haben will und warum es sein muss. Er wird es verstehen, hoffe ich.»

Leila, müde vom anstrengenden Schwesterndienst, der ihr gerade in der letzten Nacht alles abverlangt hatte, stimmte zu und begab sich zu Bett. Am späten Nachmittag trieb ein verlockender Duft nach Hühnerbrühe sie vom Lager Auch Jette erwachte aus ihrem tiefen Schlaf und taumelte in die Küche, wo Wilma eifrig frisches Gemüse in die Brühe gab.

«Reis oder Kartoffeln», fragte sie, ohne sich umzudrehen, in der Annahme, Leila stünde hinter ihr.

«Reis wäre mir sehr lieb», Jettes Stimme hörte sich immer noch kratzig an, «ich kann noch nicht so gut schlucken und mein Hals ist anscheinend auch noch wund. Ach Wilma, es tut unendlich gut, wieder zu Hause zu sein, bei euch, bei uns. Aber ich gehe erst einmal baden und das mehr als gründlich, ich fühle mich so schmutzig, innen und außen, versteht ihr?»

Leila, die sich zu Wilma gesellte und den Tisch deckte, versuchte, sich ihr Entsetzen über Jettes Aussehen nicht anmerken zu lassen.

«Sie wird es uns schon noch erzählen», meinte Wilma, der Leilas Schreck nicht entgangen war. Sie selbst hatte Jettes zerlumpten Anblick auch noch nicht verdaut. Da öffnete sich die Tür und eine verlegen dreinschauende Jette kam herein. Ungläubig starrten Wilma und Leila auf den kahl geschorenen Schädel der Freundin und die blauen Flecke und kaum verheilten Schnitte darauf.

«Da staunt ihr, was? So was trägt die moderne Frau heutzutage. Sehr praktisch, kann ich euch versichern, vor allem beim Kämmen», Jette lachte, doch es klang angestrengt.

«Wie kannst du darüber auch noch Scherze machen», Wilma zog verärgert ihre Augenbrauen hoch, «nun setzt dich und iss etwas, damit du wieder zu Kräften kommst. Du bist ja dürr wie eine Bohnenstange.»

Folgsam löffelte Jette die Suppe in sich hinein, bewusst langsam, um ihren Magen wieder an richtiges Essen zu gewöhnen, der lange nichts anderes als steinhartes Brot und dünne Wassersuppe vorgesetzt bekam. Mit einem Seufzer, der Erleichterung und Wohlbehagen ausdrückte, lehnte sie sich zurück und begann ihre Geschichte zu erzählen.

«Ob ihr es glaubt oder nicht, ihr Lieben, ich war die ganze Zeit nicht weit weg von euch. In der Barnimstraße, keine zehn Minuten von hier.»

«Sag nicht, die haben dich ins Preußische Weibergefängnis geschleppt», unterbrach Leila mit entsetzter Miene die Freundin.

«Das wollte ich euch mitteilen. Dort hat man mir diese Frisur verpasst und meinen armen schiefen Körper mit grünen und blauen Flecken und blutigen Schnitten verschönern wollen. Ist doch gelungen, was meint ihr?»

Jette entblößte ihre Arme und Wilma entfuhr ein Schrei. Was musste die Ärmste alles erlitten haben.

«Aber wie bist du nur ins Gefängnis geraten, du tust doch keiner Fliege was zuleide?»

«Na klar», Jettes Galgenhumor schien unverwüstlich, «ich spielte doch die Unschuld vom Lande! Nur kannte einer einen, der jemanden kannte, der mich kannte...»

«Nein, so geht das nicht», unterbrach Leila ungeduldig, «da wird doch niemand schlau draus. Bitte Jette, berichte von Anfang an!»

«Na gut, wie ihr wollt. Also, ich war gerade unterwegs, um von den Mitgliedern unseres proletarischen Frauenvereins die monatlichen Beiträge einzusammeln. Viel ist das nicht, nur ein paar Pfennige und die fallen den Meisten schon schwer genug. Aber mit dem Wenigen, was wir haben, helfen wir, wo wir können. Gerade jetzt, wo überall gestreikt wird, fehlt der Lohn, denn die Streikkassen sind so gut wie leer. Dummer Zufall, gerate ich doch an dem Tag mitten in einen Streik. Die streikenden Männer waren alles kräftige Kerle, die für Borsig arbeiten und die streikten, weil in dem neuen Borsigwerk in Tegel besser bezahlt wurde und die Arbeitsbedingungen nicht so hart waren, wie im Stammwerk. Das lag anscheinend an den drei Söhnen vom alten Borsig, die sich untereinander nicht einigen konnten. Jedenfalls marschierten die Arbeiter los und einer von denen sah mich am Straßenrand stehen. Er schnappte mich, hakte mich ohne lange zu fragen unter und meinte, dass die rote Jette eine von ihnen sei und unbedingt mitmarschieren müsse. Es dauerte nicht lange, da kam die Polizei geritten, jagte uns auseinander und nahm fest, wen sie erwischen konnten. Leider rannte ich nicht schnell genug und wurde geschnappt. Auf dem Polizeirevier, in das man mich schleppte, durchsuchte man mich ziemlich grob. In meinem Korb fanden sie leider das Heftchen mit den Adressen der Vereinsmitglieder und ich fürchtete, mein letztes Stündlein habe geschlagen, wenn die Polizisten merkten, was das wirklich war.»

Jette machte eine Pause, ihre Stimme drohte zu versagen. Leila bereitete schnell einen Salbeitee zu, der «Wunder wirken» sollte. Bald sprach Jette weiter, wenn auch krächzend wie ein Rabe.

«Zum Glück fiel mir noch ein, dass ich nur die Adressen, den jeweiligen Betrag und das Wort «Verein» eingetragen, aber keine Angaben über den Zweck gemacht hatte. Deshalb behauptete ich dreist, ich hätte für die Obdachlosen gesammelt, weil der Winter vor der Tür stünde, wir Frauen von dem Erlös eine Suppe kochen und unentgeltlich verteilen würden. In den Zug der Streikenden hätte man mich gegen meinen Willen hineingezogen und ich sei zu schwach gewesen, um mich dagegen wehren zu können. Um ein Haar wäre ich damit durchgekommen, wenn nicht einer der Polizisten die Idee gehabt hätte, meine Mitgefangenen zu befragen, ob sie mich kennen. Da sagt doch einer dieser Idioten: «na klar kennen wir die, det is die rote Jette, eine von den Sozis», und damit war ich geliefert.»

Erneut stockte Jette, die Erschöpfung was ihr deutlich anzusehen. Wilma und Leila sahen sich an und baten die Freundin, sich doch wieder ins Bett zu legen, weiter erzählen könne sie, wenn sie sich etwas mehr erholt habe. Doch Jette blieb dabei.

«Es muss raus, Kinder, sonst platze ich an der Wut und dem Schmerz, die sich in mir angestaut haben, während der langen Zeit im Kittchen. Versteht ihr?»

Die Freundinnen nickten und dann sprach Jette weiter, langsamer, ihre Worte sorgsam abwägend. Es bedeutete ihr viel, dass ihre Mitbewohnerinnen nachvollziehen konnten, was mit ihr geschehen war.

«Das Preußische Weibergefängnis, jeder in Berlin kennt es, liegt nicht weit vom Alexanderplatz entfernt. Aber nur wer einmal dort eingesperrt wurde, weiß, was da vor sich geht. Die Einzelheiten will ich euch ersparen. Nur, dass man mir, sofort als ich ankam, das Haar schor, auf ziemlich brutale Weise, ist ja nicht zu übersehen. Prügel gab es täglich, mehr als Brot und die gefangenen Frauen untereinander gingen auch nicht eben zimperlich miteinander um. Es waren Frauen aus dem Milieu, Prostituierte, solche, die wegen Schulden einsaßen oder wegen Diebstahls und dann natürlich die Politischen, zu denen auch ich gehörte. Die hielten sich für was Besseres und wurden von den anderen deshalb erst recht drangsaliert.»

«Wie hast du es geschafft, jetzt entlassen zu werden?» Diese Frage brannte Wilma auf der Zunge.

«Das war ganz einfach, ich hab behauptet, nicht die «rote Jette» zu sein, tat harmlos und blieb den Politischen fern. Zum Glück war bei denen keine, die mich hätte verraten können. Am Ende musste das Gericht, vor das man mich brachte, zugeben, nichts gegen mich, das heißt, eine Marga Fenrich, so nannte ich mich, in der Hand zu haben und man ließ mich laufen. Nun bin ich also zurück und, das dürft ihr mir glauben, so ein entsetzliches Erlebnis brauche ich nicht nochmal.»

«Du bist aber ganz schön mutig, Jette, was wäre mit dir geschehen, wenn die rausgekriegt hätten, dass du gelogen hast?»

«Was denkt ihr denn, an die Wand gestellt hätten sie mich. Aber ich hab schon früh gelernt, mich zu verstellen. Wenn ich daran denke, dass ich vor über zehn Jahren, da war ich gerade fünfzehn, die Zeitung für die SPD verteilt hab. Heimlich musste das sein, der «Sozialist» war doch verboten. Wurde in der Schweiz gedruckt, unter Lebensgefahr über die Grenze geschmuggelt und hier in Berlin und in ganz Preußen verteilt. Unter frischem Gemüse hab ich damals die Zeitungen versteckt und bin mit dem Korb zu den Genossinnen rein. Ist immer gut gegangen, weil ich drauf geachtet habe, dass jede Frau mit dem Soziblatt mir auch ein bisschen Grünzeug abgekauft hat. Waren die Zeitungen verteilt, war auch das Gemüse weg. Geschnappt haben sie mich nie. Da war ich richtig stolz drauf. Jetzt gibt es eine andere Zeitung, die unter unseren Frauen gern gelesen wird. Die verteile ich auch, sie heißt «Die Gleichheit, Zeitschrift für die Interessen der Arbeiterinnen» und die Clara Zetkin, die Redaktionsleiterin, schreibt die Leitartikel immer selbst.

Jette stützte den Kopf in die Hände und ließ ihren Tränen freien Lauf. Weder Leila noch Wilma sollten erfahren, welche Grausamkeiten ihr in diesen Wochen widerfahren waren. Mit stolzem Trotz in den Augen und ihrer üblichen schnodderigen Art richtete sie sich wieder auf und meinte lakonisch:

«Ich lebe noch und das ist die Hauptsache und das, Mädchen, müssen wir feiern. Wer holt uns ne Berliner Weiße und Bratwurst dazu?»

Leila stand schon in der Tür, als Jette noch hinterherrief:

«Geld hab ich aber keines, musst du eben anschreiben lassen!»

Eigentlich sollte das Leben für die drei jungen Frauen jetzt wieder normal verlaufen, aber es kam anders als erwartet. Leila war die Erste, die mit einer Veränderung ankam. Der Nachtdienst lag ihr nicht und als auf der Kinderstation eine Schwesternstelle frei wurde, griff sie zu.

«Stellt euch vor», strahlte sie, als sie mit der frohen Botschaft nach Hause kam, «meine lieben Kolleginnen vom Nachtdienst haben mich gewarnt. Auf der Kinderstation, meinten sie, bleibt keine Krankenschwester lange, weil sie gleich ein eigenes Kind haben will und ganz schnell schwanger wird. Dass, meine Lieben, wird mir garantiert nicht passieren!»

Leila lebte auf, ging wieder gern zum Dienst, die Kinder liebten sie und sie durfte nachts endlich schlafen. Dass sie bei ihrer Arbeit Gelegenheit hatte, den Ärzten über die Schulter zu schauen und heimlich im Ärzteblatt zu lesen, sagte sie ihren Freundinnen nicht. Jette hingegen tat sich sehr schwer damit, richtig gesund zu werden. Die vielen Schläge auf den ungeschützten Kopf verursachten ihr immer noch häufig starke Kopfschmerzen. Das Haar wuchs wieder so dicht und kraus wie vorher, nur ganz schwarz werden wollte es nicht mehr. Silberweiße Strähnen zeigten sich an den Schläfen und am Scheitel.

«Wie eine gescheckte Kuh sehe ich aus», maulte die sonst eher uneitle Jette, wenn sie sich im Spiegel betrachtete.

«Ich finde, du siehst damit interessant aus», versuchte Wilma sie erfolglos zu trösten. Eines Tages, kurz vor Weihnachten, schlugen die Kopfschmerzen besonders erbarmungslos zu. Jette blieb im Bett, bei geschlossenen Vorhängen, ein nasses, kaltes Tuch auf der Stirn. Da platzte Leila in ihr Zimmer und verkündete, dass sie am liebsten auf der Stelle mit Jette nach Amerika fahren wolle, dort könne man ihr helfen. Wilma, die sich gerade auf den Weg zur Gemäldegalerie machen wollte, starrte sie entgeistert an.

«Was willst du in Amerika, dazu noch mit Jette im Schlepptau? Mal abgesehen davon, was so eine Reise kostet.»

«Mensch Wilma, nimm doch nicht immer alles gleich wörtlich», maulte Leila, «ich wollte doch nur berichten, dass in Amerika ein neues Medikament gegen Kopfschmerzen entwickelt wurde. Das soll wirklich ganz schnell helfen, so stand es jedenfalls im Ärzteblatt. Es heißt, Moment, gleich fällt es mir wieder ein, ja genau, es heißt Aspirin!»

Von Jettes Bett her kam ein klägliches Lachen, ein bisschen mehr Ruhe täte es auch und wäre dazu noch viel billiger.

Wilma glaubte von sich, die Glücklichste der drei Freundinnen zu sein. An Carls Seite schwebte sie durch den Advent, kostete jede gemeinsame freie Minute aus und freute sich auf das Weihnachtsfest mit ihm. Da es für längere Spaziergänge draußen zu kalt, die Lokale auf die Dauer zu teuer und in Wilmas Zimmer keine Ruhe zu finden war, willigte sie ein, mit Carl in seine Wohnung zu gehen. Die Bezeichnung «Wohnung» fand sie ein bisschen zu hoch gegriffen für die beiden Hinterzimmer einer ehemaligen Beletage. Ein recht großer Raum diente als Wohn- und Schlafzimmer zugleich, eine kleine Küche lag daneben. Das Beste war aber ein winziges Badezimmer mit fließendem Wasser und einem Klosett mit Wasserspülung. So etwas hatte sie vermisst, seit ihrem Auszug bei Tante Annemarie. In diesem behaglichen Nest fühlte sie sich wohl. Ein breiter Kamin zog durch das große Zimmer und brachte zusätzliche Wärme, als es draußen immer weiter fror. Hier redeten sie stundenlang über ihre Zukunft. Carl erklärte ihr, was er und Koldewey in Babylon zu finden hofften, und sie schilderte ihm die Gemälde in der Galerie, die sie am liebsten mochte. Kichernd gab sie die Geschichte von Rubens und dem «falschen» Neptun zum Besten, die Bode ihr einmal erzählt hatte. Das schien ihr selbst ein solches Verwirrspiel um Echtheit oder Fälschung, dass sie sich mehrmals dabei verhaspelte und nun ihrerseits für Gelächter bei Carl sorgte. Kurz vor dem Weihnachtsfest gestand Carl, dass er die Feiertage bei seinen Eltern verbringen müsse. Dies wäre Tradition und er sähe Vater und Mutter sonst das ganze Jahr kaum. Liebevoll zog er Wilma in seine Arme, küsste zärtlich ihren Nacken und flüsterte ihr ins Ohr, dass sie beide dafür ins neue Jahr tanzen würden.

«Sofern dir dein über alles geliebter Wilhelm Bode an diesem Abend frei gibt», zog er sie ein wenig auf.

«Und dass du mir nicht in alte Kindergewohnheiten zurückfällst und an deiner Mutter Rockzipfel hängen bleibst», konterte Wilma schelmisch. Damit schien die Familienverteilung klar und Wilma dachte daran, dass sie jetzt eigentlich eine Woche nach Kappeln fahren könnte, um Weihnachten mit ihren Eltern zu verbringen. Doch dann kamen noch mehr Frost und weitere heftige Schneestürme bis nach Berlin und machten die Reise unmöglich. Ihre Gefühle schwankten zwischen der Freude, die Eltern nach so langer Zeit wiedersehen zu können und dem immer noch vorhandenen Groll gegen sie. Die Erleichterung darüber, dass der Winter ihr die Entscheidung auf seine eisige Weise abnahm, verwunderte sie selbst ein wenig. Sie nahm Tante Annemaries Einladung an und verbrachte gemeinsam mit ihr und Leila die Weihnachtsfeiertage in der Friedrichstraße. Auguste, die sich freute, die Mädchen gesund und wie es schien auch munter wiederzusehen, gab sich alle erdenkliche Mühe, die drei Frauen mit ausgesuchten Köstlichkeiten zu verwöhnen.

«Gut, das wir wieder zu Hause sind», stöhnte Leila nach den allzu üppigen Feiertagen, «noch ein Tag mehr und ich wäre geplatzt.»

«Und ich muss meine Kleider alle ein gutes Stück weitermachen lassen», setzte Wilma hinzu.

«Mag das vielleicht an etwas anderem liegen, meine Gute» Leila konnte es sich nicht verkneifen, die Kusine ein wenig zu foppen, «nicht immer kommt bei uns Frauen eine Gewichtszunahme vom guten Essen.»

Wilma errötete und wies diese Unterstellung weit von sich. Sie wusste genau, dass sie nicht schwanger war. Soweit gingen Carl und sie nicht, in dem Wissen, dass er jahrelang fortbleiben würde. Allein in ihrem Zimmerchen warf sie sich aufs Bett und weinte. Sie wusste, dass sie ihn vermissen würde und wenn sie ehrlich darüber nachdachte, musste sie zugeben, dass er der richtige Mann für sie war. So auf Augenhöhe begegnet war ihr noch keiner und so wie Carl gelang es bisher niemandem, ihr das Gefühl zu geben, für sie da zu sein, ihr aber gleichzeitig alle Freiheit zu lassen, die sie brauchte.

«Schluss mit Grübeln», befahl sie sich, «an Silvester tanze ich mit ihm ins neue Jahr und was die Zukunft uns bringt, das sehen wir dann, wenn sie zur Gegenwart wird.»

Der Januar brachte noch mehr Kälte, Eis und Schnee und Wilma wünschte sich, er hätte nie ein Ende und sie könnte mit Carl für immer in der wohligen Wärme seines Zimmers von einer gemeinsamen Reise nach Babylon träumen.

Es kam alles ganz anders. Auf Knien gestand Carl ihr, dass er bereits am ersten Februar nach Bagdad aufbrechen würde. Statt auf eine deutsche Gruppe zu warten, um die lange und nicht ungefährliche Reise anzutreten, bot ihm eine englische Delegation, die nach Ninive unterwegs war, die nötige Sicherheit. Wie sehr in ihm der Wunsch brannte, bei den Ausgrabungen dabei zu sein, hatte er ihr oft genug gesagt. Wilma unterdrückte ihre Traurigkeit und verbot sich die Tränen in seiner Gegenwart. Wie könnte sie sich gegen etwas stellen, dass ihm wichtiger war als alles andere, sogar wichtiger als sie, dachte sie und versuchte, ihm die letzten Tage so schön wie möglich zu machen. Viel zu schnell zerrann ihr die Zeit zwischen den Fingern und dann, auf einmal, war er fort.

Sie stand am Fenster und schaute in den frühlingsklaren Himmel über Berlin, an dem die Sterne in der Neumondnacht funkelten wie Diamanten. Ob er in Babylon die gleichen Sterne sehen würde wie sie? Mit welchen Worten hatte er sich von ihr verabschiedet, am allerletzten Abend, den sie zusammen verbringen durften?

«Geliebte, ich werde an jedem Abend zur gleichen Zeit in den Nachthimmel über Babylon schauen und an dich denken. Bitte, tu du das auch für mich hier in Berlin. Dann werden sich unsere Blicke bei den Sternen treffen und wir sind einander so nah, als sähen wir uns in die Augen.»

Wilma suchte im Samtdunkel der Nacht den Stern, den sie und Carl sich als Treffpunkt ausgesucht hatten, und sandte ihm all ihre Liebe entgegen.

«Spürst du es, mein Liebster, unsere Gedanken sind sich so nahe....»

27. Kappeln, 17. März 1900

Voller Staunen sah Friederike auf dem Kalender den für die Bauern so wichtigen «Gertrudentag» verzeichnet. An diesem Tag, dem 17. März, begann die Arbeit mit dem Bestellen der Felder. Das hatte eine lange Tradition, versicherte Meta, die Riekes Staunen nicht teilte. Wo waren die Wochen geblieben, seitdem ein neues Jahrhundert anbrach? Das fragte Rieke sich vergebens. Wie schnell die Zeit an ihr vorbeigelaufen war. Gerade schrieb man noch Januar, da hatte der März schon seine Mitte überschritten. Nachdem im Februar ein Schneesturm über das Angeln-Land hereingebrochen war und manche Dörfer hinter mehr als drei Meter hohen Schneeverwehungen verschwanden, machte ein sehr zeitiger Frühling dem winterlichen Treiben ein Ende. In einer windgeschützten Ecke von Metas Garten streckte manch zartes Pflänzchen seine Keimblätter aus der Erde.

«Bald gibt es den ersten frischen Salat», frohlockte Riekes beste Freundin und deutete auf das junge Grün in ihren Beeten, ich freue mich schon sehr darauf, nach dem langen Winter.»

«Seltsam, dass du es so empfindest», Rieke drehte sich zu Meta um, «mir kam es gar nicht so lang vor.»

«Natürlich nicht», lachte Meta, «du warst ja auch wochenlang in Berlin bei Minchen. Da kamst du vor lauter Vergnügungen gar nicht dazu, auf die Zeit zu achten. Sag, hättest du vor einem Jahr geglaubt, dass du die Jahrhundertwende in Berlin feiern würdest?»

«Nie und nimmer. Ich bin Wilhelm unendlich dankbar dafür. Wenn ich daran zurückdenke, wie er mich damit überraschte, als ich wieder einmal alles viel zu schwarz sah.»

Friederikes Gedanken eilten zurück, zu jenem Tag im Oktober des vergangenen Jahres, als sie das neblige Grau des Himmels und das düstere Grau der von ständigem Wind und Regen aufgewühlten Schlei nicht mehr länger zu ertragen meinte. Trostloses Grau überschattete ihr Leben, glaubte sie, und dass ihre Tochter seit einer gefühlten Ewigkeit nicht geschrieben hatte, machte es auch nicht besser. Meta versuchte vergebens sie aufzumuntern und Wilhelm überlegte verzweifelt, wie er seine geliebte Rieke aus ihrer Melancholie herauslocken könnte. Er saß in seinem Büro, vor sich ein Schreiben aus Berlin, dass er vergeblich zu lesen versuchte. Immer wieder drifteten seine Gedanken ab, waren bei Rieke und ihrer tiefen Niedergeschlagenheit.

«Eigentlich hat sie doch keinen Grund zum Traurigsein», dachte er, «sie hat ein gutes Leben, viele Freundinnen und mich. Nur Minchen fehlt ihr.»

Sein Blick fiel auf das Schreiben, das noch immer unbeachtet vor ihm lag und auf ein einziges Wort. Doch genau dieses eine Wort ließ ihn wie elektrisiert aufspringen. Er lief zum Fenster, sah über die Schlei, zum gegenüberliegenden Ufer, wo die Eisenbahn nach Eckernförde und Kiel ab fuhr und eine Idee zuckte wie ein Blitz durch seinen Kopf.

«Natürlich», rief er und rannte zum Schreibtisch zurück, «das ist es. Damit werde ich Rieke wieder ein Lächeln in ihr liebes Gesicht zaubern. Ja, genau, das machen wir!»

Jetzt las er den Brief intensiver durch und fand seine Idee bestätigt. Auf der Stelle schrieb er nach Berlin und bat um schnellstmögliche Bearbeitung seiner Bitte. Dann sah er sich die Termine in seinem Kalender an und wusste, es könnte funktionieren. Einziger Wermutstropfen für ihn war, dass er noch Stillschweigen bewahren, und sich Riekes tränenumflorten Blick noch eine Weile tatenlos mitansehen musste. Nur Meta weihte er in sein Geheimnis ein und die versprach ihm, kein Sterbenswörtchen davon über ihre Lippen zu lassen.

«Lieber Wilhelm», meinte sie froh und schwor feierlich, dass dieses Wort «Jahrhundertwende» nicht über ihre Lippen käme, nicht solange Rieke in der Nähe wäre, «das ist das allerbeste Weihnachtsgeschenk, das du deiner Frau machen kannst und dir selbst auch.»

Schneller als erwartet kam die Antwort aus Berlin in Form von zwei Briefen und Wilhelm eilte zu Rieke, so rasch ihn seine Füße und sein träger und voller gewordener Körper ihn trugen.

«Riekchen, mein Riekchen», rief er schon vor der Tür und eilte zu ihr. Sie saß im Salon und schrieb, einen Brief an Minchen, vermutete er. Er streckte ihr seine Hände entgegen, riss sie beinahe vom Stuhl, drückte sie an sich und tanzte mit ihr ausgelassen durchs Zimmer.

«Liebste, rate doch mal, wo wir an Weihnachten sein, und wie und mit wem wir in das neue Jahrhundert hineinfeiern werden!»

«Jahrhundert? Feiern? Ich verstehe dich nicht», Rieke sah ihren Mann an, als zweifle sie an seinem Verstand, «aber, aber, du meinst doch nicht ....»

Sie wagte ihre Hoffnung nicht auszusprechen, voller Angst, es könne nicht wahr sein, was sie in Wilhelms leuchtenden Augen sah.

«Doch, genau das meine ich, liebes Riekchen. Wir, das heißt, du und ich, wir fahren nach Berlin und verbringen nicht nur das Weihnachtsfest bei meiner Schwester, sondern wir werden am Brandenburger Tor in das neue Jahrhundert hineinfeiern. Und ahnst du, wer an unserer Seite sein wird?»

«Minchen? Wirklich, unser Minchen? Ich werde sie wiedersehen. Endlich!»

Dann wurde es dunkel um sie und Wilhelm hielt eine ohnmächtige Rieke im Arm. Behutsam trug er sie zum Sofa und gab ihr einen zarten Kuss. Sie schlug die Augen auf, sah sich einen Moment verwirrt um und jubelte dann:

«Wir fahren nach Berlin und ich sehe endlich mein Kind wieder. Wilhelm, mein Lieber, das ist das schönste Geschenk, dass du mir machen konntest. Lass mich aufstehen, ich muss packen. Oh Gott, ich weiß gar nicht, was ich zur Silvesterfeier tragen soll. Was mag in Berlin wohl gerade in Mode sein?»

Friederike stürzte sich ein wenig kopflos in die schwierige Aufgabe, in sechs Wochen abfahrbereit zu sein. Wilhelm lächelte nachsichtig und freute sich über den Eifer, den seine Frau auf einmal an den Tag legte. Er wusste genau, was er ihr noch sagen wollte.

«Rieke, hör mal einen Augenblick auf herumzulaufen und höre mir bitte zu. Du musst gar nicht so viel einpacken. Weil wir beide nicht wissen, was Mann und Frau in Berlin zu tragen pflegen, habe ich beschlossen, uns zwei vor Ort neu einzukleiden. Was meinst du dazu?»

Friederikes Jubelschrei erklang so laut, dass Meta aus dem Nachbarhaus herüberstürzte, in der Meinung, es ginge ihrer besten Freundin an den Kragen. Gemeinsam überlegten die beiden Frauen, was für die Zeit in Berlin wirklich wichtig wäre und die sechs Wochen, die Rieke zunächst wie eine Ewigkeit erschienen waren, vergingen wie im Flug. Glücklich stieg sie in den Zug nach Berlin und ließ ihre Gedanken vorauseilen, zu Minchen, zu ihrem Töchterlein, das sie so lange nicht gesehen hatte. Wilhelm, der sich wesentlich gelassener gab, als er sich im Innersten fühlte, versteckte sich hinter seiner Zeitung, ohne wirklich zu lesen, was dort stand. Endlich hielt der Zug mit einem Ruck und

Berlin war erreicht. Friederike stieg an Wilhelms Arm aus und schreckte zurück. Der übervolle Bahnsteig, die Menschenmenge, die sich dort vorwärts schob, der Lärm, der Gestank, dies alles ängstigte sie. Den kurz aufblitzenden Gedanken an die Ruhe, die Kappeln verbreitete und das sich Nach-Hause-Wünschen, schob sie rigoros zur Seite. Wilhelm reckte sich und hielt Ausschau nach einem bekannten Gesicht, vergebens.

«Hier, hier bin ich, Papa», die Stimme beinahe direkt vor ihm, erkannte er sofort, «Minchen, Wilhelmine, mein Kind.»

Er stammelte irgendwas, um von seiner Verwirrung abzulenken und schob Rieke nach vorn. Mit der Sicherheit einer Mutter, die ihr Kind auch nach langen Jahren wiedererkennt, trat sie auf die junge Frau zu und nahm sie in den Arm.

Die Tränen flossen ihr übers Gesicht und die Worte blieben ihr in der Kehle stecken. Sie klammerte sich an ihre Tochter, als wolle sie ihr Minchen nie mehr wieder loslassen. Wilhelm, den die nachfolgenden Mitreisenden unangenehm im Rücken drängten, schob Frau und Tochter etwas unsanft weiter.

«Wir müssen erst einmal hier raus, dann könnt ihr euch umarmen, so lange ihr wollt. Nun kommt endlich!»

«Draußen wartet eine Droschke auf uns, Papa», rief Wilma über die Schulter zurück und lotste ihre Mutter geschickt durch die Menschenmenge. Als sie in der Droschke einander gegenüber saßen, hatte Rieke endlich die Muße, ihr Kind zu betrachten. Aus dem jungen Mädchen in ihrer Erinnerung, war eine Dame geworden. Sie schien größer als früher oder hielt sie sich nur aufrechter? Wilma, so nannte sie sich jetzt, daran konnte Rieke sich immer noch nicht gewöhnen, trug ihr Haar ungewohnt locker aufgesteckt und mit einem Hut bedeckt. Doch das war es nicht allein, sie wirkte anders, erwachsener und auf eine Weise gelassener, die auf ein bewegtes Leben schließen ließ. In Wilmas Augen lag eine Tiefe, die es früher nicht gab.

«Wie schade und wie traurig, dass ich so wenig von meinem Kind weiß», dachte Rieke und streckte fragend die Hand nach Wilma aus.

«Oh Gott», dachte die im selben Moment, «war Mutter immer schon so klein? Sie kommt mir so zerbrechlich vor, als könnte der leiseste Windhauch sie umwerfen. Sie sieht mich an, als müsse sie sich vergewissern, dass ich tatsächlich ihre Tochter bin. Habe ich mich auch so verändert wie sie? Zehn Jahre sind aber auch eine lange Zeit. Sie streckt mir ihre Hand entgegen. Soll ich sie annehmen? Soll ich allen Groll, den ich jemals hegte, einfach vergessen? Ich sehe die Tränen in Mutters Augen und kann sie nicht zurückstoßen. Das will ich auch nicht!»

Wilma legte ihre Handschuhe ab und nahm behutsam die Hände ihrer Mutter, spürte das Zittern, das in ihnen noch nachhallte und auf einmal liefen auch ihr die Tränen über die Wangen. Lange sahen sich Mutter und Tochter nur an, als wollten sie sich das Aussehen der jeweils anderen für immer einprägen.

«Mutter», flüsterte Wilma und leise kam zurück, «Minchen, mein Kind.»

Der Druck ihrer beider Hände verstärkte sich und wie selbstverständlich rückten sie auf dem Sitz eng nebeneinander. Zärtlich wischte Rieke ihrer Tochter die Tränen fort und Wilma tat das Gleiche bei der Mutter. Wilhelm, der seine beiden Liebsten stumm betrachtete, freute sich im Stillen darüber, das sie einander wiedergefunden hatten, wollte die neue Eintracht unter gar keinen Umständen durch ein unbedachtes Wort zerstören. Langsam rollte die Droschke vor Annemaries Haus und hielt so sanft an, als wisse der Kutscher um das noch so zerbrechliche Glück hinter sich. Leila, die am Fenster gestanden und auf die Ankömmlinge gewartet hatte, sauste blitzschnell hinaus und riss mit Schwung die Droschkentür auf.

«Tante Friederike, Onkel Wilhelm, endlich seid ihr da. Kommt schnell rein, meine Mutter wartet auf euch. Juste und ich, wir bringen die Koffer hinterher.»

Drinnen im Haus, im gut geheizten Salon, erwartete Annemarie den Bruder und die Schwägerin, wie immer ganz Dame. Hochaufgerichtet stand sie neben dem Klavier und betrachtete Wilhelm kritisch.

«Du bist in die Breite gegangen, lieber Bruder», war ihr erster Kommentar, «ganz im Gegensatz zu dir, liebe Friederike. Seid herzlich willkommen und fühlt euch wie zuhause, auch wenn ich nicht viel Platz habe. Die Mädchen wohnen zum Glück nicht mehr hier, deshalb kann ich euch das Zimmer von Elisabeth zur Verfügung stellen. Auguste, mein Dienstmädchen wird es euch zeigen. Sicher möchtet ihr euch ein wenig frisch machen, nach der langen Reise. Wir sehen uns dann zum Tee.»

Die Mädchen unterdrückten ein Kichern und Wilma, die sich eine Sekunde gefragt hatte, wer Elisabeth sei, ehe sie sich erinnerte, dass Leila so getauft war, lief vor ihrer Mutter her die Treppe hinauf. In Leilas altem Zimmer war nichts verändert worden und Wilhelm blickte etwas befremdet auf die rosa Rüschen und Schleifen, die es schmückten.

«Was meint ihr», lachte er dann, «ob das zierliche Bett mich aushält? Oder wird es unter mir zusammenbrechen?»

«Ich werde dich auf halbe Kost setzen», ging Rieke auf den Scherz ein, «dann wiegst du bald nur noch die Hälfte, das hält dieses Bett dann schon aus.»

«Oh du Grausame», tat Wilhelm verzweifelt, «wo ich mich doch so auf die deftige Berliner Küche gefreut hatte. Das kannst du mir nicht antun.»

Unter solchem Geplänkel verging die Zeit rasch und der Tee und Annemarie erwarteten die Gäste. Gemeinsam machte man Pläne für das Weihnachtsfest und Silvester. Vorrangig plädierten die Damen allerdings für den Besuch bei einem guten Couturier, wobei man zunächst in den verschiedenen Kaufhäusern sich von der neuesten Mode inspirieren lassen wollte. Friederike, die Minchens Garderobe näher betrachtet hatte, nahm sich vor, ihre Tochter ebenfalls neu einzukleiden. Das, was sie trug, war zwar sauber, aber sehr schlicht. Viel Geld schien das Kind nicht zu haben oder sie legte keinen Wert auf gutes Aussehen. Das aber schloss Rieke aus.

Vergnügliche Tage folgten. Die Damen stöberten in den Geschäften herum, während Wilhelm sich mit alten Kameraden traf oder im Café Kranzler saß und die Leute beobachtete. An einem Nachmittag, kurz vor Weihnachten, traf Wilma auf Martha und deren Tochter. Dackel Männe war nicht mit dabei, was sie verwunderte. Sie stellte ihre Freundin den Eltern und der Tante vor.

«Liebe Eltern, liebe Tante, darf ich euch meine gute Freundin Martha Liebermann und ihre Tochter Käthe vorstellen. Liebe Martha, dies sind meine Eltern Wilhelm und Friederike Schulze und meine Tante Annemarie Clementi.»

Gemeinsam ging man die wenigen Schritte ins nächste Café und fand sich gleich sympathisch. Als die Sprache auf den Jahreswechsel kam, der an diesem Silvester etwas ganz Besonderes wäre, bot Martha Liebermann spontan an, man möge doch im Hause Liebermann gemeinsam in das neue Jahrhundert feiern. Ihr Ehemann führe immer ein relativ offenes Haus, meinte sie noch und Wilmas Familie wäre herzlich willkommen. Wilhelm nahm im Namen der Anwesenden das großzügige Angebot gern an und bedankte sich schon im Voraus. Martha nickte freundlich, sie hatte Wilmas fragenden Blick gesehen und gab ihr gern Bescheid, das Männe, der Dackel, die Kälte und das Gedränge auf den Straßen nicht mögen würde und daher zu Hause geblieben war.

«Höchstwahrscheinlich liegen mein Gatte und er auf dem Sofa und lassen es sich gut gehen. Da wird wohl auch ein Glas Portwein für Max und eine Wurst für Männe dazugehören», meinte sie augenzwinkernd, «dann erwarte ich Sie alle am letzten Tag im Dezember um 18 Uhr. Nach dem Diner gibt es einen eher zwanglosen Ball. Sie dürfen sich gern in Schale werfen, aber bleiben Sie bitte so unkompliziert, wie ich Sie heute kennengelernt habe. Allzu steif geht es bei uns nicht zu, das wird Ihnen Wilma gern bestätigen. Und nun bitte ich Sie, mich zu entschuldigen, meine Schneiderin erwartet uns. Bis bald also.»

Nachdenklich sah ihr Wilhelm hinterher. Konnte es wahr sein, dass die Ehefrau des berühmten Malers Max Liebermann sie alle zu sich eingeladen hatte? Dass Wilma solche noblen Freunde besaß, das hätte er sich nie träumen lassen.

Es wurde ein wunderschönes Weihnachtsfest, Annemarie legte ihren ganzen Ehrgeiz darein, es für ihre Familie zu einem unvergesslichen Erlebnis zu machen. Und als alle gemeinsam die Geburt Jesu in der nahegelegenen Kirche feierten, sahen sich Wilhelm und Friederike an und lächelten sich zu. Heute, das spürte Rieke, heute war ihr Glück vollkommen.

Die Tage flogen nur so dahin. Man unternahm viel und an einem Tag führte Wilma ihre Eltern zur Museumsinsel, wo der Bau des neuen Museums weit fortgeschritten war. Sachkundig erklärte die junge Frau, wie das Gebäude den Zipfel dieser Insel komplett ausfüllt.

«Siehst du» wandte sich Wilma an den Vater, «wie auf der nördlichen Inselspitze der Neubau gleichsam aus dem Wasser emporsteigt. Ernst Eberhard von Ihne ist der Architekt, der das ersonnen hat, im Stil des von unserem Kaiser Wilhelm II. bevorzugtem Barock. Einem Palast gleich, erstreckt sich das Gebäude über das ganze dreieckige Gelände, das an der vor wenigen Jahren in Betrieb genommenen Eisenbahntrasse endet. Der Eingang des neuen Museums wird an der Spitze des Dreiecks sein und den erreicht man über die doppelte Brücke, die sich auch noch im Bau befindet. Sie wird die Museumsinsel zum Viertel um die Oranienburger Straße hin öffnen und die Inselspitze mit dem westlichen Ufer des Kupfergrabens verbinden. Ihr könnt unschwer erkennen, dass es noch eine geraume Zeit dauert, bis Bodes Gemäldegalerie hierher umziehen kann. Und bis dahin habe ich noch viel Arbeit.»

Das sagte Wilma nicht ohne Stolz, sie wusste, dass Bode ihren Einsatz für das Museum schätzte und sich auf sie in vielen Dingen verließ. Und doch war sie froh darüber, dass er heute auf dem Baugelände nicht anzutreffen war. Sie hatte darauf gehofft, denn der sonst so umgängliche Bode konnte mitunter recht bärbeißig daherkommen, wenn Leute sich unbefugt auf dem Bau herumtrieben, wie er es nannte.

Wilhelm sah seine Tochter mit großen Augen an. So viel Sachverstand hätte er ihr nicht zugetraut und das sagte er ihr auch.

«Ach Papa», lachte sie vergnügt und freute sich über sein Kompliment, «das kommt davon, wenn man wie ich, tagtäglich mit Bauleuten zu tun hat. Da lernt auch eine Frau wie ich die Fachbegriffe, wenn sie sich nicht blamieren will.»

Leila stieß am Abend zu ihnen, sie kam direkt aus der Charité und meinte bedauernd, dass sie dem Onkel und der Tante ihren Arbeitsplatz leider nicht zeigen könne.

«Es sei denn», sie lächelte hintergründig, «es sei denn, ihr würdet auf der Stelle schwerkrank.»

«Elisabeth, mit solchen Dingen treibt man keine Scherze», Annemarie setzte eine strenge Miene auf, doch Wilhelm nahm dem Ganzen die Spitze.

«Schwesterlein, lächle lieber, als so ein gebieterisches Gesicht zu ziehen. Du weißt doch, das macht dir Falten, dort wo du sie ganz sicher nicht haben möchtest.»

«Niemand nimmt mich hier ernst», konterte Annemarie und schlug mit dem Fächer spielerisch nach ihrem Bruder.

«Nun gut», meinte der, «zur Strafe lädst du uns jetzt alle zu «Aschinger» ein. Dort kommst du bestimmt schnell von deinem hohen Ross herunter. Was meinst du?»

«Da Auguste heut ihren freien Nachmittag hat und ich selbst in der Küche stehen müsste», gab Annemarie klein bei, «erkläre ich mich ausnahmsweise damit einverstanden, auch wenn das keine Restauration ist, die ich für gewöhnlich aufzusuchen pflege.»

Bei «Aschinger» gab es die nächste Überraschung für Rieke und Wilhelm. Verwundert sah Friederike sich in dem freundlichen und hellen Restaurant um, irgendwie hatte sie eine dunkle Kaschemme erwartet. Hier konnte sie sich ihr Minchen gut vorstellen, für die Arbeit hier brauchte das Mädchen sich nicht zu schämen. Als Wilma den Eltern ihren einstigen Arbeitgeber vorstellte, waren sich Georg Aschinger und Wilhelm auf Anhieb sympathisch und fanden bei einem Bier schnell genügend Themen, über die sie fachsimpeln konnten.

Am Nachmittag des letzten Tages in diesem Jahr, in diesem Jahrhundert, war die Aufregung bei Friederike groß. Immer wieder betrachtete sie sich im Spiegel und zweifelte daran, ob sie für das Liebermannsche Palais elegant genug gekleidet wäre. Wilhelm machte im Abendanzug eine gute Figur. Sie fand das neue Kleid ein wenig zu schlicht und fürchtete, zu viel Dekolleté zu zeigen. Der altrosa Seidensatin fiel in schimmernden Falten an ihr herunter, nur am Ausschnitt und an den sehr kurzen Ärmeln von zarter Spitze umschmeichelt. Sie erinnerte sich noch gut daran, wie schwierig es gewesen war, lange Handschuhe zu finden, die genau den gleichen altrosa Farbton besaßen, wie das Kleid. Doch einmal mehr war es Martha Liebermann, die ein Geschäft wusste, wo Rieke fündig wurde. Martha war es auch, die Wilmas Mutter ihre Bedenken nahm, weil sie die Farbe des Kleides als unpassend für ihr fortgeschrittenes Alter betrachtete.

«Man trägt in diesem Winter Pastell, ich selbst werde eine Robe in zarten Pfirsichtönen tragen. Das sieht zu meinem etwas dunkleren Teint einfach hinreißend aus. Das Altrosé wird dafür Ihre goldene Haut zum Strahlen bringen, glauben Sie mir. Sie werden bezaubernd aussehen.»

Wie sehr Frau Liebermann recht hatte damit, davon konnte Rieke sich mit einem weiteren Blick in den Spiegel überzeugen und glaubte kaum, dass diese wunderschöne Dame sie selbst sein sollte.

Wilhelm rief, der Wagen sei da und riss sie aus ihrer Versunkenheit. Schnell raffte sie die kurze Schleppe, legte sich die Pelzstola um und war bereit für das Fest. Das Palais Liebermann am Pariser Platz, gleich neben dem Brandenburger Tor, erstrahlte in hellem Lichterglanz.

Gerade als Wilhelm und Rieke aus ihrer Kutsche aussteigen wollten, kam mit lautem Knattern ein seltsames Gefährt an und hielt ebenfalls vor dem Palais. Friederike klammerte sich an den Arm ihres Gatten.

«Oh, mein Gott, was ist das für ein merkwürdig lautes Ding. Mit Dampf wird es wohl nicht betrieben, oder?»

Wilhelm, ein wenig verlegen um eine genaue Antwort, wurde mit den anderen Gästen und seiner Frau ins Palais gedrängt. Ein Diener nahm ihnen die Umhänge ab, ein Weiterer bot Champagner an, in kostbaren Kristallgläsern, wie Rieke fachkundig feststellte. Die Türen zum Ballsaal waren weit geöffnet und eine laute Stimme ertönte vernehmlich bis nach draußen.

«Verehrte Gäste, was da soeben vorgefahren ist und einen Höllenlärm verursachte, ist ein Automobil. Diese Art der Fortbewegung ist inzwischen gar nicht mehr so selten, gab es doch in unserem beinahe vergangenen Jahr, bereits eine Automobilausstellung in Paris. Ein Autorennen fand auch schon statt. Wo? In Frankreich natürlich, da baut man in den Fabriken eine Menge Automobile!»

«Und warum nicht bei uns?» Von irgendwoher kam der Zwischenruf, auf den Max Liebermann sofort reagierte.

«Gut gefragt! Warum wohl nicht, weil unser Kaiser, seine Majestät Wilhelm folgenden Ausspruch tat: «*Ich glaube an das Pferd. Das Automobil ist eine vorübergehende Erscheinung*». Bevor wir uns damit auseinandersetzen, lassen Sie mich, liebe Gäste, Ihnen aus berufenem Munde, sprich aus dem unfehlbaren Brockhaus-Konversationslexikon vorlesen, womit wir es genau zu tun haben.»

Max Liebermann streckte die Hand aus und ein Bediensteter legte ein umfangreiches Buch hinein. Der Gastgeber schlug es auf und las laut vor:

«Die Vorteile der motorisch bewegten Straßenfuhrwerke gegenüber den von Zugtieren gezogenen sind mehrfache. Zunächst lassen sich mit Motorwagen oder Automobilen größere Geschwindigkeiten, auch für längere Zeitabschnitte, erreichen als mit Zugtieren; auch größere und anhaltende Steigungen werden leichter überwunden. Dabei sind die Betriebskosten bei den Automobilen erheblich geringer als beim Pferdebetrieb, sowohl bei dauerndem als auch ganz besonders bei intermittierendem Betrieb, weil das Automobil nur während der Fahrt Betriebskosten verursacht, während Pferde gefüttert werden müssen, auch wenn sie nicht gebraucht werden. Für verkehrsreiche Städte bringen die Automobile noch die Vorteile, dass sie weniger Raum beanspruchen als die mit Pferden bespannten Fuhrwerke, und dass die Verunreinigung der Straßen vermieden wird. Auf staubigen Landstraßen endlich bleiben die Insassen eines Automobils vom Staub mehr verschont als bei Pferdewagen.»
(Brockhaus-Konversationslexikon, 14. Auflage, 1894–96, Zusatzband 17, S. 780)

«Sie sehen, meine geschätzten Damen und Herren, am Automobil kommen wir einfach nicht mehr vorbei. Mag unser verehrter Kaiser also getrost weiterhin zu Pferd durch Berlin reiten!»

Die Lacher waren eindeutig auf Liebermanns Seite, auch wenn einige vielleicht über Majestätsbeleidigung nachdenken mochten. Doch der Maler war zu beliebt und man sah ihm seine Marotten gern nach. Auch jetzt unterhielt er seine Gäste im breitesten Berlinerisch mit Bonmots aus der Welt der Künstler.

Auf der Suche nach Wilma trafen Rieke und Wilhelm auf Martha, die ihnen den Weg ins Atelier wies. Dort, ganz oben, beinahe schon auf dem Dach des Palais, stand Wilma und sah versonnen zu der großen Glaskuppel hinauf, über die Liebermann sich mit dem Kaiser lange gestritten hatte. Erst vor gut einem Jahr erhielt er die Genehmigung dafür, weil das Glasdach vom Tiergarten aus sichtbar war und deshalb dem Kaiser missfiel. Jetzt war der hohe, beinahe kahle Raum fertiggestellt und bestach durch seine Schlichtheit. Er war, was er sein sollte, ein Arbeitsraum. Dies alles erklärte Wilma den Eltern, als sie langsam wieder nach unten zur Festgesellschaft gingen. Wilhelm nickte anerkennend, denn was das noble klassizistische Gebäude außen verhieß, hatte Liebermann innen mit einem kultivierten Wohnstil fortgesetzt. Er liebte große Feste und auch dieser Abend, der dem einen Jahrhundert ein Ende setzen und dem Neuen die Tür öffnen sollte, würde jedem noch lange im Gedächtnis bleiben.

Als um Mitternacht alle nach draußen drängten, um sich an den gleißenden Farben des großen Feuerwerks zu ergötzen, stand Wilma allein unter dem Glasdach des Ateliers und schaute in den frostklaren Nachthimmel. Sie hob ihr Champagnerglas und prostete den Sternen zu.

«Liebster Carl», flüsterte sie und eine Träne rollte ihr die Wange herunter, «ich wünschte, du wärest jetzt hier, bei mir. Stehst du nun gerade auch unter demselben Himmel, schaust in dieselben Sterne und denkst an mich? Ich wünsche uns beiden, dass uns die Liebe zueinander erhalten bleibt, wie groß die Entfernung zwischen uns auch sein mag. Es beginnt hier soeben ein neues Jahrhundert und ich wünsche mir, das es uns allen Glück bringen wird. Auf uns Carl und unsere Liebe!»

Ein paar Minuten blieb sie regungslos stehen, wartete auf das Echo ihrer Sehnsucht, doch in dem taghell leuchtenden Feuerwerksregen sah sie den Stern nicht mehr, jenen ganz besonderen Stern, dem sie ihre Grüße sonst immer anvertraute. Langsam stieg sie die Treppe hinunter, zurück zu den Feiernden und hatte das Gefühl, sich mit jedem Schritt weiter von Carl zu entfernen.

Rieke, die sie kommen sah, wunderte sich über die Traurigkeit in Wilmas Gesicht, wollte zu ihr hin, sie fragen sie trösten, doch die aufgedrehten Tänzer führten sie mit sich fort und der Augenblick war vorüber.

Friederike riss sich von den Erinnerungen los, kam mit ihren Gedanken zurück ins Hier und Jetzt. Dann dachte sie daran, dass sie auf der Fahrt nach Hause plötzlich gespürt hatte, dass sie Minchen nicht wirklich wiedergefunden hatte. Was ihr in Berlin begegnete, war eine junge, selbständige Frau, die sie als Mutter nicht mehr brauchte, die ihr Leben selbst im Griff hatte und die mit dem jungen, unerfahrenen Mädchen, das vor Jahren nach Berlin ausriss, nichts mehr gemein hatte. Minchen war für sie für immer verloren. Wilhelm, der seine Frau kannte und ahnte, was in ihr vorging, nahm ihre eiskalte Hand in seine und wärmte nicht nur die Hand, sondern auch Riekes Herz, als er sie tröstete:

«Liebes, glaube mir, du hast deine Tochter nicht verloren. Sie braucht dich als Mutter nach wie vor. Allerdings ist sie selbständig geworden und wird nicht wegen jedem Wehwehchen angerannt kommen. Freu dich darüber und sei stolz auf dein Kind. Sie wird ihren Weg gehen, ihren eigenen Weg, das glaube ich, nein, das weiß ich. Und nun, liebe Rieke, weine nicht, du hast ja noch mich.»

«Ja, Wilhelm, und Meta und Kappeln. Ist es nicht eigenartig, dass ich unbedingt hierher nach Berlin wollte und dass ich mich nach Kappeln sehne, nach unserem Zuhause und nach allen Freunden dort?»

«Genug mit den Erinnerungen», verscheuchte Rieke ihre sentimentalen Gedanken, «ich wollte doch einen Brief an Minchen, nein, an Wilma schreiben.»

Liebe Wilma   *Kappeln, den 17. März 1900*

Wie wunderbar es war, Dich wiederzusehen. Du darfst mit Recht stolz auf Dich sein, ich bin es und Dein Vater ebenfalls. Kaum kamen wir von der Reise zurück, gab es schon Neuigkeiten hier in Kappeln. Weil wir von dem wütenden Schneesturm im Februar vollkommen von der Außenwelt abgeschnitten waren, entschlossen sich die Ärzte, Apotheker und Geschäftsleute dazu, endlich eigene Telefonanschlüsse zu beantragen. Weil Kappeln demnächst der Sitz der Probstei sein wird, soll auch der neue Probst ein Telefon haben. Dein Vater ist erleichtert, weil die Mühle Amanda bald in den endgültigen Besitz des bisherigen Pächters übergeht. Friedrich Hadenfeld hat sich dazu entschlossen. Jetzt wo es Frühling wird und das Wetter mich wieder herauslockt, möchte ich gern Fahrrad fahren lernen. Dein Vater lachte mich aus und meinte, ich gäbe eine recht komische Figur ab, mit Ballonmütze und Knickerbockerhosen. Das schreckt mich nicht ab, denn meine Figur kann sich noch sehen lassen, im Gegensatz zu Papa. Mir gefällt der Gedanke nicht, mit Schreckpistole und Wasserspritze gegen die armen Hunde loszugehen, die an die Fahrräder nicht gewöhnt sind und sie gern verbellen. Es schien mir zu brutal und es wäre meiner nicht würdig. Deshalb bleibe ich für den Rest meines Lebens wohl doch lieber «per pedes.»

Im Gedenken an Dich, Deine dich liebende Mutter, Friederike Schulze...

28. Berlin, nach Ostern 1900

Lachend schwenkte Wilma den Brief ihrer Mutter und las Leila und Jette daraus vor. Die Passage mit dem Fahrrad gefiel ihr besonders gut. Die Freundinnen lachten vergnügt mit, bis Leila ums Wort bat.

«Ihr Lieben, da es gerade so gut passt, muss ich euch jetzt beichten, dass ich mir ein Fahrrad gekauft habe. So, nun ist es raus und ihr dürft lachen. Mit Ballonmütze und Knickerbocker fahre ich bestimmt nicht. Wer hilft mir, einen meiner Röcke so umzuändern, dass er wie eine Hose wirkt, aber nicht so aussieht? Soll ziemlich übel ausgehen, wenn weite Gewänder in die Speichen geraten.»

Jette erklärte sich schnell bereit, als Änderungsschneiderin zu fungieren, weil sie schon Erfahrung mit Nähmaschinen hatte und bei einer Bekannten, deren Maschine benutzen durfte.

«Na prima, dann ist das ja geklärt», freute sich Leila, «und nun sage ich euch auch, warum ich auf zwei Rädern durch Berlin rasen will. Wie ihr wisst, beginnt und endet mein Dienst in der Charité häufig zu ungewöhnlichen Zeiten. Nicht immer fährt dann noch die Straßenbahn und allein zu Fuß nachts durch Berlin zu laufen ist auch nicht ratsam. Eine Droschke oder etwa eine von den neuen Autodroschken kann ich mir von meinem Krankenschwesterngehalt nicht leisten. Meine Mutter würde das zwar gern bezahlen, aber ich möchte unabhängig sein, das versteht ihr bestimmt. Deshalb das Fahrrad. Damit bin ich schneller als jeder Verfolger, egal, was der im Schilde führen mag. Nun muss ich nur noch lernen, wie ich mich auf dem Ding halte, ohne damit umzukippen.»

Auch für dieses Problem fand Jette eine Lösung. Der Bruder einer ihrer zahlreichen Bekannten würde den Part des Fahrlehrers übernehmen, meinte sie und versprach, den jungen Mann gleich zu fragen.

«Ich muss nämlich auf der Stelle los, sonst komme ich zu spät», rief sie, schon im Aufbruch, «Wilma wolltest du nicht mitkommen, Clara Zetkin spricht heute über ein Thema, dass dich interessieren könnte!»

Kurz entschlossen warf sich Wilma einen Mantel über, denn es war auch Ende April noch empfindlich kalt draußen und folgte der Freundin. Dass Leila ihnen noch hinterherrief, sie müsse ebenfalls los, die Arbeit warte, hörte sie schon nicht mehr. Sie erinnerte sich an die Begegnung zwischen ihrer Mutter und Jette, kurz nach Neujahr. Der Vater, der sich mit Aschinger traf, mit dem er sich blendend verstand, ließ seine Frau ziehen. Sie wollte gern die Wohnung der drei Mädchen kennenlernen und die Dritte im Bunde, die Henriette Polzin, genannt die «rote Jette», kannte sie auch noch nicht.

«Geh du ruhig mit unserer Tochter», meinte Wilhelm jovial, «dann kann ich mit dem Aschinger genüsslich ein Bierchen zischen.»

Das ließen sich Wilma und ihre Mutter nicht zweimal sagen. Die Wohnung sagte Rieke zu, sie war gemütlich, warm und vor allem sauber. Das war ihr das Wichtigste, denn dass ihr Kind in einer verkommenen Bruchbude hausen würde, hatte sie ohnehin nicht angenommen. Leila war im Dienst, aber Jette kam aus ihrem Zimmer und bot sich an, Tee zu kochen, während Wilma der Mutter die restlichen Räume zeigte. Es fand sich auch noch etwas Weihnachtsgebäck und bald saßen die drei Frauen am Küchentisch und unterhielten sich bestens. So hatte Rieke sich Wilmas zuhause nicht vorgestellt, sie war davon angenehm überrascht. Als Jette auf ihre Arbeit im Frauenverein zu sprechen kam, horchte Rieke auf und stellte viele Fragen. Überschwänglich berichtete Jette von ihren Vorbildern Emma Ihrer und Pauline Staegemann, die gemeinsam mit Clara Zetkin als Delegierte 1889 am internationalen Sozialistenkongress in Paris teilgenommen hatten. Dort verhinderten sie zusammen einen Antrag gegen die Frauenerwerbstätigkeit und erreichten, dass Frauen in den Gewerkschaften als gleichberechtigt anerkannt wurden. Emma Ihrer wurde Ende 1890 sogar als erste Frau neben sechs Männern in die Generalkommission der Gewerkschaften Deutschlands gewählt. Jette sah so stolz in die Runde, als habe sie persönlich dafür gesorgt, dass der Frauenverein immer weiter wuchs. Pauline Staegemann wirkte seit 1885 in der Leitung des von Gertrude Guillaume-Schack in Berlin gegründeten Vereins «zur Wahrung der Interessen der Arbeiterinnen» mit. Diesem Verein durften laut Satzung nur «Frauen und Mädchen» angehören, Männer waren von den Versammlungen ausgeschlossen. Ziel des Vereins war eine Hebung der Löhne für Frauen, die Unterstützung bei Lohnstreitigkeiten, Bildung durch wissenschaftliche Vorträge und die Einrichtung einer Bibliothek.

«Nun stellt euch vor, was da los war», Jette war in ihrem Element, «als damals der Zoll auf ausländische Ware erhöht werden sollte.»

Rieke nickte wissend. Zu gut erinnerte sie sich an ihre Angst, sie müsse ihr kleines Klavier versteuern. Aber was hatte das mit der Frauenarbeit zu tun? Das fragte sie dann auch. Jette, die ahnte, dass Rieke in der wohlgeordneten Umgebung ihrer kleinen Heimatstadt sich mit solchen sozialen Problemen wie sie hier in Berlin gehäuft auftraten, nichts zu tun hatte, antwortete aus diesem Grund so ausführlich, wie es ihr möglich war.

«Sehen Sie, Frau Schulze, die Frauen aus den unteren sozialen Schichten haben keine andere Wahl, sie müssen arbeiten gehen, um sich und die Familie durchzubringen. Oft wurden sie von ihren Männern im Stich gelassen oder die trugen den kargen Lohn gleich in die Kneipe. Weil Frauen die geschickteren Hände haben, bekamen sie in der Textilindustrie eine schlecht bezahlte Arbeit. Dass diese, der kleinen Kinder wegen, fast immer Heimarbeit war, machte es nicht besser. Die Textilfirmen, die solche Frauen unter Vertrag hatten, erwarteten, dass sie das von ihnen benötigte Nähgarn selbst finanzierten. Sie bestanden auf dem besseren englischen Garn, das durch die Zölle noch mehr kostete. Damit war der Verdienst dieser Frauen noch geringer als vorher.»

«Oh, mein Gott, die Ärmsten», unterbrach Rieke schockiert Jettes Vortrag.

«Ja, das waren harte Zeiten und es wurde mit harten Bandagen gekämpft. Zunächst sammelten wir Tausende Unterschriften aus ganz Deutschland, um die Zollerhöhung zu verhindern, denn nicht nur in Berlin war die Armut groß. Erst eine parlamentarische Beschwerde, von unzähligen Frauen in einem Streik aller Konfektionsarbeiterinnen wirksam unterstützt, brachte Erfolg. Das Wichtigste daran war eine Änderung der Gewerbeordnung des Deutschen Reiches. Jetzt durften die gierigen Unternehmer das von den Frauen benötigte Arbeitsmaterial nur noch zu ortsüblichen Preisen austeilen.»

«Das ist ja unglaublich» Rieke reagierte erschrocken, «verstehe ich das richtig, dass die Unternehmer vorher an dem von ihnen beschafften Nähgarn erst noch selbst verdienten, ehe sie es den Frauen verkauften, die es nehmen mussten, wollten sie weiter bei den Firmen arbeiten?»

«So ist es» , Jette strahlte und streckte Rieke die Hand hin, «du redest, als wärst du eine von uns, du kennst dich aus und scheinst ein Herz für die armen Frauen zu haben. Ich bin die Jette und sage ab sofort du zu dir, liebe Friederike. Hier, meine Hand darauf!»

Staunend beobachtete Wilma die aufkeimende Freundschaft zwischen der «roten Jette» und ihrer, wie sie bisher geglaubt hatte, etwas naiven Mutter. Wie konnte das geschehen? Die Antwort gab die Mutter ihr sofort, als sie von ihrer Arbeit in Kappeln und dem dortigen Frauenverein berichtete.

«Natürlich haben wir in Kappeln nicht mit solchen schrecklichen Zuständen zu kämpfen, wie ihr hier in Berlin. Wir sind gehalten, genauer hinzuschauen, wo sich Not und Elend verstecken könnten. Die Leute dort im Norden sind ein stolzes Volk und zeigen nicht nach außen, wie es ihnen wirklich geht. Dazu kommt, dass sie meist in großen Familien leben, die Verwandten alle zusammenhalten und schon aus diesem Grund lässt sich kaum hinter die Fassade sehen. Heimarbeit gibt es bei uns auch, soweit ich weiß und ich werde als Anregung mit nach Hause nehmen, den Fabrikanten, die solche Art der Beschäftigung zulassen, ein wenig auf die Finger zu sehen.»

Jette riss Wilma aus ihren Erinnerungen an das vergangene Weihnachten und erinnerte sie daran, dass Clara Zetkin heute über die mangelnde Bildung der Frauen reden würde.

«Das ist doch dein größtes Anliegen, liebe Wilma, seit du nach Berlin gekommen bist, stimmts?»

Der Saal war brechend voll, Wilma ergatterte nur noch einen Stehplatz in den hinteren Reihen, während Jette vorn beim Vorstand des Vereins Platz nahm und von Clara Zetkin mit Handschlag begrüßt wurde. Gekonnt schlug die ihre Zuhörerinnen in den Bann. Hoch aufgerichtet, das flächige Gesicht von dunklen Locken betont, stand Clara Zetkin auf dem provisorisch errichteten Podium und nahm mit ihrer charismatischen Ausstrahlung alle für sich ein. Ohne große Umschweife kam sie auf das Thema ihrer Rede.

«Es ist die Weigerung des Staates, meine Damen, unseren Mädchen eine gymnasiale Schulbildung zuteilwerden zu lassen. Das ist der Grund allen Übels. Was bieten uns die Herren stattdessen an? Nur die höheren Mädchenschulen, die unseren Töchtern nicht einmal einen Abschluss in Aussicht stellen. Wie sieht das genau aus? Die Mädchen gehen neun Jahre zur Schule, und was dann? Was erwartet sie? Kein Studium, denn studieren ist uns Frauen verboten, keine Beamtenlaufbahn, denn die Herren Beamten möchten unter sich bleiben. Es gibt für junge Frauen keine Möglichkeit, sich selbst eine Existenz aufzubauen. Ist es nicht so, dass wir unsere Mädchen nur dazu erziehen, den nächstbesten oder nächstschlechtesten Mann heiraten zu müssen, nur damit sie versorgt sind, weil sie es selbst nicht können. Das Schlimmste aber daran ist, dass diejenigen, die es besser wissen müssten, die Mütter nämlich, das Ganze auch noch unterstützen. Warum? Weil sie es nicht anders kennen! Die Ärzte, studierte Männer mit Erfahrung, behaupten immer noch allen Ernstes, wir Frauen wären körperlich und geistig für ein Studium nicht geeignet. Die haben ja auch noch nie ein Kind zur Welt gebracht, dazu gehört eine Menge körperliche Kraft und um ein Kind zu erziehen, braucht man auch geistige Fähigkeiten, nicht wahr, meine Damen? Es kommt noch besser. Unsere Politiker jammern lautstark darüber, dass mit einem Studium die schönsten und besten weiblichen Eigenschaften verloren gingen und führen die dann fehlende Gefühlswärme an. Das ist Unsinn! Sie wollen, dass wir Frauen naiv bleiben und reden uns ein, die gottgewollten Berufe der Frauen wären die einer Ehefrau, Hausfrau und Mutter. Dass wir unter Beweis stellen, dass wir auch anders können, daran ist die Männerwelt gar nicht interessiert. Schenken wir diesem hohlen Geschwätz nicht auch noch Gehör, lehnen wir uns dagegen auf, wie unmündige Kinder behandelt zu werden, statt unser Leben selbst in die Hand nehmen zu dürfen. Dafür gibt es die Frauenvereine, dafür stehe ich hier und bitte Sie, Ihre Töchter nicht auch in Küche und Kinderzimmer zu verbannen. Schenken Sie ihnen eine Zukunft. Nur darum bitte ich Sie. Ich danke Ihnen fürs Zuhören!»

Der Weg nach Hause verlief sehr ruhig, jede der beiden Frauen war in ihre eigene Gedanken vertieft. Jette freute sich darüber, dass Clara Zetkin so viele Zuhörerinnen begeistern konnte und ihr Verein sicher regen Zuwachs bekäme. Sie träumte davon, dass alle Frauen eines Tages gleichberechtigt mit den Männern studieren und in der Politik Karriere machen können.

«Männer und Frauen sind gleich», dachte sie, «und es gibt nichts, was das widerlegen kann. Eines Tages, eines hoffentlich nicht mehr allzu fernen Tages, wird die Arbeit einer Frau genauso viel wert sein, wie die eines Mannes.»

«Ob meiner Mutter wohl Clara Zetkins Vortrag gefallen hätte», fragte sich Wilma, «würde sie dann endlich verstehen, warum ich von zuhause fortlief?»

Die Antwort darauf konnte sie sich nicht einmal selbst geben. In sich gekehrt ging Wilma ins Bett und schlief tief und traumlos. Der neue Tag brachte den langersehnten Brief von Carl aus Babylon. Ungeduldig riss sie den Umschlag auf und las, was ihr Liebster zu berichten hatte.

«Geliebte, Du fehlst mir so sehr, dass ich es kaum auszudrücken vermag, und ich kann es nicht erwarten, endlich wieder zu Dir zurück nach Berlin zu

kommen. Dich im Arm zu halten, bei Dir zu sein, ist das Einzige, was ich ersehne.»

Wilma spürte in sich eine Sehnsucht aufsteigen, die alles an Gefühlen übertraf, die sie jemals empfunden hatte. Fast eineinhalb Jahre war Carl nun fort und sie vermisste ihn jeden Tag und jede Stunde. Wie lange würde er noch in Bagdad und Babylon bleiben müssen, fragte sie sich bangen Herzens. Hastig wischte sie sich die Tränen fort und konzentrierte sich auf das, was er weiter geschrieben hatte.

«Geliebtes Herz, wie gern hätte ich Dich hier, bei mir und teilte mit Dir die sensationellen Funde, die unser guter Koldewey mit treffsicherer Hand aus dem Boden gräbt. Du ahnst nicht, mit welcher ungebrochenen Freude er nach dem Turm zu Babel sucht, dem «Etemenanki» der Bibel. Nun hat er sich auch noch vorgenommen, die «hängenden Gärten der Semiramis» auszugraben, weil er seltsame Gewölbe entdeckte, die nur den einen Schluss zuließen, dass sie einst die hängenden Gärten trugen. Koldewey hat immer einen Scherz auf den Lippen und arbeitet dennoch an einer wissenschaftlichen Publikation. Er lässt sich nichts anmerken, dabei leidet er genau wie wir alle unter dem Klima, den Krankheiten, kämpft gegen verständnislose Einheimische und verbohrte und bestechliche Ortsvorsteher. Am schlimmsten ist die Widerspenstigkeit der hier ansässigen Arbeiter, die nicht verstehen, was wir hier tun. Wir alle, die mit Koldewey nach Babylon kamen, sind ihm von ganzem Herzen ergeben. Das Einzige, was man ihm vorwerfen könnte und einige tun es auch, ist, dass er unter keinen Umständen Frauen auf der Ausgrabungsstelle duldet, auch nicht die Frauen der deutschen Archäologen. Sie nerven ihn, behauptet er und wenn er sie fortjagt, beschweren sie sich bei ihren Männern. Und das hasst er noch mehr. Wir arbeiten wie die Wilden, jeden Tag graben wir uns durch das etwa dreieinhalb Quadratkilometer große Gelände, denn die meisten Bauten liegen unter dem Wüstensand verborgen. Aber es lohnt sich. Was wir Stück um Stück freilegen, ist geradezu atemberaubend. Massive Mauern aus Tonziegeln, die nur deshalb die unendlich langen Zeiten überstanden haben, weil sie nicht luftgetrocknet wurden, sondern gebrannt. Tonnenweise Schutt räumen unserer Arbeiter dafür nach oben. Wenn Du es sehen könntest, liebste Wilma, unglaublich riesige Toranlagen, gut erhaltene Wände aus leuchtend blauen, glasierten Ziegeln mit Reliefs, die schreitende Tiere, Löwen und Stiere darstellen, beinahe lebensecht. Es ist atemberaubend schön und wir können und wollen nicht aufhören, immer

noch mehr davon ans Tageslicht zu holen. Tausende, ach, was schreibe ich da, Hunderttausende dieser Ziegelsteine liegen inzwischen im Hof unseres Expeditionshauses. Koldewey treibt sich und uns erbarmungslos an. «Wer krank ist, wird entweder gesund oder er stirbt» ist seine Devise. Und, glaube mir, wir alle folgen ihm bedingungslos. Am Abend, wenn es zu dunkel ist, um zu graben, stehe ich oft auf dem Dach unseres Hauses und schaue hinauf zu den Sternen. Dann denke ich an Dich, suche Dich in unserem ganz besonderen Stern und sende mit ihm einen lieben Gruß und tausend heiße Küsse zu Dir nach Berlin. Bitte verzeih mir, dass ich nicht bei Dir sein kann. Wärest Du hier, dann könntest Du mich verstehen. Du sollst wissen, dass ich für immer und ewig der Deine bin.

Ich liebe Dich, Dein Carl aus der Wüste.»

Das Blatt fiel aus Wilmas kraftloser Hand. Für einen Moment wusste sie nicht, ob sie über Carls Bericht lachen oder darüber weinen sollte, weil er darin durch die Blume ankündigte, dass er noch länger fort sein würde.

«Carl, mein Liebster», flüsterte sie, «wie könnte ich dich nicht verstehen. Wäre ich doch nur ein Mann, dann hielte mich hier nichts mehr und ich grübe an deiner Seite den Etemenanki, den gewaltigen Turm zu Babel aus.»

Am Abend war Wilma mit Martha Liebermann verabredet, deren Gatte sich wie so oft mit Gesinnungsgenossen seiner «Berliner Sezession» traf und dort gegen Gott und die Welt, vor allem aber gegen den Kaiser wetterte. Seine Auffassung von Kunst verteidigte er gern auf humorige Weise. Für ihn bestand Kunst nicht im Thema, sondern ausschließlich in der Malerei.

«Eine gut gemalte Rübe», so verteidigte er seine Ansichten auf die übliche drastische Art, «ist genauso gut wie eine gut gemalte Madonna» und provozierte damit gezielt alle, die ihm auf diesem Weg der Malerei nicht folgen konnten oder wollten. Seine Frau suchte sich eigene Wege und traf sich gern mit ihren Freundinnen. Soeben betrat Wilma das Palais und wurde überschwänglich von Dackel Männe begrüßt.

«Verzeih Männe bitte sein Ungestüm», Martha schritt gelassen die elegant geschwungene Treppe herunter, «unser geliebtes Hundevieh hat dich nun mal in sein großes Herz geschlossen. Komm doch mit nach oben, ich habe eine Zeitung aufgehoben, die dich interessieren dürfte.»

Unauffällig sorgte die zahlreiche Dienerschaft für das Wohl von Wilma, die sich immer noch nicht daran gewöhnen konnte, dass wie von Geisterhand ihr der Mantel abgenommen, der Stuhl untergeschoben und ein köstliches Menü serviert wurde. Die Contenance, die bei Martha selbstverständlich schien, wie das Atmen, war für Wilma immer noch anstrengend. Am beunruhigendsten fand sie die Tatsache, dass man niemals allein und ungestört war. Ständig war jemand vom Personal anwesend oder schien in unmittelbarer Nähe zu sein. Schnell schüttelte sie das unangenehme Gefühl ab und widmete sich ganz ihrer Freundin, die ihr eine Zeitung neben den Platz gelegt hatte.

«Du interessierst dich doch für Ausgrabungen, meine liebe Wilma», Marthas Lächeln war unwiderstehlich und ein wenig zu schalkhaft, um noch damenhaft zu wirken, «in diesem Blatt findest du das Neueste über Arthur Evans Grabungen auf Kreta. Ihm ist dort ein großer Wurf gelungen. Aber bitte, lies selbst.»

«Artur Evans hat auf Kreta den Palast des Minos entdeckt», las Wilma folgsam, «seit Evans am 23. März dieses Jahres mit den Ausgrabungen bei Knossos auf der Insel Kreta begann, sind die monumentalen Überreste eines groß angelegten Palastes aus dem Erdreich aufgetaucht. Das Mauerwerk lag dicht unter der Oberfläche. Der Palast soll eine mögliche Größe von etwa zweieinhalb Hektar gehabt haben, vermutet Evans und weist erstaunliche Ähnlichkeit mit den Palästen von Tiryns und Mykene auf dem griechischen Festland auf. Evans ist davon überzeugt, auf diesem Ausgrabungsgelände viele bedeutende Funde zu machen.»

Wilma faltete nachdenklich die Zeitung und legte sie auf den Tisch zurück. Die Blicke, mit denen Martha sie beobachtete, merkte sie nicht. Nach einem Moment des Schweigens meinte sie betont emotionslos:

«Es scheint, dass mit dem neuen Jahrhundert auch die Sensationslust der Menschen neu erwacht ist. Alles soll höher, weiter, schneller oder, wie in diesem Fall älter sein. Ich hoffe für Evans, dass ihn die vielen Möchtegern-Archäologen nicht überrennen und ihm seinen Erfolg streitig machen. Carl erzählte mir einmal, dass dies in Ninive den englischen Ausgräbern so ergangen sei, als die Entdeckung von Keilschrift-Tafeln mit den Fragmenten des Gilgamesch-Epos, oder wie man glaubte, der biblischen Sintflut, großes Aufsehen erregte. Dadurch wurde eine regelrechte Jagd nach den Tafeln ausgelöst und die Engländer hatten alle Mühe, sich der uneingeladenen Grabwilligen zu entledigen.»

Martha, die erkannte, wie allein der Name Carls ihre Freundin aus der Fassung brachte, überlegte, wie weit sie Wilma in ihr Wissen einweihen sollte, beließ es dann bei einer beiläufigen Bemerkung. Die Wahrheit wäre zu grausam.

«Meine Liebe, wie sehr musst du deinen Carl vermissen. Weißt du, ob er bald in die Heimat zurückkehrt? Er vermisst dich und seine Familie bestimmt. Hat er dir davon erzählt? Oder hat er dir mitgeteilt, wann er zurück sein wird?»

«Ach Martha» Wilma fühlte schon wieder die Tränen in sich aufsteigen, «gerade heute erhielt ich einen Brief von ihm und der klang so enthusiastisch, dass ich mir nicht vorstellen kann, warum Carl seine Leidenschaft aufgeben und nach Berlin zurückkehren sollte. Ich werde weiter auf ihn warten müssen.»

Wilmas Antwort zeigte Martha deutlich, dass sie nichts wusste, nicht einmal ahnte und so lenkte sie das Gespräch geschickt auf ein anderes Thema.

«Ja so sind sie eben, die Männer und ihre Leidenschaft. Aber mitunter kommt sie auch uns Frauen zugute. Weißt du, in Paris hat man soeben die Weltausstellung eröffnet und mein lieber Max möchte unbedingt dorthin. Er sprach schon zu Beginn des Jahres davon, dass er gern der Eröffnungsfeier beiwohnen möchte, doch dann hörte er, dass die Olympiade in diesem Jahr ebenfalls in Paris stattfinden soll. Sie wird Mitte Mai eröffnet. Nun hat sich mein lieber Gatte in den Kopf gesetzt, die beiden Veranstaltungen gleichzeitig zu besuchen. Natürlich soll ich ihn begleiten und ich fürchte, das wird eine recht ermüdende Angelegenheit für mich.»

Wilma lachte leise. Was Martha da als anstrengend bezeichnete, wäre für manche Frau die Erfüllung all ihrer Träume. Zu gern würde sie selbst über das weitläufige Ausstellungsgelände streifen und sich ansehen, was andere Länder und andere Völker zu bieten hatten. Ein leiser Seufzer entfuhr ihr, den die aufmerksame Martha hörte.

«Liebe Wilma» reagierte sie sogleich, als habe sie nur darauf gewartet, «da fällt mir ein, um wie viel schöner diese Reise für mich wäre, wenn du mich begleiten würdest. Hättest du Lust darauf? Was meinst du, würde Wilhelm Bode dich für ein paar kurze Wochen freigeben? Du arbeitest ja seit langem wie eine Sklavin für ihn, schlecht bezahlt und ohne Urlaub. Soll mein Gatte mit ihm reden? Benötigst du noch Zeit, um zu überlegen?»

Wilmas erste Reaktion war Freude, pure, überschäumende Freude darüber, dass sie ein Stück von der Welt sehen würde, oder besser noch, in Paris die Welt zu ihr käme. Doch im gleichen Augenblick wurde ihr bewusst, dass sie kein Geld für diesen Traum hatte. Selbst wenn Martha die Kosten der Fahrt und der Unterkunft übernähme, müsste sie sich komplett neu einkleiden. Das, was sie täglich in der Galerie und auf dem Baugelände des neuen Museums trug, hielt einer Reise nach Paris nicht stand. Ihr Stolz ließ nicht zu, die Freundin um Geld anzubetteln. Dann verzichtete sie lieber, auch wenn sie Paris und die Weltausstellung gern gesehen hätte. Martha ahnte in ihrer üblichen feinfühligen Art Wilmas Einwände. Sie beruhigte die Freundin und machte ihr klar, dass es für sie eine Bereicherung sei, wenn sie nicht allein reisen müsste.

«Du bist doch nicht allein», wandte Wilma ein, «Dein Mann fährt mit und Käthe wohl auch. Allein kannst du das nicht nennen. Verstehe mich bitte richtig, ich will dir nicht zur Last fallen, auch nicht in finanzieller Hinsicht.»

«Na hör mal», Martha spielte die Empörte, «Geld habe ich mehr als genug, aber deine Freundschaft ist unbezahlbar für mich. Ich will dich nicht «kaufen», ich bitte dich nur darum, mir Gesellschaft zu leisten, denn meine Tochter ist im Internat und kann mich nicht begleiten. Und Max, du kennst ihn doch, wird so damit beschäftigt sein zwischen der Weltausstellung und der Olympiade hin und herzulaufen, dass er mich darüber völlig vergisst. Du siehst, ich bin also doch allein, wenn du nicht mitkommen willst. Lass mich nicht so lange bitten. Du bist mir wichtig und alles andere findet sich. Bitte, komm einfach mit.»

Mit gespielt verzweifelter Miene warf Martha sich vor Wilma auf die Knie und hob die Hände mit einer anrührend flehenden Geste. Beide Frauen brachen in Gelächter aus, so wenig passte die aufgesetzte Leidensmiene zu Liebermanns lebenslustiger Frau.

«Natürlich komme ich mit», Wilma streckte die Hände aus und zog ihre Freundin wieder auf ihre Füße, «sehr gern sogar, vorausgesetzt, Bode lässt mich gehen.»

Martha versprach, sich bei Bode für Wilma einzusetzen, und damit war alles gesagt. In Wilma wirbelten die Gedanken wild durcheinander, als sie sich zu Fuß auf den Heimweg machte. Sie schaute, wie so oft, hinauf zu den Sternen, die in dieser recht milden Frühlingsnacht ganz besonders zu funkeln schienen.

«Warum soll ich nicht dieses eine Mal nach den Sternen greifen», dachte sie und sandte ihren allabendlichen Gruß zu Carl nach Babylon. In ihrer Freude über die bevorstehende Reise mit Martha, überhörte sie die leise Stimme in ihrem Inneren, die ihr zuflüsterte, dass Carl ihr vielleicht nicht in allem die ganze Wahrheit gesagt hatte....

29. Kappeln, im Dezember 1901

Ergriffen lauschte Friederike den letzten Klängen der Schallplatte, die eine Operette, «Die Fledermaus» von Johann Strauss, abspielte, die Wilhelm ihr mitsamt dem dazugehörenden Grammophon zum fünfzigsten Geburtstag im Februar geschenkt hatte. Es lagen noch ein paar weitere Schallplatten dabei, doch «Die Fledermaus» war von Anfang an ihre Lieblingsmusik, die sie inzwischen sogar leise mitsang.

«Wenn ich dich schon nicht ins Theater ausführen kann, meine Liebste», war Wilhelms Begründung für das kostspielige Geschenk, «dann möchte ich dir diese wunderbare Musik ins Haus bringen dürfen!»

Tränen der Rührung liefen auch gleich nach diesem Bekenntnis über Riekes Wangen. Sie weinte in letzter Zeit ohnehin sehr viel und kannte oft selbst nicht den Grund dafür. Meta, ihre zuverlässige, verständnisvolle Freundin, hatte auch dieses Mal einen Rat.

«Liebe Rieke», meinte sie und bat die Freundin, sich doch zu ihr zu setzen, «du leidest vermutlich unter den Frauenbeschwerden, wie sie in unserem Alter eben vorkommen.»

«Was meinst du mit, in unserem Alter?» , tat Rieke empört. Auf das halbe Jahrhundert, das sie inzwischen erreicht hatte, war sie nicht besonders stolz. Ein wenig eitel durfte sie doch sein, das stand ihr zu, glaubte sie und begutachtete im Spiegel kritisch jedes noch so kleine Fältchen und jedes graue Haar, das es wagte, sich zu zeigen. Und nun sprach Meta von «Alter».

«Wir sind nicht mehr Zwanzig, Rieke», beschwichtigte Meta und trat damit genau in das Fettnäpfchen, das sie vermeiden wollte, «es gibt gewisse Vorgänge im weiblichen Körper, die mit dem fortschreitenden Alter nicht mehr funktionieren. Die Fruchtbarkeit lässt nach und hört bald ganz auf. Wir ändern uns allmählich. Es geht nicht von heute auf morgen, aber wir werden langsam von Müttern zu Großmüttern, sofern unsere Kinder ihrerseits für Nachwuchs sorgen und uns Enkel bescheren, auch wenn wir davon vielleicht noch gar nichts wissen.»

«Ach Meta, hör auf, wie eine Großmutter fühle ich mich noch lange nicht und hoffe, dass ich auch noch nicht wie eine solche aussehe.»

Rieke verstand nicht, worauf Meta hinauswollte oder tat wenigstens so. Dass sie erschrocken nachrechnete und mit Entsetzen feststellen musste, dass ihre Tochter bereits dreißig Jahre zählte, versuchte sie sich nicht anmerken zu lassen. Aber Meta kannte ihre langjährige Freundin gut und lachte.

«Nicht nur du wartest auf Enkel, gib es ruhig zu, auch mir ist klar, dass mein Sohn Jan inzwischen dreiunddreißig Jahre alt und immer noch nicht verheiratet ist. Hätten er und dein Minchen sich damals verlobt und auch geheiratet, dann ginge unser erstes gemeinsames Enkelkind möglicherweise schon zur Schule.»

Ein tiefer Seufzer war Riekes Antwort und dann schwiegen beide Frauen und hingen ihren Gedanken nach, bis Meta die Frage stellte, die Rieke liebend gern vermieden hätte.

«Sag mal, dein Minchen hat doch auch noch niemanden gefunden, oder? Meinst du, wenn Jan hier in Deutschland geblieben wäre, oder hierher zurückkäme, könnte aus den beiden noch was werden?»

«Ich kann es dir nicht sagen, Meta. Aus meinem Minchen ist eine Wilma geworden, die sich nicht in ihr Leben hineinblicken lässt. Ob es einen Mann gibt, dem sie zugetan ist, weiß ich nicht. Sie schreibt mir nichts darüber. Ihre Briefe sind oft nur kurz und eher oberflächlich, als wolle sie nichts von dem berichten, was ihr wirklich wichtig ist. Geht es dir mit Jan nicht ähnlich?»

«Das stimmt, Rieke, auch er teilt mir nur Dinge mit, von denen er glaubt, dass sie mich interessieren könnten. Als er mich das letzte Mal besuchte, da erschrak ich richtig , so erwachsen sah er aus.»

Wieder schwiegen die Freundinnen, bis Meta hörte, wie Rieke leise vor sich hinsummte und die Melodie aus der Fledermaus erkannte: «Glücklich ist, wer vergisst, was doch nicht zu ändern ist...»

Sie sang leise mit und dann, mit einem Mal sahen sie sich an und lachten. Sie lachten die trübsinnigen Erinnerungen weg und die realen Beschwerden von Frauen ihres Alters.

«Na siehst du», Meta schnappte immer noch kichernd nach Luft, «wer lacht, der lebt noch und wir leben noch lange...» – «...und in Freuden», ergänzte Rieke, die ihren Kummer unter dem Lachen verbarg.

Alles musste die Freundin nun auch nicht wissen. Dass Wilhelm sich ihr immer mehr entfremdete, machte ihr Sorgen. Eine andere Frau gab es nicht, so viel hatte sie herausgefunden. Dass er immer so müde und schnell erschöpft war, auch wenn er es nichtzugeben wollte, fand sie bedenklich. Den Arzt, ihren langjährigen Hausarzt Doktor Spliedt mochte er für eine solche Lappalie nicht konsultieren, meinte er. Ob es auch bei Männern diese Art von Beschwerden gab, in einem gewissen Alter? Das fragte sie ihre Meta aber doch nicht, dafür genierte sie sich zu sehr. Lieber lenkte sie die Freundin mit einem anderen Thema ab, von dem Meta immer gern hörte, von Königen und dem Adel. Anfang des Jahres verstarb in England Königin Victoria und hinterließ eine große Lücke.

«Kannst du dir vorstellen, dass die Queen beinahe vierundsechzig Jahre die Herrscherin über das gewaltige Königreich Großbritannien war? Was für eine Leistung.»

«Ach ja», auch Meta hatte sich über das Leben der alten Dame informiert, «sie liebte ihren Albert sehr, einen deutschen Prinzen, der bei den Engländern gar nicht gut ankam und sie bekam neun Kinder von ihm. Nur wenig mehr als zwanzig schöne Jahre waren ihr an seiner Seite gegönnt, dann starb Albert mit nur zweiundvierzig. Sie war also fast fünfzig Jahre Witwe. Wie tragisch!»

«Ob ich das auch gemacht hätte?»

«Was meinst du?»

«Nun, ob ich auch mein Leben lang um Wilhelm getrauert hätte, wäre er so früh verstorben?»

Rieke war schon wieder den Tränen nahe und Meta reagierte sofort darauf.

«Liebes, weißt du was, hören wir auf, in Vergangenem herumzukramen. Wir sollten uns lieber um die Vorbereitungen für das Krippenspiel kümmern. Da gibt es immer noch nicht genügend Kostüme für all die Schafe und Hirten und Engel, weil alle Kappelner Kinder mitspielen wollen. Jedenfalls sieht es so aus.»

«Oh ja Meta, du hast recht. Die Ehefrau von Bäcker Matthiesen freut sich unbändig darüber, dass in diesem Jahr das Krippenspiel in ihrem vor kurzem erst eröffneten Café stattfinden soll. Bestimmt hat sie schon wieder neue Ideen, wie es noch schöner und besser aufgeführt werden könnte.»

Als Meta und Rieke kurz darauf in Matthiesens Café ankamen, herrschte dort ein unbeschreibliches Chaos. Alle redeten durcheinander, Mütter keiften einander an, die Kinder weinten und mittendrin die stämmige Bäckersfrau, die das Geschrei noch übertönte.

«Das geht aber nicht, das lass ich mir nicht gefallen. Da kann jeder kommen und mir die Aufführung verbieten. Wo gibt es denn so was? Und wer zahlt mir das, was ich schon alles dafür ausgegeben habe? Die in Berlin sicher nicht. Wie kann man nur mit einem alten unnützen Gesetz daher kommen!»

Meta und Rieke sahen sich fragend an. Was war hier los? Meta schaute sich um, nach jemandem, der noch irgendwie ansprechbar war und Auskunft geben konnte. Am gegenüberliegenden Ende des Cafés machte sie die hohe Gestalt der Pastorin aus und drängelte sich zu ihr durch.

«Sagen Sie, Verehrteste, was ist denn hier passiert. Das hört sich ja an, als habe jemand in ein Wespennest gestochen.»

«So etwas Ähnliches ist auch geschehen. Kommen Sie, Meta, gehen wir nach vorn in die Bäckerei. Dort dürfte es ruhiger sein. Da kommt Frau Schulze, die nehmen wir auch mit.»

In der Bäckerei herrschte tatsächlich Ruhe. Die Pastorin fasste sich schnell und berichtete den beiden Freundinnen von dem Vorfall, der alle so aufgebracht hatte.

«Wie es genau zustande kam, weiß ich auch nicht. Nur so viel, als dass ein Bote unseres Bürgermeisters mit einem amtlichen Schreiben hierherkam und ein sofortiges Ende des Krippenspiels anordnete. Er las uns laut vor, dass die Regierung in Berlin vor Jahren einen Erlass herausgegeben habe, dass in der Vorweihnachtszeit in öffentlichen Lokalen keine theatralischen Aufführungen von schulpflichtigen Kindern stattfinden dürfen. Als wir alle mit Recht empört aufbegehrten, bat er um Ruhe und las weiter, dass diese Aufführungen als moralischer und pädagogischer Missbrauch angesehen würden und deshalb verboten wären. Ratlos sahen wir uns an und Frau Matthiesen ereiferte sich sofort aufs Heftigste. Sie empfand es als persönlichen Angriff auf ihre erst vor kurzem neueröffnete Bäckerei. Sie habe aus Gutherzigkeit ihr Café für das Krippenspiel zur Verfügung gestellt und bleibe nun auf allen Kosten sitzen. Ob das im Sinne unseres Kaisers wäre, wollte sie noch wissen, aber da hatte sich der Bote des Bürgermeisters schon aus dem Staub gemacht, nicht ohne uns das fragliche Papier dagelassen zu haben. Wie es nun weitergehen soll, das weiß ich nicht. Nur, dass wir die Kinder nicht enttäuschen dürfen, das steht fest.»

Friederike, die sich die Sache ruhig angehört hatte, überlegte, ob ihr Wilhelm sich nicht darum kümmern könne, und Meta fragte, ob der Herr Pastor einen Ausweg finden würde. Am Ende beschlossen die drei Damen, ihr sowieso für den kommenden Tag geplantes Kaffeekränzchen dafür zu nutzen, mit den anderen Damen über die Sachlage zu reden und den Herrn Pastor und Wilhelm dazu einzuladen. Gemeinsam müsste sich eine Lösung finden, darin waren sie sich einig. Dass ihnen dabei der Zufall zu Hilfe kam, ahnten sie noch nicht. Als am nächsten Tag die Damen bei der Pastorin beim Kaffee saßen, betrat der Herr Pastor den Salon, den er sonst während der Kaffeekränzchen tunlichst mied. Doch diesmal brachte er frohe Botschaft und er begann mit der weihnachtlichen Verkündigung:

«Fürchtet euch nicht! Denn sehet, ich bringe euch große Freude, die allem Volk widerfahren wird.»

Die Kappelner Damen sahen sich ratlos an, nur die Pastorin lachte und schalt ihren Mann ein wenig aus.

«Bitte, drücke dich doch etwas klarer aus. Wie sollen meine Freundinnen sonst erahnen können, was du ihnen zu sagen versuchst.»

«Du hast ja recht, meine Liebe» gelobte der Pastor Besserung und rückte endlich mit der Sprache heraus.

«Meine werten Damen, so wie es im Moment aussieht, werden wir noch rechtzeitig zum Fest von Christi Geburt, unsere schöne Sankt-Nikolai-Kirche im strahlenden Glanz einer elektrischen Beleuchtung erleben dürfen. Ist das nicht großartig? Viele Kappelner spendeten dafür, denn unsere Kirchengemeinde hätte allein das Geld für diese Installation nie aufbringen können. Als meine liebe Frau mir gestern Abend von der schier unlösbaren Aufgabe berichtete, noch rechtzeitig einen geeigneten Raum für das geplante Krippenspiel zu finden, fiel mir ein, dass es nichts Besseres dafür gäbe, als unsere wunderbare große Kirche. Nun, wo sie hell erleuchtet sein wird, hoffe ich, dass alle Kappelner den Weg an Weihnachten dorthin finden, und sei es nur, um ihre Kinder und Enkel einmal als Engel, Hirten oder Schafe zu erleben. In der taghell erleuchteten Kirche können sie jedes Gesicht unter der Verkleidung genau erkennen und stolz darauf sein, dass dort vorne, vor dem Altar, ein Mitglied ihrer Familie zum Lob Gottes beitragen darf. Nun, was sagen Sie dazu, meine Damen?»

Einen Moment herrschte noch Stille, man musste das Gehörte erst einmal verdauen. Dann brach enthusiastischer Beifall unter den Frauen aus, den die Pastorin mit einer Handbewegung unterbrach.

«Bitte, die Damen, mäßigen Sie sich. Ich selbst finde die Idee meines Gatten ja auch genial. An uns wäre es nun, zu überlegen, wie das Ganze umzusetzen wäre und was wir an Dekoration von Frau Matthiesen übernehmen können und weitere Einzelheiten. Wenn Sie damit einverstanden sind, dann lassen Sie uns sogleich beginnen. Wer ist heute die Schriftführerin?»

Rieke lächelte versonnen, als sie daran zurückdachte. Natürlich erhielt sie den Part der Schriftführerin und schrieb fleißig mit, auch wenn sie das Meiste wieder streichen musste, bis man sich auf alle Kleinigkeiten geeinigt hatten. Mittlerweile hatte jeder Mitwirkende seine Rolle verinnerlicht, ob er auf der Bühne stand oder hinter den Kulissen arbeitete. Es würde ein denkwürdiger Tag werden, dieser Heilige Abend des Jahres 1901 in Kappeln.

«Zu schade, dass mein Minchen auch in diesem Jahr nicht zu uns kommen wird», seufzte Rieke und legte die selbstgebackenen «Wiehnachtspoppen», das traditionelle Angeliter Gebäck, sorgsam in das umfangreiche Paket, das morgen nach Berlin zu Wilma abgesendet werden sollte. Schon im vergangenen Jahr bat sie die Tochter vergebens darum. Doch die meinte bedauernd, dass sie im Moment unabkömmlich sei, weil der lange Urlaub in Paris zur Weltausstellung dazu geführt habe, dass Wilhelm Bode alle Feiertage gestrichen und sie aufgefordert habe, die Auflistung der Exponate eilends fertigzustellen. Rieke hatte das Gefühl, dass Minchen ihre Arbeit vorschob und den wahren Grund ihres Fernbleibens nicht mitteilen wollte.

Rieke begutachtete das Paket erneut. Der große Schinken, den Janne gestern noch brachte, lag sicher und fest in einen Leinensack eingewickelt, ganz zuunterst. Janne, die treue Seele, sie hatte ihre langjährige Dienstherrin nicht vergessen und ein zweiter Schinken für sie und Wilhelm hing bereits in der Vorratskammer. Zwei der teuren Gaben fand Rieke ein wenig zu viel des Guten, doch Janne lachte nur und wiegelte jedes Bedenken ab.

«Liebe Friederike, mein Ehemann ist ein Großbauer, der merkt nicht mal, dass wir zwei Schinken weniger im Rauch hängen haben. Außerdem hab ich es ihm gesagt und er war damit einverstanden, denn er habe sein tüchtiges Weib nur euch zu verdanken. Also nehmt es und genießt es. Ich bin euch ebenfalls zu Dank verpflichtet, denn ich habe endlich mein Glück gefunden, durch eure Großherzigkeit.»

Natürlich hatte Rieke auch ein Geschenk für die ehemalige Dienstmagd, die längst zu einer Freundin geworden war. Ein kostbar besticktes Schultertuch aus edler Kaschmirwolle hatte sie sich aus Berlin schicken lassen und Janne schaute ungläubig auf das schöne Stück.

«Rieke», ermahnte sie sich jetzt, «träume hier nicht herum und grabe in Erinnerungen, das Paket muss morgen weg und du solltest noch einen Brief hineinlegen für Minchen. Sie wird sicher wissen wollen, was hier alles los war, in diesem seltsamen Jahr.»

«Liebe, viel zu weit entfernte Tochter,   *Kappeln , Dezember 1901*

Ein sehr merkwürdiges Jahr geht zu Ende, mit zahlreichen Veränderungen guter oder schlechter Art. Doch ich will nicht jammern, es geht Deinem Vater und mir bestens, von ein paar kleinen Wehwehchen abgesehen. Die sind in unserem Alter normal. Sind wirklich schon wieder zwei Jahre vergangen, seit wir dich in Berlin besuchten? Manchmal denke ich, es wäre erst gestern gewesen. Meta lässt Dich ganz herzlich grüßen. Das Weihnachtsgebäck ist von ihr. Jan war im Sommer hier bei uns in Kappeln und ich habe ihn fast nicht wiedererkannt. Er ist ein richtiger Herr geworden, mit feinem Anzug und einem befremdlichen Backenbart. Der macht ihn älter, als er ist. Meta horchte ihn natürlich nach Kräften aus und wusste bald, dass ihr Sohn immer noch keine Frau gefunden hat. Ob er seine Hoffnung auf eine Verbindung mit Dir nicht aufgegeben hat? Er schob das Interesse an der von Reichskanzler Bernhard von Bülow angedachten starken Erweiterung der Seestreitkräfte vor. Jan unterhielt sich lange mit Wilhelm darüber, der glaubt, dass Kappeln vielleicht einen Marinehafen bekäme, wegen der Begeisterung unseres Kaisers für seine Matrosen. Wir werden sehen. Ansonsten fachsimpelten die beiden Herren über die Gründung eines Deutschen Fußballbundes. Ich las derweil die Zeitung, unseren «Schleiboten» und fand dort das passende Weihnachtsgeschenk für Annchen, unser neues Dienstmädchen. Stell dir vor, es gibt eine neue Erfindung, einen Dielenöler mit verstellbarem Holzstiel. Der soll ihr die schwere Arbeit erleichtern und sie wird sich bestimmt darüber freuen. Ansonsten kann ich Dir im Augenblick nichts weiter berichten und hoffe, dass Du gesund und munter bist. Lass bitte bald wieder von Dir hören. Dies alles, und ein schönes, glückliches Weihnachtsfest, wünscht Dir von ganzem Herzen, Deine stets an Dich denkende Mutter, Friederike Schulze.»

Rieke legte den Brief ins Paket und schloss es schweren Herzens. Dann wandte sie sich der nächstliegenden Aufgabe zu, dem Krippenspiel. Es wurde, trotz der anfänglichen Schwierigkeiten, ein voller Erfolg für die Beteiligten und alle Zuschauer. Jeder meinte nachher, dass die Kappelner Nikolai- Kirche noch nie so schön ausgesehen habe, wie in diesem strahlend hellen elektrischen Licht. Rieke aber wurde trotz allem das ungute Gefühl nicht los, dass ihre

Tochter in Schwierigkeiten steckte. Dass Wilhelm meinte, sie würde sich schon melden, wenn dem so sei, machte es nicht besser, dafür kannte Friederike ihr Minchen zu gut. Woran Wilma in Wahrheit litt, das konnte selbst eine so hellsichtige Mutter wie Friederike nicht erspüren, denn nicht einmal Wilma hatte es vorausahnen können....

30. Berlin, an Neujahr 1902

«Liebe Mutter, ich danke dir für dein schönes großes Weihnachtspaket. Ich habe mich sehr darüber gefreut und ich...»

Tränen tropften auf das Papier und machten Wilmas Worte unleserlich. Sie knüllte das Schreiben zusammen und warf es in den Papierkorb. Ihr Blick ging zum Fenster, an dem die Regentropfen hinunterrannen. Eisige Schauer, von einem böigen Nordwestwind getrieben, fegten die Straßen Berlins leer und ließen eher an November denken, als an den ersten Tag eines neuen Jahres. Wilma schaute hinaus in den Regen und sah doch eigentlich immer nur Carls Gesicht vor sich.

«Oh Carl», dachte sie und glaubte, ihr Herz würde zerspringen vor Schmerz, «warum nur, warum hast du mir das alles so lange verschwiegen?»

Sie griff nach einem weiteren Blatt Briefpapier und wollte von neuem beginnen, da rannen die Tränen schon wieder. Blicklos starrte sie hinaus in das Dunkelgrau des Spätnachmittags und dachte wehmütig daran, wie glücklich sie war, als sie im vergangenen Sommer von der Reise nach Paris zurückkehrte und einen Brief von Carl vorfand, in dem er seine Rückkehr für den August ankündigte. Noch übervoll von den vielen grandiosen Eindrücken der Pariser Weltausstellung schien ihr diese Nachricht die Krone aller Glückseligkeit zu sein. Tanzend und singend lief sie in der Wohnung herum und ihr Strahlen fiel sogar Wilhelm Bode auf, der es aber, wie es seine Art war, auf seine Beteiligung an der Fahrt nach Paris zurückführte.

Wilma hätte sich nicht so viele Sorgen um die Finanzierung der Reise nach Frankreich machen müssen und auch nicht darum, Martha Liebermann auf der Tasche zu liegen. Als sie Bode um Urlaub bat und ihm erklärte, wohin es gehen sollte, lachte er und meinte, dies sei eine gute Idee. Er spiele auch mit dem Gedanken, sich die Weltausstellung anzusehen und nebenbei den Louvre wieder einmal zu besuchen. Da hielt er unversehens in seiner Rede inne, sah Wilma an und fragte sie, ob sie nicht als seine Assistentin mitkommen möchte.

«Da Sie zugleich auch Frau Liebermann begleiten, hat es nichts Anrüchiges. Sie hätten Zeit, um mir und Martha Genüge zu tun. Was meinen Sie dazu?»

Wilma besprach die Sache zunächst mit Martha Liebermann, die herzlich lachte und sich sofort mit diesem Arrangement einverstanden erklärte.

«Was kann dir Besseres passieren, Liebes», sie legte freundschaftlich ihren Arm um Wilmas Schultern, «auf diese Weise musst du kein schlechtes Gewissen haben, dass ich allein für die Unkosten aufkomme, und du kannst mit Bode die Pariser Gemäldegalerien und Museen besuchen und viel dabei lernen. Er sprach schon vor einiger Zeit mit mir über seinen Wunsch nach Paris zu reisen und auch, dass er dafür einen Assistenten benötige. Zu dumm, dass ich nicht sofort an dich gedacht habe. Ich glaubte, er nähme einen seiner Kunststudenten mit. Aber du bist bei Weitem die bessere Lösung!»

Für Wilma war die Reise ein Traum, nichts wurde ihr zu viel, sie konnte sich kaum sattsehen an den aufwändig erbauten Pavillons der Länder, die sich auf der Ausstellung darstellten. In jedem dieser Pavillons präsentierten dessen Heimatländer ihre Spezialitäten oder neuen Errungenschaften. Die ungeheure Farbenvielfalt, die exotischen Düfte, die in heimatliche Trachten gekleideten Menschen hinterließen bei Wilma einen überwältigenden Eindruck. Martha und sie erklommen sogar den schwindelerregend hohen Eiffelturm und staunten über das beeindruckende Pariser Panorama, das ihnen zu Füßen lag. Die Herren, die ihr fortgeschrittenes Alter vorschoben, um nicht mitklettern zu müssen, ergötzten sich derweil an den verschiedenen fremdländischen Speisen, die von den einzelnen Nationen angeboten wurden. Natürlich gab es im Eiffelturm eine Aufzuganlage, wie die Damen später triumphierend verkündeten und, dass sie bis zur dritten Plattform gingen, um sich dort im privaten Salon von Gustave Eiffel, dem Architekten des Turms, auszuruhen, der ihn für die Dauer der Ausstellung der Öffentlichkeit zur Verfügung stellte, setzten sie lächelnd hinzu.

Die Zeit in Paris, so angefüllt mir Ereignissen sie auch war, ging für Wilma viel zu schnell vorbei und bald war man wieder zurück in Berlin. Dort erwartete sie etwas, was sie längst erhofft, womit sie aber jetzt nicht gerechnet hatte, ein Brief von Carl. Nicht immer schien die Post aus dem weit entfernten Babylon zuverlässig zu sein und doch kam bisher jeder Brief bei Wilma an. Carl schrieb ihr, so oft er konnte, schilderte detailliert die Suche nach dem Fundament des Etemenanki, des sagenhaften Turmes zu Babylon. Kurze Anekdoten würzten die wissenschaftlich trockenen Angaben und die Sehnsucht nach ihr und Berlin wurde zwischen den Zeilen immer deutlicher. Er beschrieb aber auch, dass es nicht immer einfach sei, unter Robert Koldewey zu arbeiten, so sehr er den Ausgrabungsleiter auch schätzte. Doch dieses Schreiben, das Wilma jetzt in Händen hielt, sprach eine andere, hoffnungsvollere Sprache.

Babylon, im Mai 1900

«Meine geliebte Wilma»,wenn du diesen Brief in Händen hältst, bin ich hoffentlich schon auf der Reise zu dir. Die lange, viel zu lange Zeit des Grabens und Suchens in diesem unwirtlichen Land haben mich zermürbt und müde gemacht. Deshalb habe ich Koldewey um Heimaturlaub gebeten und er hat ihn mir gewährt. Ein halbes Jahr lang werde ich bei dir sein dürfen, vielleicht sogar mehr. Du ahnst nicht, wie sehr ich mich darauf freue, wieder in deine schönen Augen zu blicken und dich endlich, endlich wieder im Arm zu halten, so wie ich das in Gedanken jeden Abend tat, wenn ich in die Sterne schaute, die über der Wüste ganz besonders hell strahlen. Bald, sehr bald meine Liebste, so rasch wie möglich, stehe ich vor dir. Ich wünschte mir, ich könnte so schnell reisen, wie meine Gedanken zu dir eilen. Bitte, denke an mich und wünsche mir, dass die Reise ohne Zwischenfälle verläuft. Dann bin ich spätestens Anfang August bei dir, in Berlin. Bis dahin bleibe ich, dein dich auf ewig liebender Carl Meurer.»

Überglücklich drückte Wilma den Brief an ihr Herz und wünschte sich, dass es Carl wäre. Als Leila nach Hause kam, tanzte die Kusine mit ihr im Zimmer umher, bis beide lachend und prustend aufs Bett fielen.

«Mensch, das wurde aber auch Zeit», Leila knuffte Wilma freundschaftlich in die Seite, «da hast du lange genug drauf gewartet. Und, was denkst du? Wird er jetzt endlich um deine Hand anhalten? Und wirst du auch Ja sagen?»

Wilma lachte verlegen, darüber hatte sie oft nachgedacht und war sich nie schlüssig gewesen, ob sie wirklich heiraten wollte. Leila spürte ihr Zögern und hakte nach.

«Das darf nicht wahr sein, du zweifelst? Denk doch mal nach, Wilma. Du liebst ihn doch, deinen Carl, oder?»

Wilma nickte und Leila fuhr fort: «Na also, was zögerst du noch? Du wirst nicht jünger und wenn du eine Familie und Kinder haben willst, wird es langsam Zeit dafür. Wenn du erst alt und vertrocknet bist, dann sucht sich dein Carl bestimmt eine Andere, eine Jüngere.»

Wilma musste der Kusine recht geben und machte sich mit dem Gedanken vertraut, dass sie und Carl ein Ehepaar würden, bevor er wieder nach Bagdad zurückkehrte. Waren sie das in ihren Träumen nicht längst? Vielleicht könnte sie ihn dann ja begleiten, wenigstens bis Bagdad. Sie war inzwischen dazu bereit, wie die Ehefrauen der anderen Archäologen, in Bagdad auszuharren. Dort wäre sie nicht so furchtbar weit weg von Carl und er würde sie häufig besuchen.

Die Zeit bis zur geplanten Ankunft ihres Liebsten wurde Wilma nicht lang. Bode, der voll von den Eindrücken der Weltausstellung eine faszinierende Idee nach der anderen ausbrütete, scheuchte seine Assistentin zwischen Galerie und Museumsbaustelle hin und her. In ihrer knappen Freizeit beanspruchte Martha ihre Freundin, lud den Kummer bei ihr ab, den die Tochter Käthe ihr gerade bereitete. Das junge Mädchen steckte mitten in der schwierigen Zeit zwischen Kindheit und Erwachsensein und schwankte in ihrem Gemüt wie ein Rohr im Wind. Im Augenblick glaubte sie, sich in einen ihrer Lehrer im Internat verliebt zu haben und ihn auf Biegen und Brechen heiraten zu wollen. Martha blieb nichts anderes übrig, als die Tochter aus dem teuren Internat zu nehmen und zu Hause selbst auf sie aufzupassen. Weil Wilma einen beruhigenden Einfluss auf das Mädchen hatte, bat Martha sie immer wieder in ihr Palais. Jette bekam ihre Freundin kaum noch zu Gesicht und auch Leila beschwerte sich schon über Wilmas ständige Abwesenheit. Die aber schwebte durch die Tage und ließ sich von nichts und niemandem verärgern. Bald wäre Carl an ihrer Seite, glaubte sie und alles, alles würde gut.

«Ja ja, und wenn sie nicht gestorben sind...», lästerte Leila an einem heißen Nachmittag Anfang August, als Wilma tatsächlich einmal zu Hause war, «bei den tropischen Temperaturen hier in Berlin, wird Carl sein heißes, staubiges Babylon bestimmt nicht vermissen. Es kann nun nicht mehr lange dauern, bis er kommt.»

«Das glaube ich auch» meinte Wilma zuversichtlich, «er hat mir zwar noch nicht geschrieben von unterwegs, aber wer weiß schon, wie viel Zeit so ein Brief benötigt, bis er hier ankommt.»

In diesem Augenblick öffnete sich die Wohnungstür und die beiden Frauen blickten erstaunt auf.

«He, hallo, ich bin es nur, eure Jette. Aber ich hab die Post mitgebracht, der Bote war gerade...»

«...unten im Flur», wollte sie noch sagen, da riss Wilma ihr auch schon den einen Brief aus der Hand, den sie sofort als einen der Babylon-Expedition erkannte. Warum war es eine fremde Schrift? Eilig öffnete sie den Umschlag und sank kreidebleich auf den nächsten Stuhl. Das Schreiben flatterte zu Boden.

«Meine Güte, Wilma, was ist, was hast du?»

Wortlos deutete die junge Frau auf das Blatt Papier, das Jette nun aufhob.

«Lest selbst», krächzte sie, «ich kann nicht...er ist nicht von Carl....»

Der Rest ging in wildem Schluchzen unter.

«*Wir bedauern es sehr, Ihnen mitteilen zu müssen, dass sich die Ankunft des Herrn Meurer in Berlin weiter verzögern wird. Ein exaktes Datum können wir Ihnen leider nicht nennen, da er sich noch in ärztlicher Behandlung befindet und sich im Moment im Hospital von Bagdad aufhält. Genaueres wird er Ihnen wohl selbst mitteilen wollen. Mit hochachtungsvollen Grüßen..., jemand Unleserliches aus der deutschen Botschaft in Bagdad*», las Jette laut vor.

«Ach du Ärmste», Leila umarmte Wilma liebevoll, «und du hattest dich schon so auf ihn gefreut. Was machen wir jetzt?»

«Am liebsten würde ich sofort zu ihm fahren» , brachte Wilma stockend heraus, «aber eine so weite Reise als Frau anzutreten, und dazu noch allein, das ist völlig unmöglich. Abgesehen davon hätte ich dafür auch gar kein Geld. Was soll ich denn jetzt tun? Hier herumsitzen und warten, das halte ich nicht aus! Carl ist krank, ich weiß nicht einmal, was ihm fehlt. Aber dass er mich braucht, steht außer Zweifel. Wie könnte ich ihn im Stich lassen?»

«Beruhige dich bitte ein wenig, wir werden gemeinsam überlegen, was du an Möglichkeiten hast. Einverstanden?»

Jette, die Praktische reichte Wilma ein Taschentuch und Leila brühte schon einen Tee auf. Bei allen drei Frauen kreisten die Gedanken um Carl und wie man ihm helfen könnte. Schweigend saßen sie um den Tisch herum, bis Jette die Sache von der rationalen Seite her betrachtete.

«Das größte Hindernis für dich wird sein, dass du mit Carl nicht verheiratet bist. Selbst wenn du, vorausgesetzt du hättest das Geld dafür, bis nach Bagdad kämst, wo würdest du ihn suchen? Die deutsche Botschaft, wenn es dort eine gibt, ist nicht verpflichtet, dir auch nur die geringste Auskunft über deinen Carl zu erteilen. Falls er noch im Krankenhaus liegt, gilt das Gleiche. Sollte er aber wider Erwarten in das Ausgräberlager nach Babylon zurückgekehrt sein, dann wird Koldewey dich hochkant rauswerfen, ehe du auch nur in die Nähe von Carl gelangen könntest. Das müsste dir eigentlich klar sein, nach allem, was dir Carl über Robert Koldewey und seinen Frauenhass geschrieben hat. So sieht es aus.»

«Ganz genau», spann Leila den Faden weiter, «und dann hocktest du im Nahen Osten irgendwo mutterseelenallein, nicht weit von deinem Carl entfernt, der dennoch für dich unerreichbar wäre. Hast du dir deine Hilfe so vorgestellt?»

Resigniert ließ Wilma den Kopf hängen. Sie wusste, dass die Freundinnen recht hatten. Eine Reise nach Bagdad oder Babylon schien unter diesen Umständen aussichtslos.

«Aber soll ich einfach hierbleiben, die Hände in den Schoß legen und gar nichts tun? Das halte ich nicht aus. Es muss doch irgendetwas geben, was uns weiterhilft.»

Erneut verstummten die Freundinnen, zerbrachen sich den Kopf, wen sie um Hilfe bitten könnten. Da schlug Wilma sich an die Stirn.

«Natürlich! Warum habe ich nicht gleich dran gedacht. Das Neue Museum, neben unserem Bauplatz, das beherbergt auch die Vorderasiatische Abteilung und von dort kam Carl oft zu mir rüber. Dorthin werden auch die Kisten mit den Ausgrabungen aus Babylon gesendet. Da frage ich auf der Stelle nach!»

Ohne lange zu überlegen, rannte sie los und rief noch über die Schulter zurück, ehe die Tür hinter ihr ins Schloss fiel:

«Keine Bange, ich muss ja sowieso zur Baustelle, Bode erwartet, dass ich mich dort um alles kümmere. Bis später....!»

Leila und Jette sahen sich an und dachten daran, dass für die Freundin alles besser sei, als hier herumzusitzen und Trübsal zu blasen.

Auf der Museumsinsel, wie die Stelle zwischen Spree und Spreekanal inzwischen genannt wurde, vergewisserte Wilma sich pflichtbewusst zuerst, ob vor Ort alles nach Wilhelm Bodes Wünschen verlief. Da er in letzter Zeit immer wieder erkrankte, dazu noch oft auf Reisen war, musste sie ihm die Einzelheiten von jeder baulichen Veränderung berichten. Bei der Innengestaltung traten zu Bodes Leidwesen noch Probleme auf, die Änderungen nötig machten, die damit auch zu Einschränkungen der geplanten Aufstellung der Kunstwerke führten. Zu Wilmas Überraschung blieb es heute auf der Baustelle relativ ruhig und sie ging rasch ins andere Museum hinüber. Dort lief sie beinahe Friedrich Delitzsch, dem Leiter der Vorderasiatischen Abteilung in die Arme, den sie durch Carl kannte.

«Oh, bitte, Herr Direktor», flehte sie ihn an, «haben Sie etwas von Carl Meurer gehört? Er wollte in diesen Tagen hier in Berlin eintreffen. Doch jetzt erhielt ich einen Brief aus Bagdad, dass er erkrankt sei und man nicht wisse, ob und wann er reisen könne. Haben Sie eine Ahnung, wie man ihm helfen könnte und wie ich mehr über ihn erfahre?»

«Liebes Kind», Direktor Delitzsch verstand Wilmas Erregung, wusste aber, dass er kaum etwas für sie tun konnte, «ich bitte Sie, überstürzen Sie nichts. Man hat unsere Abteilung bereits von dem Unglück benachrichtigt. Auch wir können nur abwarten, bis sich die Lage dort unten im Nahen Osten beruhigt hat und der Herr Meurer genesen ist. Erst dann ist es vielleicht möglich, eine Rückreise für ihn und die übrigen Archäologen, die nach Hause wollten, zu organisieren.»

Wilma hörte die Worte, begriff ihren Sinn nicht. Was sollte das heißen, «bis sich die Lage beruhigt hat» und von welchem Unglück sprach der Direktor? Sie fragte nach, ließ nicht locker. Erneut breitete sie ihre Bedenken vor ihm aus.

«Warum ist es nicht möglich, irgendeine Art von Hilfe nach Bagdad zu senden? Man kann doch die Männer nicht einfach im Stich lassen.»

«Fräulein Schulze, ich bitte Sie», Delitzsch wurde das Gespräch allmählich unangenehm und er wiegelte ab, «haben Sie etwas Geduld. Im Moment gibt es in der Tat keine andere Möglichkeit als abzuwarten und zu hoffen, dass Meurer und seine drei Kollegen bald in Berlin sein werden. Glauben Sie mir, sobald ich etwas Konkretes weiß, werde ich Sie informieren. Das verspreche ich Ihnen. Nun entschuldigen Sie mich bitte, ich werde erwartet. Habe die Ehre.»

Eine niedergeschlagene Wilma zurücklassend, schritt er eilig von dannen. Sie sah ihm nach und versuchte zu verstehen, dass sie machtlos war. Es gab nichts, was sie noch hätte tun können. Sie fühlte Bitternis in sich aufsteigen und wünschte sich einen fliegenden Teppich, mit dem sie Carl zu Hilfe eilen könnte. Aber was sie hier erlebte, war das richtige, das echte Leben und kein Märchen.

Mit seltsamer Leere im Kopf und bleierner Schwere im Herzen ging sie durch die belebten Straßen nach Hause.

«Nach Hause? Nein, nach Hause gehe ich nicht», dachte sie traurig, «wenn ich jetzt zu Hause wäre, in Kappeln, bei meinen Eltern, dann könnte ich meinen Kopf in Mutters Schoß legen und ließe mich von ihr trösten wie ein kleines Kind. Doch dieser Weg ist mir versperrt, durch eigene Schuld. Dass ich mich jetzt allein fühle, habe ich mir selbst zuzuschreiben. Was bleibt mir anderes übrig, als den Schmerz irgendwie zu ertragen und die Sehnsucht nach Carl zu ignorieren.»

Mit steifen, hölzernen Schritten, einer Marionette gleich, ging sie zu ihrer Wohnung, ließ sich auf ihr Bett fallen und weinte sich wie ein Kind in den Schlaf.

Als Wilma am nächsten Tag zögernd ihr Bett verließ, war die Welt um sie herum ein graues Einerlei geworden. Die Tage zerbröckelten ihr zwischen den

Fingern, ohne dass sie sagen konnte, wie das geschah. Die Jahreszeiten flogen vorüber, sie nahm sie nicht wahr. Ereignisse, die draußen die Welt erschütterten, waren ihr egal. Weder das merkwürdige Bismarck-Denkmal, über das sich die Berliner das Maul zerrissen, noch der neue König von England, Edward VII. den niemand so richtig ernst nahm, und erst recht nicht der Besuch des Zaren Nikolaus II. anlässlich des deutschen Flottenmanövers, rissen sie aus ihrer Lethargie. Selbst den fünfzigsten Geburtstag ihrer Mutter im Februar und ihren eigenen dreißigsten ließ sie gleichgültig verstreichen. Es gab nur eines, was Wilma noch wichtig war, der tägliche Gang zum Briefkasten, der jedesmal in einer herben Enttäuschung endete. Jette und Leila hatten längst die Hoffnung aufgegeben, dass Carl noch am Leben sei, doch das wollten sie Wilma nicht spüren lassen.

Es zog ein strahlender Frühlingsmorgen herauf, die Sonne lachte vom blauen Himmel und die Vögel zwitscherten um die Wette. Doch von alldem merkte Wilma nichts. In ihrer mutlosen Seele herrschte tiefster Winter. Wie an jedem Morgen stand sie auf, zog sich irgendetwas an, aß ein wenig, ohne zu merken, was es war und wollte soeben das Haus verlassen, da öffnete sich die Haustür, und ein Mann betrat den Flur. Nur schemenhaft war er im Gegenlicht zu erkennen und sie war schon fast an ihm vorbei, da kam aus seiner Kehle ein Laut, der sie aufhorchen ließ. Sie hielt inne, drehte sich zu der Gestalt hin und dachte, ihr müsse das Herz stehen bleiben.

«Carl», flüsterte sie, dann lauter, «Carl, bist du das wirklich? Träume ich?»

«Wilma, meine Liebste! Ja, ich bin es, endlich, ich bin endlich bei dir!»

Sie fielen einander in die Arme und Wilma erschrak zutiefst, als sie spürte, wie mager, erschreckend dünn ihr Liebster geworden war.

«Komm erst einmal mit nach oben. Hier können wir nicht stehen bleiben.»

Sie zog den Mann hinter sich her, der ihr fast willenlos folgte und bugsierte ihn in die Wohnung. Erst hier, im hellen Sonnenlicht erkannte sie, wie sehr ihn die Krankheit gebeutelt haben musste. Seine dunkelblonden Locken durchzogen silberne Strähnen, tiefe Falten zogen sich im mager gewordenen Gesicht von der Nase zum Mund. Dunkle Ringe unter den graublauen Augen, die als Einzige unverändert schienen, ließen ihn noch elender aussehen. Der Straßenanzug, der einst straff an seiner Figur saß, schlotterte ihm um den abgemagerten Körper. Tränen des Mitleids traten in Wilmas Augen. Sie nötigte Carl auf das Sofa, setzte sich dazu und nahm ihn wortlos in ihre Arme.

Schweigend saßen sie eine Weile dort, nur die unerwartete Gegenwart des anderen wahrnehmend und im selben Takt atmend. Dann, plötzlich, redeten sie gleichzeitig aufeinander ein, hielten inne und lachten, mit Tränen der Freude und der Erleichterung in den Augen.

«Berichte du zuerst», meinte Wilma, «doch zuvor koche ich uns einen starken Kaffee, den können wir beide brauchen.»

«Lass mich dir vorerst nur das Nötigste berichten, meine Liebste. Langes Reden strengt mich noch sehr an», Carl rang keuchend nach Atem, sprach dann aber weiter, «als wir, das heißt, die drei Kollegen und ich, vor beinahe einem Jahr von der Grabungsstelle nach Bagdad aufbrachen, herrschte zwischen uns große Freude und eine Art Urlaubsstimmung. Wir alle freuten uns unbändig, nach der langen Zeit, endlich wieder in die Zivilisation zurückkehren zu dürfen. Doch der Jubel währte nicht lange. Etwa auf der Hälfte der Strecke von Babylon nach Bagdad überfiel uns eine Horde räuberischer Wüstenbewohner, denen der Ferman, die schriftliche Reisegenehmigung, die der Großwesir des Osmanischen Reiches für uns ausstellte, nichts bedeutete. Sie töteten alle, derer sie habhaft werden konnten und nahmen unsere Habseligkeiten mit sich fort. Ich überlebte nur, weil der Überfall so schnell vonstatten ging, dass wir nicht einmal dazu kamen, unsere Waffen zu zücken. Mein Pferd brach unter mir zusammen und mein Hintermann fiel, von einer Kugel getroffen, über mich. Ich stellte mich tot, rührte mich nicht, bis ich sicher sein konnte, dass die Räuber auch wirklich fort waren. Mühsam kroch ich unter dem Leichnam heraus, zog den Umhang des Toten über und sah, dass die wilde Horde nichts Verwertbares zurückgelassen hatte. Ohne Wasser und schutzlos der Wüstensonne am Tag und der Eiseskälte in der Nacht ausgesetzt, schleppte ich mich in die Richtung, in der ich Bagdad vermutete. Meinem Gefühl nach war ich näher an der Stadt, als an unserem Lager. Eines Morgens, ich schlief zwischen großen Felsen, die mir ein wenig Schutz boten, stolperte ich, war wohl noch nicht richtig wach, und fiel einen Abhang hinunter. Dabei brach ich mir die Arme, die ich schützend vor mein Gesicht hielt. Wie ich danach weiter taumeln konnte und wer mich halbtot fand, das weiß ich bis heute nicht. Ich fiel in eine tiefe Ohnmacht und als ich irgendwann wieder erwachte, lag ich bis über die Ohren bandagiert in einem Krankenhaus in Bagdad.»

Erschöpft hielt Carl in seiner Rede inne und trank einen Schluck des kalt gewordenen Kaffees. Wilma, die erschüttert seinen Worten gelauscht hatte, sah ihn voller Mitgefühl an, schwieg aber, weil sie sonst ihre Tränen nicht hätte zurückhalten können. Nach einer Weile, in der das Ticken der Uhr das einzige Geräusch zu sein schien, dass die beiden mit der realen Welt verband, räusperte sich Carl und fuhr in seinem Bericht fort.

«Wie lange ich in diesem Krankenhaus, das du nicht mit einem der unseren vergleichen darfst, gelegen habe, ist mir auch nicht bewusst. Zwischen Leben und Tod dahintreibend, hörte ich immer wieder deine Stimme, die mich rief. Sie war es letztlich auch, die mir die Kraft verlieh, mich ins Leben und damit zu dir, zurückzukämpfen. Irgendwann sagte man mir, es habe sich eine Möglichkeit ergeben, mich ungefährdet aus Bagdad heraus nach Berlin zu transportieren. An die unendlich lange Reise, zu Pferd, mit dem Kamel, mit der Eisenbahn, die stückweise schon durch das weite Land zwischen Euphrat und Tigris führte und zuletzt mit dem Orientexpress, kann ich mich kaum noch erinnern. Den sagenhaften Luxus des Orientexpresses genoss ich erst gegen Ende der Fahrt. Der Rest der Reise ging mir nicht schnell genug, weil mein Herz im Takt der Räder vorwärts drängte, weiter, immer weiter, nach Hause, nach Berlin, zu dir, meine Wilma, zu dir.»

Kaum beendete Carl seine Rede, die doch länger ausgefallen war, als er es beabsichtigt hatte, fielen ihm die Augen zu und er sank langsam zur Seite. Wilma stand auf, hob seine Beine auf das Sofa und deckte ihn behutsam mit einer warmen Decke zu.

«Soll er ruhig schlafen», dachte sie und strich ihm dabei zärtlich über das zerzauste Haar, «mag er sich ausruhen, so lange er will, die Hauptsache ist, dass er endlich bei mir ist.»

Sie blieb neben Carl sitzen und bewachte seinen Schlaf. Wie sehr musste er sie lieben, dass allein ihre Stimme, die er doch nur in Gedanken gehört hatte, ihn dazu befähigte, all diese Strapazen auf sich zu nehmen. Aber nun war er hier, bei ihr und sie würde ihn nie mehr gehen lassen. Als Leila und Jette nach Hause kamen, fing Wilma sie an der Tür ab und bat sie, leise zu sein, um Carls Schlaf nicht zu stören. In Leilas Zimmer, das am weitesten von dem schlafenden Carl entfernt lag, informierte Wilma rasch die Freundinnen über Carls unverhoffte Rückkehr und darüber, was er ihr erzählt hatte.

«Och, der Ärmste», Leila war die Erste, die sich wieder fing, «was machen wir jetzt mit ihm? Muss er zurück ins Krankenhaus? Er hat doch keine eigene Wohnung mehr, oder?»

«Liebe Leila»,unwillkürlich musste Wilma lachen und es klang wie befreit, «du bringst es auf den Punkt, wie immer. Zweimal Nein! Carl wurde als geheilt aus der Charité entlassen, in der man ihn nach seiner Ankunft in Berlin gründlich untersuchte. Und die kleine Wohnung von damals hat er natürlich nicht mehr. Wer sollte all die Zeit die Miete dafür zahlen? Über diese Sache möchte ich mit euch sprechen, möglichst noch, solange er schläft. Dass er nicht wirklich gesund ist und erst einmal aufgepäppelt werden muss, sieht man deutlich. Am besten wäre, er dürfte hierbleiben, wo ich mich um ihn kümmern könnte, bis er kräftig genug ist, in eine eigene Wohnung zu ziehen. Dafür benötige ich aber euer Einverständnis. Schließlich ist Carl ein Mann, wenn auch ein angeschlagener. Bisher gab es so etwas ja noch nicht in unserem Drei-Mädel-Haushalt. Ich bitte also in Carls Namen um seine vorübergehende Aufnahme bei uns.»

Gespannt wartete Wilma auf die Antwort ihrer Mitbewohnerinnen. Sie wusste, was sie ihnen zumuten wollte und wäre nicht böse, wenn sie Carls Aufenthalt ablehnten. Die beiden anderen Frauen sahen sich an und nickten sich zu, es bedarf keiner langen Worte.

«Niemand, der auch nur ein kleines bisschen Herz und Verstand hat», Jette sprach zuerst, «würde deinen Carl in diesem Zustand auf die Straße setzen. Er kann bleiben, bis wir wissen, wie und wo es für uns alle weitergeht.»

«Das sehe ich auch so», schloss Leila sich an, «wir wollen vor allem dich bei uns behalten und dich wieder glücklich wissen. Glaub mir, es ist Jette und mir nur allzu klar, dass du mit Carl fortgehst, wenn wir uns weigern. Das möchten wir unter keinen Umständen und außerdem, denk mal an die praktische Seite. Wenn Carl hierbleibt, kann immer eine von uns in seiner Nähe sein, falls es nötig sein sollte. Das ist doch auch nicht zu verachten.»

Erleichtert und gerührt umarmte Wilma ihre Freundinnen. Auf die Zwei war Verlass, das merkte sie nicht zum ersten Mal.

Und dann wurde es endlich Frühling, nicht nur draußen, sondern vor allem in Wilmas Herzen. Nichts konnte ihre Freude trüben, weder die lauten Schreie in der Nacht, wenn Carls Albträume sie aus dem Schlaf rissen, noch die schlechte Laune von Wilhelm Bode, der von einer Reise zurückgekehrt, nun die Zügel des Neubaus seines Museums wieder in die eigenen Hände nahm.

«Zum Kuckuck mit den Architekten», wetterte er an diesem Morgen, als er den Rohbau besichtigte und nicht fassen konnte, was er dort sah, «da hab ich zwei Millionen Reichsmark erhalten, um würdige Exponate einzukaufen, die das

Gebäude hier mit Ausstellungen schmücken und uns Berlinern einen guten, um nicht zu sagen, einen hervorragenden Kunstsinn bescheinigen sollen. Und nun das! Wo zum Teufel soll ich das ganze Zeug jetzt unterbringen, das passt doch überhaupt nicht mehr rein!»

Wilma erschrak. Würde Bode die Fehler ihr anlasten? Sie hatte ihm alles ausführlich geschrieben. Insgeheim gab sie ihm recht. Die Architekten schienen vom ursprünglichen Bauplan weit abgewichen zu sein, vor allem, was den Innenausbau betraf. Im oberen Stockwerk wurden durch die Verlegung der Haupttreppe und die Anbringung einer großen Kuppel über diesem vorderen Treppenhaus einige Änderungen nötig, leider mit etlichen Einschränkungen verbunden. Sie hatte Glück, denn Wilhelm Bode lud seinen Ärger über die geänderten Baumaßnahmen bei dem soeben eintreffenden Innenarchitekten ab und sie durfte gehen. Rasch schüttelte sie Bodes Verdrießlichkeiten von sich ab und schwebte wie auf Wolken nach Hause, dorthin, wo Carl auf sie wartete.

Der erholte sich in den nächsten Wochen schnell, nahm an Gewicht zu und sein Gemüt übernahm die Heiterkeit des Berliner Sommers. Allmählich kehrte so etwas wie ein Alltagsleben in die Wohngemeinschaft ein. Wann immer die vier gemeinsam Zeit hatten, meistens am Abend, saßen sie in der Küche und lauschten Carls atemberaubenden Berichten vom Ausgräberlager in Babylon.

Vor allem sprach er von Koldewey und seiner Art, das Land um sich herum mit einem besonderen Blick zu betrachten. Oft war der Leiter der Ausgrabung überschwänglich in seinen Ideen, wusste viel und stellte noch mehr in Frage. Mit seinem seltsamen Humor machte er sich aber nicht nur Freunde. Da er sich selbst das Äußerste abverlangte, merkte er selten, dass die Mitarbeiter seinem Arbeitstempo nicht gewachsen waren. Das nahm er oft übel. Andererseits gab es die verwunschenen Stunden am Lagerfeuer, wenn Robert Koldewey seinen atemlos lauschenden Zuhörern das uralte Babylon, das Babel aus der Bibel so plastisch beschrieb, dass man beinahe glauben konnte, es erstünde wahrhaftig vor ihren Augen, rage in all seiner Schönheit aus dem kargen Wüstensand empor. Von der schier unglaublichen Dicke der Stadtmauern erzählte er, von der Herodot, der griechische Reisende, vor Jahrhunderten berichtete, dass darauf Platz genug gewesen wäre für zwei sich entgegenkommende Vierergespanne.

«Stellt euch vor, Koldewey konnte es sogar beweisen», lachte Carl in der Erinnerung daran, «als Erstes gruben wir eine sieben Meter dicke Mauer von gebrannten Lehmziegeln aus. Davor lag eine drei Meter starke Grabenmauer.

Das war der Umgang, auf dem sich früher alle fünfzig Meter ein Turm befand. Es war fantastisch und gab uns einen ungeheuren Antrieb, weiterzugraben.»

Aber auch wenn Carl die liebevolle Zuwendung der drei Frauen um sich herum genoss, so hielt es ihn bald nicht mehr in der Wohnung. Sobald er seine Lebensgeister wieder erwachen fühlte, wurde er unruhig und wollte hinaus aus den Zimmern, die ihm, wie er glaubte, die Luft zum Atmen nahmen. Zuerst waren es nur Spaziergänge im Tiergarten, doch eines Tages stand er zu seiner eigenen Überraschung vor dem gerade neu erbauten Pergamonmuseum, das demnächst eröffnet werden sollte.

Während er dort stand und darüber nachdachte, was er in Zukunft mit seinem Leben anfangen wollte, sprach ihn eine bekannte Stimme an. Sie gehörte Friedrich Delitzsch, der auf dem Weg zum Pergamonaltar war, der hier seine neue Heimstatt finden sollte.

«Meurer, sind Sie das? Sie kommen wie gerufen. Wie geht es Ihnen, sind Sie wieder gesund? Wollen Sie für mich arbeiten?»

Die Fragen des Museumsdirektors kamen so rasch nacheinander, dass Carl nicht gleich darauf antworten konnte. Nur eines drang zu ihm durch, dass er hier Arbeit fände, wenn er es wollte. Schnell wurden Delitzsch und er sich einig. Carl sollte die Kisten, die von Babylon kamen, sichten und katalogisieren, zunächst nur für ein paar Stunden, später dann, so lange er sich gut dabei fühlte. Nun war es Carl, der wie auf Wolken nach Hause eilte. Er konnte es kaum erwarten, Wilma von diesem Glücksfall zu berichten und fieberte dem Abend entgegen. Als sie erschöpft von der nervenaufreibenden Arbeit mit Bode ins Zimmer trat und in Carls leuchtendes Gesicht sah, wusste sie, dass die ruhige Zeit des Glücks mit ihm zu Ende war.

«Bist du dir darüber im Klaren, dass du dann nicht mehr hier wohnen kannst? Vier Leute die zu unterschiedlichsten Zeiten arbeiten, das geht nicht.»

Der Einwand kam von Jette, die sich über Carls Engagement freute, aber nicht gewillt war, ihn unter diesen veränderten Umständen noch länger mit durchzufüttern. Auch wenn sie Wilmas Liebe akzeptierte, es war ihre Wohnung und die wollte sie auf Dauer nicht mit einem Mann teilen. Leila sah das ähnlich, auch sie, mit ihren voneinander abweichenden Dienstzeiten, litt unter der Unruhe, die Carl ungewollt verursachte. Er versprach, sich umgehend nach einer Unterkunft umzusehen. Auch für dieses Problem fand der kluge Direktor des Museums eine schnelle Lösung. In der Nähe des Pergamonmuseums wusste er ein Haus, in dem der museumseigene Hausmeister sein Quartier hatte. Dort war noch ein Zimmer frei, dass er Carl gern zu Verfügung stellen würde. Meurer nahm das Angebot dankend an.

Nur Wilma, die er nicht einmal fragte, konnte ihre Enttäuschung kaum verbergen. Sie hatte die innige Zweisamkeit mit Carl genossen, sich eine Zukunft mit ihm gemeinsam vorgestellt. Nun strebte er fort von ihr, obwohl er sie liebte, wie er immer wieder beteuerte. Leila und Jette trösteten sie.

«Wenn du einen Mann zu sehr festbindest, verlierst du ihn garantiert. Lass ihn am langen Zügel laufen und er wird dir dankbar sein», meinte Jette und Leila stimmte ihr zu.

Wilma, die insgeheim hoffte, dass Carl sich bald nach einer Wohnung für sie beide umschauen würde, musste rasch einsehen, dass er gar nicht daran dachte. Er stürzte sich wie ein Ausgehungerter auf die Arbeit und war damit so glücklich, dass sie sich jede abwertende Bemerkung darüber verbiss. So ging der Sommer dahin, der Herbst ebenfalls und Wilma begann sich zu fragen, ob sie Carl noch etwas bedeutete. Sie selbst war zwar auch stark eingespannt in die Sichtung und Auflistung aller Kunstwerke, die nach und nach eintrafen, aber sie nahm sich Zeit für Carl. Meistens kam er am Samstag, blieb bei ihr über Nacht und verschwand dann wieder zu den tausenden von gebrannten und glasierten Ziegelsteinen, die Koldewey auf die lange Reise nach Berlin gesandt hatte. Ende November schien er gar keine Zeit mehr zu haben, redete sich damit heraus, dass Delitzsch ihn deshalb so stark beanspruche, weil die geplante Eröffnung des Pergamonmuseums am 18. Dezember stattfinden sollte. Da würde jede Hand gebraucht, auch die seine.

«Unser Kaiser selbst wird anwesend sein und die Eröffnung vornehmen. Da kannst du dir vorstellen, dass alles bis ins Kleinste durchdacht und fertig sein muss. Also, sei bitte nicht böse, wenn ich bis dahin kaum Zeit für dich habe. Das holen wir nach, so bald wie möglich, versprochen!»

Wilma ließ sich von ihm vertrösten, gab sich mit den kurzen Stunden der Zweisamkeit zufrieden, die er mit ihr verbrachte und dachte daran, für sie beide ein ganz besonders schönes Weihnachtsfest zu gestalten. Leila hatte sich wieder freiwillig zum Dienst in der Charité an den Feiertagen gemeldet, weil sie unverheiratet war, und Jette blieb bis Silvester bei einer befreundeten Familie. Carl und sie würden also die ganze Wohnung für sich allein haben und nichts und niemand könnte ihre Liebe stören. Wilma träumte von einem Tannenbaum,

Kerzen, Wein, einem guten Braten und viel Zeit. Die Welt um sie herum wäre ausgeblendet, es gäbe nur noch sie beide.

Der Tag der Eröffnung des Pergamonmuseums kam und Carl berichtete begeistert von der langen Rede die der Kaiser gehalten habe und in der er enthusiastisch das Kaiserreich als Vorreiter aller Nationen bezeichnete, wenn es um Kunst und Kultur ging. Dass Wilhelm II. sich auch noch breit darüber ausließ, dass die Deutschen ebenfalls die Vorherrschaft auf dem Meer anstreben sollten, verschwieg er lieber. Er fand, das habe mit dem Museum nichts zu tun. Leider lag des Kaisers Steckenpferd auf dem Wasser und nicht unter der Erde. Deshalb glaubte Carl auch nicht daran, dass Seine Majestät die Suche nach dem Turm zu Babel noch lange finanzieren würde. Dass er selbst seine Fühler bereits nach neuen Herausforderungen ausgestreckt hatte, verschwieg er Wilma. Er schrieb an Max von Oppenheim, der als Mitarbeiter des Kaiserlichen Generalkonsulats in Kairo, Forschungsreisen nach Ostafrika und in den Nahen Osten unternahm. Seine Ausgrabungen in Syrien, im Siedlungshügel von Tell Halaf hatten viel Aufsehen erregt. Vielleicht konnte Carl sich ihm anschließen. Die Arbeit bei Delitzsch neigte sich langsam dem Ende zu. Nur herumzusitzen, konnte er sich auf Dauer nicht leisten. Als Mann hatte er seinen Lebensunterhalt selbst zu verdienen, ein Erbe war nicht zu erwarten, weil Carls Eltern als einfache Leute ihm kein Vermögen hinterlassen konnten. Wenn er Wilma einen Heiratsantrag machen wollte, was ihm wirklich das Wichtigste war, musste er vorher noch eine Sache klären, etwas, dass ihm seit längerem schwer im Magen lag.

All dies ging ihm durch den Kopf, während er Wilma die eindrucksvollen festlichen Garderoben der bei der Eröffnung des Museums anwesenden Damen schilderte. Noch durfte er sich nichts anmerken lassen, weder von seiner inneren Zerrissenheit, noch von dem was er wollte und dem, was ihm doch nicht möglich war.

«Noch nicht», dachte er und hoffte, dass er seine Liebste vor dem, was auf ihn zukam, bewahren konnte, «ich benötige nur ein paar Tage. Doch wie soll ich Wilma erklären, dass ich gerade jetzt verreisen muss?»

«Hier, probiere mal», sie hielt ihm ein Gebäckstück hin, noch ofenwarm und nach Zimt duftend, «schmeckt es dir? Weihnachten ohne Kuchen und Gebäck, das kenne ich nicht. Unsere Nachbarin, die wie eine zweite Mutter für mich war, konnte so wunderbar backen, dass ich von ihrem Küchentisch am liebsten gar nicht mehr aufgestanden wäre. Ich denke, dass meine Mutter auch in diesem Jahr wieder ein Weihnachtspaket schicken wird. Da sind garantiert Plätzchen von Meta dabei. Du wirst gleich den Unterschied zu meinen Machwerken schmecken.»

Carl probierte das Backwerk und lobte Wilma dafür, während ein Gedanke in ihm aufkeimte. Die Eltern, seine Eltern, sie schienen der richtige Ausweg zu sein. Behutsam, ohne die behagliche Stimmung zerstören zu wollen, sprach Carl von Vater und Mutter, seiner Kindheit in Potsdam, in Sichtweite von Sansoussi, dem Schloss Friedrichs des Großen. Dass er die Eltern lange nicht mehr gesehen habe, setzte er behutsam hinzu und wartete ab, was Wilma dazu sagen würde.

«Hast du sie denn noch nicht aufgesucht, seit du aus Bagdad zurück bist? Ich hoffe, dass du ihnen wenigstens einen Brief gesendet hast, damit sie wissen, dass du wieder gesund zurückgekehrt bist.»

Wilma konnte ihren Unmut über solch ein Versäumnis nicht verbergen. Genau darauf hatte Carl gehofft.

«Das ist es, was ich versuche, dir beizubringen, meine Liebste. Du machst dir so viel Arbeit, um uns ein gelungenes Weihnachtsfest zu bereiten, und ich zerstöre das nun.»

Er machte eine Pause, ließ seine Worte wirken. Wilma starrte ihn ungläubig an. Hatte sie richtig gehört?

«Heißt das» ,die Empörung war ihr deutlich anzuhören, «soll das heißen, dass du Weihnachten nicht hier bist? Dass du das Fest nicht mit mir verbringen willst? Wie kannst du mir das antun! Das hättest du mir vorher sagen müssen!»

«Meine Liebste», Carl versuchte sie zu beschwichtigen, «ich wollte doch bei dir bleiben. Aber gestern kam ein Brief von meinem Vater, dass es Mutter nicht gut ginge. Sie sei krank und wünsche sich nichts sehnlicher, als dass ich so bald wie möglich zu ihr käme. Verstehst du nun? Ich kann meine Mutter nicht im Stich lassen. So gern ich hier bleiben würde, sie hat jetzt einfach Priorität.»

«Bitte Wilma» flehte er in Gedanken, «schlucke den Köder, gehe darauf ein, damit ich endlich klären kann, was unserer Liebe noch im Weg steht.»

Wilma schwieg eine Weile, nahm, ohne zu merken, was sie tat, die nächsten Weihnachtsplätzchen aus dem Ofen und schob den vorbereiteten Kuchen hinein. Ihre Hände bewegten sich automatisch, während ihre Gedanken rasten. Sie musste Carl zu den Eltern fahren lassen, so viel war ihr klar. Die kranke Mutter musste ihm wichtiger sein als sie. Dass sie selbst ebenso handeln würde, machten ihr die nächsten Worte nicht leichter.

«Ach, Liebster, ich hatte mir das Fest mit dir allein so schön vorgestellt», sie schluckte die aufsteigenden Tränen rasch herunter, «doch du musst natürlich zu deinen Eltern fahren. Das verstehe ich. Vielleicht bist du zum Jahreswechsel ja wieder zurück und dann feiern wir gemeinsam Silvester, was meinst du?»

Die Erleichterung stand Carl ins Gesicht geschrieben. Er bat sie noch um Verständnis, dass er gleich aufbrechen wolle, sie nickte nur dazu. Rasch packte sie einige der bereits abgekühlten Plätzchen ein und drückte ihm das Päckchen in die Hand. Den Kuss auf die Wange vermied sie, in dem sie sich schnell zur Seite drehte. Dann fiel die Wohnungstür ins Schloss und sie war allein. Sie stellte sich ans Fenster und sah ihm nach, wie er mit wehendem Mantel davoneilte, als könne er nicht schnell genug von ihr wegkommen. Sie presste ihr Gesicht gegen das eiskalte Glas und ließ ihrem Kummer und ihren Tränen freien Lauf. Dann war er nicht mehr zu sehen, endgültig fort. Wilma schleppte sich mit den müden Schritten einer alten Frau zum Sofa, nahm den Kaschmirpullover in der Farbe seiner graublauen Augen, den sie Carl zu Weihnachten schenken wollte in die Arme und vergrub ihr Gesicht hinein.

Irgendwie überstand sie die nächsten Tage, aß, ohne zu schmecken, was es war, schlief, ohne dass sie sich dabei erholte und sah aus dem Fenster, ohne wirklich etwas wahrzunehmen. Sie wünschte nur das eine, dass Carl wieder bei ihr wäre. Am zweiten Tag nach dem Fest hielt sie es nicht mehr aus. Sie zog sich warme Kleidung an, denn draußen herrschte strenger Frost, dann ging sie raschen Schrittes zum Museum, das von außen schon beinahe fertig aussah. Mit klammen Fingern öffnete sie eine Nebentür. Im Inneren war es nicht ganz so kalt und bald streifte sie durch die halbfertigen Räume und machte sich Notizen. Es lenkte sie ab von den Gedanken an Carl und seinem Verhalten. Je mehr sie in den vergangenen Tagen darüber nachgegrübelt hatte, desto merkwürdiger kam ihr die ganze Sache vor. Irgendetwas stimmte hier ganz und gar nicht, das fühlte sie, konnte es aber nicht benennen. Es war, als habe sie etwas übersehen, als fehle ihr eine wichtige Information. Schnell verscheuchte sie die trübsinnigen Gedanken und wandte sich wieder dem Museum zu.

Nach einer Weile fror Wilma doch, ihre Hände konnten Heft und Stift kaum noch halten und sie beschloss, es für heute gut sein zu lassen. Als sie die Nebentür hinter sich abschloss, hörte sie eine Männerstimme, die ihr bekannt vorkam. Sie drehte sich um und stand Direktor Delitzsch gegenüber, der sie freundlich anlächelte.

«Nanu, junge Dame», grüßte er, «ich dachte, ich allein sei so arbeitswütig, dass ich kurz nach Weihnachten wieder die Stätte meines Wirkens aufsuchte. Was treiben Sie hier? Hat der gute Bode Sie etwa herbeordert?»

Wilma versicherte, dass sie aus freien Stücken hier war, weil sie über den Jahreswechsel etwas anderes vorhabe. Genauere Gründe wollte sie ihm nicht nennen, das Private ging Delitzsch nichts an. Sie grüßte kurz, wünschte ihm ein gesegnetes Neues Jahr und wandte sich zum Gehen, als er sie zurückrief.

«Fräulein...äh....», offensichtlich kannte er ihren Namen nicht, «bitte warten sie einen Moment. Sie kennen doch Herrn Meurer, ich habe Sie beide öfter zusammen gesehen. Würden Sie ihm bitte etwas ausrichten?»

Wilma nickte, dachte, dass die Nachricht die Ausgrabungen betraf und ahnte nicht, dass die nächsten Worte des Museumsdirektors ihr eigenes Leben komplett auf den Kopf stellen würden.

«Sagen Sie ihm doch, dass Oppenheim nach Kairo geht und wenn Meurer Interesse habe, möge er ihn begleiten.»

Wilma blieb stumm, dachte daran, dass Carl sie also schon wieder allein lassen würde, und Delitzsch deutete ihr Schweigen falsch.

«Oh, verzeihen Sie mein Fräulein. Ich überlegte gar nicht, dass Meurer im Moment wohl bei seiner Familie sein wird. Es ist ihm sicher wichtig, das Weihnachtsfest bei Frau und Kind zu feiern. Also entschuldigen Sie bitte, die Nachricht kann ebenso gut ein paar Tage warten. Und auch Ihnen ein frohes Neues Jahr!»

Delitzsch lüpfte kurz den Hut und schritt davon. Wilma blieb wie angewurzelt stehen. Die Worte «Frau und Kind» hallten in ihrem Kopf nach. Wie konnte das sein? War Carl verheiratet, und hatte ihr kein Wort darüber gesagt? Er schien sogar Vater zu sein und verschwieg es ihr? Warum?

Wie von Sinnen taumelte sie durch die Straßen, rempelte Menschen an, die ihr verständnislos hinterher sahen, wäre um ein Haar auf einer zugefrorenen Pfütze ausgerutscht, stand irgendwann vor ihrer Haustür und wusste nicht, wie sie dorthin gekommen war. In der Wohnung zog sie den Mantel aus, ließ ihn achtlos fallen und warf sich auf ihr Bett. In gekrümmter Haltung wie ein Kleinkind lag sie da und murmelte «Frau und Kind» vor sich hin wie ein Mantra. Wie lange sie dort lag, wusste sie nicht. Erst als jemand an die Tür hämmerte, kam sie zu sich. Sie erhob sich mühsam, schlich zur Tür, öffnete sie einen Spalt und schloss sie sofort wieder. Draußen stand Carl, mit einem großen Paket.

«Wilma, was ist los, mach mir auf, bitte.»

Als keine Antwort von drinnen kam, rief er erneut nach ihr. Es blieb still, Carl lauschte angestrengt. Wilma war doch da, sie hatte ihn an der Tür gesehen. Warum machte sie ihm nicht auf?

«Wilma, bitte, öffne mir!»

Nichts regte sich. Er legte sein Ohr an das Holz der Tür. Da, es hörte sich wie ein leises Schluchzen an. Carl bekam Angst. Was war nur mit Wilma, wie kam er in die Wohnung?

«Mach mir auf oder ich trete die Tür ein!»

In seiner Panik merkte er nicht, dass sich die Tür leise öffnete und Wilma mit vom Weinen verquollenem Gesicht und roten Augen vor ihm stand. Sie trat einen Schritt zur Seite und ließ ihn ein. Carl stellte das Paket ab und wollte sie in die Arme nehmen, doch sie wehrte ihn ab. Verständnislos schaute er sie an, sah ihre verweinten Augen und ihr zerknittertes Kleid.

«Mein Gott, was ist passiert? Bist du krank? Sag, was kann ich für dich tun?»

Wilma entfernte sich ein Stück von ihm, brachte den Tisch zwischen sie beide und fand endlich den Mut, zu sprechen.

«Beantworte mir nur eine Frage Carl, aber bitte sei ehrlich zu mir. Bist du verheiratet und hast ein Kind?»

Stumm nickte er, er konnte sie nicht weiter anlügen.

Sie wies unmissverständlich zur Tür.

«Dann geh», Wilmas Stimme klang ruhig, «geh zu ihr, zu deiner Frau und deinem Kind. Ich will nichts mehr mit dir zu tun haben.»

«Wilma, bitte», Carl schrie es fast, «bitte lass dir doch erklären....!»

«Ich wüsste nicht, was es da zu erklären gibt. Du bist verheiratet und ich tauge nicht zur Geliebten.»

Sie drehte ihm den Rücken zu, stand am Fenster, sah hinaus und ignorierte ihn. Er versuchte noch einmal, sich zu rechtfertigen, zu sagen, was ihn bewegte, doch sie stellte sich taub. Schließlich gab Carl auf und verließ die Wohnung mit hängenden Schultern. Sein Glück war zerbrochen und er selbst trug allein die Schuld daran, dachte er traurig, als er sich mit jedem Schritt weiter von Wilma entfernte. Würde es keinen Weg zu ihr zurück geben?

Wilma zerriss es das Herz, als sie ihn gehen sah. Was hätte sie anders tun können, als ihn fortzuschicken? Es gab nun einmal kein Mittelding zwischen verheiratet sein und frei für eine Ehe mit ihr. Lange stand sie da, bis ihr bewusst wurde, wie kalt es in der Wohnung war. Sie fachte den Ofen an und braute sich eine heiße Schokolade, das Geheimrezept ihrer Mutter für alle Arten von Schmerz. Dann hockte sie am Tisch, in sich zusammengekauert, um keine neue Verletzung an sich heranzulassen, die zitternden Hände um die wärmende Tasse geklammert, das Einzige, was ihr ein wenig Trost spendete.

«Mutter», flüsterte sie, «Mutter, ich wollte, du wärest jetzt hier. Ich fühle mich allein, so unendlich einsam. Warum habe ich kein Glück mit Männern. Es soll wohl nicht sein. Diesen hätte ich bis ans Ende meines Lebens lieben können, aber er ist nicht frei. Warum nur, warum...?»

Wenn die Mutter hier wäre, ob dann alles besser würde? Wilma wusste darauf keine Antwort. Aber sie könnte ihr schreiben, ihr Herz ausschütten. Das brächte ihr bestimmt Erleichterung.

Sie kramte nach dem Schreibpapier, dachte an Kappeln, an die Eltern, an Meta und begann:

«Liebe Mutter, ich danke dir für dein schönes großes Weihnachtspaket. Ich habe mich sehr darüber gefreut und ich...»

Tränen tropften auf das Papier und machten Wilmas Worte unleserlich. Sie knüllte den Brief zusammen und warf ihn in den Papierkorb. Wie sollte sie ihrer Mutter schreiben, was vorgefallen war. Ihr Blick ging zum Fenster, an dem die Regentropfen hinunterrannen. Eisige Schauer, von einem böigen Nordwestwind getrieben, fegten die Straßen Berlins leer und ließen eher an November denken, als an den ersten Tag des neuen Jahres. Wilma schaute hinaus in den Regen und sah doch eigentlich immer nur Carls Gesicht vor sich.

Wie sollte sie nur weiterleben, ohne Carl? Sie konnte es sich nicht vorstellen, es war zu trostlos, zu einsam... es war vorbei...vorbei...

31. Kappeln im Juni 1903

Es war Juni in Kappeln, der Sommer verzauberte die kleine Stadt an der Schlei mit langen, hellen Nächten und dem ganz besonderen Licht der Sonnentage, die Friederike bisher glauben machten, dass es nie wieder Winter würde. Doch in diesem Jahr schien der Winter in ihrer Seele gar nicht weichen zu wollen. Wie so oft in der letzten Zeit saß sie mit Wilhelm unter dem schützenden Blätterdach der großen Kastanie und schaute versonnen in den Himmel, der sein Blau nur zögernd verdunkelte.

«Warum meldet sich unser Kind nicht mehr, kannst du mir das sagen? Seit beinahe eineinhalb Jahren beantwortet sie keinen meiner Briefe. Wenn Annemarie mir nicht ab und zu schreiben und unsere Tochter dabei erwähnen würde, wüsste ich nicht einmal, ob sie noch lebt. Denkt sie denn überhaupt nicht darüber nach, dass wir uns Sorgen um sie machen könnten? Was mag nur geschehen sein, dass sie glaubt, es uns nicht mitteilen zu dürfen?»

Wilhelm legte sanft seinen Arm um Riekes Schultern und spürte zu seiner Überraschung die Knochen dicht unter ihrer Haut.

«Seit wann ist sie so dünn geworden», fragte er sich, «wieso habe ich das nicht bemerkt?»

«Ach mein Liebes», sprach er laut aus, «du weißt doch, wie verschlossen unser Mädchen sein kann. Sie hat sich entschieden, ihr Leben selbst in die Hand zu nehmen. Das sollten wir akzeptieren, auch wenn es manchmal schwerfällt, ganz besonders einem liebenden Mutterherzen wie dem deinen. Wilhelmine, ach ja, sie heißt nun Wilma, ist kein Kind mehr mit ihren zweiunddreißig Jahren. Begreife das doch bitte. Denke daran, wie du in ihrem Alter warst. Hättest du dir von deinen Eltern noch dreinreden lassen?»

«Das kann man doch nicht vergleichen», Rieke empörte sich über Wilhelms Worte, «da war ich schon lange Ehefrau und Mutter. Minchen, nein Wilma ist nichts davon. Sie hat noch nicht einmal einen richtigen Beruf. Diese Sache mit dem Museum wird sicher nicht in alle Ewigkeit weitergehen. Und was erwartet sie dann? Wie soll ich mir keine Gedanken machen, schließlich bin ich ihre Mutter und das bleibe ich, bis ich eines Tages sterbe!»

Beruhigend tätschelte Wilhelm die Hand seiner aufgebrachten Frau und wünschte, er könnte mit ihr auf der Stelle nach Berlin fahren und selbst nach dem Rechten sehen. Gleich morgen würde er ein Urlaubsgesuch nach Berlin schicken, aber Rieke lieber noch nichts davon sagen, um ihr die Enttäuschung zu ersparen, falls eine Absage käme. Sollte er jetzt versuchen, Riekes Gedanken auf ein anderes Thema zu lenken? Es fiel ihm so schnell nichts ein und so saßen die beiden schweigend da und schauten auf die Schlei, die in der aufkommenden Windstille des Abends wie ein glattes Tuch aus Seide dalag. Zwei große Segler lagen still vor Anker.

«Zwei Segler, nur noch zwei», dachte Wilhelm wehmütig und machte Rieke darauf aufmerksam, «schau mal, Liebes, es sind wirklich nur noch zwei Schiffe im Hafen, die den Namen auch verdienen und die Kappeln als Heimatadresse haben. Weißt du noch, als wir vor über dreißig Jahren hierher kamen, wie viele Segelschiffe damals von Kappeln und Arnis aus in alle Welt fuhren? Liegt der Rückgang wirklich nur am Kaiser-Wilhelm-Kanal?»

«Es hat sich viel verändert, in all den Jahren, Wilhelm, wir auch», Rieke lachte leise, ihre melancholische Stimmung schien verflogen, «weißt du was? Wir könnten doch demnächst einmal einen Ausflug nach Maasholm machen.»

«Nach Maasholm? Wie kommst du auf diese Idee», Wilhelm sah seine Frau erstaunt an, «du weißt doch sehr wohl, dass der Wormshöfter Damm noch nicht wieder repariert ist. Das kostet nicht nur mehr Geld, als Maasholm aufbringen kann, sondern ist auch noch ziemlich schwierig, was Planung und Ausführung angeht. Da kann ich ein Lied von singen und es ist beileibe kein froher Gesang.»

Rieke lachte, sollte es ihr gelungen sein, ihren Ehemann mit einer Neuigkeit zu überraschen? Meistens war er doch derjenige, der zuerst wusste, was in dem beschaulichen Kappeln los war. Sie tat entrüstet.

«Solltest du wirklich noch nichts davon gehört haben, das es hier eine neue Reederei geben wird, die «Kappelner Dampfschiffreederei»? Und dass sie einen regelmäßigen Schiffsverkehr zwischen Maasholm und Kappeln betreiben will? Das verwundert mich sehr, denn genau mit einem dieser Dampfschiffe möchte ich mit dir nach Maasholm und zurück fahren. Glaube mir, so ein beschaulicher Ausflug täte dir gut. Du arbeitest in letzter Zeit zu viel. Du siehst müde aus.»

Insgeheim musste Wilhelm seiner Frau recht geben. Kappeln expandierte, ständig wurde irgendwo gebaut und fast immer war er in die Sache involviert. Er dachte an das neue Bahnhofshotel, das unterhalb der Kirche am Ufer der Schlei gelegen, in der Hoffnung auf viele Reisende, gerade erbaut worden war. Der Gastwirt August Griesbach kaufte vor zwei Jahren das Grundstück vom Schiffsreeder Georg Lassen und plante dort ein großes Haus zu errichten. Er hatte die Vorstellung einer Kombination aus Mietwohnungen und Hotel, die, wie es Wilhelm schien, durchaus Erfolg haben könnte. Äußerlich machte das Gebäude einen guten Eindruck. Die große Veranda mit dem Blick auf den Hafen und die Schlei lud zum Verweilen ein, die anspruchsvollen Ziergiebel hoben den weißverputzten Bau von den übrigen Häusern ab. Ob es aber eines Tages tatsächlich ausreichend belegt sein würde, wollte Wilhelm nicht beurteilen. Die meisten Fremden, die nach Kappeln kamen, waren auf der Durchreise, wollten schnell weiter, nach Schleswig oder Kiel. Ob genug Übernachtungsgäste in Kappeln blieben, war nicht vorauszusehen.

«Das soll nicht meine Sorge sein», seufzte er und wandte sich Rieke zu, die sich still und in sich gekehrt, an ihn schmiegte, «lass uns ins Haus gehen, mein Riekchen, es wird langsam kühl hier draußen und ich möchte nicht, dass du krank wirst. Du hast nicht einmal einen Schal um.»

«Was bist du nur ein fürsorglicher Mann, mein Lieber», Rieke lächelte, «hab keine Angst, so schnell wirft mich nichts um. Doch du hast recht, es wird kühl, lass uns hineingehen.»

So ein geruhsamer Abend sollte den beiden lange nicht mehr beschieden sein. Am nächsten Tag ließ sich Kanzleirat Seehusen bei Wilhelm anmelden. Er kam mit einer außergewöhnlichen Idee, die Wilhelm auf der Stelle faszinierte. Lange schaute er dem aufrechten alten Mann mit dem weißen Haar ins freundlich lächelnde, markante Gesicht, dann nickte er bedächtig.

«Verehrter Herr Kanzleirat, lassen Sie mich noch einmal wiederholen, was Sie mir da soeben vorschlugen, nur damit wir auch beide das Gleiche meinen. Sie verstehen?»

«Aber selbstverständlich, mein guter Baurat Schulze», die blauen Augen des Kanzleirates blitzten in jugendlichem Eifer, der sein Alter Lügen strafte, «es ist mir wohl bewusst, dass ich da etwas Ungewöhnliches von Ihnen erwarte.»

«Nun, es wird ja nicht jeden Tag ein Antrag zum Bau eines Altersheimes gestellt. Ich rekapituliere das Ganze lieber noch einmal. Sie, der pensionierte

Kanzleirat Wilhelm Seehusen, stellen hiermit einen Bauantrag zur Genehmigung eines Altenheimes. Das dafür vorgesehene Grundstück befindet sich in Ihrem Besitz und liegt zwischen der Mühlenstraße und der Fabrikstraße, zur Mühle hin. Ist das soweit richtig?»

«Ja, so ist es», Seehusen lächelte milde, «eigentlich wollte ich dort selbst bauen, als ich noch Sekretär im Amtsgericht Kappeln war. Es lag so günstig, dass ich leicht zu Fuß zu meiner Arbeit und zurück hätte gehen können. Doch irgendwie kam ich nie dazu. Jetzt bin ich bald siebzig Jahre alt und lebe mit meiner Schwester Margarethe in einem Haus in Mehlby. Mit ihr beriet ich mich vor kurzem und wir kamen überein, dass ich nicht nur das Grundstück der Stadt Kappeln zur Verfügung stellen, sondern ein großes Haus darauf erbauen sollte. Es gibt, das weiß ich noch aus meiner Zeit am Amtsgericht, immer mehr alte Menschen in und um Kappeln, die nicht wissen wohin sie gehören. Die Zeit, da man die Alten in den Familien behielt und sich bis zu ihrem Tod um sie kümmerte, ist anscheinend vorbei. Tatsächlich ist es die traurige Wahrheit, dass immer mehr Frauen ebenfalls den ganzen Tag arbeiten müssen, meistens in den Fabriken. Eigene Häuser sind Mangelware, die Wohnungen zu klein für eine Familie. Da sind die Großeltern unerwünscht. Auf den Bauernhöfen ist das zum Glück noch anders. Dort ziehen die alt gewordenen Eltern in die Abnahme und werden, wenn nötig, von der jungen Bäuerin mitversorgt.»

Der alte Herr machte eine Pause, rang nach Luft und Wilhelm beeilte sich, ihm ein Glas Wasser anzubieten. Er wusste, dass Seehusen recht hatte, und war gespannt darauf, wie der Kanzleirat sich die Lösung des Problems vorstellte. Es gab zwar das Armenhaus, in dem auch ein paar bedürftige ältere Mitbürger aufgenommen werden konnten, das war aber keine Dauerlösung.

«Verzeihen Sie, Baurat Schulze», Seehusen hüstelte noch einmal, «das Alter macht sich auch bei mir bemerkbar. Ich dachte mir, das heißt, meine Schwester und ich, wir dachten nun, dass ein großes Haus, eine Art Palais, mit vielen kleinen Wohnungen das Richtige wäre. Dort könnten alte Menschen leben und sich gegenseitig unterstützen, so gut sie es noch können. Um einen großen Gemeinschaftssaal sollen sich die Unterkünfte gruppieren. Hier, sehen Sie!»

Seehusen entrollte etwas umständlich einen Bauplan und bat Wilhelm, sich diesen genauer anzuschauen. Der zeigte sich beeindruckt. Deutlich erkennbar war, dass sich jemand viele Gedanken gemacht hatte über das Zusammenleben alter Menschen. Erfreut nickte er dem alten Herrn zu und begrüßte dessen Idee.

«Mein verehrter Herr Kanzleirat, Sie sehen mich sprachlos. Das ist ein sehr gut durchdachter Bauplan. Darf ich wissen, wer ihn erstellt hat?»

«Ich stehe schon länger im Kontakt mit dem ausgezeichneten Kieler Architekten Wilhelm Voigt. Er hat den Plan nach meinen Wünschen gezeichnet und ist auch bereit, die Bauleitung zu übernehmen, sofern Sie, Herr Schulze, die Sache genehmigen werden. «Margarethenhof», soll das neue Gebäude genannt werden, im Gedenken an meine liebe Schwester, die mir den Haushalt führt. Sehen Sie, ich habe nie geheiratet, es hat sich irgendwie nicht ergeben und meine Schwester Margarethe war immer für mich da. Ich hatte ein gutes, ein erfülltes Leben und muss mich im Alter nicht sorgen. Da wir recht genügsam lebten, habe ich ein ausreichendes Vermögen, um den Bau des Altersheimes finanzieren zu können. Darüber hinaus werde ich noch eine Stiftung ins Leben rufen, die sich nach meinem Tod um die Weiterführung des Hauses und seinen Erhalt kümmern soll. Ich tue dies, um der Stadt Kappeln und dem Herrgott dort oben, meinen Dank abzustatten, für ein reiches, erfülltes und sorgenfreies Leben.»

Der Kanzleirat ließ sich gegen die Lehne des Stuhles zurücksinken und sah Wilhelm an. Er wirkte ein wenig erschöpft, als habe die Darlegung seiner Motivation ihn viel Kraft gekostet. Wilhelms gutgemeintes Angebot einer Tasse Kaffee oder Tee, lehnte er dankend ab.

«Verstehen Sie nun, warum mir es wichtig ist, mit dem Bau des Heimes so bald wie möglich zu beginnen? Ich bin nicht mehr der Jüngste, im Dezember werde ich siebzig und bin auch nicht mehr ganz gesund. Aber ich will unbedingt noch an der Einweihung meines «Margarethenhofes» teilnehmen. Darum bitte ich Sie, sich nicht allzu viel Zeit mit der Genehmigung zu lassen und danke Ihnen schon jetzt dafür.»

Wilhelm, den der alte Herr sehr beeindruckt hatte, sagte zu, den Bauantrag so schnell zu bearbeiten, wie es die Mühlen des preußischen Beamtentums nur zuließen, dann brachte er den Kanzleirat persönlich zur Tür. Wieder zurück am Schreibtisch, betrachtete der den Bauplan, den Seehusen dagelassen hatte. Er würde gut als Gegenüber zur Mühle und dem Amtsgericht passen, dachte er und Kappelns Gesicht weiter verschönern. Beinahe konnte er es schon vor sich sehen, das große Gebäude, mit der einladenden Freitreppe, den hohen Ziergiebeln und dem weißen Putz, von einem weitläufigen, sonnigen Garten umgeben.

«Davon muss ich unbedingt meinem Riekchen berichten», dachte er beschwingt, als er auf dem Weg nach Hause war, «sie wird sich ganz bestimmt freuen, denn auch ihr liegen die Alten, Armen und Bedürftigen am Herzen.»

Was er nicht wissen konnte, dass ihn eine zutiefst bestürzte Friederike erwartete. Sie hatte soeben einen Brief von Schwägerin Annemarie erhalten, der in seiner nüchternen Art, in ihr die schlimmsten Vermutungen aufkommen ließ. Als Wilhelm lächelnd zu ihr in den Salon trat, sah sie ihn mit untröstlicher Miene an und streckte ihm wortlos das Schreiben seiner Schwester hin.

«Lieber Bruder, liebe Schwägerin,   *Berlin, Juni 1903*

Von meiner Tochter weiß ich inzwischen, dass Wilma wieder den Kontakt zu euch abgebrochen hat. Den Grund kann auch ich nur erahnen. Warum sie euch nicht mitteilt, wie es ihr geht und was sie gerade macht, verstehe ich nicht. Wohl aber weiß ich, wie sehr man sich als Mutter, als Eltern, die größten Sorgen macht, wenn man vom eigenen Kind nichts hört. Gegen Wilmas Willen darf auch ich euch nichts weiter mitteilen. Nur so viel kann ich schreiben, dass ich weiß, es geht ihr gut. Sie ist nicht krank oder bedürftig, wenn auch im Augenblick ohne Arbeit. Ich unterstütze sie, so gut ich kann und sie es zulässt. Alles andere wird sie euch selbst mitteilen, sobald sie dazu bereit ist.

In der Hoffnung, euch ein wenig über das Schicksal eurer Tochter beruhigt zu haben, verbleibe ich, mit den besten Grüßen eure Annemarie.»

Wilhelm las das Schreiben ein weiteres Mal, dann gab er es Rieke zurück.

«Was will meine Schwester uns mit diesem Brief sagen? Ich verstehe sie nicht. Warum macht sie nur Andeutungen und glaubt, uns damit zu beruhigen? So kenne ich sie nicht, Annemarie ist eine Frau, die klar ausdrückt, was sie will und nicht um den heißen Brei herumredet. Am liebsten würde ich auf der Stelle nach Berlin fahren und mir selbst von Minchens Leben ein Bild machen.»

«Ach, Wilhelm», Rieke atmete auf, «das ist genau das, was ich auch will. Wer weiß, was unser Mädchen angestellt hat. Sicher benötigt sie unserer Hilfe und traut sich nicht, es uns mitzuteilen. Kannst du nicht Urlaub beantragen, damit wir so schnell wie möglich nach Berlin fahren können? Minchen braucht uns, das spüre ich seit längerem, aber sie hat wohl Angst, es uns zu sagen. Sie ist verschlossen und zu stolz, uns um Hilfe zu bitten, egal, um was es dabei geht.»

Wilhelm atmete tief ein, verschaffte sich den winzigen Augenblick Zeit, den er benötigte, um sich zu überwinden, Rieke das zu sagen, was ihr nur weitere Sorgen bereiten würde.

«Liebe Rieke», er räusperte sich, «verstehe mich nicht falsch, aber im Moment ist es mir nicht möglich, meine Arbeit hier in Kappeln stehen und liegen zu lassen, aus rein privaten Gründen. Nein, sag jetzt nichts, lass mich bitte ausreden. Natürlich ist mir unsere Tochter wichtiger als alles andere, aber ich bin Beamter und somit meinem Kaiser und meinem Land zuerst verpflichtet. Es wäre sicher nicht in deinem Sinn, wenn ich ohne Erlaubnis einfach meine Arbeit niederlege. Das könnte eine Entlassung zur Folge haben, unter Umständen eine unehrenhafte. Damit würde ich alle meine Pensionsansprüche verlieren und wir stünden mittellos da. Das möchtest du doch wirklich nicht, oder?»

Friederike hatte Wilhelms Ausführungen mit großen Augen gelauscht. An solche Konsequenzen bedachte sie bisher nicht, verstand nur, dass die Tochter Hilfe brauchte. Aber nicht um diesen Preis. Sie schluckte die aufsteigenden Tränen herunter und richtete sich gerade auf.

«Ich verstehe, Wilhelm», ihre Stimme klang eine Spur schärfer als sonst, «du kannst hier nicht weg, ich aber schon. Deshalb werde ich allein nach Berlin reisen und glaube mir, niemand wird mich davon abhalten können. Sei bitte so freundlich und suche mir die besten Zugverbindungen heraus. Ich gehe derweil packen.»

«Rieke, bitte, warte doch!» Wilhelm hatte seine Frau noch nie so klar und zielstrebig erlebt und gleichzeitig so hart, «Natürlich sollst du fahren dürfen, ich bitte dich nur um eines, frag Meta, ob sie dich nicht begleiten möchte. Es wäre mir eine große Beruhigung, dich nicht ganz allein unterwegs zu wissen.»

Friederike hielt inne, drehte sich zu ihrem Mann um und lächelte verhalten. Er hatte ja recht, warum war sie nicht selbst auf diesen Gedanken gekommen.

«Gut», meinte sie knapp, wollte sich keine Blöße geben, «dann gehe ich jetzt zu Meta und frage sie.»

Die Freundin und Nachbarin strahlte, als Rieke sie um ihre Begleitung bat. So lange war sie nicht mehr in Berlin gewesen, und hier in Kappeln wartete doch sowieso niemand auf sie. Seit sie plötzlich Witwe wurde, Jes, ihr Ehemann starb bei einem Unfall mit seinem Pferdewagen, fühlte sie sich manchmal einsam.

«Liebe Rieke, ich komme gern mit dir in die Hauptstadt. Wie könnte ich dich auch allein fahren lassen. Auch ich will wissen, was mit Minchen los ist.»

Wilhelm kam mit der frohen Botschaft, dass es in zwei Tagen die günstigste Bahnverbindung nach Berlin gäbe. Das hatte bei Meta und Rieke ein eifriges Packen zur Folge. Rieke instruierte ihr Dienstmädchen bis ins Kleinste darüber, was sie zu tun hätte, bis die abwinkte und meinte, das käme schon alles zurecht. Mit dem Abendessen vor ihrer Abfahrt gab sich Rieke besonders viel Mühe. Ihr letzter Abend mit Wilhelm sollte ihm in bester Erinnerung an sie bleiben. Meta, die sie dazu bitten wollte, lehnte ab, sie wolle die traute Zweisamkeit nicht unnötig stören, meinte sie. Voller Vorfreude auf die Reise und doch mit einer leisen Unruhe im Herzen, was wohl in Berlin auf sie wartete, deckte Rieke den Tisch besonders hingebungsvoll.

«Irgendetwas fehlt noch», dachte sie und lief schnell in den Garten, um ein paar der schönsten Rosen zu schneiden, die Apricot-Farbenen, die Wilhelm um ihres zarten Duftes so liebte, da hörte sie ihn schon die Tür öffnen. Gleich würde er zu ihr hinaus eilen und sie mit einer innigen Umarmung begrüßen, wie er es immer tat, wenn er von der Arbeit kam. Rieke legte die Rosen in den Korb und ging Wilhelm entgegen.

Wo blieb er nur? Ein dumpfes Geräusch, ein Poltern, das aus dem Haus zu kommen schien, erschreckte Rieke. Achtlos ließ sie den Korb mit den Rosen fallen und eilte ins Haus. Da lag er, mitten im Salon und rührte sich nicht.

«Wilhelm, sag, was ist dir?» Sie berührte ihn sacht, er war blass und sein Gesicht fühlte sich kalt an, die Lippen waren bläulich verfärbt, der Atem flach.

«Annchen, los, hol den Doktor, schnell, es eilt!»

Das Dienstmädchen rannte davon, mit wehenden Röcken. Friederike kniete neben Wilhelm, bettete seinen Kopf auf ein Sofakissen und hielt ihm die Hand. Stumm betete sie und bat Gott und alle Engel um Gnade für ihren Mann.

«Er hat noch so viel Leben vor sich», flüsterte sie, «bitte, lasst ihn mir. Bitte, seid gnädig!»

Im Stillen hoffte sie, es wäre nur eine Magenverstimmung, wie Wilhelm sie schon einmal hatte. Endlich kam der Arzt, untersuchte ihn und schüttelte resigniert den Kopf.

«Es ist sein Herz», wandte er sich an Rieke, «ich hatte ihn gewarnt und ihm empfohlen, kürzer zu treten. Aber er meinte, es sei nicht so schlimm....»

32. Berlin, im August 1903

Wilma saß in ihrem Zimmer und schaute voller Liebe zu dem Kinderbettchen hinüber, in dem ihr kleiner Sohn lag und schlief. Ein Lächeln zuckte über das zarte Gesichtchen, er träumte wohl einen glücklichen Kindertraum. Da öffnete sich vorsichtig die Tür und Annemarie trat ein. Wilma legte den Finger auf die Lippen und bedeutete der Tante, sie möge leise sein.

«Wilma», flüsterte die kaum hörbar, «lies bitte diesen Brief, und lies ihn wirklich. Dann komm zu mir herunter und wir beraten, was zu tun ist. Bitte!»

So still, wie sie gekommen war, verschwand sie wieder und ließ ihre Nichte unschlüssig zurück. Wilma ahnte, dass dies ein Brief von ihrer Mutter sei und das schlechte Gewissen plagte sie. Schon lange wollte sie nach Hause schreiben, wusste aber nicht, wie sie ihren Eltern mitteilen sollte, dass ihr Leben sie zuerst in die Hölle und dann wieder in den Himmel geführt hatte. Ein Blick auf das Bettchen, und sie wusste, dass sie nicht länger für sich behalten durfte, dass sie ein Kind geboren hatte. Der kleine Junge besaß das Recht, seine Großeltern kennenzulernen und die sollten wissen, dass die Familie sich vergrößert hatte.

Aber wo sollte sie anfangen und wie? Ein Blick auf das schlummernde Kind half ihr und sie versetzte sich in Gedanken zurück in die Zeit, als sie das erste Mal spürte, dass sie nie mehr allein sein würde. Die Erinnerungen kamen so klar, als habe sie erst gestern am Fenster gestanden, an diesem ersten Abend des Jahres 1902 und mit tränenverschleiertem Blick hinter Carl hergestarrt. Diesen Schmerz fühlte sie noch heute so stark, dass sie unwillkürlich aufkeuchte. Er verließ sie, ging davon, zu Frau und Kind, wie sie vermutete. Bald wäre er wieder unterwegs, zu irgendeiner Ausgrabung, in irgendeinem fremden Land. Es ging sie nichts mehr an, alles, was Carl Meurer betraf, durfte sie jetzt nichts mehr angehen. So dachte sie damals. Noch einmal sah sie sich, wie sie den Rücken gerade hielt, den Schmerz, den sie nicht eine Sekunde länger aushalten wollte, tief in ihrer Seele vergrub und sich verbot, jemals wieder daran zu denken.

Sie lebte, oh ja, wenn man das Leben nennen wollte, sie atmete, aß, trank und schlief. Ihre Arbeit für Wilhelm Bode verrichtete sie klaglos und mit gewohnter Umsicht. Und doch war sie nur noch eine leere Hülle, die so aussah, wie Wilma und auch ebenso funktionierte. Über der Stadt lag eine dunkle, trostlose Kälte, geradeso wie in ihrem Herzen. Der Frühling würde draußen den Frost verjagen, das Eis in ihrem Inneren aber blieb. Grau und unendlich trist war ihr Leben, egal wie sehr sich die Kusine und die Freundinnen anstrengten, sie aufzumuntern. Alles prallte wirkungslos an Wilma ab. Sogar die Angst, Carl irgendwo unverhofft zu begegnen, verschwand, als jemand ihr sagte, dass er bei Oppermann in Syrien weilte.

Sie trieb dahin, starr und kalt, von einem grauen Tag zum anderen. Bis sie auf einmal den Atem anhielt und in sich hineinhorchte. Mitten im beinahe fertigen Museum stand sie und ließ sich die geplante Hängung der Gemälde durch den Kopf gehen, da berührte etwas unbeschreiblich Zartes ihr Inneres. Es war wie ein Schmetterlingsflügel, der sanft über ihren Bauch strich, nein in ihrem Bauch flatterte. Sie stand still, wartete angespannt darauf, dass sich der Schmetterling ein weiteres Mal regte. Lange geschah nichts, sie glaubte schon, sie habe sich getäuscht, doch dann, da war es wieder da. Nur eine winzige Bewegung, so sacht und doch so wahr.

In diesem Moment kam die Sonne zwischen den Wolken hervor und die Welt wurde ein einziges Strahlen. Staunend schaute Wilma sich um und fühlte sich, als wäre sie aus einem schrecklichen Albtraum erwacht. Behutsam legte sie die Hand auf ihren Bauch und wusste, dort drinnen wuchs ein Kind heran, ihr Kind. Wie auf Wolken schwebte sie nach Hause und nahm die Sonne mit. Ihr leuchtendes Gesicht verblüffte Leila, die allein in der Küche stand und das Essen vorbereitete.

«Wilma, was ist geschehen? Du siehst unglaublich glücklich aus.»

«Das bin ich auch, liebste Leila, das bin ich. Weißt du weshalb? Ich erwarte ein Kind. Ist das nicht wunderbar?»

Leila ließ vor Schreck beinahe den Kochtopf fallen, in dem sie die Kartoffeln aufsetzen wollte.

«Du, du bist was?» Das Entsetzen stand ihr ins Gesicht geschrieben, Wilma lachte darüber.

«Du hast richtig gehört, ich bin schwanger. Es ist wie ein Wunder, kannst du das verstehen?»

«Und ob ich das verstehe, hast du vergessen, dass auch ich einst ein Kind trug? Wieso freust du dich? Glaube mir, wenn du unverheiratet bist und keinen Vater dafür, dann ist das alles andere als wunderbar. Du wirst schon sehen. Es ist nicht leicht, das Leben als Frau mit einem unehelichen Kind.»

Ein wenig verärgert war Wilma schon, sie hatte auf ein positiveres Echo gehofft. Doch sie verstand die Kusine, die einst das Kind ihrer Liebe verlor.

Als später Jette nach Hause kam und mit der Neuigkeit konfrontiert wurde, brachte sie gleich die praktische Seite auf den Tisch. Wilma musste Jette zugute halten, dass sie mit den meisten Dingen, die sie vortrug, auch richtig lag. In ihrer ersten Euphorie hatte sie, Wilma, vieles nicht wahrhaben wollen.

«Sag mal, Wilma, der Vater des Kindes ist aller Wahrscheinlichkeit nach dein Carl», Jette ging die Sache nüchtern an, «du nickst, also ist er es. Weiß er von der Schwangerschaft? Nein? Dann wird es kompliziert. Willst du es ihm mitteilen? Auch nicht? Dann hast du kaum eine Chance, das Kind zu bekommen und allein großzuziehen, ist dir das überhaupt bewusst?»

Wilmas Glückseligkeit schmolz dahin. An solche Dinge hatte sie noch gar nicht gedacht. Dass sie Carl nichts von dem Kind erzählen würde, das stand für sie fest. Er hatte sie betrogen, ihr verschwiegen, dass er verheiratet war und darüber hinaus nicht an Verhütung gedacht. Wenn sie ehrlich sein wollte, hatte auch sie es einfach darauf ankommen lassen, in der Gewissheit ihrer Liebe. Er würde sie auf jeden Fall heiraten, dachte sie damals.

Jettes Stimme riss Wilma aus ihren Gedanken. Ein wenig freundlicher sprach die Freundin weiter.

«Wilma, bist du dir ganz sicher, dass du das Kind behalten willst? Ich wüsste sonst einen Arzt, der sehr sauber und umsichtig arbeitet und schon einigen meiner bedürftigen Frauen aus der Not geholfen hat.»

«Ja, egal was aus mir wird, dieses Kind soll leben», Wilma dachte kurz an das Kind, dass sie von Richard erwartete und das die schwere Grippe nicht überlebte, die sie selbst um ein Haar das Leben gekostet hatte, «ich erinnere mich noch gut an das Gefühl der Leere in mir, als ich damals das Kind verlor. Das soll dieses Mal nicht wieder geschehen.»

«Alles schön und gut, Liebes», jetzt meldete sich Leila zu Wort, «hast du dir schon überlegt, wovon du leben willst, wenn deine Schwangerschaft nicht mehr zu übersehen ist? Glaubst du, dass Bode dich in diesem Zustand noch weiter beschäftigt? Seine Studenten protestieren doch jetzt schon dagegen, dass er dich, eine Frau, bevorzugt. Es wäre Wasser auf ihre Mühlen, wenn sie dich mit einem dicken Bauch im Museum anträfen. Also, hast du einen Plan?»

Wilma überlegte fieberhaft. Leila sprach das aus, was sie selbst befürchtete und noch wusste sie nicht, wie sie sich und ein Kind ernähren könnte.

Was bliebe ihr? Zu den Eltern nach Kappeln zurückzufahren, kam nicht infrage. Hier, in Berlin zu leben, ohne Arbeit und ohne Bleibe, wäre unmöglich.

Die Gedanken rasten wie wild durch Wilmas Kopf, doch sie kam zu keinem auch nur halbwegs befriedigenden Ergebnis. Sie ließ den Kopf auf die Tischplatte sinken und barg ihn resigniert in ihren Armen. Leilas weiches Herz ertrug diesen Anblick nicht lange. Tröstend strich sie ihrer Kusine über die zerzausten Locken.

«Wilma, Mädchen, es wird nichts so heiß gegessen, wie es auf den Tisch kommt. Lass den Kopf nicht hängen. Wir sind doch drei gestandene Frauen, denen gewiss etwas einfallen wird. Noch ist deine Schwangerschaft nicht zu sehen und bis es soweit ist, haben wir die optimale Lösung für dich gefunden, glaube mir.»

Wilma hob den Kopf und nickte zaghaft. Jette, die schon zu viel erlebt und gesehen hatte, bezweifelte, dass es für Wilma eine Möglichkeit gäbe, sich und ihr Kind allein durchzubringen, wagte aber nicht, ihre Zuversicht zu zerstören.

«Es geschehen ja manchmal sogar Wunder», dachte sie und laut sagte sie, «warum sollte nicht gerade dir ein Wunder passieren.»

An diesem Abend fanden die drei keine zufriedenstellende Lösung und sie versuchten ein wenig Schlaf zu bekommen. Es sollte keiner von Ihnen gelingen.

«Wie blauäugig ich damals war», dachte Wilma und kam zurück in die Gegenwart, «nie hätte ich geglaubt, mit welchen Schwierigkeiten ich zu rechnen hatte.»

So lange es möglich war, schnürte sie sich ins Korsett, bis ihr die Luft zum Atmen wegblieb. Jeden Morgen schleppte sie sich ins Museum, dass jetzt rasch seiner Vollendung entgegenstrebte. Bode, blind für Frauenangelegenheiten, wie die meisten Männer, merkte nichts, bis Wilma ihm eines Tages ohnmächtig vor die Füße sank. Es war ein recht heißer Tag Ende Juni und die drückend heiße Luft zwischen den hohen Gebäuden Berlins war zum Schneiden dick. Ein Gewitter, dass die Erlösung bringen sollte, war nicht in Sicht. Auf einmal wurde es Wilma schwarz vor Augen und sie sank um. Bode, der neben ihr stand, fing sie noch rechtzeitig auf. Dabei bemerkte er Wilmas stärker gewordene Taille, die auch das Korsett nicht mehr verstecken konnte. Als Ehemann und Vater wusste er jetzt, wie es um die junge Frau stand. Vorsichtig führte er sie zu einem Stuhl, der in der Nähe stand.

«Na, das ist ja eine Überraschung, Wilma. Wann ist es denn soweit? Und ist Carl Meurer der Vater?»

«Ich denke, das Kind wird Ende August zur Welt kommen», bekannte Wilma, «und Carl ist der Vater, aber er darf es nicht erfahren, niemals!»

Wilhelm Bode tat die junge Frau leid, sie war ihm eine wertvolle Hilfe gewesen, die er selbst gegen die Widerstände seiner Kollegen beschäftigt hatte. Doch nun war das nicht mehr möglich. Einer Schwangeren weiter Arbeit zu geben, das durfte er nicht, wenn das ans Licht der Öffentlichkeit kam, konnte es ihn seine Karriere kosten. Ihm war bewusst, dass er beim Kaiser nicht sonderlich gut angesehen war, und er sich keinen Fehler leisten konnte. Doch es fiel ihm sehr schwer, Wilma auf der Stelle wegschicken zu müssen.

«Warum musste das passieren. Wissen Sie, Wilma, wie gern ich Sie bei der Einweihung unseres Museums dabeigehabt hätte? Sie haben maßgeblich dazu beigetragen, dass unser Gebäude das Juwel der Museumsinsel geworden ist. Nur sehr, sehr ungern lasse ich Sie gehen. Doch Sie verstehen sicher, dass ich Sie hier weiter nicht dulden darf. Wenn Sie etwas benötigen, dann bitte, lassen Sie es mich wissen, versprochen?»

Mit Tränen in den Augen verabschiedete sich Wilma von dem großherzigen Mann, an dessen Seite sie so viel über Kunst gelernt und noch mehr gesehen hatte. Sie trug ihm seine harte Entscheidung nicht nach, er konnte nicht anders handeln, das wusste sie nur zu gut.

Zu Hause legte sie sich aufs Bett und dachte nach. Doch so sehr sie auch grübelte, es fiel ihr kein Ausweg ein. Eine bleierne Müdigkeit überfiel sie, aus der sie sich nicht befreien konnte und wollte. Ein paar Tage ging es so, es wurde eine Woche daraus, dann mehrere und die Freundinnen sahen sich ratlos an. An einem sonnigen Vormittag klingelte es an der Wohnungstür. Wilma reagierte nicht, sie wusste, dass Leila und Jette zur Arbeit waren, doch die lähmende Gleichgültigkeit machte es ihr unmöglich aufzustehen und nachzusehen, wer da vor der Tür stand. Das Klingeln schien lauter, fordernder zu werden, Wilma war es egal. Dann dröhnte ein Hämmern und Klopfen durch die stille Wohnung, als ob der Jemand, der draußen stand, die Tür einschlagen wollte. Wilma presste sich das Kissen über die Ohren und hoffte, dass der Störenfried endlich verschwand. Auf einmal herrschte Stille, Wilma atmete schon erleichtert auf, als sie hörte, wie sich ein Schlüssel im Schloss drehte, die Tür sich öffnete und jemand eiligen Schrittes zu ihrem Zimmer kam. Ein wütendes Schnauben war zu vernehmen, dann riss eine Hand das Kissen von Wilmas Kopf. Empört schnellte sie hoch und starrte in das puterrote Gesicht ihrer Tante. Die musterte Wilma von Kopf bis Fuß und die junge Frau wurde sich ihres ungepflegten Aussehens bewusst. Obwohl der Vormittag schon recht weit vorangeschritten war, trug sie immer noch ihr zerknittertes Nachthemd. Ihr Haar hing ihr in ungekämmten Zotteln ins Gesicht und beschämt dachte sie daran, dass sie noch nicht einmal die Zähne geputzt hatte.

«Aha, so ist das also, das habe ich mir fast gedacht», Tante Annemarie riss die Bettdecke beiseite und betrachtete ungeniert den inzwischen schon recht umfangreichen Bauch ihrer Nichte, «wie kannst du dich dermaßen gehen lassen. Eine erwachsene Frau wie du, die sollte doch wirklich mehr auf sich achten und ein wenig Verantwortungsgefühl zeigen. Ich nehme an, das Malheur da, das wolltest du mir verschweigen.»

Annemarie deutete unmissverständlich auf Wilmas Taille. Die lief rot an im Gesicht, ohne dass sie es unterdrücken konnte.

«Ja, nein, ich wollte», druckste sie herum, «eigentlich wollte ich dir sagen, dass ich schwanger bin, aber irgendwie...»

Sie brach ab, fühlte sich hilflos den kritischen Blicken der Tante ausgesetzt. Die nahm sich einen Stuhl und ließ sich mit hörbarem Aufatmen darauf nieder.

«Du hast wohl nicht einen Kaffee im Haus, den könnte ich jetzt vertragen. Oder einen Cognac, gegen den hätte ich auch nichts einzuwenden.»

«Kaffee könnte ich schnell aufsetzen, liebe Tante», Wilma schwang ihre Beine aus dem Bett, «ob wir allerdings Cognac anzubieten haben, wage ich doch zu bezweifeln.»

«Nun gut, dann gehen wir eben in die Küche.»

Annemarie ließ sich nicht abschütteln, so sehr sich Wilma das gewünscht hätte. Während sie mit dem Mahlen der Kaffeebohnen und dem Aufbrühen des schwarzbraunen Pulvers beschäftigt war, arbeiteten ihre Gedanken fieberhaft. Was sollte sie der Tante sagen? Die Schwangerschaft hatte sie bemerkt. Den Vater des Kindes gäbe sie nicht preis, unter keinen Umständen. Und sich von Annemarie dazu überreden lassen, zu ihren Eltern zurückzugehen, das würde sie erst recht nicht zulassen. Endlich standen die Tassen mit dem dampfend heißen Kaffee vor den beiden Frauen. Annemarie trank einen Schluck, verbrannte sich beinahe die Zunge daran und stellte den Kaffee rasch wieder ab.

«Zunächst einmal, liebe Wilma», sie hüstelte, die Kehle war immer noch zu trocken, «ich habe nicht vor, dir irgendwelche Vorwürfe zu machen. Was geschehen ist, können wir nicht rückgängig machen. Wenn du das Kind loswerden wolltest, würdest du das längst getan haben. Jetzt ist es für einen Abbruch ohnehin zu spät. Wann ist der Geburtstermin?»

«Die Hebamme rechnete mit Mitte bis Ende August», flüsterte Wilma, von der Präsenz der Tante eingeschüchtert.

«Das sind also noch vier bis sechs Wochen. Hast du dich schon darum gekümmert, wer dir bei der Geburt zur Seite steht? Du willst das Kind doch nicht ganz allein zur Welt bringen?»

Wilma gab zu, dass Leila sich der Sache angenommen und eine Hebamme zu ihr gebracht hätte, die sie untersucht und für gesund befunden habe. Sie war es auch, die den Termin der Geburt errechnete. Jetzt, unter dem kritischen Blick der Tante, war Wilma heilfroh, dass sie dem Drängen der Kusine nachgegeben und den Besuch der Hebamme zugelassen hatte.

«Nun gut», Annemarie trank jetzt den endlich abgekühlten Kaffee, der ihre Laune sichtlich hob, «dann wart ihr wenigstens nicht ganz untätig. Was hast du für das Kind bereits angeschafft? Ein Bettchen, eine Wiege, oder Windeln, Hemdchen, Höschen?»

Beschämt gestand Wilma, dass sie nichts davon besorgt hatte. Plötzlich verstand sie selbst nicht mehr, wieso sie die Zeit so ungenutzt hatte verstreichen lassen. Unwillkürlich setzte sie sich gerader hin und in ihre Augen trat ein neuer Glanz. Annemarie sah es mit Freuden. Jetzt endlich konnte sie ihren Vorschlag anbringen. Sie war sicher, dass er auf fruchtbaren Boden fiele.

«Hör zu, Wilma und unterbrich mich bitte nicht. Denke erst einmal in Ruhe über das nach, was ich dir jetzt unterbreiten möchte. Einverstanden?»

Wilma nickte, anhören konnte sie die Tante wohl, entscheiden aber würde sie selbst.

«Also, ich habe mir gedacht, dass du solange wie möglich hierbleiben möchtest, und das verstehe ich auch. Aber zur Geburt solltest du nicht allein bleiben. Wie wäre es, wenn du in etwa einem Monat zu mir ziehst. Da kennst du dich aus, wirst versorgt und falls es mitten in der Nacht losgeht, bin ich für dich da. Auguste übrigens auch, sie freut sich schon auf dich und das Kleine. Ich könnte mir vorstellen, dass Juste ein gutes Kindermädchen sein wird. Ich habe das Gefühl, dass ihr unser kleiner Haushalt, seit Leila ausgezogen ist, viel zu langweilig wurde. Endlich käme wieder Leben ins Haus, meinte Juste. Nun, und was meinst du dazu?»

Wilma sah überrascht auf, mit vielem hatte sie gerechnet, aber nicht damit, dass ihre Tante sie auf solch großzügige Weise unterstützen würde. Sie schämte sich ein wenig für all die Vorurteile, die sie Annemarie gegenüber immer hatte. Die Schubladen, in die sie ihres Vaters Schwester bisher steckte, passten auf einmal nicht mehr. Sie war anscheinend dem Vater ähnlicher, als Wilma bisher geglaubt hatte. Die junge Frau überlegte nicht lange, die Erinnerung an das Haus der Tante, die gemütliche Küche und Justes Kochkünste, ließe so etwas wie Heimweh in ihr aufsteigen. Dort, in der Friedrichstraße wären sie und ihr Kind bestens aufgehoben. Nur ein Gedanke hielt sie davon ab, sofort zuzusagen, sie hatte kein Geld, um der Tante Unterkunft und Verpflegung zu bezahlen.

«Ehe du jetzt darüber nachdenkst, wie du mir das alles bezahlen sollst», Annemarie ahnte, was in Wilma vor sich ging, «sage ich dir, dass du bei mir für nichts aufkommen musst. Ich habe genügend Geld, das reicht auch für dich und das Kind, ohne dass ich mich auch nur im Geringsten einschränken müsste. Mach mir und Auguste einfach die Freude und lass es zu, dass wir uns um dich kümmern, ja?»

Annemarie streckte Wilma die Hände hin und die ergriff sie. Erleichtert, dass sich alles zu ihrer Zufriedenheit gefügt hatte, verabschiedete sich die Tante bald, eine nachdenkliche und erleichterte Wilma zurücklassend. Als Leila an diesem Abend mit Jette die gemeinsame Wohnung betrat, staunte sie nicht schlecht. Schon an der Tür duftete es nach frischen Kartoffelpfannkuchen, der Tisch war gedeckt, wie ein Schritt weiter es zeigte. In der Küche stand eine Wilma, die lange nicht mehr so fröhlich ausgesehen hatten.

«Was ist denn hier passiert?» Leila bekam den Mund nicht mehr zu.

«Nichts weiter, außer dass mich deine Mutter endlich wachgerüttelt hat», lachte Wilma, «sie hat mir ein Angebot gemacht, dass ich mit euch gern beim Essen besprechen möchte. Viel zu lange habe ich mich in meinem Elend gesuhlt und ihr habt unendliche Geduld mit mir gehabt. Dafür danke ich euch von ganzem Herzen.»

Mit großen Augen hörte Jette, was Leilas Mutter sich ausgedacht hatte. Leila selbst lächelte wissend. Schließlich war sie es gewesen, die der Mutter von Wilmas Situation berichtet und sie um Hilfe für die Kusine gebeten hatte.

«Nun ist alles gesagt», meinte Wilma zum Abschluss, «nicht nur für mein Kind und mich werde ich Annemaries liebevolles Angebot annehmen, sondern auch, um euch nicht länger zur Last zu fallen. Mit einem plärrenden Säugling hätte ich ohnehin hier nicht bleiben können.»

«Auch das würden wir gemeinsam ertragen, aber so ist es besser für alle.»

Jette, die immer Vernünftige sprach das aus, was auch Leila dachte und damit war geklärt, wie es nun weitergehen sollte. Wilma sah nach, wie viel Geld sie zur Verfügung hatte und stürzte sich mit Leila zusammen in die Einkäufe für das Kind. Annemarie ließ durch Auguste ausrichten, dass die Wiege, in der einst Leila-Elisabeth gelegen hatte, noch auf dem Dachboden stand und nur gereinigt werden musste. Auf dem Rückweg nahm Juste schon einen Teil von Wilmas Sachen mit und nach zwei Wochen übersiedelte sie ganz zur Tante.

In den nächsten Tagen überboten sich Annemarie und Juste beinahe damit, Wilma nach allen Regeln der Kunst zu verwöhnen.

«Wenn ich nicht schon einen so dicken Bauch durch die Schwangerschaft hätte», stöhnte Wilma übertrieben laut, «bekäme ich ihn mit Sicherheit jetzt. Ihr mästet mich ja geradezu», dann lachte sie, «aber ich fange an, es zu genießen.»

Eines Abends kam Leila an und brachte die Hebamme mit. Die schaute sich Wilma genau an und schien mit der Entwicklung der Schwangerschaft zufrieden.

«Das Kind hat sich schon gesenkt», meinte sie, «hier, fühlen Sie selbst. Es ist wahrscheinlich auch nicht mehr so lebhaft wir vorher. Das ist aber normal, zum Purzelbaum schlagen fehlt ihm jetzt einfach der Platz. Bitte, scheuen Sie sich nicht, mich rufen zu lassen, auch wenn es mitten in der Nacht ist. Daran bin ich gewöhnt.»

Als die Hebamme gegangen war, fragte Wilma ihre Kusine, was die Dienste der Frau kosten würden.

«Verstehe das nicht falsch, Leila, aber ich habe nicht mehr viel Geld übrig und ich will deiner Mutter ja nicht bis in alle Ewigkeit zur Last fallen. Sobald ich mich nach der Geburt erholt habe, suche ich mir Arbeit. Nur hier herumsitzen, das kann und will ich nicht.»

«Mach dir nicht so viel unnütze Gedanken, Wilma. Die Hebamme ist eine gute Bekannte, die mir noch etwas schuldig ist und meine Mutter lebt förmlich auf, seit sie nicht mehr allein im Haus wohnt. Also ist alles gut so, wie es ist, im Moment wenigstens. Wichtig ist allein, dass du und dein Kind die Geburt gut übersteht. Alles Weitere findet sich. Und jetzt muss ich los, die Charité wartet.»

Leila verschwand, aber sie hinterließ bei Wilma das merkwürdige Gefühl, dass sie ihr etwas verheimlichte. Etwas, dass sie unbedingt wissen sollte.

Der August zeigte sich von seiner freundlichsten Seite, er war warm aber nicht heiß, sonnig aber nicht unerträglich, die Menschen in der großen Stadt genossen die lauen Sommerabende und flanierten bis zum Dunkelwerden durch die breiten Straßen und durch den Tiergarten. Wilma nahm mit dem kleinen Garten der Tante vorlieb, sie konnte nicht mehr weit laufen, weil sie ständig eine gewisse Örtlichkeit aufsuchen musste. Auch nachts kam sie nicht recht zur Ruhe und wünschte sich sehnlichst, dass die Wehen endlich einsetzen würden. An einem besonders schönen Abend mit Annemarie, die von Leilas ersten Kindertagen erzählte, spürte Wilma eine sonderbare Unruhe in sich aufsteigen. Sie stand auf und setzte sich wieder, ging auf ihr Zimmer und kam wieder zurück in die Küche. Juste, die gerade mit dem Abwasch fertig war, stemmte die Hände in die Hüften und sah Wilma mit einem wissenden Lächeln zu. Sie ahnte, was los war.

«Ich glaube, wir sollten der Hebamme Bescheid sagen, meinst du nicht?»

«Wieso? Es ist doch alles in Ordnung mit...», Wilma brach ab, eine Welle des Schmerzes überflutete sie und raubte ihr den Atem.

Auguste fasste die Schwangere unter den Armen und brachte sie in ihr Zimmer. Dann lief sie in den Salon und bat Annemarie, sie möge sich um Wilma kümmern, bis sie mit der Hebamme zurück sei. Sie eilig davon. Es dauerte nicht lange, die Hebamme war zum Glück gerade zu Hause, bis die beiden in der Friedrichstraße ankamen. Schon an der Haustür begrüßte sie lautes Geschrei, das Wutgebrüll eines Säuglings, der nicht versteht, warum er aus der sicheren Wärme des Mutterleibes in diese kalte, feindliche Welt gestoßen wurde.

«Na, det ging aber flott», die Hebamme kümmerte sich sofort um Wilma, «Juste, schnapp dir mal det Wurm. So wir der schreit, ist er kernjesund.»

«Was ist es denn», Wilma wollte aufstehen, um ihr Kind zu sehen, sank aber mit einem Schmerzenslaut aufs Bett zurück. Auguste trat mit dem Kind, das sie inzwischen ein wenig gesäubert und in ein weiches Tuch gehüllt hatte, ans Bett und legte es in Wilmas Arme.

«Es ist ein Junge, ein großer, kräftiger Junge», Annemarie kam dazu, «das hast du ja schon gehört. Hier, nimm ihn und zeige ihm, wo er das findet, was er am meisten braucht. Deine Wärme, deine Liebe und vor allem, deine Brust.»

Als Leila und Jette am Abend kamen, um zu gratulieren, fanden sie Mutter und Kind in trauter Zweisamkeit vor, einem alten Madonnengemälde gleich. Jette wandte sich ab, ihr kamen die Tränen. Sie dachte an ihren eigenen Sohn, den sie, nach dem sie ihn geboren hatte, nie mehr wiedersah. Leila, die ahnte, dass Mutterglück für sie in diesem Leben nicht vorgesehen war, schluckte ebenfalls die Tränen herunter und versuchte, sich mit Wilma über den neuen Erdenbürger zu freuen.

«Und? Wie soll der Knirps denn nun heißen? Flotter Otto vielleicht, weil er es so eilig hatte?»

Leila verbarg ihre Wehmut hinter flapsigen Bemerkungen. Der Junge, von dem hier die Rede war, lag in Wilmas Armen und schlief. In diesem Moment öffnete er die Augen und sah die beiden Frauen mit einem solch intensiven Blick an, dass sie staunten.

«Ich dachte immer, dass Neugeborene noch nichts sehen können», meinte Jette und Leila widerlegte es, «ne, stimmt überhaupt nicht. Wie oft habe ich mich über den Blick eines gerade auf die Welt gekommenen Kindes gewundert. Es liegt oft eine unglaubliche Tiefe und eine Art Weisheit darin, als wisse es mehr, als wir erahnen.»

«Er ist schon etwas ganz Besonderes, mein kleiner Alexander», ließ sich Wilma vernehmen, «Alexander soll er heißen, weil Carls historisches Vorbild Alexander der Große war. Ich glaube, er würde für seinen Sohn genau diesen Namen gewählt haben.»

Wilma verstummte und es kam eine Sehnsucht nach Carl in ihr hoch, von der sie geglaubt hatte, sie für immer verdrängt zu haben.

Sie erholte sich schnell von der Geburt und saß am letzten Augusttag am Fenster und genoss die wärmenden Strahlen der Sonne. Im Arm hielt sie das Kind, das, müde getrunken, an ihrer Brust eingeschlafen war. Auch Wilma war von der Wärme ein wenig schläfrig geworden und so hörte sie nicht, wie die Tür sich leise öffnete und jemand behutsam zu ihr hintrat. Der Besucher verhielt sich ganz still, umfing Mutter und Kind nur mit seinen Blicken, in denen sich Sehnsucht und Trauer mischten. Er wagte es kaum zu atmen, um das friedliche Bild, das sich ihm bot, nicht zu stören. Nur mühsam riss er sich davon los. Doch im selben Moment, da er sich umdrehte und das Zimmer verlassen wollte, öffnete Wilma die Augen.

«Carl!», ihr Schrei weckte den Säugling auf, der sofort zu weinen begann, «Carl», flüsterte sie, «Carl, bist du es wirklich?»

Der Mann sank neben ihr auf die Knie, die Augen auf sie gerichtet und bat Wilma flüsternd um Verzeihung. Er sah dabei so unglücklich aus, dass Wilma nicht anders konnte. Zärtlicher als ihr bewusst war, strich sie ihm eine widerspenstige Locke aus der Stirn.

«Wirst du mir vergeben, Liebste? Lässt du mich erklären, was es mit meiner Ehe auf sich hat? Gewährst du mir noch eine Chance, dich zu lieben?»

«Ach Carl, ich habe dir doch längst verziehen, auch wenn ich dich nicht verstanden habe. Um unseres Kindes Willen magst du mir sagen, warum du mir deine Ehe und dein Kind verschwiegen hast. Was dann sein wird, das weiß ich jetzt noch nicht. Aber du sollst deine Chance haben.»

«Darf ich mich setzen? Auf die Dauer ist das Knien etwas anstrengend», versuchte Carl die heikle Situation ein wenig zu entspannen.

Er erhob sich, als Wilma zustimmte und nahm sich einen Stuhl. Ganz dicht rückte er ihn an Wilma, schaute andächtig auf das Kind in ihrem Arm. Dann war er bereit für die schwierige Aufgabe, die vor ihm lag.

«Liebste Wilma», begann er vorsichtig, «bevor ich dir die Wahrheit über meine Ehe erzähle, solltest du wissen, dass du die einzige Frau in meinem Leben warst und bist, die ich wirklich liebe. Wie oft habe ich, seit ich dich kenne, mich selbst verflucht für diesen unüberlegten Schritt in meiner Jugend. Doch halt, der Reihe nach. Wie du weißt, habe ich mich schon früh der Archäologie verschrieben. Gleich nach dem Studium bewarb ich mich für eine Ausgrabung. Doch der Leiter dieser Expedition meinte, ich solle mich erst einmal bei der ungeliebtesten Seite des Berufes bewähren und verdonnerte mich dazu, in einem Museum die Altertümer zu vermessen und zu katalogisieren. Kannst du dir vorstellen, wie ich mich damals fühlte? Gerade etwas über zwanzig Jahre alt, träumte ich von aufsehenerregenden Entdeckungen, grub in meinen Träumen die größten antiken Schätze aus. Stattdessen verbannte man mich in einen staubigen Keller. Lustlos ging ich der leidigen Arbeit nach, bis eines Tages eine schöne junge Frau sich hinunter zu mir verirrte. Es war die Tochter des Museumsdirektors, auf der Suche nach ihrem Vater. Schnell kamen wir ins Gespräch und ich fand, wie ich glaubte in ihr eine verwandte Seele. Sie war der Inbegriff all dessen, was ich mir damals als unreifer Jüngling, von einer Frau erträumte. Eine «Höhere Tochter», gebildet und unendlich gelangweilt von dem

Eingesperrtsein zu Hause, das war Leonore. Sie suchte Abwechslung und fand sie bei mir und meinen Träumen. Der Sommer kam und wir wurden ein Paar. Es kam, wie es kommen musste. Eines Tages beichtete mir Leonore unter Tränen, dass sie schwanger sei und ich sie unbedingt und so schnell wie möglich heiraten müsse. Was blieb mir anderes übrig. Ihr Vater war nicht begeistert von der Situation, willigte aber ein, um der Ehre seiner Tochter willen. Die Mutter, die mich von Anfang an nicht leiden konnte, akzeptierte mich zähneknirschend. So trat ich mit Leonore vor den Altar, ohne dass ich es eigentlich wollte. Damals dachte ich, dass unsere Liebe alle Hindernisse und Standesunterschiede leicht überwinden würde, doch ich hatte mich getäuscht. Als unsere Tochter geboren war, veränderte sich Leonore zu ihrem Nachteil, wenigstens in meinen Augen. Mit ihrer Mutter vergnügte sie sich auf vielen Soireen, Bällen, im Theater und in Konzerten. Das Kind blieb dem Dienstmädchen überlassen. Je mehr ich sie bat, sich doch der Kleinen anzunehmen, umso mehr lachte sie mich aus. Es kam immer öfter zum Streit zwischen uns. Als sie mir dann eines Tages an den Kopf warf, dass ich nur ein Emporkömmling sei, der ohne ihren Vater immer noch im Museumskeller hocken würde, da zerbrach das letzte bisschen Liebe, das ich für sie noch empfand, endgültig in mir. Am selben Tag noch schloss ich mich einer Expedition an. Mir war egal, wohin der Wind des Lebens mich treiben würde, Hauptsache, ich wäre weit weg von der Frau, die ich einmal zu lieben glaubte.»

Schwer atmend lehnte sich Carl zurück und bedeckte mit einer müden Geste seine Augen. Erneut standen die furchtbaren Auseinandersetzungen mit Leonore und ihren Eltern vor ihm auf. Das konnte er Wilma nicht sagen. Aber dass er sich scheiden lassen wollte, schon damals, das sollte sie wissen. Nur einen Augenblick des Besinnens benötigte er. Wilma, die Carls Empfindungen an seinem Gesicht ablesen konnte, stand auf, legte ihm sein Söhnchen in die Arme und sagte, dass sie etwas zu trinken holen würde, sie beide könnten es gebrauchen. Ihr Gedanke dabei war, Carl einen Moment der Zweisamkeit mit seinem Kind zu verschaffen und ihm die Angst zu nehmen, weiterzusprechen. Sie ahnte, dass es da noch mehr gab, was ihn quälte. Sie ließ sich Zeit, brühte einen starken Kaffee für Carl und einen Kräutertee für sich auf und brachte beides zurück in ihr Zimmer. Dort saß Carl, hielt sein Kind im Arm und betrachtete es zärtlich. Er sah hoch und strahlte Wilma so unendlich glücklich an, dass sie alle Vorbehalte vergaß und ihm alles verzieh, auch das, was sie vielleicht noch nicht wusste. Nach einer Pause fuhr Carl mit seinem Bericht fort.

«Als ich nach über einem Jahr nach Berlin zurückkehrte, fand ich die Wohnung, in der ich mit Leonore gelebt hatte, von einer, mir völlig fremden Familie bevölkert vor. Empört suchte ich meine Schwiegereltern auf. Meine Frau war ausgezogen, ohne mir ein Sterbenswörtchen davon zu sagen. Ich lief empört und zornig zu ihren Eltern. Leonores Vater war nicht im Haus und die Mutter ließ mich nicht ein. Wie ein Bettler kam ich mir vor, ohne Dach über dem Kopf und ohne Zukunft. Ein Kollege, den ich in meiner Not aufsuchte, ließ mich für ein paar Tage im Gartenhaus seiner Eltern übernachten. Eine Dauerlösung durfte es aber nicht werden. Endlich erreichte ich meinen Schwiegervater, der mir unmissverständlich klar machte, dass Leonore nichts mehr von mir wissen wolle und er mir ihren Aufenthaltsort nicht mitteilen würde. Ich solle es aber ja nicht wagen, die Scheidung einzureichen, denn dann könne ich damit rechnen, dass ich nie wieder in einem Museum arbeiten oder an einer Ausgrabung teilnehmen könne. Wie du weißt, Wilma, ist eine geschiedene Frau in den sogenannten besseren Kreisen nicht mehr gesellschaftsfähig und auf das turbulente Leben in der «Hautevolée» wollte Leonore unter keinen Umständen verzichten. Mutlos lief ich stundenlang durch die Stadt, bis ich am Abend in einer Kneipe auf einen alten Freund traf, der mich kurzerhand mit zu sich nach Hause nahm und mir einen Platz bei einer kleineren Ausgrabung, die er leitete, anbot. Ich schrieb einen Brief an Leonore, über die Adresse der Eltern und erklärte ich, dass ich ihr nie wieder nahekommen würde. Nur mein Kind möchte ich gern sehen, wenn ich von der Ausgrabung zurück sei. Noch im Lager erreichte mich ein Brief einer Anwaltskanzlei, in dem mir verboten wurde, mich meinem Kind zu nähern, und eine Summe stand, die ich als Unterhalt an Leonore zu zahlen hätte. Natürlich versuchte ich mich gegen all diese Ungerechtigkeiten zu wehren, doch der Herr Schwiegerpapa saß leider am längeren Hebel, hatte die richtigen Verbindungen zu den richtigen Leuten, die mir fehlten. Was blieb mir anderes übrig, als mich zähneknirschend zu fügen.»

Resigniert senkte Carl den Kopf. Wilma legte ihre Hand mitfühlend auf die seine. Allmählich verstand sie, was er in den letzten Jahren durchgemacht haben musste. Ein paar Fragen brannten ihr dennoch auf der Seele.

«Carl, warum hast du nie mit mir darüber geredet? Glaubst du nicht, dann wäre es zwischen uns erst gar nicht zum Streit gekommen?»

«Ich wusste doch nicht, wie ich dir sagen sollte, dass ich verheiratet bin, wenn auch nur noch auf dem Papier. Von meiner Tochter konnte ich dir auch nichts erzählen, es tat zu weh, an sie zu denken und zu wissen, dass ich sie nie mehr sehen würde. Jetzt weiß ich, dass ich mich dir hätte anvertrauen sollen.»

«Wie ist es zwischen euch weitergegangen, hast du sie nicht noch einmal um die Scheidung gebeten, nachdem wir beide ein Paar wurden?»

«Oh doch Wilma, es war an dem Weihnachtsfest im vergangenen Jahr. Da wollte ich die friedliche Stimmung nutzen, um mit Leonore zu reden. Deshalb feierte ich Weihnachten nicht bei dir. Sie lud mich zu sich ein und ich fuhr voller Hoffnung hin. Sie wusste schon von uns und verhöhnte mich. Niemals werde sie in eine Scheidung einwilligen, warf sie mir an den Kopf. Ich hätte ihr Leben zerstört und nun wolle sie, dass auch ich nie wieder glücklich würde, schon gar nicht mit einer anderen Frau. In meiner Verzweiflung suchte ich sogar ihre Eltern auf und bat sie, mit Leonore zu reden. Doch auch hier stieß ich auf taube Ohren und verschlossene Herzen. Entmutigt kam ich nach Berlin zurück und erfuhr, dass du inzwischen von meinem Dilemma wusstest. Als du mir dann die Tür gewiesen hast, ohne dass ich es dir erklären durfte, wäre ich am liebsten gestorben. Max von Oppenheim brachte mich noch im letzten Moment in seiner Gruppe unter, die am Tag nach Neujahr nach Kairo aufbrechen würde. Dort plante er, in der Oase Siwa nach dem Grab Alexanders des Großen zu suchen. Leider machten die ewigen Querelen zwischen Arabern und Berbern und die Auseinandersetzungen mit dem Osmanischen Reich die Erstellung einer neuen Expedition bald zunichte. Deshalb bin ich auch schon wieder zurück.»

«Eine Frage gibt es noch, Carl», Wilma setzte sich etwas gerader hin, die süße Last des Kindes in ihrem Arm machte sich allmählich bemerkbar, «hast du darüber nachgedacht, wie es jetzt mit uns weitergehen soll?»

«Wird es denn ein «uns» geben, Wilma», Carl sah ihr in die Augen, «haben wir noch eine gemeinsame Zukunft? Ich kann dich nicht ehrbar machen, wie man so sagt, Leonore zieht ihre Genugtuung daraus, mir die Scheidung weiter zu verwehren. Wenn du aber auch ohne Trauschein mit mir leben willst, dann machst du mich zum glücklichsten Mann der Welt und zum überglücklichsten Vater von dem Kleinen dort. Sag, wie heißt er eigentlich?»

«Wie wird er wohl heißen», Wilma lachte, «natürlich Alexander. Schau, hier ist Alexander der Kleine, nach deinem von dir so verehrten Alexander dem Großen benannt. Zufrieden?»

Eigentlich hätten die beiden noch viel zu besprechen gehabt, doch ein klägliches Maunzen kam aus dem vorwurfsvoll verzogenen Mündchen des

Kindes und unterbrach das traute Beisammensein. Wilma erhob sich und bat Carl, sich zu verabschieden.

«So leid es mir tut, lieber Carl, ich schicke dich jetzt fort. Der Kleine hat Hunger und ich bin müde. Du weißt ja nun, dass du mir immer willkommen bist. Du musst jetzt zwar gehen, aber nur bis morgen, versprochen.»

Ungern verließ Carl seine soeben erst wiedergefundene Liebste, doch er ging mit einem Lachen im Herzen, dort, wo zuvor eine dunkle Traurigkeit geherrscht hatte.

In den folgenden Tagen verbrachte er jede freie Minute bei Wilma und Klein-Alex. Beide malten sich eine Zukunft aus, in der sie auch ohne den Segen der Kirche und des Staates glücklich sein durften. Doch die Realität sah anders aus. Carl, der auf seine Arbeit angewiesen war, musste er doch Unterhalt für Leonore und die Tochter zahlen, machte Wilma behutsam klar, dass er wieder nach Ägypten gehen würde. Oppenheim wollte erneut die Oase Siwa aufsuchen lassen und er wäre gern dabei. Der Verdienst sei gut und er könne, da er ja vor Ort Unterkunft und Verpflegung bekam, Wilma einen Teil des dabei Ersparten abgeben.

«Liebste», meinte er zärtlich, «du musst dich noch schonen und unser Söhnchen braucht dich. Nimm also ruhigen Gewissens das Geld. Wenn ich zurückkomme, setze ich die Scheidung durch, egal was mein Schwiegervater dann unternimmt. Leonore hat lange genug triumphiert.»

Die Vernunft sagte Wilma, dass Carl richtig handelte, ihr Herz aber hätte ihn lieber hier, an ihrer Seite. Doch das sagte sie ihm nicht. Viel zu schnell kam die Stunde des Abschieds und dann war er wieder einmal fort, in weit entfernte, unbekannte Lande. Wilma hatte mit Klein-Alex genügend Abwechslung, Tante und Kusine überboten sich in Aufmerksamkeiten. Dann kam der Brief ihrer Mutter, in dem sie über des Vaters krankes Herz klagte. Heftige Gewissensbisse nagten an der jungen Mutter. Jetzt da sie selbst ein Kind hatte, verstand sie vieles, was ihre Eltern getan hatten, um einiges besser. Beinahe schämte sie sich dafür, dass sie sich ihrer Mutter nicht anvertraut hatte. Doch das sollte sich jetzt ändern. Ein Blick zu Alexander, der friedlich in seinem Bettchen schlief, dann nahm sie das Schreibpapier und begann den Brief an ihre Mutter.

«Liebes sorgenvolles Mütterlein,   *Berlin, August 1903*

Hoffentlich geht es Papa inzwischen wieder besser. Woher kommen nur seine Herzprobleme, er sah doch immer so robust aus. Ich hoffe, dass es nichts wirklich Schlimmes ist und er auf dem Wege der Besserung ist. Die Nachricht, die ich heute zu verkünden habe, hilft ihm vielleicht dabei. Liebe Mutter, es gibt keinen Grund, sich über mein Schweigen Sorgen zu machen. Vielmehr dürft Ihr Euch darüber freuen, dass Ihr Großeltern geworden seid. Ja, Du liest richtig, ich habe ein Kind, einen kleinen Sohn, der Alexander heißt. Er kam am 22. August vor einem Jahr zur Welt. Die Geburt verlief problemlos und der Kleine ist kerngesund. Seit ein paar Tagen versucht er seine ersten Schrittchen an meiner Hand und kräht dabei vor Vergnügen. Es ist ein liebes, wonniges Kerlchen, der mir keine Sorgen macht und gerne lacht. Er hat blondes Haar und blaue Augen wie sein Vater, den Ihr hoffentlich bald kennenlernen werdet. Carl, so heißt er, ist Archäologe und viel in der Welt unterwegs, manchmal Monate, wenn nicht sogar jahrelang. Das war auch ein Grund, warum ich nicht mit ihm verheiratet bin. Als ich damals merkte, dass ich schwanger war, weilte er weit weg, in Syrien und Ägypten. Auch jetzt ist er wieder irgendwo auf einer Ausgrabung. Doch, das dürft Ihr mir glauben, wir werden heiraten, sobald er zurück in Berlin ist. Carl ist ein guter und zuverlässiger Mann, dem ich mich ohne Vorbehalte anvertraut habe. Ich bin davon überzeugt, dass Ihr ihn ebenfalls in Euer Herz schließen werdet, wenn Ihr ihn kennenlernt. Damit Ihr Euch keine Gedanken um mich machen müsst, teile ich Euch mit, dass Tante Annemarie mich in all ihrer Güte zu sich ins Haus genommen hat, als sie hörte, was mit mir los war. Nun spielt sie die Großmama und verwöhnt mich und Klein-Alex nach Strich und Faden. Stellt Euch vor, gerade gestern kam sie vom Einkauf nach Hause. In einem der großen Einkaufshäuser, wo man alles bekommt, von der Nähnadel bis zum Kochtopf, fand sie etwas, das neu auf dem Markt ist, ganz frisch aus Amerika importiert und doch ein deutsches Produkt. Übers ganze liebe Gesicht strahlend, stand die Tante gestern in meinem Zimmer und präsentierte stolz einen großen Plüschbären, den Alexander begeistert in seine Arme schloss und nicht mehr losließ. Sogar ins Bettchen musste das Schmusetier am Abend mit. Es sah so herzerwärmend aus, als ich nach Alexander sah, wie er mit dem Bären im Arm selig schlummerte. Die Tante erzählte mir später die Geschichte dieses Teddy-Bären. Er wurde «erfunden» von Margarete Steiff, die schon einen Namen als Spielzeugherstellerin hat. Sie stellt ihn bei der Leipziger Messe vor und ein Amerikaner kaufte ihn und nahm ihn mit in die USA. Dort bekam er seinen Namen «Teddy», nach Theodore Roosevelt. Demnach hatte der Präsident, ein passionierter Jäger, auf einer Jagd in Mississippi keine Gelegenheit zu Abschuss eines Bären erhalten. Als ihm Mitglieder seiner Jagdgesellschaft daraufhin ein angebundenes Bärenkind vor die Flinte setzten, weigerte er sich, dieses zu erschießen. Und da «Teddy» der Kosename für Theodore ist, hatte der Plüschbär mit den beweglichen Armen und Beinen, seinen Namen weg. Leila ist auch ganz vernarrt in den kleinen Alexander. Weil sie selbst passionierte Fahrradfahrerin ist, möchte sie ihm am liebsten jetzt schon das Fahrradfahren beibringen. Zum Glück sind Alex Beinchen noch zu kurz und es gibt keine so winzigen Räder. Aber, meinte Leila, er müsse später unbedingt an der «Tour de France» teilnehmen, einer Radrenntour durch Frankreich, die es seit kurzem gibt. Liebes Mütterlein, Du liest, es geht uns gut. Bald werde ich auch wieder Arbeit haben, es gibt da eine neue Sache, die für mich genau das Richtige zu sein scheint. Noch ist es nicht ganz konkret, aber im nächsten Brief, werde ich darüber Genaueres berichten.

Bis dahin grüßt Euch ganz herzlich, Eure glückliche Mama Wilma.»

Sie las sich das Schreiben noch einmal durch. Es war ein langer Brief, aber sie hatte ja auch ziemlich lange nichts von sich hören lassen. Von Annemarie wusste sie, dass sie die Eltern über das Wichtigste informiert hatte, aber von Klein-Alex schrieb sie ihnen nichts. Das, so meinte die Tante, müsse Wilma schon selbst übernehmen. Sie schaute zur Uhr, ja der Brief würde heute noch nach Kappeln abgehen, wenn Auguste ihn sofort zur Post brächte. Wilma sah zu Alexander hin, der sich räkelte und aus seinem Mittagsschlaf erwachte. Immer mehr ähnelte er seinem Vater. Der Gedanke an Carl schmerzte Wilma. Seit Wochen hatte sie kein Lebenszeichen mehr von ihm erhalten. Ihr Herz klopfte so stark, dass es schmerzte. Eine dunkle Ahnung stieg in ihr auf.

«Carl», flüsterte sie, «Carl mein Liebster, ich hoffe und bete, dass dir nichts geschehen ist.»

In dieser Nacht träumte Wilma von Carl. Es war stockfinstere Nacht und er stand allein auf einer weiten Ebene. Nichts als Dunkel um ihn herum, keine Fackel, keine Kerze, nicht das kleinste Licht zeigte ihm den Weg... einsam und verloren stand er dort und wartete...aber auf wen oder auf was...?

33. Kappeln, Mitte Juni 1904

Friederike saß im Salon und warf hin und wieder einen Blick hinaus in den Garten. Dort saß Wilhelm im Korbsessel unter der ausladenden Kastanie, die ihn mit ihren breitgefächerten Blättern vor der grellen Sonne beschützte. Seit dem Zusammenbruch vor fast einem Jahr war Wilhelm nicht mehr der Alte. Als er sich etwas erholt hatte, konsultierte er den neuen Doktor. Es war Gustav Spliedt, der nach seiner Promotion im letzten Jahr die verwaiste Praxis seines Vaters übernommen hatte. Otto Spliedt, langjähriger Hausarzt der Schulzes, verstarb viel zu früh mit fünfundsechzig Jahren und hinterließ eine schmerzliche Lücke, die nun sein Sohn auszufüllen trachtete. Rieke sah ihm zunächst mit leisem Misstrauen auf die Finger, doch bald nahm er auch sie für sich ein. Ein wacher Geist, stets auf dem neuesten Stand des medizinischen Fortschritts, übernahm er nicht nur die vielen Patienten, sondern auch etliche Aufgaben in Kappelns öffentlichem Leben. Schon bald hieß es «Spliedt hett keen Tied», wenn der Doktor von einem Kranken zum anderen eilte. Für Wilhelm nahm er sich immer Zeit, so auch heute, wo er sich zu dem Kranken auf die Bank unter die Kastanie setzte und sein Stethoskop zückte.

«Ach Doktor», klagte Wilhelm, dem die viele Aufmerksamkeit etwas lästig wurde, «muss das sein? Ich fühle mich besser, so gut, dass ich wieder richtig arbeiten möchte, und nicht nur mit halber Kraft. Verstehen Sie das?»

«Sicher verstehe ich Sie, mein lieber Herr Schulze, aber Sie sollten auch mich verstehen. Als Ihr Arzt fühle ich mich verpflichtet, mich so lange um Sie zu kümmern, wie ich es für nötig erachte.»

«Das begreife ich ja, Doktor Spliedt, nur dieses Herumsitzen und Nichtstun, macht mich jetzt krank, nicht mein unzuverlässiges Herz. Bitte, erlauben Sie mir, etwas länger im Büro zu bleiben. Die anstrengenderen Arbeiten übernimmt doch sowieso mein Assistent. Der junge Paul Kollborn, den man mir aus Berlin geschickt hat, wird nach meiner Pensionierung mein Amt übernehmen.»

«Ihr Herz hört sich heute recht gut an, lieber Schulze», sichtlich zufrieden verstaute Doktor Spliedt das Stethoskop in seiner geräumigen Arzttasche, «kein Stolperer, kein Aussetzer zu vernehmen. Nun ja, wenn Sie mir versprechen, dass Sie sich auf die Büroarbeit beschränken, dann sei Ihnen eine Stunde mehr pro Tag zugestanden. Zufrieden?»

Er wandte sich schon zum Gehen, da drehte er sich um und fragte: «Wann werden Sie voraussichtlich in den wohlverdienten Ruhestand treten?»

«Zum Jahreswechsel», gab Wilhelm die gewünschte Auskunft, «doch zuvor möchte ich unbedingt noch an der geplanten Einweihung unseres Altersheims, das Kanzleirat Seehusen gestiftet hat, teilnehmen. Das darf ich doch?»

«Ich denke schon», der Doktor lachte, «sofern Sie mir versprechen, in diesem halben Jahr nicht mehr ganz Kappeln umbauen zu wollen. Bis morgen dann!»

Schon war er weitergeeilt. Rieke, die durch das geöffnete Fenster des Salons die Unterhaltung mitangehört hatte, war erleichtert. Die unerklärlichen, immer wiederkehrenden Herzattacken ihres Mannes hatten bei ihr dazu geführt, dass sie ständig in Alarmbereitschaft war. Dem Ausflug nach Flensburg, am ersten April dieses Jahres, stimmte sie erst dann zu, als Wilhelm sich damit einverstanden erklärte, mit der Eisenbahn zu fahren. Es war ein schöner Tag, der Frühling selbst schien hinter der Flensburger St. Nikolaikirche zu stehen und der feierlichen Enthüllung des neuen Bismarck-Denkmals zuschauen zu wollen. Wilma fand das Denkmal nicht sonderlich gelungen. Es war wohl als Brunnen konzipiert. Dieser Brunnen bestand aus einem großen Brunnenbecken, in dem ein Sockel aus Stein stand, der an einen Felsen erinnerte. Darin war in einer Nische, reliefartig das Gesicht Otto von Bismarcks eingelassen. Auf dem Steinsockel darüber thronte eine bronzene Germania, gekrönt mit einer Kaiserkrone. Sie stützte nachdenklich den Kopf in ihre Hand und ließ, so fand Rieke, den Fuß etwas zu lässig an dem Felsen herabbaumeln und berührte beinahe einen der drei Wasserspeier, die in Gestalt einer Schildkröte, einer Echse und eines Frosches dort angebracht waren. Während der langen und viel zu gestelzt wirkenden Einweihungsrede hatte Rieke Zeit genug, darüber nachzugrübeln, was diese drei Tiere wohl aussagen sollten. Am Rand des Felsensteines und am Beckenrand hockten und standen vier kleine Gestalten aus Bronze. Eine dieser Skulpturen kniete am Rande des Bismarck-Reliefs, hatte Hammer und Meißel in der Hand und legte anscheinend letzte Hand an.

Was dies bedeuten sollte, verstand sie auch nicht. Diesen seltsamen Brunnen platzierte man an der nordwestlichen Ecke des Südermarktes, wo eine breit angelegte Treppe zum Platz des Brunnens hinführte. Der warme Tag verlockte ein paar kleine Jungs, im Wasser des Brunnens zu planschen, kaum dass die offizielle Feier zu Ende war. Der empörte Schutzpolizist, der sie vertreiben wollte, bekam von den Bengels noch eine tüchtige Ladung Wasser ab, ehe sie kichernd hinter der Kirche verschwanden. Wilhelm und Rieke bummelten Arm in Arm langsam in Richtung Nordermarkt, aßen unterwegs eine Kleinigkeit und kamen am selben Abend glücklich wieder zu Hause an. Wilhelm hatte dieser Tag so gut gefallen, dass er Pläne machte, demnächst mit Rieke nach Schleswig zu fahren.

«Mit der Eisenbahn natürlich, denn Ende des Jahres soll es eine neue Strecke geben», eröffnete er seiner erstaunten Frau, «die führt von Kappeln nach Süderbrarup und geht dort weiter, bis nach Schleswig. Dann wird es in unserem Städtchen drei Bahnhöfe geben, beinahe so viel wie in Berlin. Was sagst du dazu?»

«Kappeln wird nochmal Großstadt», konterte Rieke, «drei Bahnhöfe, das hätte ich nie geglaubt, als wir damals in das verschlafene Nest kamen, als das sich Kappeln uns präsentierte, vor, oh du lieber Himmel», sie schlug erschrocken die Hände vor den Mund, «vor vierunddreißig Jahren.»

«Ja, es hat sich ganz schön was getan hier», schmunzelte Wilhelm und überredete Rieke, ihnen beiden noch einen Schlummertrunk zu spendieren.

Seit Wilhelms Erkrankung hielt Rieke die gesamten Wein-, Bier- und vor allem die hochprozentigen Schnapsvorräte unter Verschluss. Ein wenig zu viel davon könnte Wilhelms Tod bedeuten. Doch nach diesem erfreulichen Ausflug war sie gewillt, ihm ein Glas Port zu genehmigen.

Jetzt saß sie im Salon, die sanfte Brise, die durch das offene Fenster von der Schlei herauf wehte und den unvergleichlichen Geruch nach Salzwasser, Fisch, Teer und weiter Welt mit sich trug, nahm ihre Gedanken mit auf große Fahrt. Wie so oft dachte sie an ihre Tochter, mit der sie nun in regelmäßigerem Briefkontakt stand. Wie gern würde sie ihr Minchen wiedersehen, doch das Schicksal schien damit nicht einverstanden zu sein. Immer, wenn die Möglichkeit bestand, dass sie, Rieke, nach Berlin fahren könnte, kam etwas dazwischen. So war es auch vor einem Jahr, als Wilhelms Herzattacke die Reise unmöglich machte. Und für Wilma gab es ebenfalls keinen Weg nach Kappeln, solange ihr

Söhnchen zu klein für diese lange Reise war. Es blieb nur das Schreiben, dass die beiden verband und auch jetzt füllte Rieke Blatt um Blatt mit den neuesten Nachrichten aus Kappeln. Manchmal legte Wilhelm etwas dazu, von dem er wusste, dass es Wilma interessierte. Diesmal ging es um den Bau der neuen Marineschule in Mürwik bei Flensburg, an dem er nicht mehr teilhaben durfte. Eine Kopie der Zeichnung, wie das imposante Gebäude einmal aussehen würde, ließ er seiner Tochter zukommen. Sie solle aber nicht auf die abstruse Idee kommen, die benötigten Ziegelsteine zu berechnen, wie sie es als Kind so gern getan hatte, als es um den Bau des Kappelner Amtsgerichtes ging, schrieb er und lächelte bei dieser Erinnerung. Rieke schrieb über andere Dinge.

«Liebes Mütterchen Wilhelmine,   *Kappeln, im Juni 1904*

«Wie schnell nur die Zeit vergeht, bald wird unser kleiner Alexander zwei Jahre alt und ich habe ihn immer noch nicht sehen dürfen. Ich hoffe, dass es im kommenden Jahr möglich wird, wenn Dein Vater sich dazu entschließen kann, in Pension zu gehen. Bitte schreib mir, was Du für Alex benötigst. Ich möchte ihm ein Paket zum Geburtstag senden. Wenn Du auch einen Wunsch hast, dann teile ihn mir bitte mit. Ich erfülle ihn gern. Deinem Vater geht es recht gut, der neue Doktor Spliedt ist sehr zufrieden mit seinem Herzen. Kaum darf er ein bisschen mehr arbeiten, wird Dein lieber Papa gleich übermütig. Denk nur, er wollte sich allen Ernstes zu den Reservisten melden, die sich für ein Jahr verpflichten, nach Süd-West-Afrika zu gehen, um dort den Aufstand der Hereros, so heißen dort die Eingeborenen, niederzuschlagen. Dass so etwas nicht ohne Blutvergießen geht, sah Wilhelm schließlich ein, auch dass er dazu vielleicht nicht mehr jung genug sei, gestand er sich schweren Herzens ebenfalls ein. Ich verstehe, dass er sich noch einmal bestätigen wollte, nicht zum alten Eisen zu gehören, bin aber erleichtert, dass er hier in Kappeln bei mir bleibt. Meta lachte ein wenig über Wilhelm. Aus Spaß machten wir dann Pläne, wie wir ihn nach Afrika begleiten könnten, ohne dass er es merkt, wenn er sich tatsächlich verpflichtet. Das ging so weit, dass wir eine grässliche Paste zusammen rührten, mit der wir uns als Eingeborene maskieren würden, die eine ganz dunkle Hautfarbe haben. Als wir erfuhren, dass die Frauen dort mit freiem Oberkörper herumliefen, war der Spaß vorbei. Das trauten wir uns doch nicht. Du liest, mein Leben ist noch aufregend, auch wenn ich keine zwanzig mehr bin, sondern Großmutter. Graue Haare habe ich um Glück noch nicht. Ich wünsche Dir und Klein-Alexander alles Liebe,

ich vergehe vor Sehnsucht nach Euch, Deine Mutter Friederike Schulze.»

34. Berlin, Ende September 1904

Gerade als Wilma sich eingestand, dass ihr Leben mit dem Muttersein allein nicht ausgefüllt war, warf ihr das Leben eine Aufgabe in den Schoß, die sie kaum ablehnen konnte. Am Morgen hatte die Tante vorgeschlagen, sie möge ihr Klein-Alex anvertrauen, um mal einen Tag für sich zu haben.

«Kind», verständnisvoll sah sie Wilma an, «ich ahne, wie es dir geht. Kleine Kinder sind zwar etwas Wunderbares, sie rauben einem aber auch viel Kraft. Das weiß ich noch ziemlich genau. Deshalb sollte man ab und zu einmal auftanken. Auch du! Ich schlage vor, dass ich mit Alexander in den Zoo gehe, Auguste kommt auch mit, und du hast frei. Ein paar Stunden solltest du einfach tun, was dir gerade in den Sinn kommt. Nun, wie gefällt dir das?»

Wilma, die schon oft Annemaries Scharfsinn und gute Menschenkenntnis bewundert hatte, war sofort einverstanden. Ihr Vorschlag kam zur rechten Zeit. Kaum war die Haustür hinter den Dreien zugeschlagen, kleidete sie sich um. Endlich konnte sie wieder ein eleganteres Kleid anziehen, statt der bequemen Hauskleider, die sie sonst tagsüber trug. Zum Glück hatte sie ihre gute Figur nach der Geburt bald wieder zurückerhalten. Rasch die Haare aufgesteckt, ein flottes Hütchen auf, und schon war sie unterwegs.

Wilma genoss den Spätsommer, die milde Luft und ließ sich treiben, wohin sie ihre Füße trugen. Erst als sie über die Spreebrücke ging und vor dem Eingang zum neuerbauten Museum stand, wachte sie aus ihren Träumereien auf.

«Ja, das ist es» dachte sie und wunderte sich über sich selbst, «mir war gar nicht bewusst, dass ich die Arbeit bei Bode so sehr vermisst habe.»

Wehmütig betrachtete sie den Bau, der kurz vor seiner Vollendung stand. Wie gerne würde sie jetzt hineingehen und auf einen Blick erkennen, welche Gemälde wohin gehängt und welche Skulpturen in welchem Raum ausgestellt werden sollten. Abrupt drehte sie sich um und wollte davoneilen, ehe sie die Sehnsucht überkam, da hörte sie, wie jemand ihren Namen rief.

«Fräulein Schulze, Wilma, so warten Sie doch, bitte warten Sie auf mich! Sie schickt mir der Himmel!»

Die Stimme kannte Wilma gut, lachend drehte sie sich um und stand vor Wilhelm Bode, der ein wenig keuchte, weil er sie unbedingt aufhalten wollte.

«Herr Bode», sie begrüßte ihren ehemaligen Arbeitgeber mit einem strahlenden Lächeln, «wie schön Sie zu sehen. Wie geht es voran mit Ihrem Museum? Ich hörte, es solle bald eröffnet werden?»

«Ja, die Zeit drängt, seine Majestät hat sich in den Kopf gesetzt, das neue Museum am Geburtstag seines verstorbenen Vaters, Kaiser Friedrich, feierlich zu eröffnen. Das setzt uns allen ganz schön zu. Es ist nicht mehr lange hin bis zum 18. Oktober. Zu allem Überfluss fehlen mir gerade jetzt zwei meiner Studenten, die durch einen dummen Unfall, für längere Zeit ausfallen. Ich bitte Sie, wie kommen zwei beinahe erwachsene Männer auf die Idee, an einem Radrennen teilzunehmen. Mit irrsinniger Geschwindigkeit rasten sie ineinander und verletzten sich dabei ziemlich schwer. Und nun stehe ich da und werde niemals rechtzeitig fertig, wenn, ja wenn nicht Sie, liebe Wilma, als rettender Engel mir zur Seite stehen. Könnten Sie sich vorstellen, wieder für mich zu arbeiten? Wenigstens bis zur Eröffnung?»

Bode schaute Wilma bittend an. Sie überlegte blitzschnell. Es war doch genau das, was sie sich insgeheim gewünscht hatte, eine Arbeit, die sie kannte und liebte. Außerdem wäre es ja nur für eine kurze, befristete Zeit, in der sich Auguste bestimmt bereit erklären würde, auf Klein-Alex aufzupassen. Sie sah Bode ins Gesicht, nahm wahr, wie sehr er in den letzten beiden Jahren gealtert war und sah die Erschöpfung in den dunklen Ringen unter seinen Augen und die eingefallenen Wangen. Am liebsten wäre sie jubelnd gleich mit ihm an die Arbeit gegangen, aber sie hielt sich zurück.

«Lieber Herr Bode, Ihr Angebot ehrt mich sehr. Doch ich brauche ein wenig Zeit. So gern ich auf der Stelle mit der Arbeit beginnen würde, ich kann nicht mehr für mich allein entscheiden. Sie wissen, dass ich ein Kind habe, einen kleinen Jungen, den ich nicht sich selbst überlassen darf. Wenn ich jemanden finde, eine Betreuung für ihn, dann steht einer Arbeit bei Ihnen nichts im Wege. Bitte geben Sie mir Zeit bis morgen. Ich denke, dass ich bis dahin eine Lösung gefunden habe. Und dann komme ich sofort und von Herzen gern.»

«Wilma, am liebsten würde ich Sie sofort, gleich hier von der Straße weg, mit mir nehmen und Ihnen zeigen, wie weit das Ganze schon gediehen ist. Aber ich verstehe Sie, Ihr Kind ist für Sie das Wichtigste und sollte es auch sein. Ich warte auf Sie und hoffe, dass Sie morgen oder übermorgen durch diese Tür treten und mir wieder die unermüdliche Assistentin sind, die Sie früher waren.»

Beschwingt wanderte Wilma durch den Tiergarten, sie wollte mit ihren Gedanken allein sein. In ihrem Inneren sang und jubelte es, endlich wieder etwas anderes als Windeln wechseln, Brei füttern und Kinderlieder singen. So sehr sie Alexander auch liebte, die einzige Erfüllung für sie, das spürte sie deutlich, die konnte er nicht sein. Tief in Gedanken versunken bog sie auf einem schmalen Nebenweg ein, als eine vertraute Stimme hinter ihr her rief.

«Wilma, dreh dich mal um. Warte bitte auf mich!»

«Martha, Martha Liebermann», Wilma kam aus dem Staunen nicht mehr heraus. Sie drehte sich um und eilte der Freundin entgegen, «wir haben uns ja eine Ewigkeit nicht mehr gesehen.»

«Ach Wilma, wie schön, dich zu treffen. Ich habe so oft an dich gedacht. Aber wir sind auch gerade erst aus Holland zurückgekehrt. Du weißt ja, wie Max das helle Licht der Nordseeküste liebt und die Motive, die ihm immer irgendwie in den Schoß, nein, eher in den Pinsel fallen. Sag, was machst du, wie geht es dir? Komm, lass und ins Café Kranzler gehen und dann berichtest du mir von dir und Alexander dem Kleinen.»

Nichts würde Wilma in diesem Moment lieber tun. Bald saßen die beiden Frauen bei Kaffee und Kuchen und erzählten sich gegenseitig, was in den letzten Monaten alles geschehen war. Als Wilma von der heutigen Begegnung mit Wilhelm Bode sprach und von der Entscheidung, die sie treffen musste, fiel ihr Martha begeistert ins Wort.

«Unbedingt, Wilma, du musst Bodes Angebot unbedingt annehmen. Für den kleinen Alex wird schon gesorgt, da mach dir mal keine Gedanken. Meine Käthe ist inzwischen eine junge Dame, die ihre eigenen Wege geht und sich für ihre alte Mutter nicht interessiert. Du weißt doch, wie sehr ich mir Kinder gewünscht habe und es doch nur zu dem einen brachte. Warum überlässt du mir Alexanderchen nicht tagsüber. Ich liebe den Kleinen, er kennt mich und Platz haben wir in unserem Haus ja nun wirklich zur Genüge. Ich bin sicher, sogar Männe, unser Dackel, wäre entzückt, wenn er jemanden zum Spielen hätte. Oh bitte Wilma, sag ja!»

«Dein Angebot, liebe Martha, ist unwiderstehlich. Doch verstehe bitte, dass ich zuerst mit meiner Tante und unserem Dienstmädchen sprechen muss. Die beiden lieben Alexander abgöttisch und wären zu Recht beleidigt, wenn ich ihn, ohne sie zu fragen, in fremde Hände gäbe. Oh, ich weiß, du bist ja keine Fremde, jedenfalls für mich nicht, aber Tante Annemarie sieht das bestimmt anders. Sei also so lieb und lass mir Zeit bis morgen. Noch heute werde ich mit den beiden reden und morgen will ja auch Bode meine Antwort hören. Kannst du das akzeptieren?»

Martha fügte sich, wenn auch widerstrebend. Aber ihre freundliche, dem Leben zugewandte Art, machte es ihr unmöglich Wilma böse zu sein. Schon bald plauderte sie heiter über den Aufenthalt mit Max in Holland.

«Endlich war ich nicht sein einziges, bevorzugtes Modell», lachte sie vergnügt, «es zog ihn ans Meer, wo er die badenden Knaben malte und seltsamerweise die Waisenhäuser und Altersheime. Er konnte nicht erklären, warum er diese Motive wählte, es müsse einfach sein, behauptete er. Die leuchtenden Farben jener Bilder, lassen keine Schwermut aufkommen. Das flammende Rot der Hausdächer hat eher etwas Leidenschaftliches, das dem ursprünglichen Thema, dem Spital, dem Altenheim, die trostlose Schärfe nimmt. Oh Wilma, du musst dir die neuen Gemälde einfach selbst anschauen. Komm doch gleich morgen vorbei, nachdem du bei Bode warst und bringe den Kleinen mit. Versprichst du mir das?»

Wilma stimmte gern zu und nach einem Blick auf die Uhr verabschiedete sie sich rasch.

«Wie schnell der Vormittag vergangen ist», dachte sie auf dem Weg zurück zur Friedrichstraße, «so viel ist geschehen, das ich mir gestern noch gar nicht hätte vorstellen können.»

Annemarie, Auguste und ein müder Alexander trafen beinahe zur gleichen Zeit ein, wie Wilma. Rasch bereitete sie ihm einen Brei zu, von dem er nur zwei Löffelchen aß, ehe ihm am Tisch schon die Augen zufielen. Auguste brachte den Kleinen zu Bett, als ahne sie, dass Wilma mit der Tante etwas zu bereden hatte. Die Bitte Wilmas fiel bei Annemarie auf fruchtbaren Boden, als sie hörte, um was es ging. Ähnlich wie Martha Liebermann redete auch sie Wilma zu, die wenigen Wochen für Bode zu arbeiten. Danach könne sie sich in aller Ruhe nach etwas anderem umsehen, oder wieder zu Hause bleiben, falls ihr eine geregelte Arbeit doch zu viel würde.

«Es ist doch selbstverständlich, dass ich mich um Alexchen kümmere», wischte sie alle Einwände Wilmas vom Tisch, «du weißt, dass ich es gern tue, gibt es meinem Leben doch wieder einen Sinn. Allerdings sollten wir auch Auguste fragen, denn die Hauptlast der Mehrarbeit lastet ja auf ihr.»

Bei Auguste rannte Wilma offene Türen ein. Als sie mit der jungen Frau, zu der Juste inzwischen geworden war, später allein in der Küche war, brach diese endlich ihr langes Schweigen um die verlorenen Jahre.

«Wilma, Menschenskind, du glaubst nicht, was du mir für eine Freude machst, wenn du mir Alexchen überlässt. Ich hab dir nie gesagt, was ich bei der Frau erlebt habe, der ich damals folgte, als ich mutterseelenallein am Bahnhof stand und nicht wusste wohin. Sie tat mir schön und redete und schmeichelte, bis ich nachgab. Alles besser, als im Bahnhof übernachten zu müssen, dachte ich damals. Was mich in dem Haus der Frau erwartete, ahnte ich nicht. Ich war doch erst zwölf und hatte keine Ahnung davon, was ein Bordell war. Sie steckte mich zunächst in die Badewanne. Wie stolz war ich über das duftende Badeöl, dann kamen die neuen Kleider, so bunt und prächtig, dass ich mir vorkam, wie eine Prinzessin. Das böse Erwachen folgte auf dem Fuß. Die Puffmutter, denn das war die Frau, versteigerte noch am selben Abend meine Jungfräulichkeit an den Meistbietenden. Was dann kam, muss ich dir wohl nicht erzählen. Nacht für Nacht kamen Männer und bedienten sich an mir. Ich durfte nicht einmal weinen, sonst schlug sie mich mit einem nassen Handtuch. Das hinterlässt keine Spuren, tut aber scheußlich weh. Das ging über ein Jahr. Irgendwann stumpfte ich ab und ließ alles über mich ergehen. Das war den Männern aber auch nicht recht und deshalb gab es weiter Schläge. Ich war so verzweifelt, dass ich daran dachte, in die Spree zu springen und dem Elend ein Ende zu machen. Dann merkte die böse Alte, dass ich schwanger war. Ich, in meiner Unerfahrenheit ahnte nichts davon. Die Frau, die mit mir so nichts mehr verdienen konnte, schleppte mich zu einer Engelmacherin. Es war schrecklich, ich litt grausame Schmerzen, als sie mir das Kind stückweise aus dem Leib schnitt. Jedes blutige Stückchen, das einmal ein Kind hätte werden sollen, hielt sie mir vor die Augen und lachte dabei hämisch. Irgendwann fiel ich in eine Ohnmacht, in der ich nichts mehr sah und nichts mehr spürte. Als ich wieder zu mir kam, lag ich in einem Hospital. Die Alte hatte mich davor abgelegt, weil ich hohes Fieber bekam und sie fürchtete, dass ich sterben könnte. Es war schließlich mein Glück, weil Frau Clementi mich dort fand, und sich von da an um mich kümmerte. Es war aber auch ein Unglück, weil die Engelmacherin mich so verstümmelt hatte, dass ich nie wieder ein Kind bekommen könnte. Damals wollte ich sterben.»

Auguste brach ab, dicke Tränen rannen ihr die voller gewordenen Wangen hinab. Wilma umarmte sie tröstend, schweigend, weil sie zu erschüttert war vom Schicksal dieser jungen Frau. All die Jahre trug sie es mit sich herum, offenbarte nie jemandem ihr Leid und zeigte nach außen meistens ein fröhliches Gesicht. Auch jetzt bewies Auguste eine Stärke, die man ihr nicht gleich ansah. Mit einer energischen Handbewegung wischte sie sich die Tränen fort und befreite sich aus Wilmas Umarmung.

«Verstehst du mich nun? Frau Clementi hatte eine schon fast erwachsene Tochter, kleine Kinder waren in diesem Haus nicht zu erwarten und sind es bis heute nicht. Dann kamst du und brachtest dein Alexchen hier zur Welt. Jetzt endlich habe ich etwas Kleines, um das ich mich kümmern darf, auch wenn es nicht mein eigenes ist», sie lächelte schon wieder, auch wenn das Lächeln noch ein wenig schief geriet, «und da fragst du mich, ob es mir nicht zu viel Mühe macht? Als ob Klein-Alex mir jemals Mühe machen könnte.»

«Ach Juste», Wilma war tief berührt von dem Geständnis der jungen Frau, «Mit Freuden vertraue ich dir mein Söhnchen an, weiß ich es doch bei dir in den besten, den liebevollsten Händen», sie nahm Justes Hand und schaute ihr fest in die Augen, «und du weißt, dass dein Geheimnis bei mir gut aufgehoben ist. Nie wird davon ein Wort über meine Lippen kommen, das verspreche ich dir.»

«Is ja gut», Juste verbarg rasch ihre Rührung, «und nu lauf mal und such dir was Schickes zum Anziehen, damit du dich bei Bode nicht genieren musst.»

Wilma fiel ein Stein vom Herzen. Sie sollte morgen früh Martha nur noch beibringen, dass sie Alex teilen musste, jeweils einen Tag bei ihr und einen bei der Tante, bis zur Eröffnung. Damit wären alle zufrieden, hoffte sie.

Bode begrüßte Wilma überschwänglich, er hatte so sehr gehofft, dass sie zusagen würde. Voller Stolz führte er sie in dem beinahe fertig eingerichteten Museum herum und berichtete ihr dabei von all den Schwierigkeiten, die man ihm und er sich selbst, ständig bereitet hatte.

«Sehen Sie jetzt ein, liebe Wilma, wie sehr Sie hier gebraucht werden? Viel zu lange war ich nicht vor Ort», umständlich zog er sich einen staubigen Hocker heran und ließ sich erschöpft darauf fallen. «Wissen Sie», fuhr er fort, «dass ich im Frühjahr noch in Italien weilte, im Juni auf der Düsseldorfer Ausstellung und anschließend in London und Paris. Anfang Juli begann der Umzug aus dem Alten Museum. Die letzte Auswahl der Stoffe für die Wandbespannung und die letzte Entscheidung über deren Färbung und Musterung in den einzelnen Räumen, erfolgte zum Teil erst, als die Aufstellung der Exponate bereits in vollem Gange war. Da ich wegen der Ausstattung und der Proben für die Hängung täglich hier zugegen sein musste, strengte ich mich so sehr an, dass ich plötzlich nicht mehr imstande war, auf meinen Füßen zu stehen. Ich hatte keine andere Wahl, als mich hinlegen, man diagnostizierte eine Art Thrombose infolge Überarbeitung und erst nach drei Monaten erlaubte mir der Arzt, wieder aufzustehen.»

Jetzt begriff Wilma, warum Bode so angeschlagen aussah, und wünschte sich, sie wäre ihm schon früher begegnet und hätte ihm helfen können. Bode erhob sich mühsam und geleitete Wilma weiter, bis sie staunend vor einem riesigen Gebilde stand, dass wie in Stein gemeißelte filigrane Spitze aussah. Rosetten und wilde Tiere, aufs Feinste herausgearbeitet, kaum zu glauben, dass diese Arbeit von Menschen aus dem achten Jahrhundert vollbracht worden war.

«In Amman, im südlichen Jordanien fand man diese Eingangsmauer, die auf Wunsch unseres Kaisers erworben wurde», dozierte Wilhelm Bode, «die Teile, der als M´schatta-Fassade bekannten Mauer, traf noch im Jahr 1903 in Berlin ein. Wie Sie sehen, schafften wir es, wiederum auf Wunsch des Kaisers, das gute Stück rechtzeitig, wenn auch noch provisorisch, hier im Erdgeschoss unseres neuen Museums aufzustellen.»

Bode machte ein bedenkliches Gesicht und Wilma fragte sich, ob er mit der Aufstellung eines solch großen Objektes nicht ganz einverstanden gewesen war.

«Gewiss ist diese, mit ihren beiden Türmen fast vier Meter vorspringende und etwa fünf Meter hohe Fassade als Sammlungsobjekt ebenso wenig geeignet und ihre Unterbringung im Innern eines Museums genauso schwierig, wie dies bei dem Altar von Pergamon oder dem Markttor von Milet der Fall ist», bestätigte er Wilmas Vermutung, «aber wie diese, das werden Sie zugeben, gehört auch die M'schatta-Fassade zu den wertvollsten und imposantesten Stücken unserer Berliner Kunstschätze.»

Wilma stimmte ihrem Museumsleiter zu. So imposant die Fassade auch sein mochte, sie war für dieses Gebäude nicht unbedingt geeignet. Bode führte sie weiter durch die Räume im Erdgeschoss und erklärte dabei, dass Architekt Ihne sich im Wesentlichen auf die Ausstattung der beiden Treppenhäuser, der Basilika und einiger Hauptsäle beschränkte und Bode selbst die Wahl der Wandbehänge, der Stoffe, ihrer Färbung und Musterung überließ. Andächtig strich Wilma über die mit feinster Leinwand von graugrüner oder bläulichgrüner Färbung bespannten Wände.

«Hier sollten die Statuen, Originale und Abgüsse platziert werden», führte Bode sie weiter durch die Säle, «in der Bildergalerie gaben wir den Kabinetten der niederländischen Schulen einen tiefgrünen Plüschstoff, die Oberlichtsäle erhielten dagegen eine Leinwand in abwechselnd grünlichen und rotbraunen Farben.»

«Das wird ein unvergleichliches Museum, Herr Bode», Wilma zeigte sich tief beeindruckt, «doch bis zur Eröffnung müssen wir noch viel tun!»

Sie deutete auf zahlreiche Stellen, an denen deutliche Spuren der Bauarbeiter zu sehen waren. Gipsreste, Fußabdrücke, fingerdicker Staub. Auch die vielen Fenster bedurften einer dringenden Reinigung.

«Sehen Sie, das alles muss in den nächsten Tagen verschwunden oder gesäubert sein, ehe die größeren Exponate kommen. Lassen Sie mich das bitte organisieren, ich weiß, an wen ich mich wenden kann.»

«Dann arbeiten Sie also jetzt wirklich für mich?» Bode schien hocherfreut, doch Wilma hatte noch Bedenken.

«Wie werden es Ihre Herren Doktoren und Studenten, die Ihnen assistieren aufnehmen, dass ich, eine Frau, wieder da bin und mich einmische? Das ging doch schon einmal nicht gut.»

Damit traf sie einen wunden Punkt, aber Bode räumte ihre Vorbehalte aus.

«Sie dürfen unbesorgt sein, meine Doktoren werden mit Putzarbeiten sicher nichts zu tun haben wollen, die überzeuge ich von Ihren Qualitäten. Auch die blasierten Studenten werden froh sein, nicht mehr bis in die Morgenstunden an der geeigneten Hängung der Bilder arbeiten zu müssen. Dazu kommt, dass wir alle, mich eingeschlossen, jede Unterstützung begrüßen, die wir bis zur Eröffnung bekommen können.»

«Na dann an die Arbeit», lachte Wilma und machte sich eifrig Notizen. In den nächsten Wochen kam sie kaum zum Luft schöpfen, merkte aber deutlich, wie sie aufblühte bei dieser Arbeit, die ihr volle Konzentration abverlangte. Als Erstes sprach sie mit Jette, die genügend Frauen kannte, die sich liebend gern ein paar Pfennige mit Putzen verdienen wollten. Viel zu schnell rückte der Tag der Museumseröffnung näher. Drei Tage vorher kam Bode zu Wilma und zog sie zur Seite, damit nicht jeder mitbekommen konnte, was er ihr sagen wollte. Er drückte ihr einen dicken Umschlag in die Hand und flüsterte beinahe unhörbar:

«Sie sind natürlich dabei, am großen Tag. Das ist mein ausdrücklicher Wunsch und ich dulde keinen Widerspruch. Ich will Sie an meiner Seite haben.

Und ehe Sie mir jetzt vorjammern, es ginge nicht, weil sie nichts anzuziehen hätten, der Hinweis kam übrigens von meiner lieben Frau, ist in dem Umschlag dort eine kleine Anerkennung ihrer Leistungen, die Sie bitte auf ein neues Kleid verwenden möchten. Schließlich will ich mich mit Ihnen sehen lassen können.»

Bode grinste spitzbübisch übers ganze Gesicht, als er die verblüffte Miene von Wilma sah.

«Und nun ziehen Sie schon los und kleiden sich ein, heute kommen wir mal ohne Sie zurecht.»

Für Wilma schien auf dem Weg nach Hause die Sonne doppelt so hell, so sehr freute sie sich über Bodes Wertschätzung. Wie sie gehofft hatte, war die Tante nur allzu bereit, Wilma beim Kauf eines passenden Gewandes zu begleiten und beraten. Sie konnte es sich aber nicht verkneifen, ein wenig boshaft über Bode herzuziehen.

«Das ist ja wieder typisch Mann. Statt dir rechtzeitig Bescheid zu sagen, dass du an der Eröffnung teilnehmen darfst, wartet er damit bis zum allerletzten Moment. Nur deswegen sind wir gezwungen, Konfektionsware von der Stange zu kaufen, statt dir ein, dem Anlass entsprechendes Kleid von einem Couturier anpassen zu lassen. Nun ja, machen wir das Beste draus.»

Am Abend kamen Annemarie und Wilma müde, aber erfolgreich von dem anstrengenden Kleiderkauf zurück. Glücklicherweise bot der Schneider, bei dem sie endlich das Richtige gefunden hatten, an, das exklusive Gewand auf Wilmas Maße umzuändern.

«Selbstverständlich erhalten Sie ihre Robe rechtzeitig. Darauf lege ich im Namen meines Hauses großen Wert», buckelte der Inhaber des Geschäftes vor Annemarie.

«Als ob du eine Großfürstin von und zu wärst», kicherte Wilma, «beinahe hätte er auch noch den Hut vor dir gezogen, den er gar nicht aufhatte.»

«Kind, jetzt wirst du aber etwas albern», rügte die Tante und konnte doch ein Schmunzeln nicht unterdrücken.

So müde Wilma auch war, an diesem Abend zwang sie sich dazu, wach zu bleiben und der Mutter einen Brief zu schreiben. Es gab so vieles, was sie ihr mitteilen wollte. Sie ertappte sich dabei, das sie sich wünschte, sie könne es ihrer Mutter persönlich sagen und mit eigenen Augen sehen, wie sie sich freute. Wie würden die Eltern glücklich sein, wenn sie ihnen nach der Eröffnung des Museums von ihrer Begegnung mit dem Kaiser berichten könnte.

«Liebes Großmütterlein im fernen Kappeln,   Berlin, 15. Oktober 1904
Der kleine Alexander lässt Euch schön grüßen. Das Kind wird viel zu schnell
groß. Gerade lag es noch in der Wiege, nun läuft es mir schon entgegen, wenn
ich abends nach Hause komme. Ich habe alle Hände voll zu tun, denn ich bin nun
wieder die Assistentin von Wilhelm Bode. Er braucht jede Hand, die helfen kann.
Das neue Museum trägt den Namen von seiner Majestät verstorbenem Vater,
«Kaiser-Friedrich-Museum» und wird an dessen Geburtstag, also am 18. Oktober
feierlich eröffnet. Es zeigt noch nie Dagewesenes, alle Gemälde zum Beispiel sind
in Stilepochen gegliedert, jede hat einen eigenen Raum. Es ist genial, was sich
der brillante Wilhelm Bode ausgedacht hat. Und Eure Tochter durfte dabei
mitwirken. Zur Belohnung nimmt Bode mich mit zu Eröffnung und ich werde
unserem Kaiser gegenüber stehen, der in höchsteigener Person die Einweihung
übernimmt. Bode gab mir Geld für ein entsprechend festliches Gewand. Heute
war ich mit der Tante in den Läden unterwegs, mir etwas Passendes
auszusuchen. Ach Mütterlein, ich wünschte, Du wärest hier und könntest mich
mit Deinem sicheren Geschmack und Stilempfinden beraten. Verstehst Du, wie
aufgeregt ich bin? Es wäre doch möglich, dass zufällig des Kaisers Auge auf mich
fällt. Auf jeden Fall werde ich Dir schreiben. Sag Papa, er möchte bitte die
Zeitungsartikel, die darüber berichten, unbedingt aufheben. Von Carl habe ich
seit Monaten nichts mehr gehört. Das macht mir Sorgen, aber ich weiß, dass
diese Ausgrabungslager oft weitab jeder Zivilisation liegen. Es wäre schön, wenn
er jetzt hier, bei mir sein könnte. Manchmal fühle ich mich doch sehr einsam.
Es grüßt Euch, Dich, den lieben Papa und auch Meta,
Eure sehr beschäftigte und aufgeregte Tochter Wilhelmine.»

Rasch schrieb Wilma noch die Adresse auf den Umschlag und legte das
Schreiben hinein. Vor Müdigkeit fielen ihr beinahe die Augen zu, den Gedanken
daran, was nach der Eröffnung des Museums kommen würde, schob sie
beiseite. Lieber sandte sie noch einen Gruß an Carl, mit dem Stern, der sich
heute hinter dicken Wolken verbarg. Lagen solche Wolken vielleicht auch über
ihrer Zukunft, der Zukunft mit oder ohne Carl....?

35. Kappeln, im Dezember 1904

Längst war Wilhelmines ereignisreiche Tag der Museumseröffnung vorüber und Friederike fragte sich, wie es sich für ihre Tochter wohl angefühlt haben mochte, als der Kaiser so nahe vor ihr stand. Bis jetzt war leider noch kein Brief von ihr gekommen, aber sie verbot sich, in Sorgen um sie zu verfallen. Meta hatte ihr vor kurzem noch vorgehalten, sie würde ihre Tochter nicht loslassen wollen.

«Dein Kind ist inzwischen kein Kind mehr. Wilma wird bald vierunddreißig Jahre alt. Sie sollte inzwischen mit ihrem Leben allein zurechtkommen, meinst du nicht? Ich denke, wenn du sie nicht so sehr bemuttern wolltest, wäre sie längst wieder hierher gekommen. Vielleicht sogar für immer.»

Rieke war zunächst ein wenig beleidigt gewesen, musste Meta aber recht geben, wenn sie genauer darüber nachdachte. Also übte sie sich weiter in Geduld und wartete auf Wilmas nächsten Brief. Es war ja nicht so, als ob in Kappeln rein gar nichts los sei, sinnierte sie. Gerade in dem jetzt zu Ende gehenden Jahr tat sich viel in der kleinen Stadt. Es gab nun auch hier eine Präparandenanstalt, ein Vorbereitungsinstitut für Jungen, die einmal Lehrer werden wollten. So etwas hatte sich Metas Sohn Jan früher gewünscht, damit er nicht nach Kiel müsste zum Lernen. Lehrer wollte er damals werden, unbedingt, daran erinnerte sich Rieke noch gut. Jetzt lebte er in Chicago, im weit entfernten Amerika und arbeitete in einer Bank. Jedenfalls schrieb er das seiner Mutter. Auch Jan war lange nicht mehr in Kappeln gewesen.

«Die Kinder werden flügge und verlassen Nest und Eltern», seufzte Rieke, «und manche fliegen besonders weit weg.»

Mit einer energischen Handbewegung wischte Rieke die sentimentalen Gedanken fort. Es gab noch so viel zu erledigen, es wurde zu schnell wieder Weihnachten und die Pakete für die vielen Bedürftigen mussten noch von ihr zusammengestellt werden. Im nächsten Jahr würden es weniger sein, hoffte sie. Dann gäbe es das Altenheim und etliche ihrer mittellosen alten Leute wäre dort gut untergebracht. Eigentlich sollte das Heim schon in diesem Jahr fertig sein, doch widrige Umstände hatten den Bau verzögert, sehr zu Wilhelms Unmut, wollte er doch unbedingt bei der Einweihung dieser wichtigen Stätte dabei sein.

Kanzleirat Seehusen, der großherzige Stifter des Altenheimes, drängte selbst auf die rasche Fertigstellung, war auch er nicht mehr der Jüngste. Er war von den ständigen Verzögerungen, die solch ein Bau meistens mit sich bringt, nicht begeistert. Ein Trost war es dem guten Kanzleirat dann doch, als ihn am 17. September das Stadtverordnetenkollegium zum ersten Ehrenbürger der Stadt Kappeln ernannte. Zudem wurde ihm der preußische Rote-Adler-Orden vierter Klasse verliehen. An diesem Tag, daran erinnerte sich Rieke, sah sie ihren guten Wilhelm Schulze zum letzten Mal fröhlich und unbeschwert.

Seltsam, dass ihr dies jetzt erst auffiel. Sollte es wirklich der bevorstehende und eigentlich wohlverdiente Ruhestand sein, der Wilhelm zu schaffen machte? Lag es möglicherweise auch daran, dass mit Paul Kollborn, dem jungen Berliner Assistenten, ihm eine Konkurrenz gewachsen war, die ihn sein Alter spüren ließ. Rieke seufzte erneut, leicht machen es einem die Ehemänner nicht, schon gar nicht, wenn sie in die Jahre kommen.

Am Abend kam Wilhelm mit mürrischer Miene nach Hause. Riekes Frage, welche Laus ihm denn heute über die Leber gelaufen sei, wischte er mit einer ungewohnt rüden Handbewegung beiseite. Später, nachdem ihm das Abendbrot gemundet und er sich ein Glas Portwein gönnte, kam er auf die Frage seiner Frau zurück.

«Verzeih mir mein Gebrumme von vorhin, liebes Riekchen, aber es ist zur Zeit nicht gerade leicht Baurat in Kappeln zu sein. Nicht nur, dass Seehusens Altenheim immer noch nicht fertig ist, nein, nun reicht die Unterbringung der Studenten in der Präparanden-Anstalt im Brix-Haus am Dehnthof nicht mehr aus. Dabei wurde sie erst am fünfzehnten April dieses Jahres eröffnet.»

Er nahm einen tiefen Schluck des köstlichen Portweines und atmete tief durch. Das gab Rieke die Gelegenheit zu fragen, warum eine Präparandenanstalt in Kappeln erwünscht sei.

«Liebes, erinnerst du dich noch an das Jahr 1884, in dem der Stadtvertreter Meyer schon einmal versuchte, so eine Anstalt in unsere Stadt zu bekommen. Doch alle Pläne verliefen im Sande, bis endlich, im August letzten Jahres über die Erbauung und Vermietung einer Präparandenanstalt für neunzig Zöglinge in Kappeln entschieden wurde. Nach Ostern begann der dreijährige Lehrgang.

Dreißig Schüler bestanden die Aufnahmeprüfung. Alles gut und schön, aber nun kommt es! Die Stadt Kappeln verpflichtete sich dem Provinzialschulkollegium gegenüber, zum Bau einer Schule für die Präparandenanstalt.»

Rieke schüttelte den Kopf, dieses Hin und Her verstand sie nicht. Was sollte das? Für dreißig Schüler reichte das Brix-Haus doch aus. Wilhelm, der merkte, dass Rieke die Sache nicht begriff, erklärte weiter.

«Es geht nicht um die Größe, sondern um die Verpflichtung der Stadt zum Neubau. Natürlich musste es jetzt schnell gehen. Nun hat die Stadt es geschafft, zehn der Parzellen der Pastoratsgärten aufzukaufen. Der gute Landgraf Carl von Hessen, der vor neunzig Jahren das Land dieser Kleingärten für die Kappelner Bürger freigab, würde sich im Grab umdrehen, wenn er wüsste, wofür seine Gärten heute herhalten müssen, oder auch nicht. Ach, egal», machte er seinem Ärger Luft, «die Baupläne sind schon fertig und sollen schnellstens, genehmigt werden. Eine Turnhalle soll daneben auch entstehen. Alles für die späteren Herren Lehrer. Ausgerechnet jetzt, so kurz vor Weihnachten, kurz vor meiner Pensionierung kommt man mir damit. Sag selbst, soll ich mich da nicht ärgern?»

Auf einmal ging ein Leuchten über sein Gesicht und er lachte seine Rieke übermütig an. Die fragte sich, was diesen unglaublichen Stimmungswechsel verursacht haben könnte, da sprach Wilhelm auch schon weiter.

«Mir fiel ein, dass es damit endlich eine Handhabe gibt, meinen Ruhestand noch um mindestens ein weiteres Jahr hinauszuzögern. Freue dich, meine Liebe, so bald hast du mich nicht andauernd im Haus. Gleich morgen werde ich ein entsprechendes Gesuch nach Berlin senden.»

Zufrieden lehnte er sich im Sessel zurück, schrak aber sofort wieder hoch, als Rieke ihm erbost in die Parade fuhr.

«Na, das hast du dir ja fein ausgedacht. Daraus wird aber nichts, mein Bester. Und weißt du auch warum? Weil dein Assistent, der nette Herr Kollborn, aus einem ganz bestimmten Grund um Weihnachtsurlaub nachgesucht hat. Er will sich nämlich in Berlin verloben und im kommenden Jahr mit seiner ihm rechtmäßig angetrauten Ehefrau in Kappeln ansässig werden. Das geht aber nur, wenn er deinen Posten und dein Gehalt bekommt.»

Triumphierend sah sie Wilhelm an, der gab sich noch nicht geschlagen.

«Ha, der Kollborn ist noch viel zu jung für dieses verantwortungsvolle Amt, dem muss ich noch so manches beibringen. Also kann man auf mich überhaupt noch nicht verzichten.»

Rieke verbarg geschickt ein Kichern. Wieso wurden Männer in Wilhelms Alter wieder zu Kindern? So bockig kannte sie ihren Mann gar nicht, aber sie verstand, dass er an seiner Arbeit hing und sich für den Ruhestand noch nicht alt genug fühlte.

«Wilhelm, Lieber, denk mal genauer nach. Der junge Kollborn ist älter, als du es warst, damals, 1870, als wir beide nach Kappeln kamen und du in dieser Stadt, die erst einmal eine werden sollte, deine Tätigkeit als Baurat aufnahmst. Dass er eine junge Frau aus Berlin mitbringen will, sehe ich persönlich als Gewinn für uns alle an. Und du, lieber Wilhelm, solltest froh darüber sein, dass du mit ihm einen fähigen Nachfolger bekommst. Maule nicht länger, sondern schreibe ein paar Zeilen an unsere Tochter und Alexander. Ich werde es auch tun und beides in das Weihnachtspaket legen, dass ich für Wilma gerade packe.»

Wilhelm wusste aus langer Erfahrung mit Rieke, wann es besser war, den Mund zu halten und zu tun, was sie verlangte.

«Könnte sein», dachte er später, «dass die Pensionierung nicht schlecht ist. Auf jeden Fall wäre dann eine längere Reise nach Berlin möglich, ehe der kleine Alexander zum «Großen» wird.»

Bald war in dem Salon nur noch das Kratzen der Federn auf Papier und das Knistern der Holzscheite im Kamin zu vernehmen. Draußen fielen ganz sacht die ersten Schneeflocken dieses Winters.

Liebe Wilhelmine,   *Kappeln, im Dezember 1904*

Du und unser Kaiser, das ist ja eine Sensation. Wie war er, hat er Dich angesehen, vielleicht sogar gegrüßt? Was für ein Kleid hattest Du an? Ach bitte, liebes Kind, das musst Du mir genau schildern. Meta hat gerade Post von Jan bekommen, er ist immer noch in Chicago und hat kein Wort darüber verloren, ob und wann er nach Kappeln kommen wird. Meta ist darüber unendlich traurig. Er würde sich bestimmt die neue Präparandenanstalt ansehen, die wir jetzt haben und die er sich früher so sehr gewünscht hatte. Es wird dafür eine Turnhalle gebaut, die auch von den Sportvereinen mitgenutzt werden darf. Bei uns fahren jetzt manchmal Automobile durch die Straßen. Wer wird als Erster in Kappeln ein solches Gefährt erwerben? Dein Vater ist es nicht, obwohl er ja mit Jahresbeginn in den Ruhestand geht. Das wird nicht leicht für mich, weil er unleidlich wird, wenn er sich langweilt. Das kennst Du wohl noch. Dieses Schreiben lege ich dem Paket bei, dass ich Euch sende. In Liebe, Deine Mutter Friederike Schulze.»

36. Berlin, Februar 1905

Wilma sah missmutig aus dem Fenster. Eigentlich sollte sie ihrer Mutter einen Brief zum Geburtstag schreiben, doch was hatte sie schon zu berichten? Ihr Leben versank gerade wieder in Tristesse, dichter Nebel lag über ihrer Zukunft, so wie er die Straßen von Berlin in ein feuchtes, halbdurchsichtiges Tuch hüllte, dass Glanz und Elend der Metropole gleichermaßen verdeckte. Alexander quengelte, der Kleine langweilte sich. Die bunten Bauklötzchen, von Großvater Wilhelm ins Weihnachtspaket gelegt, hatten längst ihren Reiz verloren. Heulend und schniefend klammerte er sich an seinen Teddybären, den er nie aus dem Blick verlor und überall hin mitschleppte. Wilma, die sich nicht auf ihren Brief konzentrieren konnte, nahm Alexander auf den Schoß.

«Soll ich dir ein Märchen vorlesen? Oder möchtest du lieber zu Juste in die Küche? Oder tut dir irgendwo etwas weh?»

Manchmal, an Tagen wie diesem, fühlte Wilma sich zu ihrer eigenen Überraschung mit der Mutterrolle überfordert, doch dafür konnte das Kind nichts. Während sie noch überlegte und Alexander auf den Knien wiegte, klopfte es leise und Juste trat ins Zimmer. Sofort sprang der Junge Wilma von Schoß und warf sich begeistert in die Arme des Dienstmädchens.

«Juste, meine Juste», krähte er glücklich und Auguste fing ihn liebevoll auf.

Wilma spürte einen Hauch Eifersucht in sich aufsteigen, den sie aber gleich wieder unterdrückte. Sie wusste ja um Justes traurige Lebensgeschichte und gönnte ihr Alexanders Liebe von Herzen.

«Soll ich den Jungen mit in die Küche nehmen? Das sieht heute so richtig nach Heiße-Schokolade-Wetter aus», lachte Juste und hob das Kind hoch.

«Das wäre mir sehr recht», Wilma deutete auf das leere Blatt Papier vor sich, «dann schaffe ich es vielleicht, meiner Mutter endlich zu schreiben. Es ist lieb von dir, dass du dich um Alexchen kümmern willst, danke dafür!»

«Mach ich doch gern», hörte Wilma noch, dann waren die beiden aus der Tür. Seufzend wandte sie sich wieder dem Schreiben zu.

«Liebste Mama,   *Berlin, Mitte Februar 1905*

Ach ja, die Eröffnung des «Kaiser-Friedrich-Museums», Du hattest mich gebeten, Dir darüber zu berichten. Das Ereignis hatte ich, und Du wahrscheinlich auch, mir ganz anders vorgestellt. Der Kaiser bemerkte mich nicht einmal, weil ich weit hinter Wilhelm Bode stand, der wegen seiner Erschöpfung der Feier nur im Krankenstuhl beiwohnen konnte. Seiner Frau gebührte natürlich der Platz an seiner Seite. Deshalb hatte ich auch keine Gelegenheit, zu erkennen, welches Blau in den Augen von SM leuchtete. Die Eröffnungsfeier fand auf Befehl des Kaisers mit großer Feierlichkeit statt. Es waren Einladungen nicht nur an alle höheren Beamten, sondern zugleich an alle Museumsfreunde, auch an fremde Kollegen und vornehme Sammler ergangen. Bei seinem Rundgang kam der Kaiser nach oben, auf den Balkon über der Basilika, um Bode zu treffen und ihm zu dem gelungenen Werk zu gratulieren. Er sprach sich im höchsten Grade befriedigt aus. Erst jetzt könne man sehen, welche Schätze wir allmählich gesammelt hätten, meinte er und das verdanke Berlin in erster Linie dem verehrten Wilhelm Bode. Der strahlte über das große Lob seines Souveräns, aber die Paradeuniform Seiner Majestät überstrahlte alles andere und viel zu schnell war er schon wieder fort. Es mag daran gelegen haben, dass er sich in Gedanken bereits auf seiner Yacht «Hohenzollern» befand, mit der er sich im nächsten Monat auf Mittelmeerreise begeben möchte. Sogar in Tanger will er Station machen, um sich dort des deutschen Einflusses zu versichern. Tante Annemarie meint, das sei von unserem Kaiser keine besonders diplomatische Glanzleistung. Die Franzosen, denen Marokko und damit auch Tanger gehört, könnten das übel aufnehmen. Mein bildschönes Kleid, das ich mir für diesen Tag kaufte, kam leider nicht zur Geltung, fand ich, jedenfalls nicht bei Seiner Majestät. Was mir die Feier aber viel mehr verdarb, als die nichterhaltene Aufmerksamkeit des Kaisers, waren die bitterbösen Bemerkungen von Bodes Assistenten......»

Wilma sah auf, der Nebel lichtete sich ein wenig, doch sie war so in ihre Erinnerungen an diesen Tag vertieft, das sie es kaum bemerkte. Nachdem der Kaiser mit seinem Gefolge das Museum verlassen hatte und die Feier sich im fortgeschrittenen Stadium befand, ließ Bode Wilma zu sich bitten und stellte sie einigen der ausländischen Gesandten und Museumskollegen vor. Dabei betonte er etwas zu laut für Wilmas Auffassung, dass sie seine beste Kraft sei. Sie bemühte sich, nicht vor Verlegenheit rot zu werden, und verschwand, so schnell es Anstand und Sitte erlaubten, wieder in der Menge der Feiernden. Es dauerte aber nicht lange, da rempelte sie einer der Studenten so heftig an, dass sie um ein Haar hingefallen wäre. Ein Weiterer nahm das zum Anlass, sie lautstark anzufeinden. Im Nu sah Wilma sich von Bodes Assistenten umringt, die voller Bosheit auf sie einredeten.

«Sie sollten sich schämen», schalt einer in hämischem Ton, «dass Sie einem hochgebildeten jungen deutschen Akademiker den Arbeitsplatz wegnehmen. Es wäre besser, wenn Sie sich auf Ihre, von Gott gewollte Aufgabe einer Frau besinnen würden.»

«Heiraten Sie, bekommen Sie Kinder», knurrte ein anderer böse, «geben Sie dadurch einem Mann die Möglichkeit, seine Pflicht gegenüber unserem Kaiser und dem Vaterland zu erfüllen.»

«Und dann führt unser guter Bode diese Dame», der Mann betonte das Wort Dame derart, dass es einen beschämenden Klang erhielt, «also, diese Dame auch noch als seine beste Assistentin vor. Das ist doch der Gipfel der Unverschämtheit.»

«Genau, so ein Frauenzimmer gehört an den Herd und nicht ins Museum!»

Wilma floh, wollte nur noch nach Hause, diesen gehässigen Anfechtungen entkommen. Doch ehe sie die Treppe erreichte, hielt Bode sie auf. Er hatte die ganze Sache aus der Entfernung mitangesehen und ahnte, wie die junge Frau sich fühlen musste.

«Bitte, liebe Wilma», mitleidig lächelte er sie an, «nehmen Sie diese Kerle nicht ernst. Die können Ihnen das Wasser nicht reichen und wissen es auch. Es ärgert die «Herren», dass ich Sie, eine Frau, bevorzugt habe. Glauben Sie mir, ich wusste, was ich tat. Solange wir auf Sie, Wilma, angewiesen waren, hielten die Herren Assistenten still, weil sie sonst bis zur Erschöpfung selbst hätten arbeiten müssen. Das überließen sie großzügig Ihnen. Nun, da das Museum eröffnet ist, glauben die Bürschchen, ihren Unmut an Ihnen auslassen zu dürfen. Wissen Sie was, Wilma lachen Sie darüber, ich tue es auch. Machen Sie sich bewusst, was Sie wert sind! Ich weiß es und das sollte Ihnen genügen. Was dumme Jungen daherreden, kann uns egal sein.»

Bodes Frau nickte bestätigend und entschuldigte sich bei Wilma. Ihr Mann sei erschöpft und müsse dringend nach Hause. Sie schob den Rollstuhl mit ihrem Gatten energisch davon. Lange schaute Wilma hinter den beiden her, dann verließ auch sie die Eröffnungsfeier. Sie würde das Museum in Zukunft nur noch als Besucherin betreten dürfen, das wurde ihr jetzt bewusst. Hier war kein Platz mehr für sie. Ein letzter Blick zurück auf die Museumsinsel, dann hielt sie eine Droschke an und ließ sich nach Hause fahren. Das Kleid, das sie an diesen Tag zu sehr erinnern würde und an die Hoffnungen, die sie gehegt hatte, verstaute sie im hintersten Winkel ihres Kleiderschrankes.

Das Geräusch der sich schließenden Haustür brachte Wilma zurück in die Wirklichkeit. Das war wohl Juste mit Klein-Alex auf dem Weg zum Markt. Das liebte der Junge, nie konnte er sich an den vielen, dort angepriesenen Waren sattsehen und meistens kam er stolz mit einer Kleinigkeit nach Hause, die Juste oder die Tante ihm gekauft hatten.

Wilma wurde auf einmal deutlich bewusst, dass sie es tatsächlich nicht für unmöglich gehalten hatte, dass Wilhelm Bode sie auch nach der Eröffnung weiter beschäftigen würde. Dieser Traum wurde leider nicht wahr, auch wenn sie sich es noch so sehr wünschte. Ihren Eltern konnte sie das nicht mitteilen. Sollte dies der Grund sein, dass ihr dieser Brief nach Kappeln so schwerfiel? Vielleicht sollte sie es bei der Eröffnungsfeier belassen und das unschöne Nachspiel besser verschweigen. Sie griff nach dem Blatt und las sich durch, was sie bereits zu Papier gebracht hatte. Rigoros strich Wilma den letzten Satz:

«Was mir die Feier viel mehr verdarb als die nichterhaltene Aufmerksamkeit des Kaisers, waren die bitterbösen Bemerkungen von Bodes Assistenten.....»

...und knüpfte dort an, wo es um ihr Kleid ging. Ihre Mutter interessierte sich für die Mode und dafür, was Frau in Berlin gerade trug. Da fiel ihr etwas ein:

«Liebes Mütterlein, die allerneueste Mode würde Dir wohl kaum gefallen. Es sind die «Reformkleider». Diese Reformkleidung wird aus gesundheitlichen oder emanzipatorischen Gründen empfohlen und hat schon deshalb wenig Chancen, sich durchzusetzen. Reformkleider sind ohne Korsett zu tragen, wie glatt herunterfallende Säcke und, wenn Du mich fragst, sehen sie aus wie Schwangerschaftskleider. Nicht nur ich finde sie ziemlich scheußlich. Erst kürzlich habe ich eine Unterhaltung zwischen Tante Annemarie und ihrem langjährigen Hausarzt mitangehört, der ihr diese Kleidung ans Herz legte, eben wegen ihres Herzens, das nicht mehr so kräftig schlagen will, wie früher. Er meinte, dass sie sich damit freier bewegen und freier atmen könne, als mit dem enggeschnürten Korsett. Das Ding wäre äußerst schädlich und gehöre auf den Scheiterhaufen. Ich höre immer noch der Tante Gelächter, das abrupt aufhörte, als der Doktor ein

Buch aus seiner Tasche nahm und aufschlug. Auf anschaulichen farbigen Tafeln sah man deutlich, wie das Korsett die inneren Organe einer Frau verschob, sogar die Rippen so eng zusammenpresste, dass die Lunge sich nicht recht entfalten konnte. Ohne Korsettschnürung sah der Körper innen ganz anders aus, hatte Platz genug und ich begriff, dass dieses enge Schnüren wirklich nicht gesund sein konnte. Das sah endlich auch Tante Annemarie ein und ging dazu über, im Haus weitfallende Gewänder zu tragen, die sie ein wenig wie eine Matrone aussehen lassen. Ihre Herzbeklemmungen kamen dadurch aber seltener. Solange ich mich nur im Haus bewegte, hielt ich es ähnlich und wir überboten uns in diesem Winter darin, aus schönen Stoffen, Bändern und Spitzen, einigermaßen hübsche Reformkleider für uns zu nähen....

Wilma lächelte in sich hinein, als sie an all die unterhaltsamen Stunden mit der Tante und Juste dachte, an die Geschichten, die sie sich erzählten, die Lieder, die sie zusammen sangen, manchmal einfach nur die gemeinsame Gegenwart genossen. Da öffnete sich die Zimmertür und Alexander stürmte herein, gefolgt von Juste und überfiel seine Mutter mit einem Wortschwall, von dem sie nicht einmal die Hälfte verstand. Es war irgendetwas mit einem Affen und einem Zylindermann. Juste versuchte Alex Kauderwelsch zu übersetzen, kam aber nicht zu Wort, denn nun trat die Tante ins Zimmer und bat um Gehör. Kaum hatte sie begonnen, Wilma von einer neuen Art der Ausbildung zu berichten, da klingelte es an der Haustür und Jette kam herein, ebenfalls mit den neuesten Neuigkeiten aus ihrem sozialen Bereich beladen. Alles redete wild durcheinander, bis Wilma sich erhob und lautstark um Ruhe bat.

«RUHE BITTE», sofort wurde es still, «seid so lieb und sprecht einer nach dem anderen. So verstehe ich ja kein Wort von dem, was ihr alle mir so dringend zu eröffnen habt. Alexander, du warst der Erste hier, also sag mir, was du erlebt hast. Aber mach es kurz, die anderen wollen auch noch was sagen, ja?»

Der Kleine berichtete mit Justes Hilfe vom Markt, wo ein Mann mit Zylinder und einem Leierkasten Musik machte. Das Tollste aber, fand Alex, war ein kleiner Affe mit einem ganz langen Schwanz, der ein rotes Jäckchen trug und mit einem Körbchen Geld von den Zuhörern einsammelte. Dann stellte sich der Junge hin und ahmte den Leierkastenmann gekonnt nach, summte sogar eine Melodie dazu und lüpfte einen imaginären Zylinderhut.

«Mama», meinte er dann, als der Applaus seiner Zuhörerinnen verklungen war, «Mama, wenn ich groß bin, dann werde ich auch Leiermann!»

Alle lachten und Alex fühlte sich betätigt. Nun war Annemarie dran, deren Thema um einiges ernsthafter war.

«Liebe Wilma, ich weiß, wie gern du wieder arbeiten möchtest, vor allem, nachdem dir das Einrichten des neuen Museums so viel Freude machte. Etwas Vergleichbares kann ich dir leider nicht bieten. Es gibt aber eine neue Art der Ausbildung für einen Beruf, bei dem du sogar dein Söhnchen mitnehmen könntest. Meine alte Freundin Helene Lange, die du ja kennst, teilte mir mit, dass es bald Kindergärtnerinnen geben wird, die tagsüber kleine Kinder betreuen, die zwar noch nicht zur Schule gehen, aber doch schon einigermaßen selbständig sind. Die Idee dahinter ist, dass nur noch wenige Reiche sich richtige «Nannys», möglichst auch noch echte Engländerinnen, leisten können. Die bürgerliche Mittelschicht, die das nicht kann, möchte aber auch, dass ihre Kinder eine gute Betreuung erhalten und vor allem mit anderen Kindern in Kontakt kommen. Das ist in diesen sogenannten Kindergärten möglich. Es ist ein Ort, wo ausgebildete Frauen die Kleinen zwischen drei und sechs Jahren, am Tag umsorgen, mit ihnen Spiele machen, ihnen vorlesen und die Dinge beibringen, die sie vor dem ersten Schulbesuch beherrschen sollten. Nein, warte, sag noch nichts, lass es mich bitte zu Ende ausführen. Helene Lange hat dabei an dich gedacht, weil du eine beinahe zu Ende gebrachte Ausbildung als Lehrerin hast und nur noch ein halbes Jahr «Lehrzeit» benötigen würdest, um Kindergärtnerin zu werden.»

Annemarie ächzte, Juste lief rasch in die Küche und kam mit einem Glas Wasser zurück. Inzwischen hatte Wilma diese Neuigkeit überdacht und brachte dazu einige Fragen vor.

«Liebe Tante, du und Frau Lange, ihr meint es gut mit mir. Die Idee an sich gefällt mir, vor allem, dass ich Alexander mitnehmen dürfte. Doch was ist, wenn Carl wiederkommt und wir endlich heiraten können? Muss ich dann den Beruf wieder aufgeben? So, wie es bei den Lehrerinnen der Fall ist? Dann wäre die Ausbildung doch vergeblich gewesen.»

«Eben diese Fragen habe ich Helene auch gestellt, liebes Kind», die Tante lächelte, «und es ist anders als bei Lehrerinnen, die beamtet sind. Du dürftest heiraten, das wünsche ich mir sogar für dich, und du könntest dennoch weiter als Kindergärtnerin arbeiten.»

«Kindergärtnerin», Wilma ließ das Wort auf der Zunge zergehen, «das hört sich an, als wären Kinder kleine Pflänzchen, die gehegt und gepflegt werden müssten. Irgendwie sind sie das ja auch. Der Gedanke gefällt mir. Wo kann ich erfahren, wann die Ausbildung beginnt und was sie mich kosten würde?»

«Gleich nach Ostern beginnt der nächste Kurs und dauert bis Oktober. Du bst dafür schon angemeldet, weil Helene dich unbedingt dabei haben möchte. Über die Kosten mache dir bitte keine Gedanken. Die trage ich zunächst und du kannst sie mir zurückzahlen, wenn du deine Arbeit beginnst und Geld verdienst.

«Det is ja allet janz jroßartig», meldete sich Jette zu Wort, die schon die ganze Zeit herumzappelte und vor Aufregung berlinerte, «icke hab ooch wat für dir, det musste dir mal anhören.»

«Nur zu, ich bin ganz Ohr», nickte Wilma ihrer Freundin zu, «aber setz dich doch bitte erst mal hin. So viel Zeit muss sein.»

«Na ja, recht haste, und ich weiß gar nicht, ob ich dir damit noch kommen soll, nach dem tollen Angebot deiner Tante.»

«Jette, bitte» , Wilma wurde etwas ungehalten, «lass dir doch nicht jedes Wort aus der Nase ziehen. Was hast du denn nun für mich?»

«Also, es gibt jetzt, auf Betreiben unserer Sozialisten, eine Einrichtung, die sich Mütterberatung nennt. Sie ist wirklich wichtig geworden, weil einerseits die Säuglingssterblichkeit in der armen Bevölkerung extrem hoch ist, andererseits die Zahl der Geburten bei den Bessergestellten rückläufig ist.»

War Jette in ihrem Element, bei den Bedürfnissen armer Frauen, sprach sie ein fehlerloses Hochdeutsch, «deshalb hat man die Beratungsstelle eingerichtet und sucht dafür Frauen mit Bildung, die aber volksnah genug sind, um die nicht zu verschrecken, die nie eine Schule besuchen durften und niemals aus ihren fürchterlichen Verhältnissen herauskamen. Das, so dachte ich, würde gut zu dir passen, liebe Wilma. Viel Gehalt darfst du nicht erwarten, aber du würdest ein gutes Werk tun.»

Wilma schaute von einer zur anderen und wusste, sie würde eine von beiden enttäuschen müssen. Deshalb bat sie um Bedenkzeit, um sich darüber klar zu werden, was ihr wichtiger sein würde. Die Tante und Jette zeigten beide Verständnis für Wilma, die plötzlich loslachte.

«Da jammere ich darüber, dass ich keine Arbeit habe, und nun sind es gleich zwei Angebote, zwischen denen ich mich entscheiden muss. Jetzt fehlt nur noch, dass Leila hier hereinplatzt und mir ebenfalls eine Arbeit anbietet.»

Es wurde lange hin und her beratschlagt, dann ließen die Frauen Wilma allein. Die wandte sich wieder ihrem Brief an die Eltern zu. Jetzt hatte sie genug zu berichten. Sie las durch, was sie bisher geschrieben hatte und schrieb weiter.

«Das Nähen von Reformkleidern wird in Zukunft wohl Auguste überlassen bleiben, denn ich habe heute gleich zwei Angebote erhalten, um mich selbst und Klein-Alexander zu ernähren und sogar Freude an der Arbeit zu haben. Tante Annemarie bot mir über ihre langjährige Freundin Helene Lange eine Ausbildung zur Kindergärtnerin an. Der Vorteil besteht aus einer recht guten Bezahlung und darin, dass ich Alexander mit betreuen kann, bis er zur Schule kommt. Jette, die Ihr kennengelernt habt, unterbreitete mir eine andere Möglichkeit. Die neu einzurichtende Mütterberatung sucht eben diese Beraterinnen. Das würde mich auch reizen, könnte ich dort gute Hilfe leisten für die armen Frauen, die es im Leben nicht so gut getroffen haben wie ich. Wenn ich das alles gegeneinander abwäge, komme ich zu dem Entschluss, der Empfehlung der Tante zu folgen. Ich denke, Ihr würdet mir recht geben. Eine wichtige Neuigkeit gibt es, die Euch sicherlich interessieren wird. Dr. Robert Koch, der ruhmreiche Entdecker des Tuberkel-Bazillus, der die gefürchtete Tuberkulose auslöst, ist für den Nobelpreis nominiert. Dafür wird er seine Reise nach Deutsch-Ost-Afrika unterbrechen, wo er am Viktoriasee die Schlafkrankheit erforschen will. Noch etwas fiel mir in der Zeitung ins Auge, das wahrscheinlich für Vater interessant sein könnte. Es gibt einen gewissen Albert Einstein, einen deutscher Physiker. Gerade erschien seine Arbeit mit dem Titel «Zur Elektrodynamik bewegter Körper», deren Inhalt auch als spezielle Relativitätstheorie bezeichnet wird. Ich muss gestehen, dass ich kein Wort davon begriffen habe, alles ist eben relativ oder graue Theorie. Papa sieht das sicher anders. Auf jeden Fall ist mein Leben alles andere als eine Theorie, es erhält wieder einmal eine neue Richtung, zum Guten, wie ich hoffe. Und ich hoffe auch, dass mein Brief Euch bei bester Gesundheit antrifft.

Dir, liebes Mütterlein, die allerherzlichsten Glückwünsche zum Geburtstag. Klein Alexander ist noch damit beschäftigt, Dir ein ganz tolles Bild zu malen. Seid also lieb gegrüßt, von Eurer Tochter Wilma und von Enkel Alexander.»

Wilma sah sich das Schreiben noch einmal an, da kam Klein-Alexander und knallte ihr ein buntes Bild vor die Nase, auf dem angeblich der Affe und der Leierkastenmann zu sehen waren.

«Sowas kennen Oma und Opa in Kappeln doch gar nicht», war Alexanders Kommentar....

37. Kappeln, November 1905

Friederike kam soeben aus der Kirche, wo sie mit den übrigen Damen einem Gedenkgottesdienst für alle im letzten Krieg verstorbenen Seelen der Gemeinde beigewohnt hatte. In Gedanken versunken übersah sie fast, dass Wilhelm in der Tür stand und nach ihr Ausschau hielt. Seitdem seine Herzattacken häufiger kamen und Doktor Spliedt nichts dagegen tun konnte, war ihr Mann nicht mehr gern allein. Die rasch aufeinanderfolgenden Herzrhythmuswechsel ängstigten ihn, obwohl er das nicht gerne zugab, nicht einmal vor sich selbst.

«Nun, mein Riekchen», begrüßte er sie, «wie war das hehre Gedenken? Hast du mal überlegt, wie lange wir schon Frieden haben? Beinahe solange, wie Minchen auf der Welt ist, über vierunddreißig Jahre. Weißt du, ich wünsche mir, dass ich in den Jahren, die mir hoffentlich noch bleiben, nie wieder einen Krieg erleben muss.»

«Ach, mein Wilhelm», Rieke lachte, versuchte die düstere Stimmung ihres Mannes ein wenig herunterzuspielen, «du warst doch selbst nie als Soldat im Feld. Hast du vergessen, dass wir damals so schnell heiraten mussten, weil du dich entschieden hattest, statt in den Krieg zu ziehen, nach Kappeln zu gehen und dort preußische Verwaltungsbauten zu errichten?»

«Wie könnte ich das vergessen, meine Liebste. Mir geht es jetzt darum, dass unser Enkel keine Soldatenuniform tragen sollte und unsere Tochter nie um ihr Kind bangen muss, das dem Kugelhagel des Feindes ausgesetzt ist.»

Friederike hatte inzwischen Hut und Mantel abgelegt und sich in den Salon begeben, in dem das Kaminfeuer wohlige Wärme verbreitete. Annchen brachte gleich einen würzigen Kräutertee und bemerkte, dass Meta die Zutaten selbst gesammelt und getrocknet habe.

«Ich muss unbedingt heute noch nach nebenan zu Meta», dachte Rieke, «sie ist viel zu viel allein, denn seit mein Wilhelm im Ruhestand ist, habe ich weniger Zeit für meine Freundin. Was haben wir miteinander unternommen, manchmal nur zusammen unter der Kastanie gesessen und über Gott und die Welt geredet. Seltsam, ich dachte immer, dass man es im Alter leichter hätte. Aber die tagtäglichen Sorgen und Kümmernisse werden nicht weniger.»

Schnell trank sie ihren Tee aus und wandte sich Wilhelm zu. Der blätterte gerade in der Festschrift, die zur Einweihung des Altersheimes herausgegeben wurde. Vor ein paar Tagen, am 30. Oktober gab es eine recht schlichte Feier. Dem alten Kanzleirat Seehusen, der dieses Altersheim, den «Margarethenhof», für bedürftige Kappelner gestiftet hatte, war nichts anders übrig geblieben, als eine bescheidene Feier auszurichten.

«Sie wissen doch, verehrter Baurat Schulze», sagte vor ein paar Wochen der gute Seehusen zu Wilhelm, «dass die Kosten für den Bau um etliches höher waren, als ich zuerst veranschlagt hatte. Deshalb wird es zu Eröffnung nur Wein und Butterbrote geben. Sie verstehen das gewiss, denn das Wohl der Bewohner dieses neuen Heimes liegt mir mehr am Herzen, als ein üppiges Gelage zur Einweihung. Sie und ihre Frau Gemahlin sind selbstverständlich von Herzen eingeladen. Und ich bedanke mich bei Ihnen nochmals, dass sie es möglich machten, den Bau in dieser relativ kurzen Zeit fertigzustellen.»

Wilhelm schmunzelte in der Erinnerung an dieses Gespräch, wusste er doch, dass der Neubau längst nicht fertig war. Es gab vieles, was noch der endgültigen Vollendung entgegensah. Wohnen konnten die ersten alten Leute aber schon darin und sie schienen sich in dem stilvollen Gebäude wohl zu fühlen. Das war die Hauptsache. Er sah zu Friederike hin, die mit dem Schreiben eines Briefes beschäftigt war. Vermutlich ging er an Wilma. Seine Frau, die immer noch sehr schön war, hatte geschmollt, weil sie zu dieser Feier im schlichten Gewand gehen musste und sich doch gern fein herausgeputzt hätte.

«Höchstwahrscheinlich», dachte er, «gratuliert sie unserer Tochter zum soeben bestandenen Examen als Kindergärtnerin. Für mich als Vater ist es eine große Beruhigung, dass meine Wilma nun einen richtigen Beruf hat, auf eigenen Füßen steht und unabhängig ist. Wer weiß denn, ob dieser Archäologe zu ihr zurückkommt. Dass Klein-Alexander bei ihr im Kindergarten sein darf, kann für Mutter und Kind nur von Vorteil sein.

Warum nur klopft mein Herz auf einmal so stark, warum wird mir so beklommen..... «Rieke... Rieke...» versuchte er noch zu rufen, fiel in Ohnmacht und ahnte nichts von dem, was in Berlin zur gleichen Zeit geschah...

38. Berlin, Ende Mai 1907

Brütende Hitze lag über der Stadt, ganz Berlin stöhnte über den viel zu frühen Sommer und Wilma achtete darauf, dass die Fenster ihrer Wohnung den Tag über verhängt blieben. Sie selbst saß an diesem Sonntagmorgen im leichten Hauskleid am großen Tisch in der Küche und ließ die Gedanken schweifen. Sie wanderten zurück, bis zu dem Tag Anfang November 1905, als sich ihr Leben wieder einmal auf unberechenbare Bahnen begab. Ende Oktober hatte sie alle Prüfungen zur Kindergärtnerin mit Auszeichnung abgelegt. Wie regte das Lernen sie an, in diesem halben Jahr zuvor, wenn sie mit neun anderen Frauen unterschiedlichsten Alters und Herkunft an einem Tisch saß und einer weiteren Frau zuhörte. Sie war klein, unscheinbar und hatte doch ein unübersehbares Charisma. Wie gebannt hingen alle bereits nach den ersten Worten an ihren Lippen. Sie hatte etwas zu sagen, etwas, dass sich ganz anders anhörte als alles, was Wilma bisher von den Ärzten über kleine Kinder, deren Gesundheit und Erziehung zu vernommen hatte. Hertha Kleinmann, eine Schülerin von Eleonore Heerwart, die in Eisenach eine Kindergärtnerinnenschule gegründet hatte, hielt sich vor allem an die einfühlsame Erziehungsmethode Friedrich Fröbels, der den Begriff Kindergarten prägte, weil ihm vorschwebte, dass Kinder wie junge Pflanzen gehegt werden sollten. Staunend erfuhr Wilma, dass bereits die Neugeborenen fähig sind, Eindrücke aus ihrer Umgebung aufzunehmen und Schmerz ebenso wie Freude empfinden können. Vernachlässigte Kinder sterben sogar daran, wenn sie ohne Liebe aufwachsen. Auf einmal freute sie sich für Alexander, der von so vielen Seiten Liebe empfing, dass sie oft ein wenig eifersüchtig war. Stolz nahm sie am letzten Oktobertag ihre Urkunde aus den Händen Hertha Kleinmanns entgegen und dann trat sie am ersten November ihre Stelle als Kindergärtnerin an. An ihrer Hand schritt mit ernster Miene ihr kleiner Sohn, der sich darauf freute, mit seiner Mama arbeiten zu gehen.

Nur zwei Tage währte das unbeschwerte Glück. Dann schlug das Schicksal erneut zu. Es war ein ganz normaler Tag, Wilma kam mit Alexander aus dem

Kindergarten nach Hause und setzte sich zufrieden an den gedeckten Tisch. Juste hatte sich wieder einmal übertroffen und ein Abendessen gezaubert, dass keine Wünsche offen ließ. Eine leichte Suppe für die Tante, die abends nicht mehr gern so viel aß, Milchreis mit Zimt und Zucker für Klein-Alex und einen Gemüseauflauf für sich und Wilma.

«Wenigstens wir Arbeitenden sollten was Richtiges zwischen die Zähne kriegen», lachte sie. Annemarie fragte Wilma über den Kindergarten aus und Alex beschrieb Juste die anderen Kinder. Dann erhob sich die Tante, lächelte, ein wenig gequält, wie Wilma im Nachhinein glaubte, und entschuldigte sich.

«Seid nicht böse, ihr Lieben, wenn eine alte Frau wie ich jetzt zu Bett gehen möchte. Ich glaube, die Suppe war zu viel für mich. Schlaft gut, wir sehen uns morgen früh!»

«Gesegnete Nachtruhe, liebe Tante», rief Alexander hinter ihr her, doch die Tür schloss sich schon hinter Annemarie. Nachdem der Kleine zu Bett gebracht war, saßen Wilma und Juste noch ein Weilchen beisammen und sprachen über die Arbeitsteilung in den kommenden Wochen. Im Moment arbeitete Wilma nur halbe Tage, doch das sollte sich im Januar nächsten Jahres ändern, wenn eine der anderen Kindergärtnerinnen ihre Stelle aufgab.

Am Morgen, es war noch dunkel, wurde Wilma von einem Schrei geweckt, ein Schrei, der herzzerreißend durch das kleine Haus hallte. Sie schrak hoch, sprang aus dem Bett und eilte nach unten. Die Tür zum Schlafzimmer der Tante stand weit auf und im Schein einer Lampe sah sie Juste vor Annemaries Bett stehen. Ihr Schrei war verklungen und hatte einem trockenen Schluchzen Platz gemacht, das nicht weniger verzweifelt klang, als der Hilferuf vorhin.

«Juste», Wilma eilte an das Bett, «Juste, was ist geschehen?»

Wortlos deutete das Dienstmädchen, das seit langem zur Familie gehörte und inzwischen eine Freundin geworden war, auf die reglos daliegende Annemarie. Wilma nahm die Lampe und leuchtete der Tante ins Gesicht. Bleich und nicht mehr von dieser Welt schien sie und doch lag ein kleines Lächeln um ihre blassen Lippen, als habe sie etwas Wundersames erblickt, als sie starb.

«Juste», Wilma legte einen Arm um die Schultern der jungen Frau, die Annemarie Clementi ihr Leben verdankte, «Juste, sie ist tot, aber du siehst es selbst, sie ist ganz friedlich gestorben. Sie lächelt uns noch von drüben zu.»

Mit schlurfenden Schritten, als sei sie plötzlich um Jahre gealtert, ging Auguste in die Küche. Dort bereitete sie das Frühstück zu, so wie an jedem anderen Morgen, nur dass heute kein normaler Morgen war. Wilma, die Juste ratlos hinterher sah, ahnte, dass es an ihr wäre, Leila zu benachrichtigen. Rasch schaute sie nach Alexander, der noch tief und fest schlief, dann rief sie Martha Liebermann an und dankte der Tante im Nachhinein, dass sie sich getraut hatte, ein Telefon installieren zu lassen. Verschlafen meldete sich die Freundin und war sofort damit einverstanden, sich um den Jungen zu kümmern, bis alles geregelt war. Sie zog erst sich an, dann Alexander, der herum quengelte, bis er hörte, dass er zu Martha dürfe. Sie lieferte ihn ab, er verabschiedete sich nicht einmal von ihrer Freundin, lief eilig weiter und hoffte, dass Leila zu Hause wäre und nicht im Dienst in der Charité. Sie hatte Glück, eine schlaftrunkene Jette öffnete ihr und Leila kam gähnend aus ihrem Zimmer. Wilma informierte sie über den Tod ihrer Mutter so schonend wie möglich. Leila schwieg, packte schnell ein paar Sachen zusammen und folgte immer noch stumm der Kusine in die Friedrichstraße. Unterwegs dachte Wilma darüber nach, dass sie noch nie einen Toten gesehen hatte und sie immer glaubte, ein Verstorbener müsse ein furchtbar verzerrtes Gesicht haben oder eine Art Totenschädel. Doch das entspannt lächelnde Antlitz ihrer Tante berührte sie zutiefst und irgendwie verlor sie dabei ihre eigene Angst vor dem Tod.

«Hat sie noch was gesagt?» Leilas Stimme riss Wilma aus ihren Gedanken.

«Nein, es tut mir leid», antwortete sie, ohne etwas zu beschönigen, «die Tante lag schon tot in ihrem Bett, als Juste sie vorhin fand. Sie ist ganz allein gestorben, im Schlaf, und sie kann nicht gelitten haben, denn sie lächelte.»

Leila bat darum, mit ihrer toten Mutter eine Weile allein sein zu dürfen. Als sie aus dem Schlafzimmer kam, waren ihre Augen verschwollen vom Weinen, aber sie sprach mit fester Stimme davon, was nun alles in die Wege geleitet werden müsse.

«Liebe Wilma, du kannst getrost in den Kindergarten gehen, ich bin an den Tod gewöhnt, habe von meiner Mutter Abschied genommen und komme jetzt allein zurecht. Geh nur, wir sehen uns heute Abend.»

Gegen die steinerne Miene Leilas anzureden, konnte Wilma sich sparen. Sie wusste, sie würde jetzt zu ihrer Kusine kaum durchdringen können, auch wenn sie ihr gern zur Seite gestanden hätte. Leila agierte in den nächsten Tagen wie eine Art Maschine, zuverlässig aber ohne jede menschliche Regung. Wilma übernahm die Aufgabe, ihren Vater vom plötzlichen Ableben seiner Schwester zu informieren. Ein Telegramm aus Kappeln kündigte die Ankunft ihrer Eltern für den übernächsten Tag an. Sie eilte zum Bahnhof, um sie abzuholen, ihr Kind an der Hand. Mit großen Augen sah Alexander zu seinen Großeltern auf, die er nur von den Fotos kannte, die sie geschickt hatten. Rieke stürzte sich begeistert auf den Jungen, der sich steif machte und so schnell er konnte, aus der ungewollten Umarmung floh. Entgeistert starrte Rieke ihm hinterher, sie konnte ihre Enttäuschung nicht verbergen.

«Was hat das Kind nur, ich bin doch seine Großmutter!»

«Ach Mama», Wilma versuchte sie zu beruhigen, «lass ihn einfach in Ruhe. Ihr seid Fremde für ihn. Wenn er euch näher kennengelernt hat, dann wird er sich bestimmt auch in den Arm nehmen lassen. Er ist doch ein sehr liebevolles und freundliches Kind.»

Die Beerdigung war so, wie Annemarie sie sich wohl gewünscht hätte. Es nahmen viele Menschen daran teil, denen sie irgendwann einmal Gutes getan hatte, und alle waren des Lobes voll. Leilas Gesicht zeigte immer noch keine Regung und sie nahm wie versteinert die zahlreichen Kondolenzgrüße entgegen. Dann kehrte der Alltag zurück und allmählich kehrte in das Haus in der Friedrichstraße wieder etwas Ruhe ein. Wilhelm und Rieke fuhren nach Kappeln zurück und zum Abschied umarmte Alexander seine Großeltern, die er schnell in sein Kinderherz geschlossen hatte. Auch Wilma fiel der Abschied von den Eltern schwer und sie versprach, im nächsten Frühjahr, falls sie Urlaub bekäme, nach Kappeln zu kommen und ihrem Sohn zu zeigen, wo sie als Kind gelebt hatte.

Weihnachten feierten Juste und Wilma still und besinnlich. Lediglich ein paar Tannenzweige in einer Vase wurden für Alexander geschmückt. Daran durfte er seine selbstgebastelten Sterne aufhängen und Juste steuerte noch ein paar bunte Kugeln bei. Auch der Jahresbeginn bot keinen Anlass zum Feiern. Leila ließ sich nicht blicken, verschanzte sich hinter der vielen Arbeit, die in der Charité auf sie wartete. Nur Jette schaute kurz vorbei und brachte ein Spiel für Alexander mit. Der fiel mit Begeisterung über die bunten Karten her und gab keine Ruhe, bis alle mit ihm «Schwarzer Peter» spielten. Er jubelte, wenn er gewann und mit seinem, in Ruß getauchten Finger, den Mitspielern einen schwarzen Punkt ins Gesicht malen durfte. Wilma war Jette sehr dankbar für ihr feines Gespür und der Gabe zur rechten Zeit das Richtige zu tun.

Sie selbst tat sich ein wenig leid, weil Carl, von dem sie lange nichts gehört hatte, immer noch kein Lebenszeichen sandte. Sie war allein und ihr Glück stand in den Sternen. Wann würde Carl zurückkehren? Und käme er wirklich wieder?

Lebte er überhaupt noch? Oder, viel schlimmer noch, hatte er sie vergessen? Während sie darüber nachdachte, wurde die Welt für sie wieder grau, so schmutziggrau, wie der Schnee, der sich über Tag in unansehnlichen Matsch verwandelt hatte. Dass sich aber eine blasse Wintersonne einen Weg durch die düsteren Wolken bahnte, nahm Wilma nicht wahr, noch nicht.

Zwei Tage nach Neujahr kam Leila in die Friedrichstraße und legte einen Brief auf den Tisch im Salon. Sie bat Wilma und Juste, sich zu ihr zu setzen.

«Dies ist ein Schreiben vom Notar meiner Mutter. Ihr ahnt sicher, was er von mir will. Nächste Woche ist Testamentseröffnung und er bittet uns alle drei, in seine Kanzlei zu kommen, um bei der Eröffnung anwesend zu sein.»

«Warum soll ich dahin?» Juste sprach als Erste. «Was habe ich denn mit dem Testament zu tun? Ich bin doch bloß das Dienstmädchen.»

«Auguste», Leilas Stimme klang müde, «es wird der Wunsch meiner Mutter sein. Vielleicht hat sie dir ein Andenken hinterlassen. Das wäre doch schön.»

«Ich wüsste auch nicht, was ich dort zu suchen hätte», meldete Wilma sich zu Wort, «ich verdanke meiner Tante so viel, da kann ich mir kaum vorstellen, dass ich noch etwas erben sollte.»

«Kommt doch einfach mit mir in die Kanzlei, dann hören wir, was sich meine Mutter unter ihrem letzten Willen vorgestellt hat.»

Leilas Stimme wurde schleppender und als Wilma sie genauer anschaute, sah sie die dunklen Ringe unter den Augen ihrer Kusine und die Falten, die sich unübersehbar von der Nase zum Mund herunterzogen. Erschrocken stellte sie fest, dass Leila auf einmal um Jahre gealtert schien. War es der plötzliche Tod der Mutter, der ihr so nahe ging? Oder spielte da noch etwas anderes mit? Sie fragte nicht nach, wollte Leila nicht unnötig quälen. Sie würde bestimmt von allein darüber reden. Auguste war es, die dann eine Frage stellte, die ihr keine Ruhe ließ, seit Annemarie nicht mehr lebte.

«Was wird eigentlich aus mir?»

Leila schrak aus ihren Gedanken hoch und blickte Juste verwirrt an. Es schien, als habe sie darüber noch gar nicht nachgedacht.

«Lassen wir alles zunächst, wie es ist. Wenn wir Mutters Testament kennen, werden wir gemeinsam entscheiden, wie es weitergeht. Ist euch das recht?»

Leila brach auf, das Versprechen der beiden anderen Frauen, abzuwarten, nahm sie mit. Zurück blieben Wilma und die ratlose Auguste, die beide ihren eigenen Gedanken nachhingen.

Die drei trafen sich ein paar Tage später vor dem reich verzierten Gebäude, in dem die Kanzlei des Notars untergebracht war. Sie reichten sich nur kurz die Hände und stiegen dann die zwei Etagen bis zum Anwaltsbüro hinauf. Der Notar, ein älterer Herr mit gezwirbeltem Schnurrbart und goldumrandeter Brille, bat sie, doch Platz zu nehmen und entfaltete umständlich das Papier, auf dem Annamarie Clementi ihren letzten Willen niedergeschrieben hatte. Er räusperte er sich, anscheinend ohne zu bemerken, wie angespannt die drei Frauen waren, die vor ihm saßen.

«Nun, also, ähm», weitschweifend erklärte er die Regularien und Wilma hoffte, er käme endlich zur Sache, «Frau Annemarie Clementi schrieb dieses Testament mit eigener Hand und bei vollem und klarem Verstand. Ich lese vor»:

Ihr Lieben, die ihr mir meine letzten Lebensjahre mit euer Liebe und eurer Anwesenheit verschönt habt, sollt von mir nach meinem Ableben etwas erhalten, dass euch an mich erinnert.

Elisabeth, als meine Tochter und einziges Kind, erbt das Haus, samt allem Inventar, meinen Schmuck und was an Vermögen noch vorhanden ist, nach Abzug der Legate. Was sie damit macht, ob sie im Haus wohnen will oder nicht, soll allein in ihrer Entscheidung liegen.

Aus meinem Vermögen vermache ich meiner einzigen Nichte Wilhelmine fünftausend Reichsmark, ebenfalls zur freien Verfügung. Sie und vor allem ihr Sohn Alexander sollen damit ein wenig finanzielle Sicherheit erfahren. Das ist mir sehr wichtig.

Auguste, meine langjährige Freundin, die einst als Dienstmädchen in mein Haus kam und ohne die mein Leben sehr viel einsamer verlaufen wäre, als meine Tochter erwachsen wurde, ihr vermache ich gleichfalls fünftausend Reichsmark, damit sie nicht auf der Straße steht oder eine Stellung annehmen muss, die ihr nicht gerecht wird. Am liebsten wäre mir, sie könnte im Haus bleiben und weiter für Elisabeth und Wilhelmine sorgen, doch darauf habe ich keinen Einfluss mehr und das ist auch gut so.

Ihr Lieben, ich segne euch und hoffe von ganzem Herzen, dass euer weiteres Leben so verläuft, wie ihr es euch wünscht und wie ihr es verdient habt. Denkt ein wenig in Liebe an mich, eure Annemarie Clementi. Berlin, im Juli 1905.

Schweigend hörten die drei Frauen sich Annemaries letzten Willen an. In Wilma stieg eine tiefe Dankbarkeit auf für die Tante, die sie ohne zu zögern vor fünfzehn Jahren aufgenommen und sich um das unbedarfte junge Mädchen, das sie damals war, liebevoll aber nicht ohne Strenge kümmerte. Nun durfte Wilma, dank der Großzügigkeit der Tante, ohne Sorgen in die Zukunft schauen. Selbst wenn Carl sie nicht heiraten oder nicht mehr zurückkehren würde, könnte sie ihrem Sohn eine gute Ausbildung bieten.

Auch Auguste gedachte voller Liebe ihrer einstigen Dienstherrin, die später zur Freundin wurde. Sie wusste noch nicht, was sie mit dieser großen Summe Geldes machen würde. Sie wollte sich erst die Pläne der anderen anhören und dann entscheiden.

Leila war die Einzige, die von dem Testament der Mutter nicht überrascht war. Sie kannte deren weiches Herz gut. Allerdings musste sie selbst jetzt ihre Zukunftspläne ändern. Sie bedankte sich bei dem Notar, der versprach, alles schnell in die Wege zu leiten und verließ mit Wilma und Juste die Kanzlei. Unten auf der Straße bat sie die beiden, ihr nach Hause zu folgen. Dort könnten sie in Ruhe über alles reden.

Juste eilte sofort in die Küche und versorgte alle mit Kaffee und Kuchen, dann setzte sie sich mit an den Tisch im Salon, wobei alle den Platz, den bisher Annemarie eingenommen hatte, mit Bedacht freiließen.

«Es ist so, als säße sie noch hier, bei uns und würde wissen wollen, wie wir unsere Zukunft nun gestalten», meinte Wilma versonnen und glaubte beinahe, die Tante lächelnd vor sich zu sehen.

«Mir ist so, als wäre sie noch hier», bestätigte auch Auguste das seltsame Empfinden. Nur Leila merkte es nicht. Sie begegnete als Krankenschwester so oft dem Tod, dass sie ihn eher nüchtern betrachtete.

«Nun denn», begann sie, «Meine Mutter hat, so gut sie es auch meinte, mir einen schönen Strich durch die Rechnung gemacht.»

Wilma horchte auf, der Sarkasmus in Leilas Stimme war nicht zu überhören. Was hatte die Kusine vor?

«Eigentlich dachte ich daran», sprach Leila weiter, «mich endlich aus dem freudlosen Leben einer Krankenschwester lösen zu können und ein Studium der Medizin zu beginnen. Nein, lasst mich bitte ausreden! Ich wollte in die Schweiz, mein Studium mit dem Vermögen finanzieren, das mir meine Mutter hinterließ und euch hier im Haus weiterwohnen lassen. Es wäre Platz genug. Doch dadurch, dass fast kein Bargeld mehr da ist, bin ich gezwungen, dieses Haus zu verkaufen, ehe ich an ein Studium denken darf. Es tut mir sehr leid, aber ihr müsst euch eine andere Bleibe suchen, sobald ich einen Käufer gefunden habe.»

Schwer atmend lehnte sich Leila zurück. Die hohe Anspannung war aus ihrem Gesicht gewichen und hatte Tränen Platz gemacht, den Tränen, die sie seit dem Tod ihrer Mutter nicht hatte vergießen können. Wilma und Juste sahen sich an und schwiegen. Sie ließen in stiller Übereinkunft Leila ihre Trauer leben. Nach einer Weile streckte Leila die Hand aus und Juste legte ein Taschentuch hinein. Leila schnäuzte sich kräftig und durch ihre Tränen kam ein winziges Lächeln zum Vorschein. Wilma stand auf und kehrte mit drei Cognacschwenkern und der Flasche des besten Tropfens zurück und goss allen ein.

«Auf Annemarie Clementi, uns allen die beste Mutter, Tante und Freundin, die man sich denken kann. Wo immer ihr Geist jetzt auch sein mag, sie kann sicher sein, dass wir drei die beste Lösung für alles finden werden. Auf dich!»

«Danke Wilma, du sprichst mir aus der Seele, auf meine Mutter», auch Leila erhob ihr Glas und Juste machte es ihr stumm nach.

Noch lange saßen die Frauen beisammen und beratschlagten, was zu tun sei. Sie kamen überein, erst einmal alles so zu belassen, wie es jetzt war. Wenn Leila die Zusage zum Studium und einen Käufer für das Haus gefunden hätte, dann erst würden auch sie sich etwas Neues suchen. Zufrieden sahen sie sich an, bis Wilma plötzlich aufsprang und davoneilte.

«Lieber Himmel, ich habe ganz vergessen, dass ich Alexander bei Martha abholen muss.»

«Wenn er bei Martha ist», lachte Leila, ja, sie konnte wieder lachen, «dann wird sie froh sein um jede Minute, die er länger bei ihr bleibt!»

In den nächsten Wochen mussten die drei Frauen feststellen, dass es nicht so einfach war, das Haus in der Friedrichstraße zu verkaufen. Obwohl diese Straße nach wie vor bei den Berlinern als Vergnügungsmeile beliebt war, war das barocke Haus, das am Ende des 17. Jahrhunderts von Hugenotten erbaut und von Annemaries Ehemann den Nachkommen dieser Menschen abgekauft worden war, einfach zu klein. Ein Varieté oder ein Restaurant konnte man drin kaum unterbringen, zu schmal war die Front nach vorn und zu klein der Garten nach hinten. Ein Abriss und danach ein komplett neuer Bau war den meisten Interessenten zu kostspielig. Im anbrechenden Krisenjahr 1907 legten die Leute ihr Geld anders an. Gerüchte kamen auf, die sich bestätigen sollten, dass die Mannesmann-Werke, ein sehr bedeutender Arbeitgeber, seinen Standort nach Düsseldorf verlegen wollte, wo die Verwaltung bereits ihren Sitz hatte. Vorsicht schien geboten.

Leila, die sich längst schon in der Schweiz gesehen hatte, war schier am Verzweifeln, wenn wieder einmal ein Interessent das Haus ablehnte. Die Erlaubnis zum Studium lag in ihrer Reisetasche bereit, die gepackt neben ihrem Bett stand. Wilma und Juste wohnten nach wie vor im Haus der Tante. Alles war noch so, wie zu deren Lebzeiten, denn Leila hoffte nach wie vor, dass sich eine Familie fände, die das Haus mitsamt dem Inventar übernehmen wollte. Doch an Wunder glaubten die drei nicht mehr.

Das Jahr 1906 verging ohne besondere Vorkommnisse. Der geplante Urlaub in Kappeln ging für Wilma nicht in Erfüllung, denn sie wurde zur Leiterin des Kindergartens ernannt und daher vorerst unabkömmlich. Erst im Februar, als die Friedrichstraße sich von ihrer dunkelsten Seite zeigte, kam Leila mit einem Ehepaar an, dass sich auf den ersten Blick in Annemaries Haus verliebte. Sogar einen großen Teil des Mobiliars würden die beiden übernehmen, weil die Frau schwanger war und sich nicht mit Möbelkäufen belasten wollte. Einziger Nachteil, sie könnten erst um Ostern einziehen, weil ihr jetziger Mietvertrag bis zum ersten April ging. Damit lag das Frühjahrssemester des Medizinstudiums für Leila nicht mehr im Bereich des Möglichen. Ein wenig traurig war sie schon darüber, freute sich aber, dass ihr Haus wieder eine glückliche Familie und Kinderlachen erleben durfte.

«Mitten in Berlin und dann so ein reizender kleiner Garten nach hinten», das hatte der jungen Frau am besten gefallen, «ich sehe mich schon mit meinem Kindchen unter dem Baum dort sitzen.»

Juste und Wilma suchten fieberhaft nach einer Wohnung. Die beiden waren sich längst einig, dass sie zusammenziehen wollten, Wilma würde die Miete übernehmen und Juste auf Alexander aufpassen. Bis Mitte März war noch nichts Geeignetes aufgetaucht und Wilma sah sich mit Alexander schon auf der Straße sitzen. Da kam Jette zu Besuch. Sie hatte sich lange nicht mehr sehen lassen, weil sie, nachdem Clara Zetkin nach Stuttgart gezogen war, intensiv mit Rosa Luxemburg zusammenarbeitete. Die umtriebige Sozialdemokratin, wegen Majestätsbeleidigung in Berlin angeklagt, dann in Weimar zu zwei Monaten Haft wegen «Anreizung zum Klassenhass» verurteilt, wollte im Oktober ihre Lehrtätigkeit an der SPD-Parteischule in Berlin aufnehmen und benötigte dafür Unterstützung. Jette war dieser wortgewaltigen Verfechterin des Marxismus schnell verfallen und arbeitete rund um die Uhr für sie. Doch heute besann sie sich der Freundinnen und kam in die Friedrichstraße.

«Na was sind denn das für Trauermienen? Freut ihr euch gar nicht, die alte Jette wiederzusehen, die inzwischen noch roter ist als rot, falls es das gibt», lachte sie und traf bei Wilma und Juste den wunden Punkt.

«Jette, doch, wir freuen uns natürlich, aber es ist gerade nicht einfach. Wir suchen eine Wohnung, eine bezahlbare für uns, nicht irgendein Kellerloch im allerletzten Hinterhof. Denn hier müssen wir ausziehen.»

«Das ist doch wohl nicht wahr», empört stemmte Jette die Hände in die schmalen Hüften, was ungewollt komisch aussah, «warum seid ihr nicht zu mir gekommen? Ich brauche doch Mitbewohnerinnen, wenn Leila in die Schweiz geht. Und wer wäre mir dann lieber als ihr? Ratet mal!»

Wilma schlug sich mit der flachen Hand an die Stirn, auf die einfachste Lösung waren sie nicht gekommen. Doch Auguste rechnete nach.

«Ne, das geht nicht, so schön es auch wäre. Die neuen Hausbesitzer sind schon am ersten April hier und Leila geht erst im September in die Schweiz. Solange wohnt sie doch noch bei dir. Und für vier, mit Alexander sogar fünf, ist kein Platz in deiner Wohnung, Jette.»

«Da hast du recht, Juste», Jette ließ den Kopf hängen, «schade, ich hatte es mir so schön vorgestellt, wir alle zusammen. Soll wohl nicht sein.»

«Das könnte schon gehen», Leila, die soeben die Küche betrat, hatte die letzten Worte gehört, «ich werde für die paar Monate ins Schwesternheim ziehen und somit wäre mein Zimmer bei dir frei, liebe Jette.»

«Das würdest du tun? Wilma staunte.

«Na ja», Leila grinste, sie wirkte unglaublich erleichtert, «ich könnte ja auch, bevor ich studiere, was für eine alte Dame wie mich anstrengend wird, noch auf Reisen gehen. Nach Italien vielleicht, da wollte ich immer hin, in das Land, wo die Zitronen blühen. Geld hab ich nach dem Hausverkauf doch genug.»

Mit einem Mal war das Leben für die vier Frauen wieder unkompliziert. Eifrig schmiedeten sie Pläne, suchten für Leila die schönsten Städte Italiens aus und wären am Ende am liebsten alle mit ihr gereist. Endlich schien alles so einfach, so schön, dass Wilma es unbedingt ihrer Mutter mitteilen musste.

«An die liebe Großmama,   Berlin, Ende März 1907

Wie Du sehen kannst, hat Alexander Dir einen Brief «geschrieben». Er ist eher gemalt, als geschrieben aber Du wirst ihn verstehen. Er zeigt Alexander mit seinem besten Freund, dem Dackel Männe, den ihr ja auch kennengelernt habt. Alex ist traurig, dass er noch nicht zur Schule gehen darf und ich musste ihm erklären, dass er erst nach dem Schulbeginn sechs Jahre alt wird und darum bis zum nächsten Jahr warten muss. Das fand er ungerecht und fragte, warum ich nicht besser darauf geachtet hätte, wann er zur Welt kommen durfte. Dass ich darauf keinen Einfluss hatte, konnte ich dem Jungen ja nicht sagen.

Leila hat endlich ihr Haus verkauft und ist glücklich darüber. Sie wird ihr Leben völlig umkrempeln und mit dem Studium der Medizin beginnen. Das kann sie aber nur in der Schweiz, denn hier, in Berlin, wird ihr Doktortitel leider nicht anerkannt. Vorher möchte sie auf Reisen gehen und deshalb wird ihr Zimmer bei Jette frei. Dort ist noch ein weiterer freier Raum, den Auguste, das ehemalige Dienstmädchen von Tante Annemarie und meine Freundin, übernehmen will. Wir haben uns darauf geeinigt, dass sie Jette keine Miete zahlt, dafür aber für uns alle kocht, die Wohnung in Ordnung hält und sich bei Bedarf um Alexander kümmert. Du wirst bestimmt einwenden, dass Juste dann ja wieder nur ein Dienstmädchen ist, doch sie sieht das nicht so. Sie darf das tun, was sie am besten kann, ist nicht allein, sondern von Freundinnen umgeben und muss sich nicht von Alexander trennen. Ich sollte aber aufpassen, dass sie ihn nicht zu sehr verwöhnt. Der Bengel hat schnell herausgefunden, wie er sie am leichtesten um den Finger wickeln kann. Es hat sich bei uns also alles aufs Schönste gefügt, liebe Mutter. Noch etwas möchte ich berichten, weil ich ahne, dass es Dich interessiert. Ehe Leila in der Weltgeschichte umherreist, hat sie uns, Jette, Juste und mich, ins «Deutsche Theater Berlin» eingeladen, wo ein junger Regisseur von sich reden macht. Max Reinhardt, so heißt er, lässt völlig neue Schauspiele aufführen, in nie gesehener, ungewöhnlicher Kulisse, geschrieben von Gerhard Hauptmann und Hugo von Hofmannsthal. Besonders die ungewöhnlichen Bühnenbilder faszinierten mich, sind sie doch von mir gut bekannten Malern geschaffen worden. Slevogt ist dabei, Lovis Corinth und sogar der mir stets im Gedächtnis gebliebene Edvard Munch. Dieser Max Reinhard ist ein wahrer Zauberer, der in seinem Theater das Aufsehenerregende geradezu ins Ungeheuerliche wachsen lassen kann und sich die dazu passenden Schauspieler aus der von ihm gegründeten Schauspielschule holt. Die Zuschauer sind entweder hingerissen von seiner Kunst, oder lehnen ihn total ab. Etwas dazwischen scheint es nicht zu geben. Auch wir vier Damen haben nach dem Theaterbesuch heftig über die Inszenierung diskutiert. Jetzt sitze ich hier, in der noch kühlen Küche, jenseits der Schwüle, die über Berlin liegt und denke an Euch und wie es in Kappeln gehen mag...

Was dann geschah, ist kaum zu glauben. Ich wollte den Brief an Dich schon beenden, da klingelte es und Carl stand an der Tür. Ich konnte zuerst gar nicht fassen, was er mir erzählte. Seine Frau habe ihm telegrafiert, sie wolle nun dringend die Scheidung, er möge sofort kommen, damit es schnell über die Bühne ginge. Carl misstraute dem Ganzen, kam aber, so schnell er konnte aus Kairo hierher und begab sich sofort zu seiner Frau. Die gestand ihm, dass sie wieder heiraten wolle. Ein Adliger, ein Graf aus Ostpreußen, hätte um ihre Hand angehalten. Carl fand das plausibel, denn seine Frau Leonore sagte schon früher, das Einzige, was zu ihrem Glück noch fehle, sei ein Adelstitel. Ich gönne es ihr von Herzen, eine «Frau von was-weiß-ich» zu werden. Die Hauptsache ist, sie gibt Carl endlich frei. Bald werde ich Wilma Meurer heißen und Alexander wird kein uneheliches Kind mehr sein. Was soll ich mir vom Leben noch mehr wünschen?

Die allerherzlichsten Grüße an Dich und Papa,
sendet Euch, eure überglückliche Wilma.»

Carl hielt sich nicht lange bei Wilma auf, versprach ihr aber, so schnell wie möglich zu ihr zurückzukehren, jetzt müsse er dringend zum Anwalt, wo seit Jahren die kompletten Scheidungspapiere lägen und auf ihre Unterzeichnung warteten. Wilma gab ihm den Brief an die Mutter mit, er solle ihn am nächsten Postamt aufgeben. Dann lachte, strahlte, tanzte sie wie wild durch die Wohnung, bis Juste ihren Kopf aus dem Zimmer streckte und fragte, was mit ihr los sei. Doch noch ehe Wilma ihr die neue Lage erklären konnte, klingelte es erneut an der Tür und ein Postbote reichte ihr ein Telegramm. Sie las es, las es ungläubig ein zweites Mal, dann sank ihre Hand mit dem Papier herab, die Finger öffneten sich kraftlos und das unheilvolle Schreiben flatterte zu Boden....

39. Kappeln, Ende Mai 1907

Friederike las noch einmal den Brief, den sie an ihre Tochter geschrieben hatte. Ihre Gedanken wanderten zurück. Seit Annemaries Beerdigung war Wilhelm nicht mehr wiederzuerkennen. Lag es daran, dass ihm dadurch klar wurde, dass auch er eines Tages sterben würde? Oder machte ihm der Ruhestand noch immer zu schaffen? Fühlte er sich überflüssig, nicht mehr gebraucht, zum alten Eisen geworfen? So klagte er mitunter. Dann überkam ihn plötzlich ein Gedanke, der ihn zu faszinieren schien und er verstieg sich in die seltsamsten Visionen. Einfach war ihr Leben in dieser Zeit nicht, sie litt unter dem, was den meisten Frauen in ihrem Alter zu schaffen machte, und sie oft unduldsam Wilhelms seltsamen Launen gegenüber machte. Sie wünschte sich, sie würde nicht so lieblos agieren, doch ihre eigenen Bedürfnisse machten ihr mehr zu schaffen, als sie es Wilhelm gegenüber eingestehen wollte. Entschieden schob sie die ungebetenen Gedanken beiseite und konzentrierte sich wieder auf den Brief.

«Meine geliebte Tochter   *Kappeln, im Mai 1907*
Wie schön, aber auch wie seltsam war es, Dich als erwachsene Frau zu erleben, eine die ihr Leben im Griff hat, unabhängig von der Gunst eines Mannes. Manchmal beneide ich Dich darum, auf eigenen Füßen zu stehen, besonders wenn Dein Vater wieder einmal skurrile Ideen ausbrütet. Er wollte vor kurzem unbedingt an der Planung für die neue Schiffsartillerieschule teilnehmen, die in Sonderburg eingerichtet werden soll. Er fuhr tatsächlich den weiten Weg dorthin, um den vorgesehenen Standort in Augenschein zu nehmen. Dort machten die verantwortlichen Herren ihm unmissverständlich klar, dass er im Ruhestand sei und seine Dienste hier nicht benötigt würden. Natürlich schmollte er wie ein Kind und überlegte er ernsthaft, ob er sich der südwestafrikanischen Schutztruppe anschließen sollte, für dreieinhalb Jahre. Einfach undenkbar war das, man hätte ihn wegen seines kranken Herzens doch gar nicht genommen. Etwas später lud man ihn zur Gründung des Arnisser Segelclubs ein und Dein

Vater lehnte ab. Er behauptete, dass kleine Segelboote nichts für ihn wären. Er führte sich auf, als wäre er unser Kaiser persönlich. Dabei ging es doch nur darum, den Segelbootbesitzern auf der Schlei eine gemeinsame Plattform zu bieten. Der neue erste Vorsitzende des ASC (Arnisser Segelclub) war sich nicht zu schade, in eigener Person vorbeizukommen und Deinen Vater umzustimmen. Es ist übrigens August Litschen, vielleicht erinnerst Du Dich noch an ihn. Er verließ uns unverrichteter Dinge. Um Deinen Vater etwas gnädiger zu stimmen, las ich ihm einen Bericht aus der Zeitung vor. Man schrieb, dass in Hamburg eine neue Art von Tierpark eröffnet würde. Dort zeigt man die Tiere in einer Nachahmung ihrer natürlichen Umgebung. Das hat sich der Herr Hagenbeck ausgedacht und ich nahm mir vor, gemeinsam mit Wilhelm mir Elefanten, Löwen und Giraffen von Nahem anzuschauen. Dein Vater stimmte zum Glück zu, dass wir, so bald das Wetter beständiger ist, nach Hamburg fahren werden. Hoffentlich behält er seine gute Laune noch etwas länger. Grüße bitte Klein-Alexander von uns,

in Liebe, Großmama Friederike Schulze.»

Rieke ließ die Feder sinken, vernahm von draußen den vertrauten Schritt ihres Mannes. Hörte er sich nicht schwerer, unregelmäßiger an als sonst? Jetzt stockte er, ein dumpfer Laut folgte, als sei etwas umgefallen. Rieke hielt es nicht mehr, sie sprang auf, der Brief fiel zu Boden und wehte durch die Tür in den Garten, sie merkte es nicht.

«Wilhelm...Wilhelm...», die Stimme versagte ihr, sie blieb stehen. Vor ihr auf dem kühlen Boden des Flurs lag Wilhelm und rührte sich nicht mehr. Er würde es nie mehr tun, das wusste sie, ohne dass sie nähertreten musste. Eine Weile stand sie so da und spürte, wie auch ihr Leben aus ihr herausrinnen wollte. Sie sank neben ihrem geliebten Wilhelm auf die Knie und nahm seine erschlaffte Hand in die ihre. Aus seinem Gesicht verschwand das Leben, die Augen schauten in eine Ferne, die ihr, Rieke, verschlossen blieb.

«Wilhelm», flüsterte sie, als ob sie ihn noch stören könnte, «was soll ich ohne dich mit meinem Leben anfangen, wie kann ich ohne dich weiterleben?»

Wie lange sie neben ihrem toten Mann kniete, wusste sie später nicht mehr zu sagen. Erst als Annchen, das Dienstmädchen vom Markt kam, das Unglück erkannte, den Korb fallen ließ und Meta ins Haus holte, kam sie zu sich. Meta kümmerte sich um sie, fasste sie am Arm und zog sie ins Haus zurück, rief den Arzt und Bestatter. Sie war es auch, die ein Telegramm zu Wilma nach Berlin schickte und sie darin bat, dringend nach Hause, nach Kappeln zu kommen....

40. Berlin/Kappeln, im Juni 1907

Wilma stand wie versteinert da, das Telegramm lag zu ihren Füßen. Auguste packte sie an den Schultern und schüttelte sie heftig.

«Wilma, komm zu dir, du musst nach Kappeln fahren, sofort!»

Sie reagierte nicht, stumm stand sie am selben Fleck und starrte aus dem Fenster. Doch sie sah nichts, nichts als graue eintönige Leere...

«Nun komm, Wilma, sieh mich an», rief Juste, die nicht wusste, wie sie die Freundin in die Wirklichkeit zurückholen könnte, griff zu einer List «los Wilma, deine Mutter ruft nach dir!»

Das Wort «Mutter» drang zu ihr durch, erweckte Wilma endlich aus ihrer Starre. Sie schnappte hörbar nach Luft und rannte in ihr Zimmer, wo sie wahllos alles, was ihr in die Hände fiel, in eine Reisetasche warf.

«Los, ruf mir eine Droschke», rief sie über die Schulter der fassungslosen Juste zu, «ich muss sofort zum Bahnhof!»

«Ach, du willst fort?» Leila war dazugekommen, «und deinen Alexander lässt du einfach hier?»

Flüsternd setzte Juste die Freundin in Kenntnis über die Situation. Als erfahrene Krankenschwester erfasste Leila den seelischen Zustand ihrer Kusine sofort. Sie nahm Wilma den Wintermantel aus der Hand, den sie in den schon übervollen Koffer stopfen wollte und zog sie zu sich herunter auf das Bett. Am ganzen Körper bebend überließ Wilma sich den tröstenden Händen. Ohne Worte verstand Leila es, ihre Kusine zu beruhigen. Immer wieder strich sie sanft über deren Rücken, bis Wilma sich seufzend an ihrer Schulter anlehnte.

«Na siehst du, jetzt ist es schon besser», wie ein Kind wiegte Leila sie in den Armen, «komm mit in die Küche. Juste braut uns einen Tee und dann reden wir in aller Ruhe darüber, was jetzt als Erstes zu tun ist. Was meinst du, kannst du dich dazu überwinden?»

In der Küche stand schon der Tee bereit und ein Zettel lag auf dem Tisch mit der Nachricht von Juste, dass sie unterwegs sei und Alexander abholen würde, man solle sich keine Gedanken machen. Leila sah mit Erstaunen die in kindlichen Buchstaben gemalte Mitteilung, sie hatte nicht gewusst, dass ihr ehemaliges Dienstmädchen überhaupt schreiben konnte.

Bis Juste mit Wilmas Söhnchen zurückkehrte, hatte die sich soweit wieder im Griff, dass sie Alexander von der bevorstehenden Reise erzählen konnte, ohne gleich wieder in Tränen auszubrechen.

«Mama, ist der Großvater jetzt ein Engel? Im Kindergarten haben sie gesagt, wenn jemand stirbt, dann wird er ein Engel, aber nur, wenn er immer artig war. Du, Mama, war der Großvater immer artig?»

Mühsam unterdrückte Wilma bei diesen Worten aus dem Mund ihres ahnungslosen Kindes ihre Tränen.

«Ich glaube schon, mein Liebling, dass dein Großvater ein guter Mensch war. Nun wird er ein sehr guter Engel sein, der vom Himmel aus dir zuschaut und auf dich aufpasst.»

«Das ist ja prima», Alexander lachte schon wieder, «dann verhaut er ganz bestimmt den Franz, der mir immer mein Frühstücksbrot wegnehmen will.»

«Ach Alexander», wider Willen stimmte Wilma in sein Lachen ein, «so ein Engel ist nicht dazu da, andere kleine Jungs zu verhauen. Mit Franz wirst du ganz bestimmt auch so fertig. Der tut nur immer so stark, in Wirklichkeit ist er ein armes Mäuschen, das zu Hause nie genug zu essen bekommt, weil seine Eltern wenig Geld haben. Verstehst du?»

«Ja, das verstehe ich», Alexander nickte und wandte sich an Juste, «machst du mir jetzt immer zwei Frühstücksbrote, dann kann ich Franz eins abgeben und hab selber auch noch was. Bitte», fügte er noch schnell hinzu.

Wilma war in diesem Moment unglaublich stolz auf ihren Sohn und dessen rasche Auffassungsgabe. Er hatte zudem noch mit seiner Treuherzigkeit dafür gesorgt, dass die erste überwältigende Trauer in ihr, einem ruhigeren, wehmütigen Bewusstwerden ihres Verlustes gewichen war.

Später kam auch Jette nach Hause, und wie so oft in letzter Zeit, saßen die Frauen beisammen und versuchten, die anstehenden Probleme gemeinsam zu lösen. Als Erstes wollte Wilma der Mutter telegrafieren, dass sie so schnell wie möglich nach Kappeln käme. Jette übernahm es, sich nach der Abfahrt eines Zuges zu erkundigen, der in Richtung Kiel fuhr. Juste, die Praktische, bügelte noch schnell ein paar von Alexanders Sachen und packte das Richtige in die Reisetasche. Leila hing ihren eigenen Gedanken nach und schreckte hoch, als Wilma sie ansprach.

«Sag Leila, du hast doch jetzt eigentlich viel freie Zeit, ehe du dein Studium antrittst. Nach Italien kannst du doch immer noch. Jetzt brauche ich dich, denn für mich allein ist die lange Fahrt mit Alexander an der Hand doch anstrengend. Hättest du nicht Lust, uns zu begleiten? Es ist kein schöner Anlass, aber ich bitte dich als Kusine und Freundin darum, damit ich auf der Fahrt nicht ständig grübele und traure. Bitte, sag zu.»

Leila sah Wilma überrascht an, woher wusste sie, dass sie selbst mit dem gleichen Gedanken spielte, sich aber nicht aufdrängen wollte.

«Du wirst dich wundern, liebe Wilma, ich komme sogar gern mit, vor allem, weil ich dieses Kappeln gern kennenlernen würde. Und außerdem kann ich dich unmöglich allein fahren lassen, wer weiß, wo du dann ankämst!»

Wilma lächelte, sie kannte Leilas Sprüche gut und nahm ihr nichts übel. Wie sehr sie sich über die Zusage freute, sagte sie ihr gern.

Es fiel ihr siedendheiß ein, dass sie Carl von der veränderten Situation benachrichtigen musste, aber sie hatte keine Ahnung, wo er zur Zeit wohnte. Bei seiner Frau war er wohl kaum, das konnte sie sich nicht vorstellen. Er wird ein Zimmer gemietet haben, vermutete sie, wo, das entzog sich ihrer Kenntnis.

«Ist doch ganz einfach», Juste meldete sich zu Wort, «der Carl kommt ganz bestimmt wieder her. Du schreibst ihm, was passiert ist, und ich geb ihm den Brief. Dann kann er dir antworten.»

«Juste, du hast immer die besten Einfälle», lobte Wilma, «genauso machen wir es. Und jetzt sollten wir versuchen, noch ein wenig Schlaf zu bekommen, denn die Fahrt nach Kappeln ist lang und anstrengend. Besonders wenn wir so ein wissbegieriges Kind wie Alexander dabei haben. Er wird uns unterwegs mit tausend Fragen löchern. Also gute Nacht, liebe Freundinnen, es ist schön, euch an meiner Seite zu wissen.»

Die blutrot aufgehende Sonne am nächsten Morgen sah Wilma, Leila und Alexander bereits im Zug sitzen und dem Norden entgegeneilen. Jedes Rattern der Räder, jeder Pfiff der dampfenden Lokomotive brachte sie ein Stückchen näher an die kleine Stadt an der Schlei, wo Friederike mit Meta zusammen die letzten beiden Nächte bei Wilhelm Totenwache gehalten hatten.

Stumm saßen sie dicht beieinander neben dem Bett, auf dem er aufgebahrt lag und ließen ihn in ihren Erinnerungen noch einmal aufleben. Friederike sah sich selbst als junge Braut an seiner Seite, eine Rieke, die voller Erwartung in das Leben mit Wilhelm war und freudig ihm in den fernen Norden zog. Sie wusste, er würde immer für sie da sein und alles für sie tun, was in seiner Macht stünde. Er war ihr in all den Jahren, ihr Halt und ihre Liebe. Es würde nie wieder so werden wie früher, denn Wilhelm war nicht mehr.

In Metas Erinnerungen tauchte Wilhelm als der ruhige, zuverlässige Fels in der Brandung auf, der die innige Freundschaft zwischen ihr und Rieke stets toleriert und gutgeheißen hatte. Sie dachte an schöne Feste, die beide Ehepaare miteinander verbracht hatten. Nur einmal war sie ihm böse, als er sich, so neu und unerfahren, wie er war, von missgünstigen Menschen dazu hatte verleiten lassen, seiner Frau den Umgang mit ihr zu verbieten. Er hatte es kurz darauf bereut und seine unglückliche Entscheidung wieder rückgängig gemacht. Meta konnte sich nicht vorstellen, wie ein Leben ohne Wilhelm nun aussehen sollte. Als guter Nachbar und noch besserer Freund schien er unersetzlich zu sein. Im Stillen versprach sie ihm, dass sie sich um Rieke kümmern würde, ihr zur Seite stehen und Trost spenden wolle. Sie spürte, dass er das wusste, wo immer sich jetzt seine Seele befand.

Der Morgen graute, die strahlende Helligkeit der aufgehenden Sonne schien nicht zu dem traurigen Anlass zu passen. Meta erhob sich, strich Rieke liebevoll übers Haar und ging in die Küche, wo Annchen schon dabei war, ein Frühstück zu richten, das niemand anrühren mochte.

Wenig später fuhr der Zug mit einer ziemlich übernächtigten Wilma, einem quengeligen Alexander und einer neugierig aus dem Fenster schauenden Leila ein. Die hatte, seit sie einen Blick aus dem Waggonfenster auf die Ostsee werfen durfte, der Ankunft in Kappeln entgegengefiebert. Den Grund konnte sie nicht benennen, hatte sie sich vielleicht Hals über Kopf in das Land zwischen den Meeren verliebt? Gab es das? Konnte man sich in ein Lang verlieben, wie in einen Menschen? Sie ergab sich diesem ungewohnten und glückseligen Gefühl und sprang als Erste übermütig aus dem Zugabteil. Sie landete beinahe in den Armen eines Mannes, der sie verwundert ansah und den Blick nicht mehr von ihr abwenden konnte. Er war nicht viel größer als sie, hatte ein sehr gepflegtes Äußeres, mit blondem Haar, blauen Augen und einem Lächeln, das sie gleich für den Unbekannten einnahm.

Wilma, die ungeduldig darauf wartete, endlich aussteigen zu dürfen, schob Leila energisch zur Seite, drängelte sich mit Alexander an ihr vorbei, um dann wie angewurzelt stehenzubleiben.

«Jan», rief sie überrascht, «bist du das wirklich? Kann das wahr sein? Oh mein Gott, Jan, wie lange haben wir uns nicht gesehen!»

Jan Paulsen, es war tatsächlich Wilmas Jugendfreund, löste sich nur ungern vom Anblick dieser rothaarigen Schönheit, die ihm genauso tief in die Augen schaute, wie er ihr. Sie war kein Mädchen mehr, eher eine Frau, die zu wissen schien, was sie wollte. So groß wie er selbst war sie, gertenschlank, mit unglaublich heller Haut und ein paar reizenden Sommersprossen neben der schmalen Nase. Und dann dieser Mund, nur zu gern hätte er ihn gleich geküsst. Da zupfte ihn jemand am Ärmel und endlich drehte er sich um. Ein kleiner Junge stand da und schaute ihn mit offenem Mund an. Daneben stand...er konnte es kaum glauben, so sehr hatte sich seine Jugendliebe verändert.

«Minchen, sag, bist du das? Mein Minchen?»

«Und ob, in voller Schönheit», konterte Wilma, um die erste Verlegenheit zu überspielen, «und das ist meine Kusine Leila aus Berlin. Sie ist das erste Mal hier in Kappeln, also verdirb den guten Eindruck von unserem Städtchen nicht.»

«Und das», Wilma wandte sich Leila zu und deutete auf Jan, «das ist Jan Paulsen, mein bester und ältester Freund, Gefährte meiner Kindheit und meine allererste große Liebe.»

«Wunderbar, dich zu sehen, Minchen», Jan kam allmählich zu sich, «du bist noch schöner geworden, dabei warst du als junges Mädchen schon attraktiv.»

«Und trotzdem kannst du die Augen nicht von Leila lassen», Wilma lachte, «können wir jetzt endlich nach Hause, ich will sehen, wie es meiner Mutter geht und du bist ja bestimmt morgen auch noch hier.»

So leicht ließ sich Jan nicht abwimmeln. Er griff sich Wilmas Reisetasche und Leilas kleinen Koffer und ging voran.

«Ich war übrigens euer Empfangskomitee», rief er über die Schulter zurück, und verschwieg, dass auch er gerade erst angekommen war, «so schnell werdet ihr mich nicht mehr los.»

Wilma eilte hinterher. Alexander mit sich ziehend, überholte sie Jan, der sich gern zurückfallen ließ, um mit Leila zu plaudern. Wilma eilte dem kleinen Haus entgegen, in dem sie ihre Mutter wusste, die sie sehnsüchtig erwarten würde. Keinen Blick hatte die aus Berlin heimgekehrte Wilma für die vielen

Veränderungen, die aus dem kleinen Ort Kappeln inzwischen eine ansehnliche Stadt gemacht hatten. Sie wollte nur heim, zur Mutter, sie trösten und von ihr getröstet werden. Dass ihr Vater nicht mehr da sein sollte, war für sie ein noch ungewohnter, schmerzhafter Gedanke.

Sie mochte nicht anklopfen, nicht wie ein beliebiger Besucher wirken, deshalb ging sie den schmalen Gang zwischen den beiden Häusern von Rieke und Meta hindurch, gelangte in den Garten und trat durch die, wie vermutet, weit geöffnete Terrassentür in den Salon. Sie blieb stehen, sammelte sich, um ihrer Mutter etwas gefasster gegenübertreten zu können, da sah sie Riekes schmale Gestalt in schwarzer Trauerkleidung am Klavier sitzen. Die Hände ruhten auf den Tasten, sie zitterten kaum merklich und leise, beinahe unhörbar, sang die Mutter das zu Herzen gehende Lied von Franz Schubert, das Wilma als Kind so oft mitgesungen hatte. Sie tat es auch jetzt, flüsterte die Worte für ihren Vater, der seine letzte Reise angetreten hatte.

«Wohin soll ich mich wenden, wenn Gram und Schmerz mich drücken?
Wem künd ich mein Entzücken, wenn freudig pocht mein Herz?
Zu Dir, zu Dir, o Vater, komm ich in Freud und Leiden;
Du sendest ja die Freuden, Du heilest jeden Schmerz.»

Wilma brach mit einem Schluchzen ab, Rieke hörte es und drehte sich zu ihr um. Still stand sie auf, ging zu ihrer Tochter, der die Tränen übers Gesicht liefen und nahm sie wortlos in den Arm. So standen sie noch, vereint in Trauer und Schmerz, sich gegenseitig Trost spendend, als Leila in der Tür stand, den kleinen Alex neben sich, der mit großen Augen auf Mutter und Großmutter sah.

«Bist du das, Großmutter, warum weinst du? Hast du dir wehgetan?»

Mit seiner unbefangenen Kinderart brach er das kummervolle Schweigen, das über dem kleinen Haus lag, in dem Rieke und Wilhelm so lange miteinander glücklich waren. Endlich löste Rieke sich von Wilma und nahm ihren Enkel in den Arm. Der ließ sich das nur kurz gefallen, riss sich los und rannte in die Zimmerecke, wo der große Käfig stand, in dem der Papagei mit hängenden Flügeln auf seiner Stange hockte.

«He, Papagei», Alexander hielt ihm eine Nuss hin, «kannst du wirklich nicht reden? Oder willst du bloß nicht? Meine Mama hat mir von dir erzählt.»

Der Kleine streckt seine nicht ganz saubere Jungenhand in den Käfig, da schoss Wilma heran und riss ihn erschrocken zurück.

«Hast du Finger zu viel? Willst du, dass der Vogel sie dir abbeißt? Sein großer Schnabel ist richtig scharf.»

Niemand achtete auf den Papagei, der immer näher an die Käfigstangen kam, seinen Kopf neigte und sich dagegen drückte.

«Minchen», kam es deutlich aus seiner Ecke, und noch einmal, «Minchen.»

«Mama, du hast gelogen», Alex sah Wilma vorwurfsvoll an, «der komische Vogel kann ja doch sprechen. Los, sag es noch mal», befahl er dem Papagei.»

Der Vogel gehorchte und Wilma kraulte gerührt, wie in ihren Kinderzeiten, sein heruntergeneigtes Köpfchen.

«Siehst du Minchen, nicht einmal der Vogel hat dich vergessen», Jan war mit Meta, seiner Mutter unbemerkt hinzugekommen, «willkommen zu Hause.»

Für diesen Tag war das Eis der Trauer erst einmal gebrochen. Sie saßen alle zusammen unter der großen Kastanie im Garten und ließen den unendlich langen Abend über der Schlei mit seinen sanft leuchtenden Farben ihre wunden Seelen heilen. Niemand wollte ins Bett, alle dachten daran, was am nächsten Tag auf sie zukäme, und keiner wollte allein bleiben und grübeln. Als Alexander irgendwann seine Augen nicht mehr aufhalten konnte, trug Jan ihn ins Haus, in Wilmas ehemaliges Zimmer, in dem Friederike zusätzlich das alte Kinderbett aufgestellt hatte. Klein-Alex war beinahe zu groß dafür, aber er schlief schon tief und fest, kaum dass sein Kopf das Kissen berührte.

Der Tag von Wilhelms Beerdigung ging an Wilma vorüber wie ein böser Traum, aus dem sie nicht erwachen konnte. Auch ihre Mutter ließ die vielen Beileidsbezeigungen an sich vorüber ziehen, reagierte mechanisch darauf, nickte und dankte, äußerte Nichtssagendes und war doch eigentlich da unten, in der Grube, in der Wilhelms Sarg stand. Sie hatte noch ganz früh am Morgen den Strauch mit seinen apricot-farbenen Lieblingsrosen geplündert und den schlichten Sarg damit geschmückt, bis kaum noch etwas davon zu sehen war.

Als der Pastor den letzten Segen gesprochen, der letzte der Trauergäste seine Schaufel Erde auf den Sarg getan und die letzte Hand geschüttelt war, wandte Rieke sich um und ging die lange Lindenallee den Friedhof hinauf, durch die Stadt nach Hause. Sie wollte allein sein, ertrug jetzt keine Menschen um sich, nicht einmal ihr eigene Tochter.

Wilma sah die Mutter gehen und verstand. Sie bat Meta, ihr zu helfen und gemeinsam kümmerten sie sich um die vielen Leute, die dem nahen Gasthaus zustrebten, in dem nach altem Brauch der Verstorbene zu Tisch gebeten hatte.

Es waren viele, sehr viele, wie Wilma staunend feststellte, ihr Vater war beliebt gewesen. Das wunderte sie nicht. Mehrere Reden wurden gehalten, Wilhelm Schulze als würdiger Bürger von Kappeln geehrt, man aß und trank auf sein Wohl. Irgendwann ging auch das zu Ende und Wilma war erlöst. Ihr suchender Blick galt Alexander, der im Hof unter den schattigen Bäumen mit ein paar Kappelner Kindern spielte, mit denen er sich angefreundet hatte. Eine Frau trat zögernd auf Wilma zu, schien sich nicht zu trauen, sie anzusprechen. Wilma sah genauer hin und erkannte in der gutgekleideten, ein wenig matronenhaft wirkenden Frau ihr einstiges Dienstmädchen, dem sie sich als Kind oft lieber anvertraut hatte, als ihren Eltern.

«Janne, oh liebe Janne, um ein Haar hätte ich dich nicht wiederkannt», freute sich Wilma und umarmte die Ältere innig, «es geht dir gut, hörte ich von Mama. Du hast jetzt einen eigenen Hof und einen guten Ehemann?»

«Ja, mein Minchen, darf ich überhaupt noch so zu dir sagen? Es gibt sogar einen Haufen Kinder auf unserem Hof. Nicht meine eigenen, dazu bin ich zu alt, aber meine Schwiegertochter hat drei Jungs, alle kurz hintereinander geboren. Mein Mann platzte fast vor Stolz, weil nun die Nachfolge auf dem Hof gesichert ist. Vom Gesinde haben auch einige kleine Kinder. Es geht mitunter ganz schön wild bei uns zu, aber mir gefällt es.»

Eine Weile unterhielten sich die beiden noch, dann verabschiedete sich Janne und Wilma machte sich mit Meta und Alexander auf den Heimweg.

«Komm doch noch mit zu mir», meinte Meta nachdenklich, «wir sollten deiner Mutter Zeit für sich allein lassen. Das braucht sie jetzt. Und ich, na ja, ich mag auch nicht allein zu Hause herumhocken. Verstehst du das?»

Wilma nickte, auch sie wäre jetzt nicht gern einsam, wollte die Mutter in ihrer Trauer aber nicht stören. Da fiel ihr etwas auf.

«Liebe Meta, dein Jan ist doch da, du bist nicht allein.»

«Hast du das noch nicht bemerkt?», Meta lachte, «Jan hat sich auf der Stelle in deine Leila verliebt. Sag nur, das ist dir nicht aufgefallen?»

Wilma stutzte, dachte nach und erinnerte sich dann, dass Jan und Leila nicht am Essen teilgenommen hatten, sie mussten gleich nach der Beisetzung verschwunden sein. Sie lächelte wehmütig und dachte, das Leben wäre doch immer wieder für Überraschungen gut. Dann folgte sie Meta und berichtete ihr aus dem wechselvollen Leben, das sie in Berlin führte. Alexander, der gern mit seinen neuen Freunden weitergespielt hätte, tröstete sich mit den kleinen

Kätzchen, die Metas betagte Mäusefängerin vor kurzem noch geworfen hatte.

«Das muss ein recht attraktiver Kater gewesen sein, der meine alte Minni noch herumgekriegt hat», amüsierte sich Meta und streichelte dabei ihre Katze zärtlich.

Jan und Leila, die sich wie vermutet von der Trauergemeinde abgesetzt hatten, schlenderten Hand in Hand durch Kappelns Straßen. Manchmal blieben sie stehen, um ein Gebäude anzuschauen, dessen Geschichte Jan noch kannte, dann wieder standen sie einfach nur da und sahen sich tief in die Augen. An Jans alter Schule kamen sie vorbei, am Rathaus, an der großen Kirche, doch Leila hatte nur Augen für den Mann an ihrer Seite. Nie im Leben, das hatte sie bisher geglaubt, würde sie wieder eine Liebe erfahren. Doch auf einmal schien es wahr zu werden und Jan, das ahnte sie mit der Feinfühligkeit einer Liebenden, Jan liebte sie auch. Aber heute wollte sie nicht darüber nachdenken, welche Konsequenzen diese Liebe haben könnte. Den Gedanken an eine gemeinsame Zukunft schob sie beiseite. Sie lebte heute, was morgen wäre, das würde man später sehen. Und Jan, das spürte sie deutlich, erging es ebenso.

Die folgenden Tage waren angefüllt mit Gesprächen, an denen sich zum Glück auch Friederike beteiligte. Nur wenn die Rede auf Wilhelm kam, blieb sie stumm. Der Schmerz saß noch zu tief. Es war hauptsächlich Wilma, die von dem turbulenten Leben in Berlin berichtete und die beim Gang durch die Stadt, sich verwundert umsah, so sehr hatte sich ihr Kappeln verändert. Automobile fuhren durch die Straßen, hier und da sah sie elektrische Beleuchtung. Die Tage vergingen viel zu schnell, sogar für Alexander, der kein bisschen Heimweh nach Berlin verspürte.

«Och Mama», jammerte er, als er seine Sachen einpacken sollte, «können wir nicht hierbleiben? Dann wäre die Großmama nicht allein und ich könnte weiter mit meinen Freunden an der Schlei oder hier unten im Holzlager spielen.»

Wilma erschrak! An der Schlei und im Holzlager spielen? Das erschien ihr viel zu gefährlich. Jan, der Alexanders Bitte gehört hatte, wies Wilma lachend darauf hin, dass sie beide als Kinder auf viel gefährlicheren Plätzen gespielt und es offensichtlich überlebt hatten.

«Mann, Onkel Jan», schrie Alex begeistert, «zeigst du mir, wo das war? Hat Mama immer mit dir gespielt? Und hat sie manchmal Blödsinn gemacht? War sie auch mal so klein wie ich?»

«Oh ja, Alexander, sie war sogar ein winzigkleines Kind, als ich sie das erste Mal sah, und da wusste ich, dass ich auf sie aufpassen und immer für sie da sein wollte. Daran hat sich bis heute nichts geändert.»

Wilma wurde ein bisschen rot und wandte sich ab, um die Reisetasche nach unten zu bringen. Jan nahm sie ihr ab und dabei berührten sich ganz kurz ihre Hände. Wilma zuckte zurück, als habe sie sich verbrannt. Verwirrt fragte sie sich, ob sie für Jan immer noch etwas empfand, etwas das über den Begriff «Gute Freunde» hinaus ging. Sie wusste es nicht, ahnte aber, dass Jan, nun ein erwachsen gewordener Mann, eine Saite in ihr zum Klingen brachte, die sie nie mehr zu hören glaubte. Doch was war mit Carl? Wenn er endlich geschieden wäre, könnten sie beide spätestens in einem Jahr miteinander verheiratet sein. Wenn, ja, wenn. Sie verscheuchte die Gedanken an Carl, richtete sich auf und war bemüht, sich auf etwas anderes, etwas Naheliegenderes zu besinnen, auf ihre Mutter. Friederike, die instinktiv spürte, was in ihrer Tochter vorging, nahm ihr die anstehende Entscheidung ab.

«Kind, quäle dich nicht mit dem Gedanken, hierzubleiben und dich um mich zu kümmern, nur weil du glaubst, dass es deine Pflicht wäre. Du hast ein eigenes Leben in Berlin, da gehörst du jetzt hin. Hier in Kappeln gäbe es keine Arbeit für dich, Kindergärten haben wir hier nicht, noch nicht. Außerdem wartet doch ein gewisser Carl auf dich, wenn ich das richtig verstanden habe. Mach dir keine Sorgen um mich. Meta ist für mich da und wir zwei alten Weiber werden unser Leben so einrichten, wie es uns gefällt. Und jetzt, wo ich keine Rücksicht mehr auf Wilhelm und seine Gesundheit nehmen muss, ist es einfacher, wenn ich dich in Berlin besuche, als für dich, hier wohnen zu wollen.»

«Mama», bei Wilma flossen wieder die Tränen, «das mag ja alles richtig sein, trotzdem lasse ich dich nur ungern allein hier zurück. Du könntest ja auch nach Berlin ziehen, immerhin bist du dort geboren und aufgewachsen. Wie wäre das?»

Friederike musste nicht erst überlegen. Behutsam machte sie ihrer Tochter klar, dass sie nicht von Kappeln fortgehen wollte.

«Liebes, verstehe mich richtig. Hier, in diesem Haus, das Wilhelm für uns gekauft hat, war ich so lange mit ihm glücklich. Hier ist seine letzte Ruhestätte und nur hier kann ich ihn jeden Tag besuchen und mit ihm reden. Hier ist Meta, meine beste Freundin und alle anderen Menschen in und um Kappeln, die ich in all den Jahren kennen und lieben gelernt habe. Das verstehst du doch?»

Wilma sah es ein und verabschiedete sich schweren Herzens von ihrer Mutter. Sie sah noch lange aus dem Fenster des abfahrenden Zuges, bis die schmale, in schwarze Trauergewänder gehüllte Gestalt Friederikes immer kleiner wurde und schließlich verschwand.

Hastig wischte sie sich die Tränen aus dem Gesicht und versuchte für ihr Söhnchen zu lächeln, obwohl sie sich wie zerrissen fühlte, zwischen der endlich wiedergefundenen Liebe zu ihrer Mutter und Carls Liebe in Berlin, die sie bald offiziell leben dürfte. Sie setzte sich und sah zu, wie Leila dem Jungen ein kompliziertes Fingerspiel zeigte. Die beiden lachten vergnügt und ausgelassen und Wilma stutzte. Hatte ihr Eindruck sie getrogen? War es bei Leila und Jan doch nicht die Liebe auf den ersten Blick gewesen? Wie anders konnte sie es sich erklären, dass Leila scheinbar ungerührt ihren gerade erst gefundenen Liebsten in Kappeln zurückließ und sich fröhlich mit Alexander beschäftigte? Ob es daran lag, dass Jan schon in wenigen Wochen Kappeln und seine Mutter wieder verlassen und nach Amerika zurückkehren würde? Leila hingegen wollte ihren großen Traum, als Ärztin zu wirken, wahr werden lassen und ginge bald dafür in die Schweiz. Für die beiden schien es keine Erfüllung ihrer Liebesträume zu geben, oder war alles ganz anders und Wilma hatte sich die Liebelei der Kusine nur eingebildet?

In Berlin angekommen griff der Alltag schnell wieder nach ihr. Von Carl war bisher keine Nachricht gekommen, weder nach Kappeln, noch hatte er sich bei Jette und Juste blicken lassen. Ein nicht greifbares, unheilvolles Gefühl ließ Wilma unruhig werden, sie verdrängte es, konzentrierte sich auf ihre Arbeit, die im Moment nicht gerade einfach war, denn einige Eltern der Kindergartenkinder mischten sich für ihren Geschmack zu sehr in den Alltag des Kindergartens ein. Da war Leilas Bitte um ein Gespräch, wenige Tage nach ihrer Rückkehr, eine willkommene Abwechslung.

«Ich gehe fort», begann Leila ohne Umschweife, «nicht in die Schweiz, wie du dir gedacht hast. Wie du möglicherweise mitbekommen hast, haben Jan und ich uns ineinander verliebt. Es ist mehr als das, es ist Liebe, richtige, wahre, unendlich große Liebe. Deshalb haben wir beschlossen zusammenzubleiben, für immer.»

Wilma hielt den Atem an, sie hatte sich also doch nicht getäuscht und freute sich sehr für Jan und Leila. Seltsam nur, dass ein kleiner Stachel der Eifersucht in ihrem Herzen blieb. Da sprach Leila schon weiter.

«Jan hat mich davon überzeugt, dass ich, statt in der Schweiz, genauso gut in Amerika Medizin studieren könnte. Es wäre sogar leichter, da dort auch ein Doktortitel bei Frauen anerkannt würde, was hier leider immer noch nicht der Fall ist. Weil ich ohnehin schon alles gepackt und meinen Hausstand soweit aufgelöst habe, entschloss ich mich, so schnell wie möglich, mit Jan in die Vereinigten Staaten zu fahren. Dort werden wir heiraten und ich kann gleich mit dem Studium beginnen. Weißt du, wie unsagbar glücklich ich bin? Wie danke ich dem Schicksal, dass ich Jan kennenlernen durfte. Er ist der Mann, auf den ich mein Leben lang gewartet habe.»

Wilma schluckte die Bedenken, die ihr in den Sinn kamen, rasch herunter. Sie sah die Liebe in Leilas Augen und wünschte ihr alles Glück der Welt. Auch an Jan dachte sie und dass er es verdient hatte, eine Frau wie Leila zu finden, mit der er glücklich werden konnte. Daran, dass Amerika ziemlich weit weg war, daran mochte sie jetzt nicht denken.

Viel zu schnell stand sie wieder am Bahnsteig und winkte lange dem Zug hinterher, der ihre Kusine nach Kappeln zu Jan bringen würde. Von dort ginge es für das Paar weiter nach Hamburg und dann mit dem Schiff nach Amerika. Sie freute sich für die beiden, auch wenn sie Leila und Jan vielleicht nie wiedersehen würde. Warum muss es ausgerechnet Amerika sein, dachte Wilma traurig, die Leila jetzt schon vermisste. Dann flogen ihre Gedanken zu Carl, der leider immer noch nichts von sich hatte hören lassen. Wo mochte er nur sein? Was war geschehen? Wie lange sollte sie noch auf ihn warten? Kam denn kein anderer Mann für sie infrage? Wilma drehte die ungelösten Fragen im Kopf hin und her, bis ihr schwindlig wurde und sie sich wünschte, dass ihr Karussell des Lebens sich ein klein wenig langsamer drehen möge. Sie hätte gern die Zeit und die innere Gelassenheit, sich einmal in ihrer Nähe umzuschauen. Es gab noch andere Männer, die für sie vielleicht interessant wären.

Da war der Mann, der sein Töchterchen immer selbst in den Kindergarten brachte und auch wieder abholte. Wilmas Kolleginnen flüsterten sich zu, er sei Witwer, gutsituiert, gutaussehend, so einen sollte man sich nicht entgehen lassen. Hatte dieser Mann, wie hieß er noch? Sie dachte nach, doch es fiel ihr nicht ein. Hatte der sich neulich nicht ziemlich auffällig nach ihr umgeschaut? Da tat sie es noch als unwichtig ab, denn sie hatte doch Carl, andere Männer interessierten sie nicht. Aber das richtig? Ihr Leben zerrann ihr zwischen den Fingern mit dem ständigen Warten auf ihn, ständig war er unterwegs, zu irgendwelchen weit entfernten Ausgrabungen. Die wenigen Monate, die sie miteinander verbracht hatten, konnte sie an einer Hand abzählen. Wollte sie wirklich den Rest ihres Lebens auf ihn warten?

«Lass das Grübeln», befahl sie sich energisch, «das bringt nichts, außer schlechter Laune.»

In eben diesem Moment öffnete Juste die Tür und Carl marschierte mit grimmiger Miene zu Wilma herein. Wütend warf er seinen Hut aufs Bett, sah sie nicht an, sondern rannte im Zimmer auf und ab wie ein gefangener Löwe.

«Jetzt reicht es mir», knurrte er, «diese Schlampe! Wagt Leonore es doch, tatsächlich, mir zu sagen, dass es mit der Scheidung nichts wird. Ihr Baron hat herausgefunden, dass sie noch verheiratet ist, wo sie ihm doch vorgelogen hat, sie sei Witwe. Jetzt will er sie nicht mehr, hat eine andere, jüngere und reichere Frau gefunden und lässt Leonore sitzen. Geschieht ihr Recht! Aber ich habe sie leider immer noch am Hals, kann mich nicht scheiden lassen und muss ihr immer noch Unterhalt in den unersättlichen Rachen stopfen. Ich weiß einfach nicht mehr weiter!»

Tief enttäuscht wandte Wilma sich ab. Warum kam kein Wort davon über Carls Lippen, wo er sich so lange aufgehalten hatte und warum er ihr nicht schrieb, sie nicht benachrichtigt hatte, dass er in Berlin war. Mit keinem Wort fragte er, wie es ihr ging, nach dem plötzlichen Tod ihres Vaters. Er dachte nur an sich selbst. Das Schlimmste für sie war, dass sein Versprechen, sie zu heiraten, also auch schon wieder hinfällig war. Wusste er nicht, wie sehr sie ihn vermisste, wie lange sie bereits auf ihn gewartet hatte? Und nun sollte es wieder so sein, getrennt von ihm leben, womöglich jahrelang? Das konnte und wollte sie nicht mehr und das sagte sie ihm auch. Einen unerträglich langen Augenblick herrschte atemlose Stille zwischen ihnen. Wilma, die ihre harten Worte schon bereute, machte einen zaghaften Schritt auf ihn zu, doch Carl sah sie entgeistert an, öffnete den Mund, als wolle er etwas sagen. Dann dreht er sich schlagartig um und ehe er die Tür hinter sich zuknallte, hörte sie ihn noch rufen:

«Dann gehe ich eben und mache das, was ich am besten kann, irgendwo in einer Wüste, wo keine hysterischen Weiber mir auf die Nerven gehen...»

In diesem Moment klingelte das Telefon. Wilma hob den Hörer ab und hörte Leilas Stimme, die atemlos rief:

«Wilma, kannst du schnell kommen? Ich heirate in der Kappelner Kirche, am nächsten Sonntag. Meta hat sich das so sehr gewünscht und ihr zuliebe erfüllen wir ihre Bitte. Ich hätte dich sehr gern als Trauzeugin dabei. Und bitte Wilma, bringst du mir ein Hochzeitskleid mit, hier gibt es nichts, was mir auch nur annähernd passt.....»

Wilma fiel der Telefonhörer aus der Hand....

41. Berlin, im August 1908

Endlich fiel die Tür hinter Alexander und Juste zu, Wilma atmete erleichtert auf. Seit ihr Söhnchen zur Schule ging, war er noch zappeliger geworden, stellte unablässig Fragen und schwärmte von seinem Lehrer in den höchsten Tönen und verstieg sich dazu, seine Mutter zu fragen, ob sie ihn nicht heiraten könne.

«Dann wäre das wie den ganzen Tag Schule», trumpfte er auf und verstand nicht, warum Wilma und Juste lachten.

Es war Sonntag, ein richtig heißer Augusttag und die Sonne brannte vom wolkenlosen Himmel herab. Juste hatte eine gute Idee.

«Weißt du Wilma, ich glaube, du könntest mal einen Tag Ruhe gebrauchen. Was hältst du davon, wenn ich unseren Kleinen hier gleich einpacke und mit der Wannseebahn rausfahre zum Baden? Er kann sich im Wasser abkühlen und du hast Zeit für dich. Du siehst schon ganz heruntergekommen aus.»

«Juste hat ein gutes Auge dafür, wie es uns geht», dachte Wilma und gab gern ihre Erlaubnis. Sie blieb im Haus, zog die Vorhänge zu und sorgte für einen kühlenden Durchzug. Entspannt legte sie sich aufs Bett und nahm das Buch zur Hand, in dem sie schon seit Tagen weiterlesen wollte. Dabei kam der Brief zum Vorschein, den Leila ihr aus Chicago geschrieben hatte. Es ginge ihr gut, sie lerne eifrig und das Leben mit Jan sei noch schöner, als sie es sich vorgestellt habe. Nur die Amerikaner wären gewöhnungsbedürftig. Sie würden ihre Erbsen mit dem Messer essen. Bei dieser Vorstellung kicherte Wilma und dachte an Leilas übereilte Hochzeit zurück. Dass sie und Jan auf Metas sehnlichen Wunsch Rücksicht genommen hatten, fand Wilma verständlich, die Bitte nach dem Brautkleid, traf sie äußerst schmerzhaft. Leila konnte nichts ahnen von dem Streit zwischen ihrer Kusine und Carl, wie sollte sie auch. Wilma gab ihrem Herzen einen Stoß und packte für Leila das Brautkleid ein, das sie für sich selbst hatte anfertigen lassen, in der Hoffnung, dass sie bald vor den Traualtar treten konnte. Sie würde es nie tun, nie heiraten, schwor sie sich. Niemals wieder sollte ein Mann ihr noch einmal so nahekommen wie Carl und sie nie wieder so bitter enttäuschen. Sollte Leila doch das Hochzeitskleid haben, es war ihr gleich.

Die Hochzeit in Kappeln, so überstürzt sie auch war, blieb Wilma wie ein Traum im Gedächtnis. In der ehrwürdigen St. Nikolai-Kirche gaben sich Jan und Leila das Jawort. Meta und Friederike weinten vor Rührung, Wilma zwang sich, nicht an Carl zu denken und fuhr, so schnell es möglich war, nach Berlin zurück. Sie müsse arbeiten, schützte sie vor.

Bald verlief ihr Leben in viel zu ruhigen Bahnen, aufgeteilt zwischen Kindergarten und zuhause. Von Carl hörte sie nichts mehr. Ein Kollege, der gerade in Berlin weilte und dem sie zufällig über den Weg lief, teilte ihr mit, dass Carl bei Ludwig Borchardt am Kaiserlich Deutschen Institut für Ägyptische Altertumskunde in Kairo weilte. Es hieße, die Gruppe wären einer versunkenen altägyptischen Stadt auf der Spur. Wilma dankte für die Auskunft und weinte sich an diesem Abend in den Schlaf. Warum nur konnte sie diesen Mann nicht vergessen.

Mit Martha Liebermann traf sie sich immer noch gern und ließ sich zuweilen sogar zu einem ihrer Feste einladen, die anregende Gespräche und eine willkommene Abwechslung vom Alltag versprachen. In letzter Zeit sprach Martha aber immer öfter davon, dem Trubel der Stadt entfliehen zu wollen. Max hätte eine Villa draußen im Grünen im Sinn. Er tat gut daran, denn des Kaisers mangelhafte Zurückhaltung in politischen Belangen, sorgte für Unruhe, nicht nur in Deutschland. Mit Jette redete Wilma oft über politische Fragen und vor kurzem empörte sich die Freundin darüber, dass Admiral Tirpitz verlauten ließ, dass wir nach England die stärkste Seemacht der Welt geworden wären.

«Und unser Kaiser will es bis zur Spitze bringen, nur weil ihm die Uniform der Marine so gut gefällt», stichelte Jette, «oder ist es dir noch nicht aufgefallen, dass alle kleinen Jungs jetzt plötzlich in Matrosenanzüge gesteckt werden?»

«Oh ja, Alexander kam gestern erst an und wollte unbedingt so ein Ding. Das trügen jetzt alle, jammerte er, die anderen würden ihn auslachen, wenn er als Einziger keinen Matrosenanzug bekäme. Was soll ich machen?»

«Diese Anzüge gibt es schon länger, liebe Wilma, nur konnten sich früher nur die Adligen und Reichen solche Kleidung für ihre Kinder leisten. Es liegt an des Kaisers Besessenheit für seine Marine, dass es jetzt auch Anzüge aus preiswerterem Material gibt. Du solltest Alexander den Wunsch erfüllen. Ihn schützt es vor dem Spott der Klassenkameraden und du musst ihn doch ohnehin neu einkleiden, so wie er in letzter Zeit in die Höhe geschossen ist.»

Nur ungern gab Wilma zu, dass die Freundin recht hatte. Dass aus ihrem kleinen Sohn ein richtiges Schulkind geworden war, hoch aufgeschossen und dünner als je zuvor, war nicht zu übersehen. Seufzend wandte sie sich wieder ihrem Buch zu, aber die Konzentration war dahin. Vielleicht sollte sie ihrer Mutter endlich wieder einen Brief schreiben. Von ihr kamen seltene, spärliche und beinahe nichtssagende Nachrichten. Die Mutter vergrub sich in ihre Trauer und nahm nur wenig am Leben teil. Sie hätte doch in Kappeln bleiben sollen, warf sich Wilma vor und nahm Papier und Stift zur Hand. Da stürmte Jette mit den neusten Nachrichten herein und Wilma wusste, was sie der Mutter unbedingt mitteilen musste.

«Liebes Mütterlein,   *Berlin, im heißen August 1908*

«Gerade habe ich eine wichtige Neuigkeit erfahren, von der ich Dir auf der Stelle schreiben will. Es ist eine Sensation, weil wir Frauen damit beinahe schon nicht mehr gerechnet haben. Ein Erlass des preußischen Kultusministeriums erlaubt die Immatrikulation von Frauen an den Universitäten. So können zum Wintersemester 1908/09 an der Berliner Friedrich-Wilhelm-Universität erstmalig Studentinnen immatrikuliert werden. Das wurde heute bekannt gegeben. Du ahnst sicher, wie glücklich ich über diese Entwicklung bin, welch ein großartiger Sieg wurde da errungen. Ein wenig mag das Verhalten unserer Kaiserin Auguste Viktoria dazu beigetragen haben, als sie vor kurzem das Haus des 1866 in Berlin gegründeten »Vereins zur Förderung höherer Bildung und Erwerbsfähigkeit des weiblichen Geschlechts« den Lette-Verein, besichtigt hat. Das Frauenstimmrecht, das sich in unserem Nachbarland Dänemark vor kurzem durchsetzen konnte, wirkt wie ein wichtiges Fanal für uns Frauen, auf dem schweren Weg zur Freiheit von der Bevormundung durch die Männer. Wie gut mir das tut, als alleinstehender Frau und Mutter eines Kindes ohne offiziellen Vater. Frauen wie ich leiden unter den Vorurteilen und Verachtung der Gesellschaft. Meinen Alexander kümmert das wenig. Er geht gern zur Schule, ist ungemein stolz darauf und würde mich zu gern mit seinem Lehrer verkuppeln. Da habe ich aber ein Wörtchen mitzureden. Weil es hier heiß ist, fahren wir, Alex, Juste und ich, oft mit der Bahn zum Wannsee, wo es ein Freibad gibt. Der Junge ist eine richtige Wasserratte geworden. Grüße Meta von Herzen von uns und sei nicht traurig, du bist nicht allein. In Gedanken bin ich bei Dir, in Liebe, Deine Tochter Wilhelmine.»

Verlief ihr Leben in ruhigeren Bahnen, überlegte sie, manchmal kam es ihr zu still vor. Wilma wollte ihre Mutter nicht beunruhigen, doch seit Carl mit zorniger Miene aus ihrer Wohnung gerannt war, fühlte sie sich einsam. Sicher, da waren Juste, Jette, die Kolleginnen im Kindergarten und natürlich Alexander, aber sie waren kein Ersatz für die Liebe eines Mannes.

Niedergeschlagen starrte Wilma aus dem Fenster und sah ihren Sohn hüpfend die Straße herunter kommen. Wenigstens Alexander ging es gut, tröstete sie sich. Da stürmte der Junge auch schon ins Zimmer.

«Mama, Mama», schrie er, Jungs in seinem Alter können nicht anders, als sich zu laut zu äußern, «du sollst in die Schule kommen, unser Lehrer hat gesagt, er müsste unbedingt mit dir reden. Gleich morgen. Gehst du hin, Mama?»

«Was hast du wieder ausgefressen? Hoffentlich ist es nichts Schlimmes», Wilma kannte ihren Jungen, «gut, du kannst deinem Lehrer ausrichten, dass ich dich morgen von der Schule abhole und dann Zeit für ihn habe.»

Wilma stand am folgenden Tag in der Schule und wartete darauf, dass der Unterricht zu Ende wäre. Die Tür zum Klassenraum öffnete sich und die Schüler stürzten heraus, als gälte es ihr Leben. Auch Alexander lief an ihr vorbei, tat, als ob er sie nicht sähe. Sie schaute ihm verwundert nach, da sprach eine tiefe Männerstimme sie an.

«Gnädige Frau, was kann ich für Sie tun?»

Wilma drehte sich um und sah sich einem Mann gegenüber, der ihr sofort ein Gefühl von Sicherheit und Vertrauen vermittelte. Groß und breitschultrig sah er aus, mit blondem, leicht zerzaustem Lockenkopf und blaugrünen Augen, in denen sich das Meer zu spiegeln schien.

«Verzeihen Sie», Wilma geriet beinahe ins Stottern und musste sich darauf konzentrieren, warum sie hier war, dieser Mann verwirrte sie, «mein Sohn, Alexander Schulze, sagte mir, das Sie mich sprechen wollen.»

«Und mir sagte er, dass Sie es wären, die unbedingt mit mir reden will», der Mann lachte herzlich und stellte er sich vor, «entschuldigen Sie, ich bin Walter Dernau, der Klassenlehrer. Dieser Schlingel, was hat er sich dabei gedacht?»

«Und mein Name ist Wilhelmine Schulze. Was hat dieser Bengel damit bezwecken wollen? Bitte verzeihen Sie dieses Missverständnis.»

Wilma sprach noch eine Weile mit dem Lehrer und machte sich dann auf den Heimweg. Zwei meergrüne Augen sahen ihr nach, sie nahm es nicht wahr...

42. Kappeln, kurz vor Weihnachten 1909

Wieder ging ein Jahr zu Ende, ein ganzes Jahr ohne Wilhelm. Für Friederike tröpfelte die Zeit nach Wilhelms Beerdigung gleichförmig dahin, ohne große Höhen und Tiefen. Nichts konnte sie aus ihrer tiefen Trauer herausholen, Meta verzweifelte fast daran, bis... ja bis eines Abends, kurz vor Weihnachten, ihr eine junge Frau in die Arme taumelte.

Es war früh dunkel geworden an diesem Tag, sie hatte Wilhelm besucht auf dem Friedhof, wie an jedem Tag. Heute hielt sie ein wenig länger mit ihm Zwiesprache als sonst, vielleicht, weil sie sich in dem Trubel vor Weihnachten noch einsamer fühlte, wie an anderen Tagen. Sie erreichte das Friedhofstor, das auf die Flensburger Straße führte, da kam ihr eine Frau entgegen, mit seltsam taumelnden Schritten und fiel ihr direkt in die Arme.

Rieke geriet ins Wanken, war sie nicht gerade die Kräftigste, doch es gelang ihr stehenzubleiben und die Frau festzuhalten.

«Geht es wieder? Können Sie auf ihren Füßen stehen?»

Die Frau nickte nur und im schwachen Schein der weiter entfernten Straßenlaterne sah Rieke in ein junges, blasses Gesicht. Sie hakte die Frau unter und ging langsamen Schrittes mit ihr in die Richtung der Kirche. Da fiel ihr ein, zu fragen, wo die junge Frau wohne und ob sie, Rieke, sie nach Hause begleiten solle. Fast unhörbar kam die Antwort.

«Das wäre sehr freundlich von Ihnen, ich wohne nicht weit, am Dehnthof, wenn es Ihnen nicht zu viele Umstände macht.»

«Bis dahin schaffe ich es», dachte Rieke und fasste die Frau unter die Arme.

«Wer sind Sie....». wollte sie noch fragen, hupte es neben ihnen und ein Automobil hielt an. Das Gefährt kannte jeder in Kappeln. Es gehörte Dr. Gustav Spliedt, der schnell ausstieg und die beiden Frauen fragend ansah.

«Nun, liebe Frau Kollborn, macht Ihnen die Atemnot wieder zu schaffen? Soll ich Sie in meine Praxis bringen? Dort kann ich sie gleich untersuchen.»

«Aha, das ist also die Frau von Wilhelms jungem Nachfolger», dachte Rieke, da brauste Dr. Spliedt schon mit seiner Patientin davon, ehe diese sich bei Rieke für ihre Hilfe bedanken konnte. Langsam ging sie nach Hause, wo Annchen sie mit einem heißen Tee erwartete, dem sie einen ordentlichen Schuss Rum beigefügt hatte.

«Du weißt doch genau», schalt Rieke halbherzig, «dass ich eigentlich keinen Alkohol trinke.»

«Das hier ist kein Alkohol, sondern Medizin, Frau Schulze», verteidigte sich das Dienstmädchen, «Sie müssen bei Kräften bleiben und dürfen jetzt nicht krank werden. Die Frau Pastorin war vorhin hier und hat gefragt, ob Sie vielleicht die Aufsicht beim Krippenspiel übernehmen würden. Die Frau Bürgermeister hat sich wohl verkühlt und kann das nicht.»

Rieke seufzte, das weihnachtliche Krippenspiel, inzwischen zur Tradition geworden, fand nach wie vor in der Kirche statt und die war während der Proben nicht immer geheizt. Der neue Küster geizte mit dem Brennstoff und die Kirche war nur am Sonntag, während der Gottesdienste einigermaßen warm. Dass die überempfindliche Gattin des ehemaligen Bürgermeisters lieber zu Hause in ihrer warmen Stube blieb, konnte sie ihr nicht verdenken. Am nächsten Tag machte Rieke sich, warm eingehüllt, auf den kurzen Weg zur Kirche. Wie so oft holte sie sich aus der Apotheke mit dem blauen Löwen ein Schächtelchen Veilchenpastillen. Die aromatischen Zuckerperlen sollten gegen Mundgeruch helfen und Rieke fürchtete, seit ihre Zähne nicht mehr so intakt waren, dass man sie wegen schlechten Atems meiden könnte. Sie nahm sie die Abkürzung über den kleinen Platz, der sich «Kehrwieder» nannte. Warum das so war, darüber gab es unterschiedliche Auskünfte, die sie auch schon wieder vergessen hatte. Oh ja, ihr Gedächtnis ließ ebenfalls nach. Es gab keinen Zweifel, das Alter klopfte an ihre Tür und jeden Morgen entdeckte sie immer mehr graue Haare in der einstigen kastanienbraunen Pracht.

«Prächtig ist gar nichts mehr an mir», dachte sie grimmig, öffnete die schwere Kirchentür, durchquerte den Vorraum und hörte schon die Kinder schreien, hinter der schweren Tür, die in den Kirchenraum selbst führte. Ein heilloses Durcheinander erwartete sie, von Proben keine Spur. Kreischend und tobend rannten die Kinder durch die Seitengänge. Nicht einmal die Jungfrau Maria und Josef waren sich dafür zu schade. Das Jesuskind, eine Puppe, die der Tochter des Lehrers gehörte, lag unbeachtet auf dem kalten Fußboden.

Händeringend stand eine junge Frau inmitten des Getümmels und versuchte mit einem viel zu zaghaften Stimmchen, sich Gehör zu verschaffen. Rieke erkannte in ihr die kränkelnde Frau von gestern Abend.

Mit einem lauten Ruf nach sofortiger Ruhe setzte sie dem Krach ein Ende. Bald herrschte Frieden und die Probe konnte beginnen. Rieke, die den Text nach all vielen Aufführungen der vergangenen Jahre auswendig kannte, korrigierte hier, half dort aus und zum Schluss waren sich alle einig, dass auch in diesem Jahr das Krippenspiel ein voller Erfolg sein würde. Ein leises Räuspern hielt Rieke auf, die sich gerade zum Gehen wandte.

«Bitte, verzeihen Sie mir, ich bin Hermine Kollborn und Sie waren gestern so freundlich, mir zu helfen, als ich in Not war. Dafür habe ich mich leider noch nicht bei Ihnen bedankt. Wenn Sie vielleicht ein wenig Zeit erübrigen könnten, würde ich Sie gern zu mir nach Hause auf ein Tässchen Tee oder Kaffee einladen. Dort kann ich Ihnen auch erklären, warum es mir gestern so schlecht ging. Bitte, schlagen Sie mir das nicht ab.»

Was blieb Rieke anders übrig, wollte sie nicht unhöflich erscheinen, als der verhuschten jungen Frau in ihr Haus zu folgen. Und, wenn sie ehrlich zu sich war, es erwartete sie in ihrem eigenen Haus ohnehin niemand.

Das Haus, in dem die Kollborns lebten, lag in der Nähe von Rathaus und Kirche, mitten in Kappeln. Ein geschmackvoll eingerichteter Salon erwartete die beiden Frauen und ein gut geschultes Dienstmädchen servierte lautlos Kaffee, Tee und Gebäck. Zu Riekes größter Überraschung legte Frau Kollborn ihre Schüchternheit sofort ab, als sie ihr eigenes Reich betrat und wurde zu einer Gastgeberin, der gepflegte Konversation nicht unbekannt schien. Schnell fand Rieke, dass sie viele Gemeinsamkeiten verbanden, die Geburtsstadt Berlin und die ersten schwierigen Schritte in die hiesigen Sitten und Gebräuche. Rieke berichtet lachend über all die Fettnäpfchen, in die sie während der ersten Jahre getreten war. Hermine, nun gar nicht mehr so scheu, fragte nach und erhielt gerne Auskunft. Es dauerte nicht lange, da waren die beiden Frauen sich einig, mehr Zeit miteinander verbringen zu wollen. Mit einem Lächeln auf den Lippen verabschiedete sich Friederike am späten Nachmittag und stellte verwundert fest, dass sie ein paar Stunden nicht an Wilhelm gedacht hatte. Meta, die sich wunderte, wo Rieke blieb, freute sich für die Freundin und dachte bei sich, dass es allmählich Zeit würde, dass Rieke aus ihrem Schneckenhaus herauskäme. An diesem Abend stand Friederike am Fenster und sah hinaus auf die Schlei, die sich nur wenig von der Dunkelheit des Himmels abhob. Sie sandte einen Gruß zu Wilhelm und bat ihn um Verzeihung, dass sie heute nicht an seinem Grab gewesen war. Sie fühlte sich nicht mehr so einsam, und morgen würde sie an Wilma in Berlin schreiben.

«An meine geliebte Tochter,   *Kappeln, vor Weihnachten 1909*

Mir geht es gut und ich hoffe, es ist bei Dir und Alexander auch so. Wie in jedem Jahr führen wir hier ein Krippenspiel in der Kirche auf, dessen Leitung diesmal in meinen Händen liegt. Die kindlichen Darsteller sorgen immer wieder für unfreiwillige Lacher, besonders der Josef, der um einen Kopf kleiner ist als die Maria, die ständig ihr Jesuskind (eine Puppe) irgendwo liegen lässt. Dem dicken Herbergsvater fällt das Kissen, das als Bauch dient, immer aus der Hose und der Verkündigungsengel behält seinen Text nie. Aber es wird schon gut werden. Mir hilft die junge Frau von Wilhelms Nachfolger dabei. Sie heißt Hermine Kollborn und hat die gleiche Haar-und Augenfarbe wie Du. Da endet aber schon die Ähnlichkeit, denn so schüchtern wie sie, warst du nie. Den neuen Arzt, so neu ist er schon nicht mehr, hast Du noch kennengelernt. Er hat sich jetzt ein Auto angeschafft, eines dieser vierrädrigen Vehikel ohne Verdeck, wo man hoch oben auf einer Art Kutschbock sitzt. Der Doktor hat dafür eigens einen Chauffeur angestellt, der leider immer wieder absteigen muss, um nach der Beleuchtung zu sehen und die zahlreichen Reifenpannen zu beheben. Aber unser Dr. Spliedt erreicht auch die entferntesten Bauernhöfe in viel kürzerer Zeit als bisher, und doch heißt es wie immer, «Spliedt hett keen Tied».

Du liest, mein Kind, ich wende mich wieder mehr dem Leben zu und habe viel Freude daran. Natürlich fehlt mir Dein Vater immer noch, aber ich habe mich daran gewöhnt, meine Entscheidungen allein zu treffen.

Ich wünsche Euch ein schönes Weihnachtsfest, das Paket für Euch dürfte wohl bereits angekommen sein. Meta und ich, wir werden in Ruhe der Geburt Christi gedenken. Alles Liebe für Euch von Deiner Mutter Friederike Schulze.»

Noch während der Brief an Wilma unterwegs war, änderte sich das Leben von Rieke auf ungewöhnliche Weise. Sie verlor sich in eine Illusion und merkte es nicht...

43. Berlin, zum Jahresbeginn 1910

Aufgeregt rief Wilma nach Juste, sie sollte sich der Frisur annehmen, die zu dem tannengrünen Samtkleid passte, dass Wilma sich anlässlich der überraschenden Einladung zur Hofoper schneidern ließ. Dieses Mal saß das Kleid wie angegossen und betonte ihre immer noch mädchenhaft schlanke Figur. In Berlin schlugen gerade die Wogen der Begeisterung himmelhoch für den englischen König Edward VII., der zu einem Staatsbesuch bei Kaiser Wilhelm II. weilte. Nie hätte Wilma geglaubt, dass ihr, der Kindergärtnerin und Mutter eines ziemlich frechen unehelichen Sohnes, die Ehre zuteil würde, die Hofoper besuchen zu dürfen. Es war Walter Dernau, Alexanders Klassenlehrer der eines Abends zu ihr kam und freudestrahlend zwei Eintrittskarten aus feinstem Bütten in die Höhe hielt.

«Liebe Wilma, mach dich bitte noch schöner, als du ohnehin schon bist, und begleite mich auf das Fest, dass unser aller Kaiser zu Ehren des englischen Königs gibt. Bestimmt will er dabei nur in seiner allerneuesten prunkvollen Uniform glänzen und triumphieren, wenn der Engländer nicht mithalten kann.»

«Du Lästermaul, ich weiß schon, wie ich dich dazu kriege, den Mund zu halten», Wilma packte den großen Mann am Kragen, zog sein Gesicht zu sich herunter und küsste ihn leidenschaftlich.

Sie lächelte in der Erinnerung daran. Wie schnell war das gegangen mit ihnen beiden. Walter schien sich sofort in die bezaubernde Mutter seines Schülers verliebt zu haben und Wilma, einsam und verletzt von Carls Unfähigkeit, sich von seiner Frau zu trennen, fand in dem großen Mann, der irgendwie Alexanders Teddybär ähnelte, den Halt, den sie dringend benötigte. Dass dieser Riese ihr sein Herz zu Füßen legte und sie anbetete, ließ sie nicht kalt und so gab sie nach. Walter Bernau, Anfang vierzig, war alleinstehend. Er, dieser Bär von einem Mann, traute sich einfach nicht, sich einer Frau zu nähern. Erst Wilma eroberte sein Herz im Sturm. Mit ihm fand sie ihr Lachen und ihre Unbeschwertheit wieder, die sie längst verloren glaubte. Seine Begeisterung für alles, was sich bewegte, sei es Tier, Mensch oder Maschine, steckte Alexander an, der nicht nur von ihm das Fahrradfahren lernte, sondern auch in Walters Auto mitfahren durfte. Wilma kostete es einige Überwindung, denn sie traute dem Gefährt nicht, die hohe Geschwindigkeit machte ihr Angst. Nach ein paar kurzen Ausflügen in die nahe Umgebung kaufte sie sich einen Staubmantel, Hut und Schal und setzte eine Schutzbrille auf. So gewandet erkundeten Wilma und Dernau die Gegend. Schloss Sanssoussi bei Potsdam hatte es ihr angetan und Walter nutzte den Aufenthalt dort für einen kleinen Geschichtsunterricht über den «Alten Fritz», wie er Friedrich den Großen liebevoll nannte.

«Weißt du», wandte er sich an Alexander, der sie an diesem Tag begleiten durfte, «weißt du, dass der große Friedrich seine Hunde mehr liebte, als die Menschen um sich herum? Er ließ sich sogar mit ihnen hier im Schlosspark begraben. Kommt, lasst uns hingehen und ihn besuchen!»

Mit Walter war das Leben neu und schön, Carl beinahe vergessen. Nur manchmal erinnerte Alexanders Gesichtsausdruck Wilma schmerzhaft an ihre einstige Liebe.

«Meint das Leben es endlich gut mit mir? Ich möchte einfach nur glücklich sein», sinnierte Wilma, während Juste ihre Haare mit dem Brenneisen traktierte. Dann war sie bereit, sich in das Abenteuer Hofoper zu stürzen. Sie wusste von Martha Liebermann, die mit ihrem Mann Max ebenfalls eingeladen war, wie man sich dort zu benehmen hatte und hoffte, dort auf ihren alten Freund und Gönner Wilhelm Bode zu treffen, der in des Kaisers Gunst gestiegen war. Doch was dann geschah, das hätte sie nie vorausahnen können und sie hatte es eilig, am nächsten Tag ihrer Mutter davon zu berichten.

«Liebstes Mutterherz,   *Berlin, Anfang Januar 1910*

Lies und staune darüber, was Deinem Töchterlein widerfahren ist. Wie ich Dir schrieb, erhielt ich eine Einladung zur Hofoper, anlässlich des Besuches von König Edward VII. von England. Natürlich ließ ich mir ein aufwändiges Kleid schneidern, eine Abendgarderobe aus tannengrünem Samt, mit einer kleinen Schleppe, wie Du Dir denken kannst. In Tante Annemaries Nachlass fand sich ein herrlicher Zobelmantel, den ich mir etwas moderner umarbeiten ließ. So gerüstet betrat ich das Opernhaus und wurde sogleich von der Garderobiere argwöhnisch gemustert. Sie beäugte mich und mein Kleid mit scharfem Blick und mokierte sich dann über mein Dekolleté. Dies sei der Etikette des preußischen Hofes gemäß nicht ausreichend. Ehe ich überlegen konnte, wie das zu ändern wäre, hatte die Dame schon eine Schere in der Hand und sorgte–ratsch-für eine Vergrößerung meines Ausschnittes. Meine Proteste missachtend, hantierte sie geschickt, wie ich zugeben muss, mit Nadel und Faden und bald war ich hof- und gesellschaftsfähig in ihren Augen. Meinem Begleiter fielen beinahe die Augen aus dem Kopf, als er mein verändertes Äußeres sah. Bei dem obligaten Hofknicks vor unserem Kaiser und dem König der Engländer ahnte ich allerdings, wozu das tiefe Dekolleté gut sein sollte. Es gewährte den hohen Herren bei allen Damen einen entsprechend tiefen Einblick. Es sei ihnen gegönnt. Bei den Frisuren der Damen fiel mir auf, dass einige plötzlich über eine Fülle an Locken verfügte, die unmöglich der Natur zugeschrieben werden konnte. Es wurde gemunkelt, dass sie die Lockenpracht einer Erfindung verdankten, die sich «Dauerwelle» nennt. Die Beschreibung dieses, einem Foltergerät ähnelndem monströsen Apparates und der giftigen Dämpfe, die davon aufsteigen, ließ mich rasch davon Abstand nehmen, so etwas ausprobieren zu wollen. Der Abend wurde ein voller Erfolg und ich musste Jette und Juste ausführlich darüber berichten. Wir hatten reichlich Muße dazu, denn mein Alexander war mit seinem Lehrer zum Sechs-Tage-Rennen. Das ist ein Fahrrad- Wettrennen, in dem hier in Berlin zum ersten Mal in Europa 16 Mannschaften 144 Stunden lang auf einer 150 Meter langen Holzbahn um den mit 5000 Goldmark dotierten Sieg konkurrieren. Damit Du eine Vorstellung davon bekommst, lege ich dir einen Zeitungsausschnitt bei.

«Sechstagerennen? Was ist das? Ist es Sport, ist es Spiel, ist ein Wunder oder ist es Wahn, eine Notwendigkeit, ein Übel oder ein notwendiges Übel? Vielleicht von jedem etwas, ein Spiegelbild des Kampfes, den wir bewusst und unbewusst im täglichen Leben führen. Alles, was wir in unserem Dasein erfahren an Gutem und Bösem, spielt sich im Rahmen dieses Rennens ab, das, über eine Arbeitswoche sich hinziehend, das Letzte von dem verlangt, der in diesem Kampf gegen die anderen und gegen die Müdigkeit Sieger bleiben will.»

Wenn ich ehrlich sein darf, mich zieht nichts zu solchen Veranstaltungen, aber Alexander schwärmte in den höchsten Tönen davon und würde am liebsten Radrennfahrer werden. Wenn ich mir überlege, dass er in diesem Jahr schon acht Jahre alt wird. Wo ist die Zeit geblieben. War das bei mir auch so, dass ich viel zu schnell groß wurde? Konntest Du Dir ebenfalls nicht vorstellen, dass Dein Kind eines Tages das elterliche Nest verlassen und auf eigenen Füßen stehen würde? Zum Glück habe ich bei Alexander damit noch Zeit. Schade, dass Du bisher nicht zu uns kommen konntest, Du versäumst es leider, Deinem Enkel beim

Erwachsenwerden zusehen zu dürfen. Und ich hätte Dich gern wiedergesehen. Ich denke oft an Dich und hoffe, dass Du in diesem Jahr uns in Berlin besuchen wirst, In Liebe, Deine Tochter Wilhelmine und Alexander, der nicht mehr Kleine.»

Wilma beendete den Brief und überflog ihn noch einmal. Es fiel ihr auf, dass sie der Mutter immer noch nichts von ihrer neuen Liebe berichtet hatte. Warum eigentlich nicht, fragte sie sich nachdenklich. War sie nicht sicher, ob das, was sie für Walter empfand, wirklich Liebe war? Oder durfte sie sich seiner Liebe nicht sicher sein? Wenn sie ehrlich zu sich war, dann fehlte etwas in ihrem Leben, etwas, dass auch der stets freundliche und zuverlässige Walter ihr nicht geben konnte. Sie fühlte sich an seiner Seite, geborgen und behütet. Wie ein Erzengel mit dem Flammenschwert würde Walter sie verteidigen, wenn ihr jemand zu nahe trat. Aber war das wirklich genug? Wilma ertappte sich oft genug dabei, wie ihr Blick sehnsüchtig zu den Sternen wanderte am Abend, den einen Stern suchend, der sie immer mit Carl verbunden hatte. Dann fragte sie sich, wo er jetzt gerade sein mochte und wie es ihm erging. Meistens schalt sie sich dann als töricht, dass sie ihn nicht längst aus ihren Gedanken gestrichen hatte. Aber sie wusste nur zu gut, dass sich Liebe weder erzwingen, noch verleugnen lässt. Warum war sie dann nicht glücklich? Das Leben mit Walter war schön, anheimelnd wie eine warme Stube. Doch das, was sie mit Carl empfunden hatte, die Verwandtschaft zweier Seelen, die sich ohne Worte verstehen, das vermisste sie bei Walter mehr, als sie es zugeben wollte.

«Ach, kompliziere dein Leben nicht unnötig», schalt sie sich selbst, «es ist wunderbar mit ihm und du bist nicht mehr allein. Warum genügt dir das nicht?»

Schnell steckte sie den Brief in einen Umschlag und machte sich auf den Weg zum Postamt, in ihren wärmsten Mantel gehüllt, denn draußen hatte es wieder angefangen zu schneien. In dicken, nassen Flocken fiel Schnee unablässig vom Himmel, an dem die Wolken so tief hingen, dass ihre schneebeladenen Bäuche beinahe an den Kirchturmspitzen hängenblieben. Auch die Quadriga auf dem Brandenburger Tor schien zu frieren. Wilma lachte über ihre Gedanken und beschloss, bei Martha vorbeizuschauen, die sie eingeladen hatte, mal wieder zu ihr zu kommen, auf einen schönen, gemütlichen Frauentratsch.

«Warum nicht», dachte Wilma, «ein wenig Ablenkung vom Alltag kann nicht schaden.»

Sie wusste nicht, dass das Leben anderes mit ihr vorhatte.....

44. Kappeln, im Januar 1910

«Liebes, einziges Kind, meine Wilhelmine,   Kappeln, Mitte Januar 1910 wieder jährt sich der Tag, an dem ich Dich zu Welt brachte, und ich werde nie den wunderbaren Augenblick vergessen, an dem ich Dich zum ersten Mal in meinen Armen hielt. Du warst so klein und doch schon so vollkommen, dass ich über das Wunder deines Lebens nur staunen konnte. Jetzt bist Du seit langem eine erwachsene Frau, die ihr Leben fest in ihren eigenen Händen hält, und ich bin unsagbar stolz auf dich...

Friederike hielt im Schreiben inne und las, was sie bis dahin zu Papier gebracht hatte. Meinte sie das wirklich so, wie es dort stand? Wenn sie ehrlich war, dann stimmte nur die Erinnerung an Minchens Geburt. War sie tatsächlich stolz auf die erwachsene Frau, zu der ihre Tochter ganz ohne ihr Zutun geworden war? Wilma, wie sie sich jetzt nannte, hatte nichts mehr gemein mit ihrem Minchen, das mit neunzehn Jahren von zu Hause weglief, um das Leben zu suchen, dass sich in Kappeln nicht finden ließ. War Wilma im großen Berlin wirklich glücklich? Das konnte sie nicht beurteilen, weil sie ihre Tochter nicht mehr kannte und nicht wusste, was sie dachte.

«Ach Minchen», dachte Rieke traurig, «wann haben wir uns verloren?»

Im gleichen Augenblick läutete es an der Haustür und Annchen ließ die Besucherin ein. Ins Zimmer trat Hermine Kollborn, sichtlich aufgeregt und mit leicht geröteten Wangen. Rieke bat, sie möge doch bitte Platz nehmen und kaum saß die junge Frau, da platzte sie auch schon mit der Neuigkeit heraus.»

«Liebe Frau Schulze, Sie sollen die Allererste sein, die von mir erfährt, dass ich ein Kind erwarte. Das war übrigens auch der Grund, warum ich Ihnen vor dem Friedhofstor beinahe vor die Füße fiel. Nun komme ich soeben von Doktor. Spliedt, der mir die Schwangerschaft bestätigte. Sagen Sie, ist das nicht eine wunderbare Mitteilung? Ich bin ja so glücklich!»

Rieke gratulierte und ließ von Annchen einen Melissentee servieren, der die aufgewühlten Nerven der jungen Frau beruhigen sollte. Hermine berichtete weiter, dass der Arzt sie für gesund befunden habe und dem normalen Verlauf einer Schwangerschaft nichts im Wege stünde.

«Aber, bitte, Frau Kollborn, so sehr ich mich geehrt fühle, dass Sie mir die frohe Botschaft als Erste mitteilen, so sehr wundere ich mich, dass Sie nicht ihre Eltern und vor allem, Ihre Mutter zu allererst informierten. Darf ich nach dem Grund dafür fragen?»

«Selbstverständlich, verehrte Frau Schulze», antwortete Hermine verlegen, «leider verstarb meine liebe Mutter vor wenigen Jahren und ich vermisse sie noch heute. Sie erinnern mich in vielem an sie und das war wohl der Grund, warum ich gleich zu Ihnen eilte. Seit Sie mich so freundlich aufgefangen und mir bei der Eingewöhnung in die Kappelner Gesellschaft behilflich waren, habe ich großes Vertrauen zu Ihnen gefasst, beinahe, als wären Sie meine Mutter, wenn Sie mir gestatten, dies so auszudrücken.»

Friederike war tief berührt von dieser Rede und schaute in die goldbraunen Augen der jungen Frau, die sie wie ein scheues Reh ansah. Wie sehr erinnerte sie Hermine an ihr Minchen, die so oft mit dem gleichen Gesichtsausdruck zu ihr gekommen war, wenn sie irgendetwas «verbrochen» hatte. Ohne lange darüber nachzudenken streckte sie Frau Kollborn ihre Hand hin.

«Sie erinnern mich sehr an meine Tochter. Bitte, machen Sie mir die Freude und nehmen mich ein wenig als Ersatzmutter an. Ich wäre glücklich, Ihnen als erfahrene Frau und Mutter während Ihrer Schwangerschaft beizustehen.»

Hermines junges Gesicht rötete sich erneut und ihre Augen füllten sich mit Tränen. Eifrig ergriff sie mit beiden Händen Riekes immer noch ausgestreckte Hand.

«Mit Freude, mit ganz großer Freude nehme ich Ihr großzügiges Angebot an, liebe Frau Schulze. Dann bitte ich Sie meinerseits darum, dass sie mich so nennen, wie es meine Mutter tat, nicht Hermine, sondern Minchen.»

Rieke schluckte, die junge Frau vor ihr konnte nicht wissen, welches großes Geschenk sie ihr da bereitete. Sollte sie in ihr eine Tochter wiedergefunden haben? Auf einmal war sie sicher, dass Wilhelm dieses neue Minchen zu ihr geschickt hatte. Heimlich sandte sie einen Dank an den Himmel.

«Von Herzen gern, ich bin Rieke, ab jetzt sollten wir Du zueinander sagen. Ich freue mich über dein Vertrauen und du kannst jederzeit auf mich zählen.»

Noch lange saßen die beiden Frauen beisammen und redeten über vieles, was vor allem Hermine am Herzen lag. Als sie sich endlich trennten, fühlte sich

Friederike seltsam getröstet. Sie schickte einen Gruß an Wilhelm in den eisig blauen Himmel über der Schlei, der noch mehr Frost versprach, den Schnee aber lieber für sich behielt.

«Ich danke dir, oder dem, der mir Hermine gesendet hat, ein neues Minchen, dem ich eine Mutter sein darf und dem Kind eine Großmutter, die sich am gleichen Ort befindet und sich sofort kümmern kann, wenn es nötig sein sollte.»

Der Brief an Wilma lag unbeachtet auf dem kleinen Sekretär, an dem sie jetzt zu schreiben pflegte. Erst am anderen Morgen sah sie ihn und schrieb mit ziemlich schlechtem Gewissen weiter:

«Du lebst Dein Leben im weit entfernten Berlin und das ist wohl das Richtige für Dich. Dennoch möchte ich dich ein wenig an dem teilhaben lassen, was hier in Kappeln geschieht. In vergangenen September, am vierten des Monats, verlieh das Stadtkollegium erneut das Ehrenbürgerrecht. Es ging an einen Mann, der zwar hier in Kappeln geboren wurde, aber seit langem in England, in Bradford lebt und dort Bürgermeister wurde. Er heißt Jacob Moser, der Sohn eines jüdischen Kaufmannes, der seinen Namen einst von Moses in Moser umändern ließ. Dieser Jacob Moser hat seine Heimatstadt nie vergessen und fühlt sich Kappeln bis heute eng verbunden. Zahlreiche Besuche und Freunde in Kappeln zeugen davon. Häufig hat er der Stadt durch großzügige Spenden wertvolle Hilfe geleistet. Unser Krankenhaus wäre ohne ihn nicht so gut ausgestattet. Nun flossen erneut Gelder von ihm nach Kappeln, für das Wasserwerk, den dazugehörenden Wasserturm und das Leitungsnetz, das uns allen frisches, klares Wasser bis direkt ins Haus liefert. Eigentlich hat unser Brunnen im Garten bald ausgedient, aber sein fröhliches Geplätscher erfreut uns weiter an den heißen Sommertagen, die wir uns gerade jetzt, wo der Frost uns in seinen eisigen Krallen hält, voller Sehnsucht herbeiwünschen. Zur Bewässerung des Gartens ist er ja immer noch gut. Aber ich schweife ab. Zu seiner Ehrenbürgerwürde verlieh unser Kaiser Wilhelm dem Jacob Moser noch den «roten Adlerorden» vierter Klasse, durch unseren Bürgermeister Schreck. Leider konnte der so Geehrte nicht persönlich nach Kappeln kommen, aber das Stadtkollegium schrieb ihm einen Brief, der in der Zeitung, dem «Schleiboten» abgedruckt wurde. Darin stand unter anderem, dass ihm diese Ehre in dankbarer Anerkennung seiner hervorragenden Verdienste um die Stadt Kappeln, sowie zum Zeichen der besonderen Wertschätzung seiner Person und seiner Familie

zuteil würde. Wörtlich hieß es «Wir gratulieren unserem neuen Ehrenbürger zu der verdienten Auszeichnung herzlichst und wünschen ihm, dass er sich ihrer noch recht viele Jahre erfreuen möge.»

Liebe Wilma, du liest, dass wir in Kappeln immer moderner werden, eine richtige Stadt also, der man sich nicht zu schämen braucht. Natürlich ist sie nicht mit Berlin zu vergleichen, das ja die Metropole unseres Kaiserreiches ist. Gestern aber kam mir eine Ungeheuerlichkeit zu Gehör, die ich dir nicht vorenthalten möchte, steht sie doch mit dem neuen Ehrenbürger in direktem Zusammenhang. Es mag sein, dass es an der geplanten Erhebung eines Wassergeldes liegt, das jeder Haushalt, der mit Frischwasser beliefert wird, zahlen soll, aber es gab Stimmen, die gegen Jacob Moser sprachen. Man solle von Juden, und Moser ist Jude, keine Wohltätigkeit annehmen. Das frisch sprudelnde Wasser nimmt man aber offenbar gern in Anspruch. Wie so oft im Leben sind Sagen und Tun leider nicht immer dasselbe.

Ich hoffe und wünsche Dir, dass man in Berlin solche Querelen nicht kennt. Bleibe gesund und grüße den «großen» Alexander, der mir gern wieder einen Brief schicken darf. Er schreibt ja schon recht gut.

In inniger Liebe, Deine Mutter, Friederike Schulze.»

Ein wenig unverbindlich fand Rieke ihren Brief, hatte sie zu viel über Kappeln berichtet und wenig über sich selbst? Das war wohl dem Verlust ihrer engen Bindung an die Tochter geschuldet, glaubte sie. Also verschloss sie das Schreiben rasch und gab es Annchen, die den Brief auf ihrem Weg zum Markt zur Post bringen sollte. Dann eilte Rieke in ihr Schlafzimmer und zog sich um, weil sie sich gleich mit Hermine, mit Minchen, wie sie sich schnell berichtigte, treffen wollte. Meta, die sie an der Haustüre traf und die sich gern mit ihr unterhalten hätte, fertigte sie kurz ab.

«Tut mir leid Meta, keine Zeit, wir sehen uns später!»

Rieke eilte davon, ohne dass ihr der traurige, enttäuschte Ausdruck in Metas Gesicht aufgefallen wäre....

45. Berlin, Juni 1911

Berlin stöhnte unter einer anhaltenden Hitzeperiode, die sich im ganzen Reich bemerkbar machte. Es herrschte allerorten Wassermangel, auf den Feldern verdorrte die Ernte und die Bauern klagten. Wilma saß allein zu Hause. Es war Sonntag, sie hatte frei und Juste machte mit Alexander eine Radtour, die höchstwahrscheinlich im kühlenden Wasser des Wannsees enden würde. Jette, die stark in ihre sozialistischen Vereine eingespannt war, hatte noch mehr zu tun, seit sich in den Fragen um Frauenarbeit und Frauenrecht einiges besserte. Im Augenblick ging es um die Frage, ob ein Generalstreik als Kampfmittel zur Durchsetzung von Forderungen richtig wäre, und Jette lebte nur noch für diese Sache. So war Wilma allein und dachte darüber nach, warum Walter Dernau keine intensiveren Gefühle in ihr entfachte. Sie war sich ihrer Gefühle für ihn nicht im Klaren, dachte manchmal daran, dass eine Ehe mit ihm für sie alles das Beste wäre. Dann wieder drang die Leere schmerzhaft in ihr Bewusstsein, die Carl hinterlassen hatte und die auch ein so liebenswürdiger Mann wie Walter nicht auszufüllen vermochte. Oft dachte sie dann an Carl und fragte sich, ob sie ihn mit Walter in Gedanken betrog. Hatte er überhaupt noch irgendwelche Anrechte an ihr? Von ihm hörte sie seit langem nichts mehr, er war vielleicht wieder in Ägypten, bei Borchardt. Sie sollte Carl endlich und endgültig aus ihren Gedanken streichen und ärgerte sich im Stillen darüber, dass es ihr einfach nicht möglich war. Das laute Klingeln an der Wohnungstür riss sie aus ihren Gedanken. Einen Moment zögerte sie, dann fiel ihr ein, dass niemand außer ihr da war, der öffnen würde. Seufzend erhob sie sich und ging zur Tür.

«Carl!»

Mehr kam nicht über ihre Lippen, sie verschloss ein anderer, nur allzu bekannter Mund. Kurz dachte sie daran, dass sie nichts außer einem dünnen Morgenmantel trug, da umfasste Carl ihre Taille, hob sie hoch und trug sie ohne ein Wort in ihr Zimmer, wo er sie sanft aufs Bett gleiten ließ. Worte brauchten die Liebenden auch weiter nicht. Erst als sie nach dem Liebesspiel matt Seite an Seite lagen, wagte Wilma die Fragen zu stellen, die ihr auf der Seele brannten.

«Bleibst du jetzt wirklich bei mir? Oder bist du wieder einmal nur auf der Durchreise von einem Grabungsort zum anderen? Hast du deine Frau schon getroffen?»

Dass sie immer noch insgeheim darauf gehofft hatte, eines Tages Carls Frau zu werden, sagte sie ihm nicht. Sie fühlte nur, wie unsagbar glücklich sie war, ihn endlich wieder in den Armen zu halten. Doch das durfte nicht alles sein. Carl druckste ein wenig herum, aber sie machte ihm klar, dass er sich endlich konkret äußern solle, sonst würde sie die Beziehung zu ihm beenden, und dieses Mal für immer.

«Liebste, es gibt auch weiter kein Verständnis bei meiner Frau für unsere Situation. Sie bleibt nach wie vor hart. Ich will dich aber nicht aufgeben, doch ich habe keine Lösung für uns. Ich dachte in den langen einsamen Nächten in Ägypten so oft an dich und ob du vielleicht jemand anderen gefunden hast, mit dem du glücklich wärst. Es tat so weh, aber ich wollte, dass du frei bist, wollte vor allem dein Glück, dass du bei mir nicht finden konntest.»

Lange schwieg Wilma, dann entscheid sie sich dafür, die Wahrheit zu sagen und Carl von Walter zu erzählen.

«Liebst du diesen Walter?» In Carls Augen brannte ein Feuer, das Feuer der Eifersucht, doch er sagte sich, dass er dazu kein Recht hätte.

«Bis gerade eben noch habe ich es geglaubt», rief Wilma, «jetzt bin ich mir sicher, dass du allein es bist, den ich liebe und Walter nicht mehr ist, als ein guter, ein sehr guter Freund.»

Carl erhob sich, zog sich an und wandte sich zu Wilma um.

«Ich gehe jetzt, aber nicht für immer. Lass dir Zeit und überlege dir gut, wie es mit uns weitergehen soll. Bitte, sprich mit diesem Walter und sei ehrlich zu ihm, und auch zu mir, egal, wie du dich entscheiden solltest. Du findest mich tagsüber meistens im Pergamon-Museum. Nachts bin ich bei einem alten Kollegen untergebracht und dessen Frau duldet keinen Damenbesuch.»

Wilma senkte zustimmend den Kopf und hörte kurz darauf, wie die Tür ins Schloss fiel.

«Was für eine missliche Lage», dachte sie, «wie soll ich Walter die ganze Sache beibringen. Dass ich Carl und nur Carl liebe, das weiß ich jetzt. Doch Walter ganz verlieren möchte ich auch nicht. Welch ein Durcheinander. Wenn doch nur Leila hier wäre, die wüsste Rat. Leila, ich vermisse dich, wie lange habe ich dir nicht mehr geschrieben. Gleich morgen werde ich es nachholen.»

Da fiel ihr ein, dass auch von ihrer Mutter seit längerem kein Brief angekommen war und sie musste sich verschämt eingestehen, dass sie ebenfalls nicht daran gedacht hatte, ihr nach Kappeln zu schreiben.

«Was haben wir uns denn eigentlich noch zu sagen», dachte sie trotzig, «wir haben viel zu unterschiedliche Leben.»

Ein Blick zur Uhr machte Wilma klar, dass sie sich dringend umziehen musste, Walter hatte sie ins Apollo-Theater eingeladen, wo Paul Linckes beliebte Operette «Frau Luna» auf dem Programm stand. Wilma selbst wäre lieber ins Wintergarten-Varieté gegangen, aber das konnte sie ja auch ein anderes Mal. Während sie sich in ein sommerliches Abendkleid hüllte, sang sie leise eine Melodie aus «Frau Luna» vor sich hin.

«Schlösser die im Monde liegen, bringen Kummer, lieber Schatz...»

Oh ja, Kummer brachten sie, die Träume von einem glücklichen Leben, das in nichts der Realität entsprach. Wilma gab sich einen Ruck. Heute Abend würde sie mit Walter sprechen, es wäre nicht ehrlich ihm gegenüber, wenn sie ihm ihre wiedererwachte Liebe zu Carl verschwieg.

Diesmal konnten Paul Linckes schwungvolle Melodien sie längst nicht so mitreißen, wie das sonst der Fall war. Die wehmütige Seite der Operette sprach Wilma heute mehr aus der Seele. Walter, wie immer ganz Kavalier, bat sie hinterher noch zu einem Imbiss, doch sie lehnte ab.

«Bitte sei mir nicht böse, mir ist nicht nach einer Mahlzeit zumute. Lass uns irgendwo ein Glas Wein trinken, denn ich möchte dir etwas sagen.»

Wenn Walter erstaunt über Wilmas Vorschlag war, ließ er sich es nicht anmerken und bald darauf saßen sich die beiden gegenüber. Der Wein funkelte rot in den Gläsern und Wilma sucht nach den richtigen Worten. Feinfühlig, wie Walter war, nahm er ihre Hand und begann selbst das Gespräch.

«Liebe Wilma, ich glaube, ich weiß, was du auf dem Herzen hast, ich sah es dir schon an, als ich dich abholte. So sieht eine Frau nach der Liebe aus, dachte ich und wusste, du hast Carl wiedergetroffen. Habe ich recht?»

Wilma hatte das Gefühl, dass sie so rot wurde, wie der Wein in ihrem Glas.

«Du hast recht», sagte sie zerknirscht, «Carl kam überraschend zu mir und da wusste ich, dass ich nie aufgehört hatte, ihn zu lieben. Darüber wollte ich jetzt mit dir sprechen, denn du verdienst es, die Wahrheit zu kennen.»

Sie brach ab, erwartete innerlich bebend seine Reaktion. Sie ahnte, dass sie ihn verlieren würde. Doch es musste sein, mit einer Lüge wollte sie nicht leben.

«Lieber Walter, du hast mein Leben unendlich bereichert, ich habe mich sicher und wohlbehütet an deiner Seite gefühlt. Doch, ich glaube, das hast du auch gespürt, fehlte etwas Entscheidendes zwischen uns, dieses Etwas, das man wahre Liebe nennt. Als Carl heute zu mir kam, da wusste ich, dass ich zu ihm gehöre, dass ich ihn niemals vergessen habe. Auch wenn das Leben uns wieder trennt, werde ich auf ihn warten, egal wie lange es dauert. Und wenn seine Frau ihm die Scheidung weiter verweigert, gut, dann lebe ich eben unverheiratet mit ihm zusammen. Das ist das Einzige, was ich wirklich will. Das weiß ich nun. Bitte verzeih mir, wenn du kannst.»

Sie machte eine Pause und wartete auf seine Worte.

«Wilma», er räusperte sich, suchte nach dem, was er sagen konnte, sagen wollte, ohne sich und Wilma noch mehr zu verletzen, «du hast recht, ich habe gefühlt, dass zwischen uns es nicht so war, wie es hätte sein können und wie ich es mir wünschte. Deine Liebe, die hoffte ich, käme mit der Zeit und wir würden glücklich sein miteinander. Es war eine Illusion, ich habe mir etwas vorgemacht. Der Traum ist nun zerplatzt, es tut weh, das will ich dir nicht verheimlichen. Aber es hat keinen Sinn, dich festhalten zu wollen. Liebe lässt sich nicht erzwingen und wenn du Carl liebst, dann lasse ich dich gehen. Leicht fällt es mir nicht, das darfst du nicht glauben. Ich liebe dich aus tiefstem Herzen, Wilma und wahre Liebe möchte, dass der andere sein Glück findet. Ich habe nur eine Bitte, verstoße mich nicht ganz aus deinem Leben, denn ich habe nicht nur dich, sondern auch Alexander liebgewonnen, als wäre er mein eigener Sohn. Darum bitte ich dich, lass mich weiter dein Freund sein und auch der von Carl, wenn er es zulässt. Und nun lass uns auf die Liebe anstoßen, die Liebe, die einfach immer nur das ist, was sie ist, die Liebe.»

In Wilmas Augen standen wieder einmal Tränen, diesmal waren es Tränen der Rührung und auch der Erleichterung. Arm in Arm ging sie mit Walter die Friedrichstraße hinunter. Carl, der auf der anderen Straßenseite stand und sie sah, bemerkte sie nicht....

46. Kappeln, im Juli 1911

Lachend verabschiedete Friederike sich von den Damen ihres Kaffeekränzchens, dem sie seit über dreißig Jahren angehörte. In diesem Jahr hatten die Frauen einstimmig beschlossen, einen Ausflug nach Kiel mit der Eisenbahn zu wagen. Die Kieler Woche bot genug Abwechslung, um einen ganzen Tag in der Stadt zu verbringen, die den größten Kriegshafen des Reiches ihr eigen nannte. Immer noch lachend über ihre Erlebnisse, gingen Rieke und Meta den kurzen Weg nach Hause. Vor ihrer Haustür hielt Meta inne und sah die Freundin fragend an.

«Es ist ein so schöner Abend und immer noch warm genug, um draußen zu sitzen. Hättest du nicht Lust, mit mir gemeinsam noch ein Gläschen Wein zu trinken oder ein kühles Bier vielleicht?»

«Ja, gern, ich will mich nur des Mantels und der Tasche entledigen. Dann komme ich durch den Garten zu dir rüber.»

Friederike brauchte nicht lange, sie nahm nur einen dünnen Schal mit und die Schale mit frischen Erdbeeren, die Annchen ihr fürsorglich hingestellt hatte. Lange saßen die beiden Frauen nebeneinander auf der Bank hinter Metas Haus und schwiegen. Beide dachten an die Zeit zurück, da keine von ihnen geglaubt hätte, dass es eine solche Zweisamkeit wie jetzt, jemals wieder geben würde.

Meta erinnerte sich daran, wie sehr es sie schmerzte, dass Rieke plötzlich keine Zeit mehr für sie zu haben schien. Immer war sie in Eile, häufig warf sie ihr nur ein «Später» hin und verschwand. Wie oft hörte sie, wie Rieke und diese junge Frau, der sie sich anscheinend angeschlossen hatte, miteinander lachten und schwatzten und fühlte sich entsetzlich allein und zu Unrecht verbannt. Immer wieder versuchte sie, mit Rieke zu reden, doch die ignorierte ihre Bitten völlig. Manche Träne floss in ihr Kopfkissen, wenn sie von der einstigen Freundin wieder einmal eine Abfuhr erhalten hatte. Viele Nächte lag sie wach und grübelte darüber, was sie falsch gemacht haben könnte. Zu einem Ergebnis kam sie nie. Dass es nicht an ihr und ihrem Verhalten lag, das kam ihr nicht in den Sinn. Friederike merkt nicht, wie schlecht es Meta ging. Sie fühlte sich prächtig, blühte in ihrer Rolle als Ersatzmutter und Vertraute auf und verbrachte mehr und mehr Zeit mit der jungen Berlinerin. Ihr «Minchen», wie sie Hermine Kollborn nennen durfte, wurde zu einer Art Ersatztochter, der sie sich bald enger verbunden fühlte, als zu ihrer wirklichen Tochter. Weil sie die Schwierigkeiten, denen Hermine als Zugereiste ausgesetzt war, am eigenen Leib erfahren hatte, konnte sie ihr raten und helfen. Die Schwangerschaft Minchens ließ die Bindung zwischen den beiden ungleichen Frauen noch enger werden. Täglich hockten sie beisammen, nähten, strickten und stickten an der Säuglingsausstattung und es war bald, als wären sie tatsächlich Mutter und Tochter. Über all dem, was Rieke in den letzten Jahren so vermisst hatte, die verlorene Verbundenheit zu ihrem eigenen Kind, vergaß sie die Freundin und Nachbarin Meta beinahe. Immer wenn Meta sich bemerkbar machte, sie besuchen wollte oder etwas brachte, von dem sie wusste, dass es Rieke Freude bereiten würde, bekam die ein schlechtes Gewissen und fertigte Meta kürzer und härter ab, als es nötig gewesen wäre. Das ging so lange, bis Meta sich enttäuscht und verletzt zurückzog und Rieke ihrem neuen Minchen überließ.

Das Frühjahr kam und Meta werkelte allein in ihrem Garten herum, als sie auf einmal Stimmen aus dem Nachbargarten hörte. Es waren Rieke und ihre neue Freundin, die scherzend und lachend unter der Kastanie saßen. Dass Rieke sich so hingesetzt hatte, dass sie nicht in die Richtung von Metas Haus schauen musste, gab ihr den Rest. Sie warf Hacke und Gartenschere hin, rannte in ihr Haus und warf sich weinend aufs Bett. Sie fühlte sich von Rieke verraten und dachte darüber nach, ihr Haus zu verkaufen und wegzuziehen.

«Und wenn ich zu Jan nach Amerika gehe», schluchzte sie, «dieses Getue und Gehabe da drüben ertrage ich nicht länger.»

So schnell verkauft sich kein Haus und die Tage wurden länger und wärmer. Meta ging nur noch in ihren Garten, wenn sie wusste, dass Rieke nicht zu Hause war oder frühmorgens, wenn die einstige Freundin noch schlief. Vielleicht hätte dieser Zustand noch ewig so angehalten, wenn nicht Freund Zufall seine Hände ins Spiel gemischt hätte. Meta, die gerade vom Markt zurückkam, hatte die Fenster noch nicht geschlossen und hörte von drüben lautes Stöhnen und Keuchen. Dazwischen waren leise Rufe zu vernehmen, die sich anhörten, als bäte jemand um Hilfe. Rasch lief Meta in den Garten und fand Hermine, die in sich zusammengekauert an der kahlen Wand hockte und sich stöhnend den hochschwangeren Leib hielt. Meta erfasste die Lage sofort und handelte, ohne lange nachzudenken.

«Komm rein, Kind, warte, ich helfe dir. Leg dich hier aufs Sofa, so ist es gut. Du musst atmen, tief und gleichmäßig atmen. Denke daran, dein Kind spürt, dass es hinaus in die Welt muss. Mach es ihm leicht und verkrampfe dich nicht.»

Langsam beruhigte sich die Schwangere und überließ sich Meta, die ihr sanft über das verschwitzte Haar strich. Da stürmte Rieke durch Metas immer noch offenstehende Haustür herein, mit Annchen im Schlepptau.

«Minchen, was machst du hier, komm sofort zu mir herüber. Hier hast du nichts verloren!»

Mit giftigem Blick bedachte Friederike ihre Nachbarin und wollte Hermine vom Sofa zerren, da stellte sich Meta dazwischen.

«Herrgott, Rieke, siehst du nicht, dass sie in den Wehen liegt? Willst du, dass sie das Kind mitten auf der Straße bekommt. Sei vernünftig. Und du», sie wandte sich an das Dienstmädchen, «holst sofort die Hebamme, oder, wenn die nicht da ist, den Doktor. Nun los, beeile dich!»

Annchen rannte los und Rieke, die jetzt erkannte, was mit Minchen los war, setzte sich wortlos neben die Gebärende und hielt ihr die Hand.

«Gut so», bemerkte Meta kurz, «ich mache schnell heißes Wasser und hole saubere Handtücher. Ich denke, es wird nicht mehr lange dauern.»

Rieke wartete, bis Meta zurückkam und lief dann in ihr eigenes Haus, um die Säuglingsausstattung zu holen, die sie für Minchen genäht und gekauft hatte. Annchen würde den großen Korb bringen, in den man das Kind zunächst hineinlegen konnte. Als sie zurückkam, war die Hebamme gerade dabei, die junge Mutter durch die letzte Phase der Geburt zu geleiten. Rieke stellte sich neben das Sofa und hielt Hermines Hand, während Meta ihr den Rücken stützte.

Über den Kopf der Gebärenden hinweg lächelten sie sich wie in alten Zeiten an. Aller Zank und Hader waren vergessen, als ein leises Weinen zu hören war, das rasch in ein lautstarkes Gebrüll überging. Hermine, so erschöpft sie auch war, setzte sich auf und streckte die Hände nach ihrem Kind aus.

«Was ist es? Ist es gesund? Bitte, ich will mein Kind sehen.»

«Hier, Sie haben einen kräftigen, gesunden Jungen zur Welt gebracht.» Lächelnd legte die Hebamme das Neugeborene seiner Mutter in die Arme. Auf der Stelle hörte das Geschrei auf und ein winziger Mund suchte eifrig die Quelle der Nahrung, die seine Mutter ihm darbot. Gerührt betrachteten Rieke und Meta das Mutter-Kind-Idyll und dachten dabei an ihre eigenen Kinder, die, längst erwachsen waren, ihr Leben selbst in die Hand genommen hatten. Leise verließen sie Hermine und ihr Kleines und besprachen in der Küche das weitere Vorgehen. Sie waren sich bald einig, dass Hermine so lange bei Meta bleiben solle, bis sie sich von der Geburt so weit erholt hätte, dass sie zu sich nach Hause gehen könnte. Sie beide würden sich abwechselnd um die junge Mutter kümmern, damit alle genug Schlaf bekämen. Wie früher waren sie sich sofort einig, bis Meta auf einmal loslachte und nicht mehr aufhören wollte.

«Weißt du eigentlich, dass wir etwas völlig vergessen haben?»

«Nein! Wir haben alles richtig gemacht!»

«Nicht was, sondern wen haben wir vergessen?»

«Oh Himmel, du meinst doch nicht etwa...»

«Genau den meinte ich, den Vater, wir haben doch tatsächlich vergessen, den Vater des Kindchens von der glücklichen Geburt zu unterrichten!»

Das laute Gelächter der beiden, endlich wieder vereinten Freundinnen hallte bis in die Stube, wo Hermine selig lächelnd ihr Kind im Arm hielt und ihr Mann, der frischgebackene Vater, stolz auf die beiden hernieder schaute. Es war Annchen gewesen, die ihm eine Nachricht zukommen ließ, nachdem sie die Hebamme geholt hatte. Von dieser Stunde an kümmerten sich Rieke und Meta gemeinsam um Hermine und das Kind. Rieke übernahm gern die Rolle der Patin und überließ es Meta, den kleinen Jungen, der den Namen Rudolf erhalten sollte, in die Kirche zu tragen. Er hatte nun zwei Großmütter, die all ihre Liebe über ihn ausschütteten und Hermine musste mehr als einmal dem Treiben der beiden Einhalt gebieten, damit sie und der Kleine einmal zur Ruhe kamen.

Meta und Rieke sprachen nie wieder von ihrem Zwist. Es war, als wäre nie etwas Derartiges geschehen und so sah sie die Sonne oft zusammen im Garten arbeiten oder am Abend der Mond, wenn er hinter der großen Kastanie aufging, auf der Bank sitzen und zufrieden schweigen. Als das Damen-Kaffeekränzchen beschloss, in diesem Jahr nach Kiel, zur Kieler Woche zu fahren, kam Meta wie selbstverständlich mit. Gemeinsam mit den anderen Frauen genossen sie alle Annehmlichkeiten, die dieses große Volksfest zu bieten hatte. Immer noch leise lachend verabschiedeten sie sich an Metas Haustür und wünschten sich eine gute Nacht. Rieke rief noch rasch, dass sie gleich einen Brief an Wilma schreiben würde, dann schloss auch sie die Tür hinter sich.

«*Meine innig geliebte Tochter,*   *Kappeln, Ende Juni 1911*

Du erinnerst Dich sicher noch an mein Damen-Kaffeekränzchen, dem ich seit vielen Jahren angehöre. Wir haben unser Jubiläum in diesem Jahr zum Anlass genommen und uns für einen Ausflug mit der Bahn nach Kiel entschlossen. Dort findet seit Jahren in der letzten Juniwoche ein Volksfest statt, die Kieler Woche. Zwar steht das Segeln im Vordergrund, aber darauf wollten wir älteren Damen uns dann doch nicht einlassen. Wir bummelten die Straßen rauf und runter, probierten dies und das an Leckereien, die man anbot, bis uns jemand Karten in die Hand drückte. Bei genauem Hinsehen entpuppten sie sich als Freikarten für eine Hellseherin, die, wie dort geschrieben stand, den Kontakt mit unseren lieben Verstorbenen herstellen könnte. Da stritten sich die Geister in unserer Gruppe. Die einen hielten das Ganze für Humbug, es grenze an groben Unsinn. Die anderen, vor allem die Damen, die inzwischen dem Witwenstand angehörten, wie Meta und ich, wollten gern erfahren, wie es unseren lieben verblichenen Ehemännern im Jenseits ergehen mochte. Also trennten wir uns vor dem Rathaus und ich ging mit Meta und drei anderen Damen zu dieser Hellseherin. Du ahnst bestimmt schon, was nun kommt. In einem abgedunkelten Zelt, in dem es recht merkwürdig roch, begrüßte uns eine schwarzgekleidete und ebenso verschleierte Frau und bat uns, an einem runden Tisch Platz zu nehmen. Nur eine einzige Kerze, ebenfalls in Schwarz, brannte. Wir sollten die Hände auf den Tisch legen, die Daumen aneinander und die kleinen Finger an den entsprechenden der Nebendame gelegt. Dann bat die Frau in Schwarz um Ruhe, setzte sich kerzengerade hin und legte den Kopf in den Nacken. Eine Weile herrschte tiefes Schweigen, nur undeutlich und leise drang der Lärm des Festes zu uns herein. Auf einmal stieg ein seltsamer Nebel auf, der von allen Seiten zu kommen schien und ein unheimliches Heulen und Stöhnen war zu vernehmen. Ich muss gestehen, für einen Moment lief mir ein eisiger Schauer über den Rücken. Dann fragte die Frau, wessen Ehemann sie herbeirufen solle und Helene machte den Anfang. Die schwarze Frau fragte die Geister, ob jemand anwesend sei. Eine dunkle Stimme antwortete, die Helene als die ihres verstorbenen Mannes zu erkennen meinte. Sie stellte Fragen, die von der Stimme mit eher vagen Allgemeinplätzen beantwortet wurde. Ähnlich erging es den beiden andern Damen. Meta und ich verzichteten darauf, die Stimmen, die sich ähnelten, nach ihrem Befinden, besser gesagt, nach dem Befinden unserer Männer zu befragen. Das dicke Ende ließ nicht lange auf sich warten. Die Frau in Schwarz schüttelte sich, tat so, als käme sie aus tiefster Trance wieder zu sich und fragte, ob wir mit den jeweiligen Antworten zufrieden wären. Dabei stellte sie eine Schale auf den Tisch und bat uns, jeweils zwanzig Mark hineinzulegen. Als Meta und ich uns weigerten und erklärten, dass wir ja keine Fragen gestellt und somit keine Antworten erhalten hätten, wurde sie wütend und beschimpfte uns auf das Übelste. Schnell verließen wir die Hellseherin und das unheimliche Zelt, ehe sie uns mit der Rückkehr unserer toten Männer drohen konnte. Draußen, im hellen Schein der Sommersonne, konnten wir dann herzhaft darüber lachen, dass wir beinahe auf eine Schwindlerin hereingefallen wären. Die gute Laune ließen wir uns auch nicht auf der Rückfahrt verderben, als unser Zug vor Eckernförde dicht an der Ostsee vorbeifuhr. Dort standen für die zahlreichen Badegäste viele Karren bereit, und im Wasser selbst gab es Menschen zu sehen, die recht kuriose Badebekleidung trugen. Nun ja, es ist ein heißer Sommer, die Menschen suchen die Abkühlung und dafür ist das Meer gut. Erstaunlich nur, wo die vielen Gäste herkommen. Hier in Kappeln könnten wir sie gar nicht alle unterbringen, obwohl es das Strandhotel gibt, dass tägliche Fahrten nach Schleimünde anbietet, wo man gut baden können soll. Eines Tages werden die Gäste die Einwohnerzahl Kappelns, die aktuell 2600 Seelen beträgt, wie bekannt gegeben wurde, gewiss um einiges übersteigen. Soeben sind Meta und ich nach Hause gekommen und ich wollte Dir gleich von unseren «Schandtaten» berichten. Jedenfalls war es ein gelungener Ausflug und eine fröhliche Heimfahrt. Ich wünsche Dir und Alexander einen schönen, nicht zu heißen Sommer. Bitte verzeih, dass ich mich auf eine so weite Bahnfahrt unter diesen Umständen nicht einlassen mag. Es ist zu anstrengend bei der Hitze und ich bin ja leider nicht mehr die Jüngste.

Es grüßt Euch herzlichst, Eure Mutter und Großmutter Friederike Schulze.»

Immer noch kichernd, in der Erinnerung an das hellseherische Abenteuer, war Rieke nicht bewusst, dass sie ihrer Tochter nichts von dem neuen Minchen und dem Beinahe-Enkelkind berichtet hatte. War es ihr wirklich nicht klar oder fürchtete sie die Kritik ihrer Tochter, dass sie eine Fremde dem eigenen Fleisch und Blut vorgezogen hatte? Nein, sie wollte darüber nicht nachdenken, der Ausflug war doch so erfreulich gewesen...

47. Berlin, August 1911

Immer noch lag die Hochsommerhitze wie eine Dunstglocke über der Stadt und Wilma, war froh darüber, heute an diesem Sonntag den Kindergartenkindern entronnen zu sein, die auch unter der Hitze litten und entsprechend unleidlich waren. Sie machte sich Sorgen, denn seit seinem kurzen Besuch bei ihr, meldete Carl sich nicht. Seit drei Wochen schwieg er, ließ sich nicht blicken und sandte auch keine Botschaft. Was mochte geschehen sein?

«Grübeln hat keinen Sinn», dachte sie und las erneut den Brief ihrer Mutter, der gestern angekommen war. Im Stillen amüsierte sie sich darüber, wie sie über die Kieler Woche berichtete. Wilma sah ihre Mutter und die Damen aus Kappeln förmlich vor sich, wie sie empört aus dem dunklen Zelt der Hellseherin rauschten. Endlich nahm die Mutter wieder am Leben teil, so schien es. Und doch, Wilma wurde das vage Gefühl nicht los, dass sie überkam, als sie die fröhlichen Zeilen las. Irgendetwas stimmte da nicht. So heiter zur Tagesordnung überzugehen, nach dem Verlust des geliebten Ehemannes, das passte eigentlich nicht zu Friederike. Wollte sie ihre Tochter nur nicht mit ihrer Trauer belasten, oder gab es da etwas in ihrem Leben, das sie ablenkte, wovon die Tochter aber nichts wissen sollte?

«Du lieber Himmel», Wilma amüsierte sich bei dem Gedanken, «hat Mutter sich neu verliebt? Wird sie mir demnächst einen Stiefvater vorstellen? Wer weiß! Hauptsache, sie vergräbt sich nicht bis an ihr Lebensende in eine Trauer, die ihr die Rückkehr ins normale Leben versperrt.»

Die Vorstellung, dass ihre alte Mutter, sie hatte in diesem Februar ihr sechzigstes Lebensjahr erreicht, verliebt wie ein Backfisch, durch Kappelns Straßen tanzte, war zu absurd, um ernst genommen zu werden. Aber da sie selbst heute Zeit hatte, konnte sie den Brief doch gleich beantworten, ehe ihr schlechtes Gewissen sie nach Wochen daran erinnern müsste. Schnell nahm sie Papier und den Füllfederhalter zur Hand und begann:

«Liebe Mutter,   *Berlin, im August 1911*

Weil ich heute einen freien Tag habe, antworte ich Dir sofort auf Deinen amüsanten Brief, den ich gestern erhielt. Ich freue mich sehr für dich, dass du Dich nicht in deine Trauer um Vater zu sehr vergräbst, sondern wieder am Leben teilnimmst. Es muss eine interessante Erfahrung gewesen sein auf der Kieler Woche, die Stimmen der Verstorbenen zu hören, auch wenn es sich als Schwindel herausstellte. Hoffentlich hast Du noch mehr Gelegenheiten, aus dem Städtchen Kappeln herauszukommen und ein wenig «Weite Welt» zu schnuppern. Du weißt sicher, dass Du uns jederzeit willkommen bist, wenn Du Dich entschließt, Berlin endlich einmal wiederzusehen. Es tut sich gerade viel in unserer Metropole. Was ich aber mitteilen muss, ist die traurige Tatsache, dass August Aschinger, du erinnerst dich doch an ihn und seine Bierlokale, im Januar ganz plötzlich verstarb. Er hatte ein paar Monate zuvor die Ehrenbürgerwürde seines Heimatortes Derdingen (Landkreis Karlsruhe) erhalten und war noch keine neunundvierzig Jahre alt. Die Begräbnisfeier auf dem Luisenfriedhof, wurde von einer schier unübersehbaren Menschenmenge besucht. Natürlich war auch ich anwesend und gedachte traurig meines früheren Arbeitgebers, dem ich größte Hochachtung entgegenbrachte.

Jette kam vor kurzem mit der erfreulichen Nachricht, dass es endlich möglich sei, ein «Heimarbeitsgesetz» durchzubringen. Auf meine Frage, was dies für die Arbeiter bedeute, gab sie mir ein Schriftstück mit folgendem Wortlaut:

Das Heimarbeitsgesetz schützt Menschen, die Heimarbeit ausüben, indem es Stück- bzw. Stundenentgelte und Sonderzahlungen regelt. Das Gesetz regelt auch eine soziale Absicherung, die bei Krankheit, Kurzarbeit, Kündigung und Insolvenz gleich in Kraft eintritt. Zudem schreibt es endlich Mindestlöhne vor. Die Heimarbeiter werden in der Regel nicht nach Zeit, sondern nach gefertigten Stücken bezahlt. Nach dem neuen Heimarbeitsgesetz müssen Heimarbeiter die von ihnen in Heimarbeit hergestellten Produkte nicht selbst verkaufen. Unternehmen, die sich nicht an das Heimarbeitsgesetz halten, kann die Ausgabe von Heimarbeit verboten werden.

Jette hofft, dass der Kaiser das Gesetz noch vor Jahresende unterzeichnet, damit es im kommenden Jahr in Kraft treten kann. Es wird auch Zeit, dass da etwas geschieht, weil Heimarbeiter teilweise weniger als zehn Pfennige in der Stunde verdienen. Das ist die reinste Ausbeutung. Jette berichtete noch über Karl Liebknecht, der lange in Festungshaft saß, weil er eine spektakuläre Schrift veröffentlicht hatte, in der er über Militarismus und Antimilitarismus schrieb. Der Kaiser fühlte sich leider sofort persönlich angegriffen und nahm es ihm übel. Liebknechts Frau ist zu allem Unglück gerade bei einer Gallenoperation verstorben. Das tut mir für den Mann leid, der trotz seiner Verurteilung Mitglied im preußischen Abgeordnetenhaus wurde. Mich persönlich betrifft es, dass es seit kurzem eine staatliche Prüfung für Kindergärtnerinnen gibt und aus diesem Grund auch eine Förderung des Staates für schon bestehende und zukünftige Kindergärten. Es wird eine Erleichterung sein, nicht mehr auf Spenden oder Bettelei bei den reicheren Eltern angewiesen zu sein, wenn dringende Anschaffungen für die Kinder gemacht werden müssen. Dich interessiert vielleicht eher, dass es eine Frau Melli Beese, gibt, die es geschafft hat, als erste ein Privatflugpilotenzeugnis zu erhalten. Es ist die dritte Frau, nach einer Französin und einer Belgierin, die sich in die Lüfte wagt. Da ein Flugzeug erst dann sich in die Luft erheben darf, wenn ein entfaltetes, in die Luft gehaltenes Taschentuch sich nicht bewegt, so ist es vorgeschrieben, saß die Frau oft tage- und wochenlang in der Flugzeughalle herum und wartete auf günstige Startbedingungen. Wenn es endlich möglich war, zu starten, machten ihr die männlichen Flugschüler häufig einen Strich durch die Rechnung, indem sie ihr üble Streiche spielten. Frauen in Männerberufen sind leider immer noch nicht gern gesehen. Man(n) traut uns nicht zu, es genauso gut oder sogar noch besser als die Männer zu können. Wäre ein Flug, als Passagier, nicht als Pilotin, nicht etwas für dich? Demnächst, Anfang September, wird in Hamburg auf St. Pauli der Elbtunnel eröffnet. Das ist eine richtige Sensation, denn die riesigen Röhren verlaufen unter der, an dieser Stelle ziemlich breiten Elbe hindurch. Was muss das für ein merkwürdiges Gefühl sein, wenn man dort hindurchfährt und daran denkt, welch gewaltige Wassermassen über einen hinweg fließen. Das wäre mir nicht geheuer. Vier Jahre lang haben sich Tausende von Arbeitern unter der Elbe durchgegraben. Das Ergebnis ist beeindruckend und soll den Verkehr, der durch Hamburg fließt, stark entlasten. Gerade kam die Nachricht, dass die berühmte Mona Lisa, ein Gemälde von Leonardo da Vinci, aus dem Pariser Louvre gestohlen worden sei. Von wem und wie, ist noch unklar.»

Wilma legte den Füllfederhalter beiseite und las, was sie zu Papier gebracht hatte. Da fiel ihr auf, dass sie der Mutter so wenig Persönliches schrieb und fragte sich, warum das so war. Wie seltsam, dass sie das Gleiche tat, dass sie selbst bei ihrer Mutter vermutete. War es möglich, dass sie beide sich so weit auseinandergelebt hatten, dass sie sich nicht mehr viel mitzuteilen hatten? Ein paar Zeilen über Alexander, die würde sie noch hinzufügen, mehr nicht. Das einst so innige Verhältnis zur Mutter hatte sie wohl verspielt. Oder lag es an dem unterschiedlichen Leben, das sie beide führten?

Schnell schrieb sie den Brief zu Ende, fügte noch ein paar Grüße an Meta hinzu, dann schlüpfte sie in ein leichtes Sommerkleid, von dem sie wusste, dass es ihr besonders gut stand und ging in die Richtung, in der die Museumsinsel lag. Ein Besuch bei Bode würde sie auf andere Gedanken bringen und vielleicht, nur vielleicht, wie sie sich selbst Hoffnung machte, würde sie auf Carl treffen. Wie sehr sie ihn vermisste, mochte sie sich nicht eingestehen, es schmerzte zu sehr, dass er wieder einmal ohne Erklärung gegangen war.

Der Brief an die Mutter landete schnell im nächsten Postkasten und sie eilte weiter, dem Museum entgegen. Anders als es sonst der Fall war, konnten die Gemälde sie heute nicht in ihren Bann ziehen, immer wieder wanderten ihre Gedanken hinüber ins Pergamonmuseum. Nach dem Abriss des alten, zu klein und zu schnell marode gewordenen Gebäudes wurde nach Plänen von Wilhelm Bode mit dem Bau eines großen Dreiflügelbaues begonnen. Hier konnten solche gewaltigen Gebilde wie der Pergamonaltar in all seiner Größe gezeigt werden. Wilma eilte hin und wäre fast in den Mann hineingelaufen, an den sie dachte.

«Carl, oh, dich habe ich gesucht!» - «Und ich wollte zu dir!»

Gemeinsam suchten sie das nächste Café auf, um zu reden. Etwas kleinlaut gestand Carl, dass er eifersüchtig gewesen sei, als er mitansehen musste, wie zärtlich Wilma sich von Walter verabschiedete. Sie beruhigte ihn.

«Walter wird mir immer ein sehr guter Freund sein, mehr nicht. Den Grund dafür bist du, ich habe ihm gesagt, dass ich nicht ihn, sondern dich liebe.»

Carl traf Wilmas Geständnis tief, er schämte sich für seine unbegründete Eifersucht und wusste nicht, wie er Wilma jetzt erklären sollte, dass er schon bald wieder zu einer Ausgrabung unterwegs war.

«Bitte, Wilma, Liebste, versteh doch. Dort unten am Nil liegt in der Wüste eine einzigartige Stadt unter dem Sand, erbaut von einem einzigartigen Pharao. Ich muss dorthin, unbedingt. Wenn ich zurückkehre, das verspreche ich dir, dann bleibe ich bei dir, für immer....egal was kommt...»

48. Kappeln, im April 1912

Friederike rannte aufgeregt zu Meta hinüber, die Zeitung wie ein Fanal in ihrer erhobenen Hand schwenkend.

«Meta, schnell, es ist ein Unglück geschehen!»

Meta eilte ihrer Freundin entgegen, die mehlbestäubten Hände rasch an der Schürze abwischend.

«Was ist passiert? Ich wollte gerade einen Kuchen backen. Komm doch erst einmal rein.»

«Hier», Rieke hielt den «Schleiboten» hoch, «lies selbst!»

Meta, die nur ungern ihre Brille trug, bat Rieke, ihr es doch vorzulesen, und die kam der Bitte nach.

«Die Titanic, das unsinkbare Schiff, ist untergegangen!»

«Oh mein Gott», rief Meta schockiert, «wie ist das geschehen?»

«Das weiß man noch nicht so genau, ich vermute, das wird morgen in der Zeitung stehen. Bis jetzt gibt es außer den Schlagzeilen noch nicht viel.»

Rieke und Meta sprachen noch lange über das Schiff, das kurz vor Ostern als größtes Schiff der Welt auf Jungfernfahrt von Southampton nach New York gegangen war. Die Titanic galt als unsinkbar, war schon, bevor sie überhaupt fertig wurde, eine Legende und jeder, der es sich irgendwie leisten konnte, wollte unbedingt mitfahren. Auch Jan und Leila, die von Februar bis Ostern zunächst in Kappeln und dann in Berlin gewesen waren, hatten ursprünglich vor, die sensationelle Jungfernfahrt mitzuerleben. Ein unvorhersehbares Problem an der Börse machte Jans dringende Anwesenheit in seiner Bank und damit ein rasches Umdisponieren erforderlich. Früher als geplant fuhren Jan und Leila wieder nach Chicago, was sich nun als Glücksfall herausstellte. So sahen es Meta und Rieke auch, die sich ausmalten, was geschehen sei, wenn Metas Sohn und seine Frau auf der Titanic mitgefahren wären. Das Telefon in Metas Stube klingelte, Jan hatte noch vor seiner Abreise dafür gesorgt, dass bei seiner Mutter ein, wie sie es ausdrückte, unnützes Gerät installiert wurde. Mit vor Aufregung zitternden Händen nahm Meta den Hörer ab.

«Meta Paulsen, wer da? Oh Jan, ja wir haben es soeben erfahren. Geht es euch gut? Ja, hier auch.»

Rieke amüsierte sich ein wenig darüber, dass Meta in einer gewaltigen Lautstärke in den Hörer schrie, als ob ihre Stimme tatsächlich über den Ozean zu hören sein müsste.

«Das war Jan», erklärte Meta überflüssigerweise, «er wollte wissen, ob wir die Unglücksnachricht schon gehört hätten und mir sagen, dass sie beide gut angekommen sind und alles in Ordnung ist. Ach bitte, Rieke, willst du nicht bei mir bleiben, so wie wir es in diesem schrecklichen Winter gehalten haben. Dann fühle ich mich nicht mehr so allein. Jan und Leila sind ja schon lange weg, sie wollten noch Wilma in Berlin besuchen, ehe sie nach Amerika zurückkehren. Außerdem ist dein Annchen zu ihren Eltern über Ostern und du bist ebenso allein wie ich.»

Rieke überlegte nicht lange, bat sich aber etwas Zeit aus, weil sie zuvor noch an Wilma schreiben wolle. Die Tochter mache sich bestimmt auch Sorgen um ihre Kusine Leila. Danach käme sie gern zu Meta.

«Solange wir zwei es miteinander aushalten», lachte sie. Dan ging sie in ihr Haus und begann den Brief an ihre Tochter, den sie mit einem sehr schlechtem Gewissen immer wieder aufgeschoben hatte. Jetzt gab es einen Grund und ein Thema, das sie ihr mitzuteilen hatte. Nur über Hermine und den kleinen Rudolf wollte sie immer noch kein Wort verlieren.

«Meine liebe Tochter in Berlin,   *Kappeln, im April 1912*

In Berlin habt Ihr es wohl schon vor uns gehört, dass die Titanic, das größte und sicherste Schiff der Welt, gesunken ist. Wie viele Menschen kamen dabei ums Leben? Welch eine Tragödie für die vielen Angehörigen, wenn sie erfahren müssen, dass ihre Liebsten in den eisigen Fluten des Atlantik ertrunken sind. Zum Glück kamen Leila und Jan wohlbehalten in Chicago an, wie Meta es in einem Telefongespräch mit Jan erfuhr. Ja, Du liest richtig, Meta hat ein Telefon. Dafür hat ihr Sohn gesorgt, der miterlebte, wie wir hier gerade aus dem Winterschlaf erwachten, in den der lange strenge Frost und der viele Schnee uns versetzten. Bis Weihnachten war es viel zu mild und es regnete. Als am Dreikönigstag Schnee fiel, der erste dieses merkwürdigen Winters, hatte es den Anschein, es wolle nie wieder aufhören. Die Welt um unser Haus versank in der weißen Pracht, es sah aus, wie in dicke Watte gehüllt. Sogar die alltäglichen Geräusche klangen gedämpft. Die Schlei fror zu und nicht nur die Kinder freuten sich sehr darüber. Groß und Klein schnallten sich Kufen unter die Stiefel und liefen unbeschwert Schlittschuh, die Wagemutigen auf der Schlei, die Besonnenen lieber auf der Torfkuhle. Von der Waldschänke kam ein Schlitten, beladen mit heißem Glühwein und Rumpunsch, sogar Schmalzbrote konnte man erstehen, in einer Pause, wenn man vom Drehen auf dem Eis genug hatte. Niemand ahnte, dass aus dem harmlosen Wintervergnügen bald bitterer Ernst würde. Sechs lange Wochen fiel immer wieder Schnee, es wurde es kälter und kälter. Bis unter Minus zwanzig Grad fiel das Thermometer und nicht nur die Schule musste wegen ungenügender Heizmöglichkeiten schließen, in die Kirche gingen wir nur noch am Sonntag, dick eingehüllt in alles Wärmende, was wir besaßen. Als Annchen, mein Dienstmädchen, das sich Sorgen um die alten Eltern machte, mit dem letzten regulären Wagen in ihr Heimatdorf fuhr und nicht zurückkehren konnte, zog ich hinüber zu Meta. Ihr kleines Reetdachhaus zog sich eine dicke weiße Schneemütze auf und wärmte uns mit dem gemütlichen Kachelofen, den wir aus dem gemeinsamen Holzvorrat fleißig fütterten. Unser leibliches Wohl litt ebenfalls keine Not, denn Meta und ich verfügten über eine große Menge an eingemachtem Obst und Gemüse, von Sauerkraut bis Sauerkirschen, Kartoffeln bis Konfitüre. Nur der Kaffee ging uns aus, wir behalfen uns mit Kräutertee. Die Zeit, die wir in unserem eingeschneiten Haus verbringen mussten, vertrieben wir zwei alten Frauen uns mit Stricken, Sticken und Erzählen. Manchmal spielten wir sogar Karten. Aber weil Meta doch immer gewann, machte es mir bald keine Freude mehr. Dann kam ein warmer Hauch aus Süden und vertrieb im Nu die Kälte. Kaum war der ganze Schnee geschmolzen, gab es auch schon wieder Ärger. Es war das Tanzkränzchen der Turnerriege, das für Streit sorgte, der in eine Schlägerei ausartete. Unser Polizei-Sergeant war gezwungen einzuschreiten und seitdem sind unsere Turn- und Sportvereine heillos miteinander zerstritten. Rechtzeitig zu meinem Geburtstag kamen Jan und Leila und ich zog wieder in mein eigenes Haus, zumal mein Hausmädchen auch wieder zurückkam. Welch eine moderne Frau meine Nichte geworden ist. Schwägerin Annemarie wäre mit Recht stolz auf ihre Tochter, die jetzt eine richtige Frau Doktor ist und kranke Menschen behandeln darf. Nur dass sie ihre wunderschönen langen Haare abgeschnitten hat, das verzeihe ich ihr nicht, auch wenn sie behauptet, es sei einfach praktischer und ein Dienstmädchen, das ihr beim Ankleiden und Frisieren zur Hand ginge, sei in Amerika in ihren Kreisen nicht üblich. Dort wären die Frauen vielmehr stolz darauf, selbständig und unabhängig leben zu dürfen, und das sei sie auch. Vielleicht bin ich für solches Denken schon zu alt. Doch ich glaube, das ihr beiden, Du und Leila, Euch viel zu erzählen hattet, solange sie in Berlin war. Jan kümmerte sich liebevoll um seine Mutter, die sich beinahe schon bevormundet vorkam. Er fuhr sogar mit ihr nach Flensburg zum Augenarzt, weil Metas Sehkraft zu wünschen übrig ließ. Der verschrieb ihr eine Brille, die meistens in der Nachttisch-Schublade liegt, weil sie damit auch nicht besser sehen könne. Das behauptet Meta wenigstens. Auch ein Telefon hat sie jetzt, wie ich dir schon schrieb. Aber sie erschreckt sich noch jedesmal, wenn das Ding tatsächlich mal läutet. Jetzt ist es wieder still geworden um uns, der Frühling ist eingekehrt und Meta kribbelt es schon in den Fingern, endlich wieder im Garten arbeiten zu können. Auf mich warten nach diesem langen Winter, die zahlreichen Verpflichtungen, die ich in den unterschiedlichen Vereinen angenommen habe, die mein Leben bereichern und ausfüllen. Du liest also, Meta und ich, wir gehören noch lange nicht zum alten Eisen und haben uns während der langen Winterabende vorgenommen, in diesem Sommer eine gemeinsame Fahrt nach Berlin, zu Dir und Alexander anzutreten, so Gott will.

Bis dahin hoffe ich, dass Du und Alexander in Berlin in einem sicheren Hafen seid. Ganz herzliche Grüße von Meta und von Deiner Mutter, Friederike Schulze.»

Rieke legte den Brief beiseite und spürte, dass sie wirklich eine Sehnsucht nach ihrer Tochter und ihrem Enkel überkam. Gemeinsam mit Meta traute sie sich die lange Fahrt nach Berlin zu. Gleich nachher würde sie mit der Freundin darüber reden...

49. Berlin, im April 1912

Wilma strich Pausenbrote für Alexander, was er kritisch beäugte, da er nicht gern «Grünzeug» aß, wie er es nannte, seine Mutter es aber als gesund betrachtete, ihm Möhren, Gurken oder Radieschen zu der Wurststulle zu legen.

«Bin doch kein Karnickel», knurrte der Junge, ehe er sich auf den Weg zur Schule machte.

«Er wird groß, mein Alexander», seufzte sie und dachte daran, dass er im August bereits zehn Jahre alt würde. Da fiel ihr ein, dass sie unbedingt die drei Bände von Karl May bestellen sollte, die sich ihr Sohn zu seinem Geburtstag so sehr wünschte. Carl hatte ihr Geld dafür dagelassen. Gleich nachher würde sie in der Buchhandlung an der Ecke die Bücher über den Indianerhäuptling Winnetou erwerben, der Alexanders großes Vorbild zu sein schien. Seltsame Blüten trieb diese Schwärmerei, denn ihr blonder Junge wollte sein Haar auf einmal schwarz färben und wachsen lassen. Am liebsten hätte er sich in Wildleder gekleidet und wäre auf einem Pferd zur Schule geritten. Zum Glück tat er das bis jetzt nur in seiner Fantasie.

Sie war auf dem Weg zur Arbeit, machte aber am Buchladen halt, um die Karl-May- Bücher zu kaufen. Auch wenn es bis zu Alexanders Geburtstag noch eine Weile hin war, wollte sie die Bücher jetzt schon erwerben, um vorher hinein zu schauen. Als Mutter war es wichtig für sie, zu wissen, womit sich ihr Kind so intensiv beschäftigte. Zu ihrem Leidwesen musste sie erfahren, dass der Autor Karl May am 30. März überraschend verstorben sei und deshalb alle Exemplare seiner Bücher ausverkauft wären. Der Buchhändler versprach aber, so schnell wie möglich für Nachschub zu sorgen. Gern würde er die gnädige Frau benachrichtigen, sobald sie einträfen. Etwas enttäuscht kaufte Wilma noch eine Zeitung, weil sie gern mehr über den Untergang der Titanic lesen würde. Im Kindergarten las sie es ihren Kolleginnen vor:

«Auf ihrer Jungfernfahrt kollidierte die Titanic am 14. April 1912 gegen 23:40 Uhr etwa 300 Seemeilen südöstlich von Neufundland seitlich mit einem Eisberg und sank zwei Stunden und 40 Minuten später. Obwohl für die Evakuierung mehr als zwei Stunden Zeit zur Verfügung standen, kamen 1514 der über 2200 an Bord befindlichen Personen ums Leben, hauptsächlich wegen der unzureichenden Zahl an Rettungsbooten und der Unerfahrenheit der Besatzung im Umgang mit diesen. Wegen der hohen Opferzahl zählt der Untergang der Titanic zu den größten Katastrophen der Seefahrt.»

Betroffen schwiegen die jungen Frauen und malten sich aus, was gewesen wäre, wenn sie einen Menschen auf diese tragische Weise verloren hätten. Fröhlichkeit kam an diesem Tag nicht mehr auf. Nur der kleinen Kinder wegen versuchten die Frauen zu lächeln. Bedrückt ging Wilma gegen Abend nach Hause, wo der Brief ihrer Mutter sie erwartete. Juste nahm die Zeitung mit Dank entgegen, auch sie wollte mehr über die Titanic wissen, deren trauriges Schicksal niemanden unberührt ließ.

«Ich hab das Essen fertig», meinte sie und deutete auf den gedeckten Tisch in der Küche, «Jette kommt heute später und Alexander spielte schon den Topfgucker, so hungrig ist er. Ach, ehe ich es vergesse, Wilma, es ist noch ein Brief für dich gekommen. Warte, hier ist er.»

Umständlich kramte Juste in ihrer Schürzentasche herum und reichte dann Wilma ein Schreiben, dessen buntes Äußeres deutlich zeigte, dass es aus dem Ausland kommen musste.

Wilmas erster Gedanke, dass es ein Brief von Carl sei, ließ ihr Herz schneller schlagen. Sie riss eilig das Schreiben an sich, vergaß das Essen, übersah das verwunderte Gesicht von Juste und eilte auf ihr Zimmer, um in Ruhe zu lesen, was Carl ihr geschrieben hatte.

«Meine geliebte Wilma,   *Tell-el-Amarna, Ägypten, März 1912*

Wenn Du diesen Brief in Händen hältst, dann stelle Dir den glücklichsten Mann auf der Welt vor. Ich stehe hier und staune tagtäglich über eine Stadt, die vor mehr als dreitausend Jahren aus dem Wüstensand entstand. Das Besondere daran ist, dass sie erbaut, und schon bald wieder verlassen wurde, nach nur wenigen Jahrzehnten. Aus diesem Grund haben wir hier ein einmaliges Zeugnis, der Bau- und Lebensweise der alten Ägypter. Pharao Echnaton wollte damals eine neue Stadt, in der Mitte zwischen Ober- und Unterägypten errichten. Vielleicht, um dem ewigen Zank zwischen den beiden Provinzen zu entgehen.

Jeder Tag hier ist für mich wie ein neues Wunder und ich wünschte, Du wärest hier und könntest daran teilhaben. Ludwig Borchardt, der mich an dieser Ausgrabung teilhaben lässt, hatte den richtigen Riecher. Er ist unter anderem auch ein guter Architekt und sah das Potential, das hier verborgen liegt. Schätze aus Gold und Juwelen sind hier kaum zu finden, aber darum geht es ihm und uns allen auch gar nicht. Für uns ist es nur wichtig, diese Stadt ans Tageslicht zu bringen. Man glaubt bei jedem Schritt, den Atem der einstigen Bewohner zu spüren. Meine Geliebte, wenn ich morgens die Sonne hinter den Wüstenbergen aufgehen sehe und ihre ersten Strahlen die Überreste der einstigen Tempel und Paläste berühren, dann ist mir der Pharao, der nur die Sonne als lebensspendene einzige Gottheit anbetete, zum Greifen nahe. Ich wünschte so sehr, dass Du an meiner Seite wärest. Und ich hoffe, Du kannst verstehen, warum es mich hierher getrieben hat, obwohl ich gern bei Dir geblieben wäre. Bitte verzeih mir, dass meine ungerechtfertigte Eifersucht mich zu schnell wieder von Dir forttrieb. Dich in den Armen eines anderen Mannes zu sehen, ging über meine Kraft. Ich weiß, ich hätte dir vertrauen sollen und wünsche mir, dass du mir vergibst. Wenn alles zu unserer Zufriedenheit verläuft, dann bin ich Anfang des kommenden Jahres wieder bei Dir in Berlin und lege Dir die ägyptische Sonne zu Füßen,

Dein Dich ewig liebender Carl.»

Wilma sah Carl beinahe vor sich, wie er in die Strahlen der aufgehenden Sonne schaute und dabei eine Stadt vor sich hatte, die einst voller Leben und Freude gewesen sein musste. Sie verstand ihn, mehr als er vielleicht ahnte, und nichts hätte sie lieber getan, als ihn zu dieser Ausgrabung zu begleiten. Ihre Arbeit im Kindergarten erfüllte sie schon längst nicht mehr. Doch als Mutter und alleinstehende Frau hatte sie Verpflichtungen, die sich nicht ignorieren ließen. Auf einmal wurde ihr bewusst, dass sie immer nur die zweite Rolle in Carls Leben spielen würde. Seine ganz große Liebe gehörte der Archäologie, der Suche nach den Spuren längst vergangener Zeiten. Wehmütig legte sie den Brief zur Seite, dorthin, wo noch das Schreiben der Mutter darauf wartete, von ihr gelesen zu werden. Doch heute konnte sie nicht noch eine Botschaft von einem Menschen ertragen, für den sie nicht mehr so wichtig war, wie früher. Jetzt kamen die Wut und die Trauer doch ans Tageslicht, die sie lange zu unterdrücken versucht hatte. Von neuem stieg aus ihrem Inneren hoch, was sie empfand, als Leila ihr erzählte, dass die Mutter ein neues «Minchen» hatte, um das sie sich hingebungsvoll bemühte. Die Kusine ging davon aus, dass Wilma über diese Ersatztochter Bescheid wusste und sprach über Hermine, ohne zu ahnen, wie sehr sie damit Wilma verletzte. Die fühlte sich ausgestoßen und suchte dennoch die Schuld bei sich. Wie oft hatte sie sich seitdem gefragt, ob sie das innige Verhältnis zu ihrer Mutter dadurch verloren hatte, dass sie ein eigenes Leben führen wollte? Wilma sah zu dem Brief der Mutter hin, streckte schon die Hand danach aus und zog sie zurück, als habe sie sich verbrannt.

Spät am Abend kam Jette nach Hause und Wilma, die schlaflos ihre trüben Gedanken hin und her wälzte, setzte sich zu ihr in die Küche. Die überzeugte Sozialistin hatte mehr denn je im Parteibüro der Sozialdemokraten zu tun, seit diese bei der letzten Reichstagswahl mit beinahe 40% der Wählerstimmen ihr bestes Wahlergebnis erzielt hatten. Ihre 110 Abgeordneten bildeten erstmals die stärkste Fraktion im Reichstag. Wilma erinnerte sich noch gut daran, wie überschwänglich Jette damals von dieser Wahl berichtete. Heute strahlte Jette übers ganze Gesicht und freute sich, dass wenigstens Wilma noch wach war und sie ihr die wunderbare Neuigkeit erzählen konnte.

«Rosa Luxemburg wurde eingeladen, am Sozialistenkongress im November teilzunehmen. Weißt du, wo der stattfindet, und wer mitfährt?»

Jette richtete sich stolz auf, von ihrem schief gewachsenen Rücken war nichts mehr zu merken, so viel Selbstbewusstsein strahlte sie aus.

«Ich, Henriette Polzin, Sozialistin und Arbeiterkind aus den allerärmsten Verhältnissen, wurde von Rosa Luxemburg gefragt, ob ich sie als persönliche Referentin zuerst nach Paris und dann zum Kongress nach Basel begleiten darf. Nun, was sagst du dazu? Ist das nicht eine Sensation?»

Natürlich gratulierte Wilma der Freundin zu diesem wohlverdienten Erfolg. Sie hatte sich jahrelang ins Zeug gelegt, unter den widrigsten Umständen und oft unter der Gefahr, im Gefängnis zu landen. Es war nur gerecht, dass sie jetzt die Früchte ihre Arbeit ernten durfte. Doch saß auch hier ein kleiner Stachel in Wilmas Herzen. Sie fühlte sich einsam und kam nie über Berlin hinaus. Reisen nach Kappeln zählten für sie nicht. Wie gern hätte auch sie etwas von der Welt gesehen. Da fiel ihr Alexander ein und all die Freude, die sie durch ihn erlebt. War es dann nicht ungerecht, Jette und Carl ihre Erlebnisse zu neiden? Wie Mühlsteine drehten sich ihre Gedanken. Sie an den Brief ihrer Mutter, doch der hatte noch Zeit bis morgen. Erst als die Kolleginnen Tage später darüber sprachen, dass es in Amerika einen neuen Feiertag gäbe, am zweiten Sonntag im Mai, der sich «Muttertag» nenne, da fiel ihr der Brief wieder ein ...

50. Kappeln, im Mai 1913

Friederike wurde aus Wilmas letztem Brief nicht so recht klug. Über sich selbst, oder über Alexander schrieb sie kaum, es waren Berliner Vorkommnisse, die sie nicht sonderlich interessierten. Wilma war schon im letzten Sommer, als sie und Meta sich auf die anstrengende Reise nach Berlin machten, so merkwürdig zurückhaltend gewesen. Alexander, inzwischen ein richtig großer Junge, zeigte ebenfalls wenig Interesse an seiner Großmutter, doch das konnte sie ihm verzeihen. Jungs in dem Alter haben anderes im Sinn, als mit ihrer alten Oma im Park spazieren zu gehen. Noch etwas kam ihr in den Sinn, sie hätte Martha Liebermann, die sie als kultivierte, moderne Frau kennengelernt hatte, gern wiedergesehen. Doch Wilma wehrte ab, die Liebermanns wären aus der Innenstadt an den Wannsee gezogen, wo sie eine große Villa mit einem noch größeren Garten besäßen und nicht mehr viel Zeit für alte Freunde aufbrächten. Es kam keine Vertrautheit zwischen ihnen auf. Oft unternahm sie mit Meta allein etwas, wenn Wilma wieder einmal zu viel Arbeit vorschützte. Alles in allem war die eigene Tochter ihr fremd geworden, ein Buch mit sieben Siegeln. Das machte Rieke traurig, sie fragte aber nicht nach dem Grund. Hermine erwartete sie in Kappeln, als sie und Meta früher als geplant aus Berlin abreisten, und lenkte sie von ihren Kümmernissen ab. Der kleine Rudolf, den alle nur Rudi nannten, war jetzt beinahe zwei Jahre alt. Wie süß er war, wenn er ihr auf seinen dicken Beinchen entgegenlief und sie stürmisch umarmte. Meta warnte ihre Freundin zwar ab und zu, es mit der Liebe zu der doch eigentlich fremden Hermine und ihrem Kind nicht zu weit zu treiben, aber auch sie hatte in Berlin Wilmas unterkühlte Haltung gespürt und es genauso wenig verstanden, wie Rieke. Trotzdem würde sie, Rieke, ihrer Tochter weiter schreiben, auch wenn Meta ihr angeboten hat, von ihrem Haus aus zu telefonieren. Beim Schreiben konnte man überlegen, Gedanken äußern oder wieder streichen. Das ging bei einem Telefongespräch nicht. So saß sie wieder im Salon und schrieb.

«An meine ferne Tochter,   *Kappeln, im Mai 1913*

Wieder einmal möchte ich Dir ein wenig von unserem Kappeln berichten, dass sich allmählich verändert. Der Wasserturm ist ein neues Wahrzeichen, das neben dem unverwechselbaren Turm unserer St. Nikolai-Kirche die Besucher unseres Städtchens schon von weitem grüßt. Daneben sind es inzwischen fünf etwas kleinere Türme, die der Fischräuchereien, die das Stadtbild abrunden. Wie Du ja selbst weißt, wird dort der Hering geräuchert und in eine Delikatesse verwandelt. In alle Welt versenden die Räuchereien den Fisch und eine große Anzahl von Personen findet dabei eine lohnende Beschäftigung, denn der Hering ist eine Delikatesse, wenn er gut geräuchert ist. Aber es gibt noch mehr Arbeit in unserer Stadt. Vor kurzem hat Emmanuel Bonnevie Lorentzen, den Du noch von Deiner Kinderzeit her kennst, die Nachfolge im Holzhandel seines Vaters und Großvaters angetreten. Er ist seit ein paar Jahren Königlicher Vizekonsul von Schweden in Kappeln und ist nicht nur ein guter Geschäftsmann, sondern engagiert sich auch für dass Wohl seiner Heimat. Ich vermute, dass er bald nicht mehr aus den Vorständen der Vereine wegzudenken sein wird...»

Nachdenklich legte Friederike den Federhalter aus der Hand. Was könnte sie sonst noch schreiben? Interessierte sich Wilma wirklich dafür, was in ihrer einstigen Heimatstadt vor sich ging? War das Leben im fernen Berlin nicht viel interessanter und aufregender? Wie oft dachte Wilma wirklich an Kappeln und die Mutter? Friederike würde noch länger darüber nachgesonnen haben, wäre nicht Hermine hereingeplatzt, den kleinen Rudi hinter sich herziehend.

«Weißt du, was für Gerüchte umgehen im Rathaus. Vom Bürgermeister bis zum jüngsten Laufburschen sind alle in heller Aufregung. *«Zu Großem sind wir noch bestimmt, und herrlichen Tagen führe ich euch entgegen.»* Das hat unser Kaiser zu Beginn seiner Herrschaft uns Deutschen versprochen. Nun will er sein fünfundzwanzigstes Thronjubiläum begehen und mit ihm sollen alle Deutschen feiern. Die Kosten tragen natürlich die Gemeinden selbst. Darüber sind sich Bürgermeister und Stadtvertreter in die Haare geraten. Die einen wollen den «Friedenskaiser» bejubeln, die anderen sehen dunkle Wolken am politischen Horizont auftauchen, an denen unser Kaiser nicht ganz unschuldig ist. Was meinst du, liebe Friederike, können wir Frauen da nichts ausrichten?»

Rieke erschrak, dunkle Wolken, die sah auch sie auf sich zukommen. Sie erhob sich, eilte auf Hermine zu und umarmte sie, als wäre es das letzte Mal. Der Brief an Wilma blieb unvollendet liegen...

51. Berlin, Ende Juni 1913

Gut gelaunt kam Wilma im Mai von einem Besuch bei Martha Liebermann zurück, die sie stolz durch die neue Villa am Wannsee geführt und ihr von dem weitläufigen Garten vorgeschwärmt hatte, den ihr Mann Max gerade anlegen ließ. Dieser Sommer meinte es mit den Berlinern gut, brachte Sonne und Regen in ausgewogener Mischung. Alles gedieh, grünte und blühte. Der betörende Duft der Lindenblüten begleitete Wilma bis ins Haus und drang durch die weit geöffneten Fenster auch in ihr Zimmer. Klappernd fiel draußen ein Eimer um, lautes Schimpfen folgte, Juste war im Putzfieber.

«Soll unsere Wohnung so schmutzig bleiben? Ich will mich nicht schämen müssen, wenn unsere Prinzessin hier vorbei gefahren wird.»

Wilma amüsierte sich über Justes Eifer und fand es ein wenig übertrieben, weil ihre Wohnung im zweiten Stock lag und Prinzessin Viktoria Luise sicher keinen Giraffenhals hatte, der es ihr ermöglichte, dort hineinzusehen. Aber so eine königliche Hochzeit trieb eben merkwürdige Blüten. Des Kaisers jüngste Tochter verband sich mit dem Prinzen Ernst August III. von Hannover und sollte den seit langem bestehenden Konflikt zwischen den hannoverschen Welfen und den Hohenzollern beenden. Nebenbei bemerkt war der Bräutigam auch noch recht gut aussehend. Zur Hochzeit, am 24. Mai, wurden König Georg V. von Großbritannien und Irland mit Königin Mary und Zar Nikolaus II. und Zarin Alexandra Fjodorowna von Russland erwartet. Wie viele andere wichtige Persönlichkeiten sich außerdem einfanden, interessierte Wilma nicht sonderlich. Jette, die immer noch von ihrer Reise nach Paris und dem anschließenden Sozialistenkongress in Basel schwärmte, hatte ihre Bedenken.

«Hoffentlich hält unser Kaiser dieses Mal seine Klappe», mokierte sie sich in ihrer saloppen Art, «oft genug ist er mit seinen unüberlegten Äußerungen ins Fettnäpfchen getreten. Das können wir uns im Moment gar nicht leisten.»

«Wie meinst du das», hakte Wilma nach, «ihr habt doch damals über die Gefahr eines europäischen Krieges und mögliche Gegenmaßnahmen diskutiert und ich erinnere mich noch an das Flugblatt, das du mitbrachtest. Warte, ich habe es gleich, hier, genau, hier steht es»:

«Nächsten Sonntag tritt in Basel der sozialdemokratische Weltkongress gegen den Krieg zusammen. Er wird sich den gewissenlosen Kriegshetzern, den Diplomaten, Offizieren und Fürsten, den profitlüsternen Armeelieferanten und ihren Zeitungssöldnern entgegenstemmen, mit dem geeinigten Willen des Proletariats der ganzen Erde. Er wird der Stimmenchor aller Völker des Erdballs sein, und diese Völker wollen den Frieden, wollen Frieden um jeden Preis, sind entschlossen, eine Ausweitung des Balkankrieges zum Weltbrande mit allen Mitteln abzuwehren.»

«Das ist wahr und ich weiß, dass ein Friedensmanifest verabschiedet und auf der anschließenden Frauenversammlung heftig diskutiert wurde.»

Jette setzte sich und trank den Tee, den Juste brachte, die sich dazu gesellte, weil auch sie um die Zukunft Deutschlands und damit um ihre eigene bangte. Wilma ahnte ebenfalls, dass der hochgelobte «Friedenskaiser» bald mit dem Säbel rasseln würde. Lange sprachen die drei Frauen unterschiedlichster Herkunft über das, was auf sie zukommen könnte, wenn sich nicht bald die zerstrittenen Nationen auf dem Balkan an einen Tisch setzen und vernünftig miteinander reden würden.

«Wären wir Frauen an der Macht, dann gäbe es nie wieder Krieg», sagte Jette später und sprach damit den beiden anderen aus dem Herzen.

«Ich geh ins Bett», Juste gähnte herzhaft, «morgen muss ich die Fenster putzen, alle!»

«Die wirst du bis zur Hochzeit wieder putzen müssen, es regnet bis dahin bestimmt nochmal», Wilma und Jette lachten. Dann trennten sie sich und Wilma hing noch lange ihren eigenen Gedanken nach. Unbewusst griff sie nach dem Brief von Carl, der sie zum Beginn des neuen Jahres erreichte. Obwohl sie den Inhalt beinahe auswendig kannte, so oft hatte sie ihn schon gelesen, faszinierte sie Carls Bericht über den spektakulären Fund nach wie vor. Er beschrieb jede Einzelheit so lebendig, dass es ihr vorkam, als sei sie selbst dabei gewesen und sie hörte in Gedanken seine Stimme, die das ausdrückte, was er empfand, als er SIE zum ersten Mal in ihrer ganzen Schönheit sah. Wilma suchte die bewusste Stelle im Brief und las sie erneut.

«Liebste Wilma, dieser Tag, der sechste Dezember des Jahres 1912, wird als ganz besonderer Tag in die Geschichte eingehen, der Tag, an dem eine Königin aus ihrem Jahrtausende währenden Schlaf erwachte. Bei dieser Grabung stießen meine Mitarbeiter und ich, in der Stadt Amarna, die einst Achetaton genannt wurde, auf den Gebäudekomplex des Bildhauers Thutmosis. Ludwig Borchardt befand sich zu dieser Zeit noch in Kairo. Schon länger wussten wir, dass anhand der bisher dort aufgefundenen Bruchstücke von Statuen und unvollendeten Figuren, in der Nähe des Planquadrates P 47,2+1 eine Bildhauerwerkstatt gelegen haben musste. Der Tag begann wie immer, bis unser Grabungsleiter Borchardt eintraf, im Schlepptau den altertumsbegeisterten sächsischen Prinzen Johann-Georg samt Begleitung. Nun wurden die Funde begutachtet. Und hier, vor den Augen des sächsischen Hochadels, kam in Haus 47.2 Überraschendes zutage, darunter als „Position 7" eine „lebensgroße bemalte Büste der Königin, 47 cm hoch." Das, liebste Wilma, beschreibt den Fund äußerst ungenügend. Nie werde ich den Anblick dieser Schönheit vergessen, die, noch bedeckt vom Staub der Jahrtausende, uns in die staunenden Gesichter zu blicken schien, als wäre sie lebendiger als wir selbst. Diese Büste ist so unsagbar schön und lebensnah, dass sogar Ludwig Borchardt, für seine eher nüchterne Schreibweise bekannt, in seinem Bericht festhält: «Arbeit ganz hervorragend. Beschreiben nützt nichts, ansehen!» Und so ist es, niemand kann die Grazie auf Papier bannen, mit der die «bunte Königin», wie sie schnell genannt wurde, den schlanken Hals hält, der die schwere Kopfbedeckung trägt. Ein wenig hochmütig, ohne Lächeln, blickt sie und an und macht uns damit klar, was wir für armselige Sterbliche sind, für die es eine Ehre sein sollte, ihr Angesicht schauen zu dürfen. Ich glaube, wir alle, auch Borchardt und der sächsische Prinz, hielten für einen Moment den Atem an, als die Schöne vor uns erschien. Dann erst begutachten wir den Fundort und dessen Umgebung. Die Fundlage der Büste ließ darauf schließen, dass sie auf einem hölzernen Wandbrett gestanden haben musste, durch dessen Zerfall sie auf den Boden gefallen war. Sie blieb um Glück weitgehend unversehrt und der sich darüber anhäufende Schutt bewahrte sie vor weiteren Schäden. Das Fundstück wurde in der Fundliste unter der Nummer 748 mit der Kurzbeschreibung „bemalte Büste der Königin" geführt. Borchardt vermerkte hierzu später: «Dann wurde die bunte Büste erst herausgehoben und wir hatten das lebensvollste ägyptische Kunstwerk in Händen. Es war fast vollständig, nur die Ohren waren bestoßen und im linken Auge fehlte die Einlage." Uns allen erschien es wie ein

Wunder, dass diese Büste so wenig beschädigt war, und wir wünschen uns, dass viele Menschen sie einmal zu sehen bekommen. Die Hauptarbeit hier ist getan und wir werden Anfang März erst einmal aufhören. Dann komme ich, wie ich es Dir versprach, nach Hause, endlich nach Hause zu Dir und unserem Sohn.

In großer Sehnsucht und Liebe, Dein ägyptischer Carl.»

Wilma legte den Brief beiseite und weinte lautlos. Sie machte sich große Sorgen um Carl, der schon vor Wochen hätte eintreffen müssen. Doch sie erhielt keinen weiteren Brief, keine Ankündigung, wann er genau käme, einfach nichts. Tagsüber war sie durch ihre Arbeit abgelenkt, aber nachts lag sie oft wach und rief in Gedanken nach Carl. Wo konnte er sein? War ihm möglicherweise etwas zugestoßen? Dann beruhigte sie sich und dachte daran, dass sie schon öfter geglaubt hatte, er käme nicht zurück, doch dann stand er plötzlich in der Tür.

Die Hochzeit von Prinzessin Viktoria Luise verlief weniger prunkvoll, als Juste hoffte und der Brautzug führte zu ihrer Enttäuschung nicht an ihrem Haus vorbei. Wilma ertappte Juste dabei, wie sie wütend den Staubwedel in die Ecke warf und murrte, dass alle Arbeit umsonst gewesen sei. Jette, die gerade dazu kam, lachte laut und meinte, so umsonst wäre es nicht gewesen.

«Denn sehr bald steht das nächste große Fest an», Juste blickte ungläubig drein, «aber ja, unser Kaiser will sein Thronjubiläum, sein fünfundzwanzigstes, ganz groß feiern. Er ist bei uns Deutschen ja ziemlich beliebt. Im Ausland sieht man ihn etwas anders, seit der unglücklichen «Hunnenrede». So viele Jahre ohne Krieg, solange hält in der Mitte Europas der Frieden schon an, das ist etwas Besonderes. Stellt euch vor, man munkelt, dass der Neffe von Alfred Nobel, unsern Wilhelm II. für den Friedensnobelpreis vorschlagen will. Das geht ihm natürlich runter wie Öl und er will es seinem Volk zeigen. Deshalb liebe Auguste, kann es durchaus sein, dass die Parade genau unter unseren, dann hoffentlich blankgeputzten Fenstern vorbeizieht.»

«Och Jette, du willst mich ja bloß auf den Arm nehmen», Juste zog eine beleidigte Schnute, lachte aber gleich darauf wieder.

Dann begannen die angekündigten Feierlichkeiten. Am achten Juni weihte der Kaiser persönlich das Deutsche Stadion in Berlin Grunewald ein, denn Deutschland präsentierte sich als eine sportbegeisterte Nation. An dem großen Eröffnungsfest nahmen rund 30.000 Leichtathleten, Radfahrer und Ruderer teil. Der Kaiser zeigte sich begeistert. Er fühlte sich in seinem Element, wenn sich jubelnde Massen und monarchiebegeisterte Menschen um ihn herum tummeln.

In seinem Danktelegramm an den Veranstalter schrieb er: „Wessen Herz schlüge nicht höher angesichts der schmucken Turner, Schwimmer, Läufer, Ringer, Ruderer, Radfahrer, wie der Knaben und Mädchen des Jungdeutschlandbundes und der Pfadfindertrupps? Eine solche kräftige und wohldisziplinierte Jugend berechtigt zu den schönsten Hoffnungen für die Zukunft des deutschen Vaterlandes."

Wilma spürte, ebenso wie viele ihrer Mitmenschen, dass unter der ganzen Feierlaune etwas Unheimliches, Dunkles lauerte, dass die Zeit des Friedens und der Überschwänglichkeit bald ein Ende haben würde. Immer noch war es ein schrecklicher Gedanke, dass amtierende Könige einfach ermordet werden konnten, so wie es im März dieses Jahres dem griechischen König Georg I. erging. Er wurde bei einem Spaziergang durch Thessaloniki in den Rücken geschossen und starb daran. Trotzdem feierte der Kaiser sein Jubiläum ausgiebig und bald folgte dessen Höhepunkt. Am 16. Juni fanden die großen offiziellen Feierlichkeiten in Berlin statt. Es war ein strahlend schöner Sommertag, richtiges Kaiserwetter. Am Morgen brachten Berliner Schulkinder dem Kaiser ein Ständchen. Dann marschierten Dutzende Delegationen unter dem Balkon des Kaisers auf. Die ganze Stadt schmückte sich mit bunten Girlanden. Wilhelm II stand an diesem Tag auf dem Höhepunkt seiner Macht und seines Ansehens. Wenigstens glaubte dies die Mehrheit der Deutschen. Für Wilma bedeutete es aber, dass der Kaiser seinen Zenit überschritten hatte. Wie schnell es jetzt mit Deutschland abwärts ginge, darüber wagte sie nicht nachzudenken. Als sie an diesem Tag voller Sonne, jubelnder und ausgelassen feiernder Menschen nach Hause kam, trat ihr Wilhelm Bode entgegen. Freudig wollte sie ihn begrüßen, da ließ sein bekümmerter Gesichtsausdruck sie zurückschrecken.

«Bitte, Wilma», begann Bode, «bevor ich Ihnen etwas mitteilen muss, möchte ich, dass Sie sich hinsetzen. Es ist besser so.»

Wilmas Herz klopfte schneller, sie ahnte, dass Bode nichts Gutes berichten würde. Mit einer Stimme, in der all sein Mitgefühl mit seiner ehemaligen Mitarbeiterin lag, sprach er aus, wovor Wilma sich seit Wochen fürchtete.

«Bitte verzeihen Sie dem Boten, der diese Nachricht überbringen muss. Es fällt mir unendlich schwer, Ihnen sagen zu müssen, dass Carl Meurer seit dem zweiten März vermisst wird. Er wollte am Morgen mit einem Boot ein Stück nilabwärts fahren, um dort nachzusehen, ob die angebliche Fundstelle eines Grabes, möglicherweise eines Pharaonengrabes, sich tatsächlich dort befände.

Er ist aber dort nie angekommen. Das Boot fand man Tage später, herrenlos auf dem Nil treibend. Die Suchtrupps kamen ergebnislos zurück und auch die einheimische Bevölkerung konnte keine Hinweise auf seinen Verbleib liefern. Es ist anzunehmen, dass Carl Meurer im Nil ertrunken ist. Aus welchem Grund, das werden wir wohl nie erfahren. Lassen Sie mich hiermit mein herzlichstes Beileid ausdrücken. Ich weiß, wie nahe sie ihm gestanden haben.»

Bode brach ab, er sah, dass Wilma ihm nicht mehr zuhörte. Es war das eingetreten, mit dem sie all die Jahre insgeheim gerechnet hatte. Carl war verschollen, mit ziemlicher Sicherheit nicht mehr am Leben. Der Schock traf sie mit Wucht, als sei auch ihr Leben jetzt zu Ende. Wie sollte sie ohne ihn nur weiterexistieren? Er hatte ihre Seele mitgenommen, an jenen Ort, von dem es keine Rückkehr gab. Ihr Blick ging in weite Fernen, dorthin, wo sie Carl nicht folgen konnte. Er hatte sie verlassen, für immer. Eine einzelne Träne rollte ihre blassen Wangen hinunter...

52. Kappeln, im August 1914

Friederike fühlte sich hilflos. Alles schien im Moment vollkommen anders zu verlaufen, als sie sich es je hätte vorstellen können. Es begann vor einem Jahr, als Henriette Polzin, die Mitbewohnerin und Vermieterin von Wilma sie anrief. Zum Glück hielt sie selbst sich gerade bei Meta auf, als deren Telefon läutete und Henriette am Apparat war. Entsetzt hörte sie, dass Wilmas Lebensgefährte Carl in Ägypten vermisst wurde und höchstwahrscheinlich ertrunken sei. Wilma hätte sich völlig in sich zurückgezogen und wäre kaum ansprechbar. Es folgte noch die Bitte, ob sie, als Wilmas Mutter, nicht kommen und sich ein wenig um die Tochter und vor allem den Enkel kümmern könne, der sehr unter dieser beklagenswerten Situation leide.

«Ich komme, so schnell ich kann», gab sie Wilmas Freundin zur Antwort und machte sich am nächsten Tag auf die Reise nach Berlin. Blass und sichtlich abgemagert stand Wilma am Bahnsteig. Sie fiel der Mutter schluchzend in die Arme und klagte zu Hause über die verlorenen Jahre, in denen sie immer wieder auf Carl gewartet habe.

«Ach, Mama», kam es bitter aus Wilmas Mund, «längst könnte ich mit einem Mann verheiratet sein, der an meiner Seite lebt und sich nicht ständig in Altertümern herumtreibt. Alexander braucht einen Vater, der für ihn da ist und sich um ihn kümmert. Jetzt sind wir allein, wirklich allein und ich bin selbst schuld daran.»

Behutsam versuchte Rieke ihre Tochter zu ermuntern, sich dem Leben wieder zu stellen, doch alles Reden blieb vergeblich. Da tauchte eines Tages ein Mann auf, den Wilma kannte und dem sie anscheinend vertraute. Walter Dernau bemühte sich rührend um Wilma und er schaffte es tatsächlich, sie ein wenig aus ihrem Schneckenhaus zu locken. Auch Alexander mochte diesen Walter, der ihnen das Gefühl eines Felsen in der Brandung vermittelte.

Beruhigt darüber, das ihre Tochter ihre schwere Bürde nicht mehr allein tragen musste, fuhr Friederike nach ein paar Wochen wieder nach Kappeln zurück. Bald saß sie, wie zuvor, mit Meta im Garten unter der Kastanie und erzählte von Berlin und vor allem von Alexander. Mit dem Enkel verstand sie sich überraschend gut, trotz des großen Altersunterschiedes.

«Da saßen wir am Tisch in der Küche», berichtete Rieke lachend, «und Alexander kam mit seinen Karl-May-Romanen an. Weil ich doch abends immer etwas Lektüre vor dem Einschlafen benötige, fragte ich den Jungen, ob er mir einen dieser Bände ausleihen würde. Ohne dass ich es wollte, faszinierten mich diese Indianergeschichten und das Ende vom Lied war, dass Alex mir die Rolle des alten und weisen Häuptlings Intschu-Tschuna aufdrängte, während er, wie könnte es anders sein, Winnetou spielte. Wilma schüttelte den Kopf, als mein Enkel mir ein Indianerstirnband auf meine grauen Haare setzte und wunderte sich über mein erweitertes Vokabular, in dem so sonderbare Worte wie «Silberbüchse, Apachen, Manitu und Tomahawk» vorkamen. Ja, lache du nur, mir hat es Spaß gemacht und den Enkel näher gebracht, als es sonst etwas hätte tun können.»

Meta lachte immer noch, bei der Vorstellung von Friederike als Indianer, da kam Hermine in den Garten, den kleinen Rudi auf dem Arm. Sie sah ernst aus, so als läge ihr etwas schwer auf der Seele.

«Minchen», freute sich Rieke, «komm, setze dich zu uns. Magst du einen von den ersten Äpfeln kosten, die unser Baum in diesem Jahr trägt?»

«Vielen Dank, liebe Rieke», Hermine schüttelte den Kopf, «mir ist nicht danach. Leider muss ich dir etwas Trauriges mitteilen.»

Friederike hielt den Atem an, was konnte Schlimmes geschehen sein? Da bekam sie auch schon die Antwort.

«Der Vater meines Mannes liegt im Sterben, deshalb fahren wir bereits morgen nach Berlin. Das ist das Eine. Was aber dazu kommen könnte, ist die schwierige aktuelle politische Lage, die es nötig macht, dass mein Gatte in Berlin bleiben muss. Verstehst du, Rieke, es kann geschehen, dass ich nur noch nach Kappeln zurückkomme, um zu packen und den Haushalt aufzulösen.»

Tränen liefen der jungen Frau über die Wangen, die all ihre gesunde Farbe verloren hatten. Rieke nahm sie tröstend in den Arm. Meta ging mit Rudi in ihre Küche, wo für solche Gelegenheiten immer etwas Süßes bereitstand. Heute war es Milchreis, der als Nachtisch dienen sollte. Klein-Rudi probierte ihn mit Begeisterung. Währenddessen versuchte Rieke ihr Minchen zu beruhigen. Es müsse ja alles nicht so schlimm sein und es gäbe wohl nichts Unzuverlässigeres als die Politik. Dies sei ohnehin Männersache und die Frauen hätten sich zu fügen, was immer auch kommen möge.

«Am besten, du fährst zunächst nach Berlin und kümmerst dich um deinen Schwiegervater. Über alles andere reden wir, wenn zurück bist.»

Die nächsten Wochen ohne Hermine waren für Rieke recht einsam, bis ein Brief von Alexander kam, an den weisen Häuptling Intschu-Tschuna gerichtet. Ihm, das hieß ihr, seiner Großmutter, erzählte der Junge all seine Freuden und Kümmernisse, die ihm wichtig erschienen und Rieke ging mit Freuden darauf ein. Zu Weihnachten schickte sie Alexander einen weiteren Band mit den Indianergeschichten von Karl May und erhielt von dem Jungen eine selbstgeschnitzte Friedenspfeife. Auch Wilma hielt jetzt regen Briefkontakt mit ihrer Mutter, vorbei schienen alle Missverständnisse und Vorbehalte.

«Ach, weißt du Meta», kam es überraschend von Rieke, «auf diese Weise alt zu werden, ist doch eine recht gute Sache, meinst du nicht?»

Diese Zufriedenheit hielt nicht lange an, es kam der Tag, an dem Hermine von Berlin zurückkehrte. Unter Tränen bat sie Rieke um Verständnis, das sie nicht in Kappeln bleiben könne. Der Schwiegervater war verstorben, die völlig unselbständige Schwiegermutter zusammengebrochen und darum nicht fähig, in Zukunft mit ihrem Leben allein zurechtzukommen. Aus diesem Grund hatte ihr Mann um eine Versetzung von Kappeln nach Berlin gebeten und das Amt hatte dem stattgegeben.

«Liebe Friederike, nun bin ich hier, um mich endgültig von dir und Meta zu verabschieden. Ihr beide habt mir unendlich geholfen, hier ein wenig heimisch zu werden. Ohne euch hätte ich Rudis Geburt nicht so gut überstanden. Wie gern würde ich hierbleiben, doch das Leben will etwas anderes von mir. Wie könnte ich mich weigern, meinem Mann zu folgen oder mich nicht um meine hilfsbedürftige Schwiegermutter zu kümmern. Nie, das darfst du mir glauben, niemals werde ich die schönen Stunden mit dir, liebe Rieke vergessen und hoffe, dass wir uns oft schreiben, damit ich nicht ganz in Vergessenheit gerate.»

Für Rieke und Meta war es eine Selbstverständlichkeit, der jungen Frau bei der Auflösung ihres Haushaltes unter die Arme zu greifen. Wenige Wochen später standen die Freundinnen dann am Bahnsteig und winkten dem Zug hinterher, der Hermine und ihre Familie für immer aus Kappeln forttrug.

«Jetzt wird es ruhig werden, um uns zwei Alte», meinte Rieke und Meta lachte sie aus, «aber sicher nicht, solange du für deinen Alexander noch den

Indianerhäuptling spielst. Pass aber auf, dass er dich nicht an den Marterpfahl stellt. Und fange nur ja nicht auch noch das Reiten an!»

Und nun lag vor Friederike die Zeitung auf dem Tisch, die in dicken Lettern verkündete, dass Österreich den Serben heute den Krieg erklärt hatte. Sie erschrak zutiefst. All ihre Ahnungen und Befürchtungen legte sie in einen Brief an Wilma hinein.

«*Mein geliebtes Kind in Berlin,*   *Kappeln, Anfang August 1914*

Du kannst Dir, nach diesen Hiobsbotschaften, die täglich auf uns alle einstürzen, sicher denken, dass ich große Sorgen um Dich und Alexander habe. Was wird aus Euch, wenn es tatsächlich Krieg gibt? Noch hoffe ich und mit mir wahrscheinlich viele Leute, dass es irgendwie doch noch gut ausgehen möge. Der Schock nach dem hinterhältigen Attentat in Sarajewo auf den Thronfolger Österreich-Ungarns, Erzherzog Franz Ferdinand und seine Gemahlin Sophie, war groß. So groß sogar, dass hier in diesem Landesteil der Landrat in Schleswig die gesamte Polizei in jedem Ort ersuchte, innerhalb von acht Tagen festzustellen, ob und wo sich in ihren Bezirken Serben aufhalten könnten. Nun hat Österreich, am 28. Juli, Serbien den Krieg erklärt. Heute schreiben wir den zweiten August und die Wogen der Begeisterung schlagen überall hoch. Jedes Opfer wolle man bringen, so ruft man voller Patriotismus, für Kaiser und Vaterland. Die Jugend drängt sogar in unserem kleinen, bisher so beschaulichen Kappeln zur Mobilmachung und auch die Älteren wollen als Kriegsfreiwillige zu den Waffen greifen. Ich kann es nicht verstehen, dieses Denken, denn wurde unser Kaiser nicht erst vor einem Jahr als Friedenskaiser geehrt? Und nun dieses Kriegsgeschrei? Können Männer nicht ohne Krieg und Kampf leben?

Ich befürchte, dass wir schneller als uns lieb sein kann, in diesen Krieg hineingezogen werden, der uns Deutsche doch eigentlich nichts angehen sollte. Dann gnade uns Gott!

Mein liebes Kind, möchtest Du mit Alexander nicht hierher nach Kappeln kommen, bis das alles wieder vorbei ist? Denke doch bitte darüber nach, denn hier ist es bestimmt weniger gefährlich als in Berlin.

Ach bitte, kommt doch, kommt, so schnell es geht, zu mir,

darum fleht von Herzen, Deine besorgte Mutter, Friederike Schulze...»

53. Berlin, Anfang August 1914

Wieder einmal stand Wilma vor einer schwierigen Entscheidung. War vor einem Jahr die Welt für sie zusammengebrochen, sah sie heute einen Lichtstrahl am fernen Horizont. Damals fühlte sie sich, als wäre ihr Inneres zu Eis erstarrt, als könne sie niemals wieder glücklich sein, wäre alle Fröhlichkeit für immer aus ihrem Leben verschwunden. Was sollte sie ohne Carl auf dieser Welt, die sich nicht mehr als die ihre anfühlte. Carl war tot, dessen war sie sicher, denn wenn es nicht so wäre, hätte er längst Kontakt zu ihr aufgenommen. Sie trauerte, um ihn, um sich und um die gemeinsame Zukunft, die sie vor Augen hatten.

Wären da nicht Jette und Juste gewesen, die alles taten, um sie aus ihrem Kummer zu befreien, und hätte es nicht Alexander gegeben, dann wäre sie Carl gern in den Tod gefolgt. Doch die Freundinnen alarmierten ihre Mutter, die kam und ihr Beistand leistete. Die Mutter war es, die den Durchbruch, der Wilma wieder ins Leben zurückholte, herbeizauberte, als sie sich von ihrem Enkel ins Reich der Fantasie entführen ließ und plötzlich als Indianerhäuptling zum Abendessen erschien. Ein buntes Stirnband im ergrauten Haar, Kriegsbemalung im noch ziemlich faltenlosen Gesicht, die aus zweckentfremdeten Lippenstift und Holzkohle bestand, so trat sie auf, einen ähnlich herausgeputzten Alexander neben sich. Ohne es zu wollen, brach Wilma in ein Gelächter aus, dass den Panzer um ihre Seele löste. Sie lachte, bis ihr die Tränen kamen und sich Trauer und Freude mischten.

Am nächsten Tag kam Walter Dernau vorbei und nahm Wilma wortlos in die Arme. Sie ließ sich gegen seine breite Brust fallen und fühlte sich getröstet. Er löste sich nach einer Weile von ihr und bot ihr seine Hilfe an.

«Liebe Wilma, ich ahne, wie du dich fühlen musst. Sei versichert, dass du in mir immer einen guten Freund haben wirst. Ich würde dich sogar heiraten, damit du ein sicheres Zuhause hättest und dein Sohn in mir einen liebevollen Vater. Doch das dürfte dir nicht genug sein. Deshalb lass mich dir ein Halt sein,

ein Freund, auf den du dich immer verlassen kannst. Und wenn du es dir eines Tages anders überlegst, mir einen Platz in deinem Herzen einräumen kannst, lass uns dann noch einmal darüber reden. Einverstanden?»

Was blieb Wilma anderes übrig, als Walters großherziges Angebot anzunehmen. Ihrer Mutter, die nicht verstand, warum sie den gutaussehenden, verständnisvollen Mann nicht ermutigte, erklärte sie, ein guter Freund sei, mehr nicht. Das musste genügen. Es hörte sich vielleicht abgedroschen an, aber auch Wilma merkte, dass die Zeit alle Wunden heilt und irgendwann schmerzte der Gedanke, Carl für immer verloren zu haben, nicht mehr so sehr. Dazu kam ihre Arbeit im Kindergarten, die sie vom Grübeln abhielt. Manchmal wünschte sie sich, Carl wäre in Berlin gestorben, damit sie einen Platz hätte, wo sie mit ihm stumme Zwiesprache halten könnte.

Als die Tage kürzer und die Nächte länger wurden, erinnerte sie sich wieder an den Stern, dem sie vor Jahren jeden Abend Grüße an Carl mitgab, auf seinem Weg über den Himmel.

«Lieber Stern», flüsterte sie auch in dieser mondlosen Nacht, in der die Sterne wie Diamanten am dunklen Samt des Nachthimmels funkelten, «lieber Stern, grüße meinen Carl, wo immer er sein mag, im Himmel oder auf der Erde. Einst haben wir geglaubt, alles drehe sich nur um uns und unsere Träume. Carl bezahlte mit seinem Leben für die seinen und ich habe die meinen begraben. Aber ich hoffe im Stillen immer noch, dass er eines Tages wieder auftaucht.»

Ein letzter Blick nach oben ließ sie erzittern. Hatte der Stern ihr nicht gerade eben zugezwinkert? Ach, es waren nur die Tränen schuld, die sie nicht unterdrücken konnte. Traurig ging sie ins Bett und träumte davon, wie das Leben mit Carl hätte sein können. Wochen später kam Walter Dernau mit besorgter Miene an. Er ließ durchblicken, dass es im Reich zu Unruhen kam. Der ständige Krisenherd auf dem Balkan und das Bündnis Deutschlands mit Österreich-Ungarn, deutet auf einen Konflikt hin, der kaum ohne militärische Auseinandersetzungen zu lösen sei. Wilma erschrak.

«Glaubst du, dass es Krieg geben wird?»

«Ich bin davon überzeugt, weil der Kaiser sich als Feldherr sieht und glaubt, unbesiegbar zu sein. Die Uniform allein macht noch keinen guten Soldaten aus.»

Walter redete Wilma zu, versuchte, sie davon zu überzeugen, dass es besser sei, dem Wunsch ihrer Mutter nachzugeben und nach Kappeln zu gehen, falls ein Krieg ausbrechen sollte.

«Du bist in der Provinz und auf dem Land weit besser aufgehoben, als hier in Berlin, das jetzt schon aus allen Nähten platzt. Bei deiner Mutter wirst du in Ruhe abwarten können, bis sich die Lage beruhigt hat. Und ich müsste mir dann keine Sorgen mehr um dich und Alexander machen, denn ich liebe dich, so wie ein Mann eine Frau nur lieben kann.»

Als ob er zu viel von sich preisgegeben habe, wandte sich Walter um und verließ ohne ein weiteres Wort die Wohnung und die zutiefst berührte Wilma.

Das sollte noch nicht die letzte Überraschung sein. Dass draußen der Frühling in den Sommer überging, nahm Wilma kaum wahr. Sie schrieb ihrer Mutter und fragte, ob sie mit Alexander zurückkehren dürfe. Doch noch ehe sie eine Antwort bekam, betrat Wilhelm Bode ihr Zimmer, in dem sie gerade dabei war, auszusortieren, was sie mitnehmen wollte und was nicht. Bei Bodes Anblick begann Wilma zu zittern, so sehr erinnerte sie sich an dessen letzten Besuch und die schreckliche Botschaft, die er brachte.

«Bitte, liebe Wilma, beruhigen Sie sich. Dieses Mal habe ich gute, sogar sehr gute Neuigkeiten für Sie.»

Wilma kam seiner Bitte nach und bat ihn in die Stube. Juste brachte rasch einen Kaffee und ließ die beiden allein. Dass zufällig die Tür nicht richtig schloss und sie die Unterhaltung mithörte, dafür konnte sie nichts. Bode trank seinen Kaffee, für Wilma viel zu langsam, stellte dann die Tasse umständlich hin, räusperte sich und begann endlich.

«Liebe Wilma, ich bedaure es sehr, dass ich Ihnen so viel Schmerz bereiten musste, als ich Ihnen die Kunde von Carls Tod brachte. Hätte ich da schon gewusst, was ich heute weiß, wäre es mir leichter gefallen...»

«Bitte, Herr Bode», unterbrach ihn Wilma, «sagen Sie um Gottes willen, was Sie zu sagen haben und spannen mich nicht länger auf die Folter!»

«Oh ja, Entschuldigung, es ist nur, also es ist so, dass Carl noch lebt und....»

«Carl lebt? Wo ist er? Was macht er? Warum kommt er nicht selbst?»

Wilma konnte kaum einen klaren Gedanken fassen. Ihr ging nur das Eine im Kopf herum, Carl lebt, Carl lebt...»

Irgendwann hörte sie, dass Bode inzwischen weitersprach, und bat ihn, seinen Bericht zu wiederholen. Er kam dem gern nach.

«Es ist ein bisschen kompliziert», meinte er, «denn Carl plante alles von langer Hand. Er ist natürlich nicht ertrunken, sondern hat sich von einem befreundeten Ägypter aus dem Nil fischen und nach Alexandria bringen lassen.»

Was Bode weiter sagte, konnte Juste nicht mehr verstehen, es ging im Jubelschrei Wilmas unter. Als Wilhelm Bode endlich das Haus verließ, wollte Juste wissen, was mit Carl geschehen war, doch Wilma bat sie darum, noch zu warten, sie müsse ihre Mutter dringend schreiben und den Brief sofort zur Post bringen. Juste verstand nicht, warum Wilma nicht telefonieren wollte, aber sie akzeptiere Wilmas Bitte und machte sich in der Küche über die Zubereitung des Abendessens her. Dass es keine Beachtung mehr finden sollte, ahnte sie nicht. Wilmas Füllfederhalter flog indessen nur so über das Papier.

«*Geliebtes Mütterlein,*   *Berlin, Anfang August 1914*

Es hat mich genauso erschreckt, wie wahrscheinlich Dich auch, als die Meldung vom Attentat auf den österreichischen Thronfolger kam. Da schrieb ich Dir gerade und bat Dich darum, mit Alexander zu Dir nach Kappeln kommen zu dürfen, wenn es zum Krieg käme. Bei Dir, im schönen, Kappeln, da hätte ich mich sicher und geborgen gefühlt. Als dann der Aufruf zur Mobilmachung kam, wollte ich Dir schon telegrafieren, aber dann war Wilhelm Bode schneller mit seiner frohen Botschaft, dass mein Carl noch lebt. Ich wollte es zuerst nicht glauben, dass er das alles geplant hat. Wissentlich täuschte er seinen Tod vor, weil er in Deutschland sonst nie von seiner Frau losgekommen wäre. In Alexandria, einer großen ägyptischen Stadt am Mittelmeer, hat er sich inzwischen ein neues Leben aufgebaut, unter einem anderen Namen. Das brauchte Zeit, aber in Anbetracht der politischen Lage, bittet er mich, mit unserem Sohn ihm schnellstens dorthin zu folgen. Dort kann er mich endlich heiraten und wir werden eine richtige Familie sein, auch wenn ich dafür meinen Namen ablegen muss. Ich bin unendlich glücklich. Er erwartet uns bald in Alexandria und legte seinem Brief, in dem er alles erklärte und den Bode mir überbrachte, die Fahrkarten für eine Schiffspassage bei. Das bedeutet, liebste Mama, wir könnten, wenn du es willst, uns noch einmal im Hamburger Hafen treffen, bevor unser Schiff in wenigen Tagen ablegt, in eine neue Zukunft....Kommst du? .... Bitte?.......

Das hofft von Herzen, dein Minchen....

Während in Kappeln eine verwunderte Friederike den Brief ihrer Tochter las und sich darauf vorbereitete, mit der Bahn nach Hamburg zu fahren, um sich von ihr für immer zu verabschieden, auch wenn sie nicht so ganz verstand warum, brach in Berlin bei Wilma Hektik aus. So viel wollte bedacht sein, musste geregelt werden und die Zeit zerrann ihr unter den Fingern. Jette und Juste halfen ihr, wo sie nur konnten, bis Juste in Tränen ausbrach und Wilma anflehte.

«Wilma, nimm mich mit, lass mich nicht allein zurück. Was soll ich ohne dich und mein Alexchen? Glaub mir, ich will dir nicht zur Last fallen, deinem Carl auch nicht. Aber in dieser Stadt am Ende der Welt, bist du bald wieder allein, wenn Carl die nächste Ausgrabung in die Nase sticht. Da kannst du so jemand wie mich, bestimmt gut gebrauchen. Die Fahrt kann ich selbst bezahlen, ich hab doch das Geld von Frau Clementi gespart. Was brauche ich schon groß für mich. Bitte, Wilma, nimm mich doch mit!»

Gerührt über so viel Anhänglichkeit nahm Wilma die treue Seele in ihre Arme. Jette versuchte zwar, Auguste zum Bleiben zu überreden, doch die war fest entschlossen, sich dieses seltsame Alexandria anzuschauen. Dass sie vor allem ihr Alexchen vor Wüsten, Dschungeln und Menschenfressern beschützen wollte, das gab Juste nicht einmal vor sich selbst zu.

«So ganz unrecht ist mir Justes Anliegen nicht», überlegte Wilma, während sie die Wintersachen aussortierte, die sie Alexandria mit Sicherheit nicht benötigen würde. Mit Bedauern legte sie den warmen Schal beiseite, den ihre Mutter für Alexander gestrickt hatte. Wie es sich dort, an der fernen Mittelmeerküste lebte? Ein wenig mulmig war ihr schon, bei dem Gedanken, alle Brücken endgültig hinter sich abzubrechen und mit Carl in ein unbekanntes Land ziehen zu wollen. Dann wischte sie alle Zweifel und Tränen fort. Sie würde für immer mit Carl zusammen sein, nur das zählte. Morgen säßen sie im Zug nach Hamburg und bestiegen das Schiff, dass sie in ein neues Land und in eine neue, strahlende Zukunft entführen würde. Sie nahm ihren Wintermantel in die Hand, strich noch einmal über den weichen Pelzkragen und wollte ihn gerade zur Seite legen, als sich die Tür öffnete. Ihre Augen weiteten sich, denn Carl trat ein, Carl, der sie doch eigentlich in Alexandria erwarten sollte. Blass war er, kam langsam auf sie zu und sah ihr in die Augen, mit einem Blick, den sie nicht zu deuten vermochte.

«Wilma, hör mir bitte zu, ich muss dir etwas Wichtiges mitteilen....»

Was noch zu sagen wäre...

Als aus Kappeln eine richtige Stadt geworden war, gestand ich mir ein, dass eine Fortsetzung der Geschichte Kappelns etwas einseitig würde. Allerdings waren mir die Protagonisten, vor allem Friederike und Wilhelmine, inzwischen so vertraut, wie liebe alte Freunde und ich mochte mich nicht von ihnen trennen. Im Hinterkopf schwirrte mir seit Jahren das Berlin der Jahrhundertwende herum und ich fragte mich, ob eine Verknüpfung der beiden so unterschiedlichen Städte möglich sei. Deshalb ließ ich Wilhelmine davonlaufen, ausgerechnet nach Berlin. Die schillernde Zeit um 1900, in der alles möglich schien und doch gerade für Frauen wie Wilhelmine nur schwer zu erreichen war, bot die ideale Plattform für meine Fantasie und für viele meiner Interessen. Archäologie und Malerei sind nur zwei davon. Wichtig schien mir auch, die Frauenrechte etwas in den Vordergrund zu rücken und dabei festzustellen, wie viel, aber auch wie wenig wir davon bis heute umgesetzt haben.

Trotz corona-bedingter Einschränkungen, die Archive waren geschlossen, versuchte ich die echte Geschichte dieser Zeit, so genau wie möglich in den Roman einzubinden. Zum Glück gibt es das Internet, in dem unter anderem Wilhelm von Bode (er wurde 1914 geadelt) nicht nur erwähnt wird, sondern seine eigenen Aufzeichnungen komplett zur Verfügung stehen. Eine wahre Schatzgrube, die ich in kleinen Ausschnitten eingefügt habe. Ähnliches gilt auch für Max Lieberman und Robert Koldewey. Die Jahrbücher des Heimatvereins der Landschaft Angeln, die sich in meinem Besitz befinden, waren auch dieses Mal wieder hilfreich. Danke, für jegliche Hilfe, die ich erfahren durfte.

Ich hoffe, dass mir die Verbindung Kappeln-Berlin mit diesem Roman gelungen ist und ich ein wenig Jahrhundertwende-Feeling mit hineinweben konnte. Mit einem Zitat von Rosa Luxemburg bedanke ich mich bei allen, die mich bei meiner Arbeit unterstützt haben und mir Mut machen, die Reihe fortzusetzen, denn eine Fortsetzung wird es geben und eine Wiederbegegnung mit Wilma und Friederike.

«Man lernt am Schnellsten und Besten, indem man andere lehrt!»

Ursula Raddatz   Steinbergkirche, im Oktober 2020

Über die Autorin:

Ursula Raddatz wurde in der alten Römerstadt Trier geboren und ist vielleicht aus diesem Grund so „geschichtsbesessen". Seit langer Zeit wohnt sie im Norden von Schleswig-Holstein und die Landschaft Angeln und deren Geschichte schlug sie in ihren Bann. Dort, in Kappeln und im Angeliter Land, sind auch ihre historischen Romane angesiedelt, die mit dem ersten Band „Die Herrin von Gut Roest" im Jahre 1600 beginnen.

Früh kam Ursula Raddatz zum Lesen, spät zum Schreiben. Als freie Journalistin berichtete sie zum ersten Mal in der Regionalzeitung über Kappelns Geschichte. Mit Erreichen des Rentenalters hatte sie Zeit, ihre vielen Ideen zu Papier zu bringen. Kurzgeschichten „Alltagskram" waren der Anfang und mit dem Roman „Mauer aus Eis" über Demenz, schrieb sie sich die Trauer um ihre Mutter von der Seele. Mit Amazons „self publishing" trat sie an die Öffentlichkeit. Dann fand sie mit „Tradition" einen Verlag, der ihrer Art zu arbeiten, sehr entgegenkam. Dieser Verlag ebnete Ida „Der Herrin von Gut Roest" den Weg, ihr atemberaubendes Leben zur Zeit des Dreißigjährigen Krieges, den Menschen von heute nahezubringen.

Ihr folgte mit "Das Vermächtnis des Hans Adolph von Rumohr", ein weiterer historischer Roman, der vom Bau der Kirche zu Kappeln erzählt.

Das nächste Buch „Bis ein neuer Morgen tagt...", handelt vom Schleswig-Holstein-Lied, der deutsch-dänischen Auseinandersetzungen Thema und die Rolle der Frau in der Biedermeierzeit.

Der anschließende Roman "Fremd sind mir Stadt und Land", verfolgt den Weg einer jungen Berlinerin, die in Kappeln eintrifft, als es im März 1870 gerade erst von Preußen die Stadtrechte bekam.

Die Fortsetzung dieses Buches ist der vorliegende Roman, der direkt dort weitergeht, wo der Vorige endet, mit dem unerklärlichen Verschwinden der Tochter Wilhelmine. Ein langer Weg liegt vor ihr und es ist kein einfacher. Mutter Friederike, die ihre Tochter nicht versteht, gibt die Suche trotzdem nicht auf.

Historisches in Romanform zu bringen, einmal nicht aus der Sicht der Männer berichtet, nicht mit trockenen Daten gespickt und auch nicht voll von blutigem Schlachtengetümmel, das ist Ursula Raddatz wichtig.

Frauen dürfen und sollen in ihren Büchern zu Wort kommen, egal ob sie Gutsherrin sind oder Leibeigene, eine junge Witwe, eine Großstadtpflanze aus Berlin oder ein junge Frau im Hin und Her der Jahrhundertwende.

Damit möchte Ursula Raddatz ihre Leser begeistern...... und freut sich, wenn sie ihr folgen wollen....

Von der Autorin ebenfalls im Tradition-Verlag erschienen:

„Die Herrin von Gut Roest"
Der erste Roman über die faszinierende Geschichte Kappelns.

Sie ist die Tochter des reichsten Adligen im Herzogtum Schleswig. Sie lebt zur Zeit des Dreißigjährigen Krieges. Sie ist anders, schön und eigensinnig, entschlossen, sich nie dem Willen eines Mannes zu unterwerfen. Ihr Landesherr zwingt sie zur Ehe. Sie ist bereits dreißig Jahre alt, als sie Heinrich von Rumohr, den Herrn von Gut Roest heiratet. Sie schenkt ihm vierzehn Kinder, einige verliert sie viel zu früh an den Tod. Sie kämpft gegen Söldner und Wölfe, überlebt Not, Gewalt und Krieg. Ihretwegen wird eine Frau als Hexe verbrannt. Doch sie erlebt auch gute Zeiten. Sie übernimmt die Leitung von Gut Roest, stark und verantwortungsbewusst. Trotzdem oder gerade deswegen nennen sie die eigenen Leute oft „die böse Fru Ihd" – denn sie ist Ida von Rumohr.
Und sie ist auch die Urgroßmutter von Hans Adolph von Rumohr,
von dem der zweite historische Roman handelt.

„Das Vermächtnis des Hans Adolph von Rumohr"
Der zweite Roman über Kappelns spannende Geschichte.

Sie ist zu groß, zu elegant, dominiert mit ihrer barock-klassizistischen Silhouette den kleinen Flecken Kappeln allzu sehr, die neue St. Nikolai-Kirche.
In den Jahren ihres Erbauens, von 1789 bis 1793 sorgt sie für Aufregung unter den Kappelner Einwohnern. Unheimliche Dinge sollen in dem noch ungeweihten Bau vor sich gehen! Blutzoll soll sie verlangen! Und doch ist sie das Vermächtnis des Hans Adolph von Rumohr, des Herrn von Gut Roest und Kirchenpatrons. Er kämpft darum, seinen Traum endlich steinerne Wirklichkeit werden zu lassen. Mit ihm gemeinsam kämpft das Mädchen Nike, Leibeigene und dennoch die Vertraute des Gutsherrn. Sie bangt vor allem um den Erhalt des alten Gudewerth-Altares, der so viele Geheimnisse in sich birgt. Es geht aber, wie immer im Leben, auch um die Liebe, um Gewalt, Tod und Sterben – und um die Erfüllung eines großen Traumes.....
Der zweite Band, aber ein eigenständiger Roman, der gelesen werden kann, ohne „die Herrin von Gut Roest" zu kennen.

"Bis ein neuer Morgen tagt..." Der dritte Roman über die fesselnde Geschichte Kappelns, Angelns, Und den Kriegen um die Zugehörigkeit Schleswig-Holsteins.

Es beginnt mit einer Liebesgeschichte und endet in einem blutigen Krieg. Zwanzig Jahre umfasst die Zeit zwischen dem Sängerfest in Schleswig im Juli 1844, bei dem die junge Christiane auf dem Mann trifft, den sie unbedingt heiraten will, dort, wo das „Schleswig-Holstein-Lied" zum ersten Mal erklingt, der Schlacht bei Idstedt 1850 und dem Massaker auf der zugefrorenen Schlei bei Missunde, im Februar 1864. Dazwischen liegen Hochzeit und Tod, Glück und Leid. Christiane wird dabei begleitet von guten Freunden und, einem Mann, der sich nicht zu ihr bekennen darf. Der lange Streit um Sprache und Zugehörigkeit erschüttert nicht nur Schleswig und Holstein. Dieser Roman zeichnet das typische Frauenbild jener Zeit nach, in dem die Frauen auf „Kinder, Küche und Kirche" reduziert blieben, keine eigene Meinung und kein eigenes Leben haben durften. Christiane sucht sich auf ihre Weise einen ungewöhnlichen Weg, einen, der mit spitzen Steinen gepflastert zu sein scheint...

Auch dies ist wieder ein eigenständiger Roman, den man versteht, auch ohne die Vorgänger gelesen zu haben.

«Fremd sind mir Stadt und Land»

Der vierte Roman über die Entwicklung Kappelns, von Flecken zur Stadt.

Friederike Schulze, ein echtes Berliner Großstadtkind, folgt im Mai 1870 ihrem frisch angetrauten Ehemann in die Stadt Kappeln. Sie hat keine Ahnung, was sie dort erwartet, denn Kappeln hat soeben erst das preußische Stadtrecht erhalten. Friederike fühlt sich fremd in dem kleinen Ort, der erst zu einer Stadt werden soll und in dem Land zwischen Nord- und Ostsee, dessen Menschen, Sprache und Tradition sie nicht versteht.
Von anfänglichem Heimweh geplagt, erzählt sie, was sie erlebt. Unheil verfolgt sie, aber Freundschaft und Liebe lernt sie dennoch kennen. Ein Kind wird geboren, doch Berlin und die Eltern sind weit weg. Immer wieder fühlt sie sich bedroht und weiß selbst nicht, ist es Einbildung oder ist "der schwarze Mann" Realität? Steht ihr Ehemann an ihrer Seite? Wird sie mit der Hilfe der Nachbarin Meta die Stadt Kappeln und das Land Angeln kennen und lieben lernen? Darf sie ihre Träume leben oder muss sie sich unterordnen?

Ein Frauenleben, wie wir es uns heute kaum mehr vorstellen können, verbindet sich hier mit einem Stück Kappelner Stadtgeschichte und wird in diesem Buch erzählt, als sei man dabei gewesen, 150 Jahre nachdem am 7. März 1870 aus dem kleinen Flecken Cappeln in Schleswig-Holstein die Stadt Kappeln wurde.

Auch dies ist ein eigenständiger Roman aber auch der erste einer Trilogie.